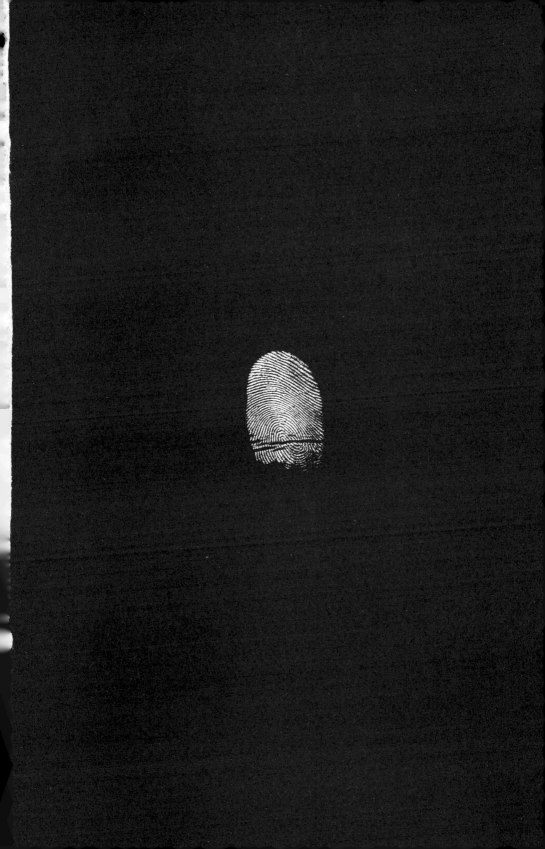

CASOS DE FAMÍLIA

01. Arquivos Richthofen
02. Arquivos Nardoni

CRIME SCENE®
DARKSIDE

Copyright © 2016 by Ilana Casoy

Diretor Editorial
Christiano Menezes

Diretor Comercial
Chico de Assis

Diretor de Novos Negócios
Marcel Souto Maior

Diretor de MKT e Operações
Mike Ribera

Diretora de Estratégia Editorial
Raquel Moritz

Gerente Comercial
Fernando Madeira

Gerente de Marca
Arthur Moraes

Gerente Editorial
Marcia Heloisa

Editor
Bruno Dorigatti

Capa e Projeto Gráfico
Retina 78

Coordenador de Arte
Eldon Oliveira

Coordenador de Diagramação
Sergio Chaves

Assistente de Produção
Eduardo Morales

Revisão
Marlon Magno
Retina Conteúdo

Finalização
Sandro Tagliamento

Impressão e Acabamento
Gráfica Geográfica

DADOS INTERNACIONAIS DE CATALOGAÇÃO NA PUBLICAÇÃO (CIP)
Angélica Ilacqua CRB-8/7057

Casoy, Ilana
  Casos de família : arquivos Richthofen e arquivos Nardoni / Ilana Casoy. — Rio de Janeiro : DarkSide Books, 2016.
  528 p. : il., col.

ISBN: 978-85-945-4013-3

1. Homicídio 2. Reportagens investigativas 3. Jornalismo 4. Famílias de vítimas de homicídio I. Título

16-0972   CDD 364.15230981

Índice para catálogo sistemático:
1. Homicídio – Brasil

[2016, 2024]
Todos os direitos desta edição reservados à
DarkSide® *Entretenimento* LTDA.
Rua General Roca, 935/504 — Tijuca
20521-071 — Rio de Janeiro — RJ — Brasil
www.darksidebooks.com

ILANA CASOY
CASOS DE FAMÍLIA

01. Arquivos Richthofen
02. Arquivos Nardoni

DARKSIDE

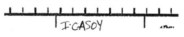

APRESENTAÇÃO

Êxodo. Sagrado. Dez Mandamentos. Esta história começa na alvorada do mundo. Os crimes de família existem desde o dia em que Caim, o primeiro homem a romper a linha do sagrado, matou Abel, sangue do seu sangue. Os sete pecados capitais descritos na Bíblia se mantêm vivos ainda hoje, como motivação para os crimes que são noticiados em toda a mídia diariamente. Soberba, avareza, luxúria, inveja, gula, ira, preguiça. O lado escuro de cada um de nós.

Nesta edição em que meus dois livros sobre o tema estão reunidos — *Casos de Família* —, eu mantive o relato original deles tal como foram registrados à época.

A história do Caso Richthofen: *O Quinto Mandamento — Caso de Polícia* — em que a filha Suzane, acompanhada do namorado Daniel e do "cunhado" Cristian, assassina os próprios pais —, foi retratada pela minha pesquisa na polícia e perícia, mostrando os bastidores de uma investigação brasileira na vida real. Pensava em escrever outro livro sobre o júri que os condenou, quando aconteceu o assassinato de Isabella de Oliveira Nardoni, pelas mãos de seu pai Alexandre. Uma menina de seis anos morta pelas mãos daquele que lhe deu a vida. Em *A Prova é a Testemunha* acompanhei e colaborei com o Ministério Público, assistindo à justiça ser feita sob um ângulo completamente diverso. Dessa vez, cada dia do júri que parou o Brasil foi contado em detalhes, uma vez que eu estava dentro do tribunal.

Poucas pessoas imaginam quantos anos de anotações são necessários para contar com seriedade casos reais tão complexos, nos quais são rompidos dois mandamentos de uma só vez: *Não matarás* e *Honra teu pai e tua mãe*.

Casos de Família me dá a oportunidade de compartilhar com os leitores meus cadernos pessoais de anotações enquanto eu "vivia" estes trabalhos, e que eram inéditos até o momento. Algumas coisas foram escritas no calor dos acontecimentos, com a emoção exacerbada e sem censura. Outras, escrevi no silêncio profundo da minha concentração debruçada nos autos do processo, tentando montar o terrível quebra-cabeça que estava à minha frente.

Vazios foram preenchidos, como a transcrição dos debates do Caso Richthofen, duelo de gigantes entre acusação e defesa, e a análise irônica e mordaz que fiz dos interrogatórios de Alexandre Alves Nardoni e Anna Carolina Trotta Jatobá nas audiências anteriores ao julgamento final, em um jogo de *lembra-não lembra* que ganharia as páginas dos jornais mostrando quem era o lobo e quem era o cordeiro.

Abro para vocês aquilo que o escritor tem de mais precioso e secreto: as sensações no momento em que está criando sua obra, sem se preocupar com certo e errado, erros ortográficos ou de concordância; sua autocrítica afastada do palco dos acontecimentos. Essa preocupação, que é bem-vinda antes de publicar um livro, "rouba" do leitor quem de fato é o escritor, em sua essência.

A maturidade e o saber trazem a possibilidade de mostrar os bastidores de mim mesma. Bem-vindos ao meu mundo particular.

Ilana Casoy
Dezembro de 2016

O QUINTO MANDAMENTO

ARQUIVOS 01,
RICHTHOFEN

AOS MEUS PAIS,
JULIO E ESTELLA CASOY,
A QUEM HONRO HOJE E SEMPRE,
DEDICO ESTE LIVRO.
AMO VOCÊS...
"NASDAROVI!"

SUMÁRIO
O QUINTO MANDAMENTO - ARQUIVOS RICHTHOFEN

01.

PREFÁCIO 15.
PRÓLOGO 18.
DENÚNCIA 21.
O CRIME 24.
A PERÍCIA 32.
QUINTA-FEIRA 46.
31 de outubro de 2002
SEXTA-FEIRA 72.
1º de novembro de 2002
SÁBADO 74.
2 de novembro de 2002
DOMINGO 75.
3 de novembro de 2002
SEGUNDA-FEIRA 77.
4 de novembro de 2002
TERÇA-FEIRA 79.
5 de novembro de 2002
QUARTA-FEIRA 83.
6 de novembro de 2002
QUINTA-FEIRA 88.
7 de novembro de 2002
SEXTA-FEIRA 105.
8 de novembro de 2002

A reprodução simulada 116.
Fotos da reprodução simulada 134.
Transcrição dos debates 150.
no tribunal do júri

Sentença 232.
Mapa do tribunal do júri 238.
CADERNO ILANA CASOY 240.
CASO RICHTHOFEN
Agradecimentos 273.

01. Arquivos Richthofen

PREFÁCIO

O crime foi cruel e covarde. E, geralmente, nós ligamos esses crimes às favelas, à gente que saiu de lares quebrados, de lares rompidos, abandonada na rua ou, seja como for, aos oriundos da camada dos excluídos, que encontram na criminalidade uma forma perversa de acesso ao mundo do consumo. No assassinato de Marísia e Manfred von Richthofen é diferente. Nós vemos aqui pessoas de lares aparentemente bem-estruturados. Suzane, a filha, teve o privilégio de nascer no berço de uma família de classe média alta, falava várias línguas e estudou em um dos melhores colégios de São Paulo. Fazia Direito na PUC-SP e foi retratada por um de seus professores como uma menina interessada, inteligente e aplicada. Tinha pais que a amavam, que a levavam para a escola e, dando o melhor de si, educaram-na, cuidavam dela. Não eram omissos.

E esses pais, que foram vitimados da forma mais brutal que se possa imaginar, dormiam de portas abertas. Como boa parte dos pais o faz, para ouvir o choro dos seus filhos ou, quando mais velhos, para ouvir os passos de suas chegadas das baladas. Que horas vai chegar minha filha, minha pedra preciosa? Quem sabe Marísia, a mãe, em sua agonia final, quando recebia as últimas *porretadas*, não pensou: será que não vão pegar minha filha? E, no grito final, ela ainda foi asfixiada sem dó nem piedade. Os laudos do Instituto Médico Legal diziam que as vítimas tiveram uma morte agônica, sofrida. Esse caso, diferenciando-se de tantos outros crimes violentos, causou tanta repugnância na sociedade porque ele, antes de mais nada, representa uma traição àquela confiança básica que se estabelece na relação entre pais e filhos. "Honra teu pai e tua mãe" é o subtítulo do livro *O Quinto Mandamento*.

Ilana Casoy, mulher de fina sensibilidade, cuja formação acadêmica se deu na área da administração de empresas, no melhor estilo dos grandes autores de tramas policiais, com uma redação impecável, de forma instigante, nos dá o passo a passo do crime e a investigação que se seguiu. Um entrelaçamento equilibrado, sem tirar a força dos fatos. Pelo contrário, desnudando a trama assassina, o livro tem cor, cheiro e dor. Bem-escrito, a leitura se faz "em uma sentada". Prende-nos do começo ao fim. É de leitura obrigatória não apenas para os profissionais atuantes na área penal ou para os estudantes de Direito que pensam em fazê-lo futuramente, mas para todos os que quiserem penetrar nas entranhas de um crime perverso e nos fatos circundantes que vão da cobiça ao relacionamento familiar. Em meio à narrativa dos fatos, vamos encontrar dados sobre criminalística e criminologia, além de aspectos relacionados às técnicas de investigação. Aliás, vale o registro de que a atuação da Polícia Civil de São Paulo e, muito particularmente, a do Departamento de Homicídios e Proteção à Pessoa (DHPP), foi impecável, exemplar. Não houve tortura ou mesmo ameaças. As confissões dos criminosos se deram à luz do dia, na presença de advogados e promotores. Mais: os acusados a reiteraram diante do juiz e dos jurados, livres de quaisquer coações e cercados de todas as garantias.

Atuei no rumoroso caso representando a assistência de acusação na pessoa do médico dr. Miguel Abdalla, irmão de Marísia, cunhado de Manfred e, portanto, tio de Suzane. Quando fui procurado, ainda não se sabia quem eram os autores do crime. Miguel queria a verdade, nunca quis proteger a sobrinha. Queria justiça. Apesar disso, em um primeiro momento, fui constituído apenas para autuar em auxílio à acusação dos irmãos Cravinhos. Pouca gente soube entender o angustiante dilema do tio, que ficava imaginando se sua irmã, a vítima, gostaria que ele engrossasse a acusação contra a própria filha. Olhando de fora, a questão pode parecer simples, mas não era para Miguel que, só as vésperas do júri, dando-se conta de que poderia haver um tipo de defesa que procurasse infamar as vítimas, matando-as pela segunda vez, só que agora de um ponto de vista moral, é que ele, finalmente, se decidiu por atuar também contra a sobrinha. E fez bem.

A verdade é que as defesas dos acusados, conduzidas por profissionais competentes e experientes, mantiveram-se, de um ponto de vista ético, dentro do que o material do processo oferecia, sem nenhuma elucubração desonrosa às vítimas. A acusação, por outro lado, realizada com esmero pelos promotores de justiça Roberto Tardelli e Nadir de Campos, foi firme e certeira. Não deixou espaço a dúvidas. O júri foi longo, havia começado em uma segunda-feira e acabado na madrugada do sábado. Os quatro homens e três mulheres que compuseram o conselho de sentença condenaram todos os réus, por todos os crimes.

O mais é a história que o leitor não pode deixar de ler. O caso retratado neste livro, para além da crueldade dos assassinos, nos remete ao tipo de sociedade que estamos construindo. Se honrar o pai e a mãe é um dos mandamentos bíblicos, respeitá-los é algo que está impresso na memória coletiva da humanidade em diferentes épocas e latitudes. O livro que o público tem em mãos é um precioso documento de memória de fatos que abalaram o Brasil, mas que ao mesmo tempo (e por isso mesmo) nos obrigam, permanentemente, a pensar e repensar nossas relações com nossos filhos. Suzane, em uma palavra, poderia ser nossa filha!

ALBERTO ZACHARIAS TORON, advogado criminalista, atuou representando a assistência de acusação no julgamento de Suzane Richthofen, é ex-diretor do Conselho Federal da OAB, professor licenciado de Direito Penal da PUC-SP, ex-presidente do Instituto Brasileiro de Ciências Criminais e ex-presidente do Conselho Estadual de Entorpecentes de São Paulo (Gov. Covas).

01. Arquivos Richthofen

PRÓLOGO

Nos últimos anos, minha vida tem sido estudar crimes violentos. É uma busca incessante pelo entendimento das mentes criminosas, de como elas funcionam, dos diagnósticos e tratamentos pesquisados, da possibilidade de recuperação e ressocialização do preso, das variadas motivações dos intermináveis tipos de perfis psicológicos. Atrás dessas respostas, escrevi *Serial Killers: Louco ou Cruel?* e *Serial Killers: Made in Brazil*.

Tenho que confessar que parricídio e matricídio sempre me confundem e espantam. As culturas dos países são diversificadas, os valores éticos e morais também, mas a inatingibilidade de pai e mãe é universal. Não existe lugar no mundo em que eles não sejam sagrados.

Comecei a acompanhar o caso Richthofen quase por acaso. Por coincidência, havia acabado de adquirir um livro sobre crimes de família e pensei que seria uma ótima oportunidade para estudar o assunto observando de perto o desenrolar dos fatos. Jamais imaginei que seria tão pressionada pelos meus leitores para publicar essa história em meio a tantas outras que acompanho.

O circo da mídia mitificou esses assassinos, muito além da figura "principal" da filha que matou os pais. Por que esse crime específico ganhou essa proporção de divulgação? Não pode ser apenas por se tratar de parricídio/matricídio, que acontece vez por outra. A resposta provavelmente envolve o fato de Suzane ter — ao menos aparentemente — o perfil clássico da filha que todos gostaríamos de ter. Loira, bonita, estudante de Direito, boa aluna, culta, trilíngue, filha de pais bem-sucedidos. A mãe era psiquiatra e psicanalista, portanto médica especializada em mentes humanas. O que aconteceu então para que esse crime brutal fosse cometido? O que leva a tanto desamor, a tanto desafeto, a essa enorme indiferença pelo ato cometido? Quem ama mata? Ela odiava os pais? Quais eram os seus motivos? Pode o mal ser tão banal a ponto de a motivação se resumir apenas a dinheiro? O que não sabemos? Há ainda algo para ser dito?

Suzane jamais foi avaliada mentalmente. Já vi profissionais dando seu diagnóstico pelos meios de comunicação a torto e a direito, mas nunca um diagnóstico foi feito por alguém que a tenha examinado psicológica ou psiquiatricamente. Para a acusação, não interessa que ela seja semi-imputável. Para a defesa, não interessa que ela seja "normal". Para a família, ela já não interessa mais, depois da tragédia e da dor que causou aos seus próximos.

A história me causa calafrios. Manfred e Marísia von Richthofen eram pais que queriam dar do bom e do melhor para os filhos, que faziam as mesmas intervenções que nós, que aplicavam os mesmos limites que a maioria, que foram contra um namoro adolescente, como é tão comum acontecer vida afora.

Daniel e Cristian também me desconcertaram. Igualmente alegam que mataram por amor. O primeiro, pela namorada; o segundo, pelo irmão. São meninos tão comuns, com vidas tão triviais, com pais tão normais, com histórias tão banais.

Quando entrevisto criminosos violentos, em geral, existe uma coerência entre seu histórico e os atos que cometeram. Na vida dos indivíduos em questão, nada encontrei de objetivo que tivesse reles parentesco com atitude tão desalmada. Quis muito entrevistar os três assassinos, mas nenhum deles concordou em falar comigo, ou assim foram orientados pelos seus advogados. Talvez ainda não seja o momento. Talvez a verdade surja quando ninguém mais tiver nada a ganhar ou a perder, exceto encontrar os fatos.

Comecei a acompanhar o caso com visão absolutamente técnica, mas acabei tragada pela história e pelos personagens: os peritos, verdadeiros detetives médicos, como aqueles que vemos nos seriados de televisão, mas tão pouco valorizados em nossas terras; gênios que desvendam crimes através da ciência. Os policiais da "Homicídios", onde "cliente morto não paga", impulsionados por uma questão de fé e de coragem, explorando cada milímetro de verdade a ser encontrada. Os médicos-legistas, especialidade quase esquecida da Medicina, que enfrentam os poucos recursos para fazerem realmente o morto "falar", contar sua história. Os promotores, que defendem as vítimas como o fariam com seus irmãos de sangue, com sede de justiça correndo nas veias. Os defensores, que buscam a melhor parte do pior ser humano e por ela lutam incansavelmente, defendendo seus direitos como se fossem os próprios. O juiz, que com sabedoria e serenidade ouve, considera e decide o destino dos envolvidos.

Sempre relutei em publicar esta história, mas, quando assisti ao filme *Capote* (2005, de Bennett Miller), que conta a vida daquele que inventaria o gênero "romance de não ficção", fiz críticas a ele que caberiam a mim mesma. Por que o escritor Truman Capote ficou preso a esse crime? Por que demorou longos seis anos para finalizar sua obra? Por que era tão importante que os assassinos fossem executados para que ele terminasse o livro? Era justo se envolver na história a ponto de interferir no processo?

Humildemente me comparo a Truman Capote neste aspecto: não queria ser mais uma vítima, como ele tinha sido, do livro que escrevia. Eu já estava presa aos acontecimentos fazia quase quatro anos e achava imprescindível que o julgamento acontecesse antes de publicar este livro, achando que então teria o final da história; puro engano. Temia interferir no processo; pura pretensão. Por fim, concluí que histórias assim nunca terminam, elas seguem como marcas indeléveis de geração em geração. Quem tinha que terminar este capítulo de minha vida era eu mesma, e não há nada como começar.

ILANA CASOY
10 de maio de 2006

MINISTÉRIO PÚBLICO DO ESTADO DE SÃO PAULO

ÍNTEGRA DA DENÚNCIA

EXCELENTÍSSIMO SENHOR DOUTOR JUIZ DE DIREITO DO I TRIBUNAL DO JÚRI DA CAPITAL.

Consta dos inclusos autos de inquérito policial, a informarem a presente vestibular acusatória, que, no dia 31 de outubro de 2002, em torno da meia-noite, no interior da residência, situada na Rua Zacarias de Góes *[sic]*, no 232, no Campo Belo, nesta cidade e comarca, **DANIEL CRAVINHOS DE PAULA E SILVA** e seu irmão, **CRISTIAN CRAVINHOS DE PAULA E SILVA**, qualificados respectivamente nas fls. 234 e 240, atuando em perfeita consonância de propósitos e unidade de desígnios, com inequívoca intenção de matar, desferiram diversos golpes que causaram em Manfred Albert Von Richthofen e em sua esposa, Marísia Von Richthofen, ferimentos suficientes a lhes causarem a morte, conforme o demonstram os laudos necroscópicos de fls. 384/389 e 377/383.

Segundo se apurou, para conseguirem êxito em sua empreitada criminosa, contaram os acusados com a participação valiosa e decisiva da filha do casal, **SUZANE LOUISE VON RICHTHOFEN**, menor de vinte e um anos de idade e qualificada nas fls. 226.

Daniel e Suzane eram, à época dos fatos, namorados e seu relacionamento recebia urna franca hostilidade das vítimas, que não aceitavam o romance de ambos. O desagrado paterno não demorou a se converter numa restrição à liberdade de Suzane, que passou a ter controle mais rígido dos pais, bem como a entrada e permanência de Daniel no círculo familiar da jovem passaram a ser proibidas.

As tensões geradas pelo conflito em torno do namoro da filha foram gradativamente aumentando, culminando no uso de força física por Manfred, ante a renitência de Suzane em manter o relacionamento indesejado por ele e sua esposa, e com promessas de deserdação dela, caso não acatasse os pleitos dos país para por fim àquele namoro.

Com os encontros cada vez mais dificultados e com a promessa de colocar-se Suzane na pobreza, o casal passou a nutrir a intenção de eliminar os pais dela. A intenção efetivamente evoluiu para o planejamento estratégico, cuidando Daniel de fabricar porretes e Suzane de guardar luvas cirúrgicas, apanhadas da mãe, já com a intenção de munir-se de equipamentos capazes de não deixarem vestígios, quando da concreção dos crimes.

Firmado o plano, ao casal integrou-se o irmão de Daniel, Cristian, a quem foi prometido pagamento em dinheiro de toda a importância que houvesse na casa em numerário, seja de moeda nacional, seja de moeda estrangeira, em contraprestação à sua atuação criminosa.

No dia dos fatos, chegaram os três à residência da família Richthofen, já sabendo Suzane que, por força de uma rotina doméstica à qual estava amplamente familiarizada, seus pais dormiam, fato por ela certificado.

Entrou em silêncio, permanecendo Daniel e Cristian no aguardo de uma sinalização dela, para que pudessem invadir a residência e o quarto onde o casal dormia. Assim o fez Suzane, franqueando o acesso à casa e ao quarto. A partir desse momento, o grupo se dividiu.

Daniel e Cristian, trajando meias-calças e luvas cirúrgicas e munidos de porretes pelo primeiro fabricados se abeiraram das vítimas: Daniel, de Manfred; Cristian, de Marísia. Ato contínuo, passaram a desferir sucessivos golpes com extremada violência, que produziram no casal as lesões já mencionadas.

Ambos tinham as vítimas inteiramente prostradas e sem absolutamente nenhuma possibilidade de reação, quando lhes produziram sofrimento inútil e atroz, eis que Cristian estrangulava Marísia e enfiava-lhe na boca uma toalha e a cabeça envolvia com um saco de lixo, enquanto Daniel ensopava uma toalha encontrada no banheiro que guarnecia o dormitório, jogando-a sobre a cabeça de Manfred, ambos para impedir a respiração das vítimas.

Finda a execução, Daniel, já ciente da existência de uma arma na casa e do local onde era guardada, juntamente com joias de pequeno valor, passa a criar um cenário, com o intuito de simular ali a ocorrência de um crime de latrocínio. Com esse intuito, deixou a centímetros da mão de Manfred o revólver e espalhou pelo chão, como se jogadas a esmo, numa fuga de estranhos, algumas das joias guardadas.

Nesse momento, valendo-se da situação existente, Cristian subtraiu para si, sem a participação dos demais, algumas daquelas joias, descritas pelo auto de apreensão de fls. 263, conjuntamente avaliadas em R$ 10.000,00 (dez mil reais), conforme estimativa lançada pelo auto de avaliação de fls. 353.

Enquanto a dupla executava o casal Richthofen, Suzane se ocupava de também criar um cenário de roubo, todavia, fazendo-o no escritório da casa. Assim, abriu uma valise da mãe, em que sabia eram guardados valores em dinheiro, nacional, dólares americanos e euros, dali os retirando, para posterior entrega a Cristian, conquanto fosse aquele seu quinhão pela morte dos pais; pequena parte do dinheiro, porém, guardou para si, para pagamento de despesas que se seguiriam por ela e seu namorado.

Trocaram de roupas, saíram da casa e atiraram fora os trajes que usavam na prática do crime e o instrumento eleito para sua efetivação. Deixaram Cristian nas proximidades de sua casa e se dirigiram a um motel, onde permaneceram por pouco mais de uma hora.

Procurando agir como se nada acontecera e como se de nada soubesse, Suzane retorna à sua casa, na companhia de seu irmão, a quem buscara num cibercafé ali propositadamente deixado para que não atrapalhasse eventualmente os planos do trio.

Prosseguindo na encenação antes urdida, ao entrar na casa, fez seu irmão notar sinais da presença ou passagem de ladrões, sem que este de nada desconfiasse. Chamou por seu namorado, como quem chama por socorro uma pessoa conhecida e confiável, e chamou pela polícia militar, a cujos soldados disse ter chegado e notado evidências de um roubo.

Suzane e Daniel atuaram embalados por motivação torpe, consistente em vingança contra os pais dela, ante a proibição do namoro, e pela ameaça de deserdação, pretendendo absoluta liberdade para viverem seu romance e dinheiro, decorrente da herança que receberia Suzane para uma vida confortável. Cristian moveu-se por cupidez, embalado pela promessa de recompensa, efetivamente recebida.

Tudo foi planejado para que as vítimas fossem colhidas de surpresa, sem qualquer possibilidade de reação ou defesa, uma vez que dormiam, quando foram atacadas e somente o foram porque já sabiam os agentes que não poderiam opor nenhuma resistência.

Suzane sabia do meio vulnerante eleito, providenciou sacos plásticos e aderiu à crueldade dos agentes na execução do crime.

Com a encenação, visavam à inovação artificiosa do estado de lugar, coisa e pessoa, para induzir em erro peritos que fossem ao local, iludindo-os quanto à existência de um crime de roubo e também ao juiz, haja vista que tudo foi feito para que servisse de prova em eventual processo penal, não obstante ainda não iniciado.

As joias subtraídas foram recuperadas e bens adquiridos com a prática do crime apreendidos.

Do exposto, denuncio **DANIEL CRAVINHOS DE PAULA E SILVA, CRISTIAN CRAVINHOS DE PAULA E SILVA E SUZANE LOUISE VON RICHTHOFEN** nas sanções dos arts. 121, § 2º, incisos **I, III** e **IV** c.c. o art. 29, art. 347, parágrafo único c.c. o art. 29, todos na forma do art. 69 e, ainda, **CRISTIAN CRAVINHOS DE PAULA E SOUZA** também nas sanções do art. 155, caput, à segunda ainda cabente a agravante genérica inscrita no art. 61, inciso **II**, alínea o (contra ascendentes), todos do **CPB**, requerendo, recebida e autuada esta, sejam citados, interrogados, instaurando-se o devido processo legal, com a oitiva das testemunhas adiante arroladas, em caráter de imprescindibilidade, até pronúncia, a fim de serem levados ao crivo do juiz Natural dos crimes dolosos contra a vida.

01. Arquivos Richthofen

O CRIME

Quarta-feira, 30 de outubro de 2002. Francisco Genivaldo Modesto Diniz, vigia da rua Zacarias de Góis, no bairro paulistano de Campo Belo, assistia ao final do jogo Corinthians × Flamengo, direto do Maracanã, de dentro da guarita. Finalmente seu time superava o tabu de onze anos sem vencer no Rio de Janeiro: o placar estava 1 × 0 para o Corinthians. Francisco então ouviu um carro entrando na rua. Era o Gol da moradora do número 232, onde vivia a família Von Richthofen, nome complicado que ele sempre esquecia. Todos da casa eram quietos e reservados, e Francisco não sabia muito sobre eles. A mulher era mais simpática, sempre o cumprimentava quando entrava ou saía. O homem nem olhava para os lados. Do casal de filhos, nada sabia. Viu quando o portão da garagem se abriu e o carro da menina Suzane, com ela na direção, entrou na residência, mas não conseguiu enxergar quem mais estava dentro, pois estava escuro. Também não se preocupou com isso; tudo parecia em ordem.

Dentro da casa, aquele não seria um dia normal. Os atos que se seguiriam selariam o destino de muitos e mudariam radicalmente as histórias de tantas vidas.

Depois de fechar as portas da garagem com o controle remoto, Suzane von Richthofen, Daniel Cravinhos de Paula e Silva e Cristian Cravinhos de Paula e Silva, ainda dentro do "cavalo de troia", repassaram as etapas planejadas meses antes, com cuidado. Suzane retirou da bolsa as meias de náilon e as luvas cirúrgicas (que a mãe usava para tingir os cabelos), e as entregou aos dois:

— Vistam isto para não deixar nenhuma prova da passagem de vocês aqui. Não podemos deixar vestígio algum.

Daniel emendou:

— Fica tranquila, tudo vai ser como combinamos. Vamos entrar e verificar se os "velhos" estão mesmo dormindo.

Cristian retirou do porta-malas os bastões que Daniel havia construído com a habilidade de quem passou a vida montando aeromodelos complicados. Os bastões foram feitos com perfilados de obra de ferro, aqueles com furinhos, parecidos com prateleiras reguláveis na altura, daquelas que ocupam as paredes de centenas e centenas de escritórios por aí. São barras em formato de "u" com as bordas retas, de forma que duas delas se encaixam perfeitamente quando colocadas de frente. Daniel ainda teve o cuidado de preencher o meio das barras com madeira, para que elas ficassem mais pesadas e eficientes. Na ponta da madeira foi feito um punho, na base do bastão, para que os assassinos executassem suas vítimas de forma competente, sem barulho e sem machucar as mãos.

Os três entraram na casa. O grupo cruzou a área da piscina, que fica entre a garagem e a porta da frente. Entraram pela porta já aberta e acompanharam a garota até o pé da escada.

Cristian não estava muito feliz com o acordo. Caberia a ele matar a mulher, o que o deixava desconfortável. Também não acreditava muito que Daniel e Suzane realmente fossem levar aquele plano adiante. Enfim, assim que a execução começou, limpou a cabeça de todos os pensamentos que pudessem atrapalhá-lo e esperou o comando.

Suzane subiu em silêncio e verificou que seus pais dormiam tranquilamente, a sono solto. Voltou para o patamar intermediário, onde fez sinal para que os rapazes subissem. Conforme previamente combinado, Daniel ficou do lado esquerdo da porta do quarto; Cristian, do lado direito; e Suzane, ao lado do interruptor de luz do hall, um pouco mais atrás. Tudo estava muito escuro e o silêncio era absoluto. A filha do casal deu a voz de comando. "Vai", disse ela, enquanto acendeu a luz que guiaria o caminho dos algozes de seus pais, e desceu as escadas para não assistir à carnificina.

Daniel entrou no quarto primeiro, seguido de perto por seu cúmplice. Com passadas largas, em segundos estavam cada um ao lado de sua vítima. Como em um filme, as vítimas intuíram seus destinos, acordaram e abriram os olhos simultaneamente. Talvez tenham ouvido a voz da filha ou adivinhado o que estava por vir, mas não houve tempo suficiente para lutarem pelas suas vidas. Se enxergaram alguma coisa na penumbra que se instalava, foi o vulto de Cristian erguendo o bastão que os atacaria. No momento em que foram atingidos, os dois estavam deitados de lado, virados para a janela. Jamais viram o namorado da filha de arma em riste, pronto para matá-los.

O primeiro golpe foi desferido por Daniel em Manfred Albert von Richthofen. Cristian entendeu o recado e desceu seu bastão sobre a cabeça de Marísia von Richthofen. Ninguém sabe quantas vezes o movimento foi repetido, quantos foram os açoites, as pancadas que foram desferidas. A mãe de Suzane ainda teve tempo de tentar se proteger com a mão direita, ato reflexo que só quebraria seus dedos e jamais conseguiria impedir os ferimentos letais que sofreria. Enquanto os bastões desciam ininterruptamente, sangue e pedaços de massa encefálica se espalhavam pela cabeceira da cama a cada osso esfacelado, a cada corte aberto. Respingos vermelhos manchavam o teto sempre que a arma era novamente erguida. O som das pancadas preenchia o enorme silêncio que envolvia a casa naquele momento.

Daniel e Cristian finalmente pararam de bater, mas, em vez da calmaria, começou ali o que seria o pesadelo de dois jovens assassinos sem nenhum conhecimento de anatomia e funcionamento do corpo humano.

Quando uma pessoa sofre um traumatismo craniano grave, imediatamente a base de sua língua não se sustenta mais, causando morte por sufocamento, a terrível morte agônica. Dessa forma, na tentativa da vítima de fazer com que o ar entre nos pulmões, a estreita passagem provoca um ronco alto e horripilante que só cessa quando a morte se estabelece. E assim foi. O casal fazia um barulho que nenhum dos dois assassinos estava preparado para ouvir, e a corrida que se seguiu para parar o som fez com que a memória se atrapalhasse na sequência dos acontecimentos.

Daniel correu para o banheiro, pegou toalhas de rosto e as molhou. Cada um colocou uma toalha sobre o rosto de sua vítima, tentando abafar o terrível barulho que insistia em retardar seus planos e perturbar suas mentes.

Sem assistir aos fatos que se desenrolavam no andar de cima da casa, Suzane cumpriu a parte dela no que estava planejado. Vestiu uma luva cirúrgica apenas na mão esquerda, porque é canhota, e dirigiu-se para a despensa. Lá pegou os sacos de lixo pretos que estavam em um pacote aberto e os deixou em cima do tapete azul, como haviam combinado. Andou a passos rápidos para a biblioteca, sentou-se no sofá vermelho e tapou os ouvidos para não correr o risco de ouvir seus pais gritarem. Se obteve sucesso, só ela pode responder.

Enquanto isso, no quarto do casal, Daniel e Cristian perceberam que as toalhas molhadas não surtiram o efeito desejado. Daniel rapidamente desceu as escadas e pegou uma jarra amarela no armário da cozinha. Subiu os degraus de dois em dois, encheu o vasilhame com água da torneira do banheiro e despejou sobre o rosto de Manfred. O barulho cessou e o assassino passou a limpar o sangue que cobria a face do pai de sua namorada. Cristian pegou a jarra com água e tentou o mesmo método em Marísia, mas o ronco que saía da garganta dela não parava. Desceu correndo as escadas e perguntou:

— Su, cadê os sacos?

Ela apontou para o tapete azul. Cristian pegou os sacos de lixo, voltou ao quarto apressadamente e encontrou o que considerou uma maneira melhor de matar a mulher: envolveu sua cabeça em um dos sacos de lixo, empurrou a toalha para dentro de sua boca e fechou o plástico na altura do pescoço. O silêncio voltou a reinar no quarto do casal Von Richthofen.

Daniel já tentava deixar o local com aparência de assalto. Abriu o armário do closet, onde já sabia que existia um fundo falso, espalhou o conteúdo por perto, bateu na falsa prateleira, como Suzane o havia ensinado, até que se soltasse, e retirou as joias e o saco de tecido em que era guardado o revólver Rossi calibre 38 novinho do sogro. Lançou as joias para todos os lados e despejou a arma e a munição ali guardada em cima da cama. Cris, cumprindo sua parte na etapa seguinte do plano, agora se ocupava em esvaziar as gavetas da cômoda. Suzane, no andar de baixo, pegou a pasta de couro na qual os pais guardavam todo o dinheiro vivo da casa, abriu o segredo, retirou a caixinha branca que ali ficava, colocou-a na prateleira e fechou a pasta novamente.

No momento em que já se preparavam para descer as escadas, Cristian viu o revólver em cima da cama. Ele o municiou e o colocou ao lado da mão frouxa de Manfred, no chão, junto à cama. Os irmãos deram, então, o trabalho por encerrado no andar superior da casa. Desceram para cuidar agora dos detalhes da encenação de latrocínio que preparavam para a perícia e a polícia. Quase no pé da escada, Daniel se lembrou de que esquecera no quarto as armas do crime e subiu para resgatá-las.

Ao chegar sozinho à sala, Cristian encontrou Suzane, que imediatamente lhe perguntou:

— E aí, Cris, agora vamos desarrumar o quê?
— Vamos pegar as coisas do armário da biblioteca e jogar no chão.

Os dois estavam trabalhando freneticamente quando Daniel chegou. Suzane se levantou, olhou nos olhos do namorado e perguntou:

— Já acabou?
— Já.
— Deu certo? Tudo bem?
— Tudo bem.

Sem perder tempo, Daniel se deu conta de que a pasta de couro precisava estar cortada e rasgada, ou a polícia perceberia que quem a abriu conhecia o segredo. Foi até a cozinha, pegou duas facas na primeira gaveta ao lado do fogão e voltou para a biblioteca. Escolheu uma delas, abriu um corte do lado de trás da pasta e deixou a faca em cima da prateleira. Foi então para a sala de estudos ao lado espalhar livros e documentos pelo chão.

Suzane, na sala de estar, viu Cristian guardar o produto do roubo na mochila. Passou para ele o dinheiro da caixinha branca, que ainda estava em seu bolso. Os três saíram da casa pela porta da frente e Daniel lavou os bastões ensanguentados na água da piscina. Os dois irmãos trocaram de roupa e guardaram tudo o que consideravam prova do crime dentro de outro saco de lixo preto. Suzane também trocou de roupa e assistiu ao fim daquele capítulo de perto. Daniel e Cristian resolveram, então, confundir um pouco mais a polícia e entraram novamente na casa pela janela de correr da biblioteca. Impressões do solado de seus tênis ficaram ali marcadas, na última ação da encenação de latrocínio.

Tudo não demorou mais de meia hora. Rapidamente, entraram no carro, livraram-se do saco com as armas e roupas manchadas de sangue em uma esquina movimentada e seguiram seu caminho sem olhar para trás. Cristian desceu na rua Macuco e foi a pé para casa. Daniel e Suzane, o casal de namorados, seguiram para o motel Colonial, unindo a praticidade do que pensaram ser um álibi ao prazer que não podiam negar aos seus hormônios.

CASO DE POLÍCIA

Segunda feira, 4 de novembro de 2002. Eu havia acabado de voltar de Nova York, onde acompanhei o caso do atirador de Washington. O primeiro compromisso da manhã era ir ao Departamento de Homicídios e Proteção à Pessoa (DHPP) para descobrir a história do Maníaco do Gato, estranho assassino sobre o qual a imprensa queria uma entrevista minha na semana anterior. Rumei para a perícia de crimes de autoria desconhecida do DHPP, onde poderia conversar com a dra. Jane Marisa Pacheco Belucci, perita-chefe. Se havia crimes conectados de um só maníaco, com certeza ela saberia... Mas como? Essa perícia atende todos os locais de homicídio de autoria desconhecida da cidade de São Paulo e, em alguns casos, no interior também. Em cada local atendido, perito e fotógrafo trabalham em dupla, mas nem sempre são os mesmos indivíduos, dependendo do plantão. Jamais dois crimes com a mesma assinatura passam despercebidos por um ou por outro.

Cheguei à perícia por volta de 10h. O prédio da Polícia Civil estava bastante movimentado, e eu, estranhando o corre-corre, procurei logo descobrir o que estava acontecendo. Na sala de Jane, vários peritos conversavam... Eu não sabia? Um casal rico, de boa família, casa em bairro classe A, tinha sido assassinado na madrugada de quinta-feira... Manfred e Marísia von Richthofen. Ele, diretor de engenharia da Dersa (Desenvolvimento Rodoviário S/A). Ela, psiquiatra bem colocada. Haviam sido encontrados na cama do casal, em um estranho latrocínio. Rapidamente quis saber quem atendeu no local. Foi o perito dr. Ricardo da Silva Salada, grupo de elite. Perguntei a Jane se as fotos do local já estavam prontas. Ela me respondeu que não, mas disse que o investigador Robson Feitosa da Silva, chefe dos investigadores da equipe H-Sul, de plantão no dia do crime, havia filmado e fotografado o local. Realmente eu já tinha ouvido falar dele: "Robson estuda muito, filma vários locais de crime, você precisa conhecê-lo". Sem perder tempo, Jane ligou para ele, que veio com fotos e filme nos encontrar na perícia.

As fotografias eram impressionantes. Sempre é difícil ver pessoas cujas vidas foram ceifadas em um instante cruel. Elas estão ali, frágeis, desnudas, sem proteção, como um invólucro da vida que ocupava, momentos antes, aquele corpo. Afastando esses pensamentos da cabeça, nos concentramos nos detalhes técnicos, para que fosse possível trabalhar. O choque logo se transformou em raiva pelo autor de tão brutal atrocidade e nos motivou a examinar cada detalhe que pudesse nos levar ao culpado. Passamos as fotos de um para o outro, sem ainda ter uma ideia do geral. Próximo passo: nos sentamos em volta de uma mesa e começamos a assistir ao filme. Robson e Salada, espectadores das próprias ações, passaram a me explicar cada detalhe...

Quinta-feira, 31 de outubro de 2002, rua Zacarias de Góis, 232. Por volta das 4h da manhã, a Polícia Militar recebeu o chamado de uma moça, que dizia estar chegando em casa, onde teria encontrado tudo aberto e revirado. A polícia orientou-a a esperar do lado de fora e acionou por rádio a viatura do policial militar Alexandre Paulino Boto.

Ele e seu pessoal saíram para verificar o local.

Ao chegarem, encontraram a moça na rua, juntamente com o irmão. Boto perguntou o que havia acontecido e ela respondeu:
— Minha casa está aberta.
— Você chegou a entrar?
— Não.
— Viu alguma coisa?
— Não, só a porta aberta e a luz acesa.

Enquanto um policial aguardava fora da casa, junto com os irmãos, Boto e seu parceiro entraram na residência com cuidado. Sempre havia a possibilidade de ainda encontrar o criminoso, que parecia ter sido um ladrão. No andar de baixo, a biblioteca revirada indicava assalto, apesar de o resto da sala estar em ordem. Na cozinha, nada. Uma escada levava para o andar superior. Os PMs subiram e verificaram o que parecia ser um quarto de menina, com ursinhos de pelúcia e coisinhas que garotas costumam colecionar. Tudo limpo. O quarto seguinte era tipicamente masculino, com direito a aeromodelo pendurado no teto. Na cama, vários travesseiros cobertos pelo lençol. O quarto seguinte era de casal. Entraram mais uma vez muito atentos; afinal, o intruso ainda poderia estar ali. De cara, a cena sempre chocante: um homem ainda na cama, aparentemente sem vida, com uma arma no chão, ao seu lado. A cama estava bastante revirada e os lençóis concentrados no meio do colchão. Ele parecia estar ali sozinho... Seria suicídio? Melhor não fazer conjecturas e prosseguir com o trabalho. Naquela altura, os olhos de Boto, já acostumados à escuridão da casa, notaram algo estranho no pé da cama. Ele chegou mais perto e não acreditou no que viu: para uma só vítima, pés demais saíam por debaixo dos lençóis amarfanhados. Enrolada neles jazia uma mulher, a cabeça envolta em um saco de lixo. Não parecia ser uma pessoa e sim um monte de pano. Também viu marcas na cabeceira da cama. Quem quer que tivesse atacado o casal, havia errado alguns golpes.

Alexandre Boto começou a descer as escadas, sabendo que tinha pela frente a tarefa mais difícil de seu trabalho. Qual seria a reação das duas crianças que esperavam lá embaixo? Era sempre difícil. Parentes choram, descabelam-se, querem entrar e ver os mortos, abraçá-los inconformados, e não podem. Enquanto a perícia não libera o local de um crime, tudo tem que ficar absolutamente preservado e isolado. Essa é a única maneira de a polícia obter pistas e provas do crime e, assim, não deixar impune o culpado.

Ele respirou fundo, atravessou a garagem com passos de soldado e pensou na melhor forma de contornar a situação. Enquanto isso, do lado de fora da casa, os filhos do casal esperavam na rua o policial. A menina logo perguntou:

— Como estão os meus pais?

— Estão bem — respondeu. Mas estranhou a pergunta, porque em nenhum momento a menina havia dito que seus pais estavam em casa. A polícia podia tê-los encontrado vivos e armados, e os resultados não seriam nada bons.

Conversou um pouco com seu superior, o sargento que havia permanecido fora da casa. Combinaram de chamar o resgate, pois era certo que os filhos passariam mal. Ele informou que o namorado da menina tinha chegado e apontou com a cabeça para o rapaz magro, de altura média, que estava reunido com os filhos do casal assassinado. Quem sabe não seria mais fácil receber a notícia de um amigo? Chamou o rapaz de lado, perguntou o nome dele e disparou:

— A situação é crítica. Os pais deles estão mortos. Você dá a notícia? Talvez receber a notícia por alguém conhecido seja melhor.

— Puxa! — respondeu Daniel. A pergunta seguinte espantou o policial experiente: — Você sabe se levaram alguma coisa da casa? Ela falou que na biblioteca tinha uma caixinha branca com dinheiro: 5 mil dólares e 8 mil reais...

— Não sei. Nada ainda foi verificado.

Daniel voltou para onde estavam Suzane e Andreas, abraçou os dois, abaixaram a cabeça e cochicharam. Boto prendeu a respiração. Aquela era a hora... E nada aconteceu. Nenhum grito, nenhuma lágrima derramada, nenhuma tentativa de entrar na casa, nenhum choro contido. O policial se aproximou do grupo. Aquilo podia ser uma reação de choque. Ele sabia bem como era, pois fora durante anos enfermeiro do hospital psiquiátrico da Fundação Américo Bairral, em Itapira (SP). Para sua surpresa, a menina se virou e perguntou:

— E o que é que a gente faz agora?

Foi uma pergunta de ordem prática, inesperada. Pessoas em choque são incapazes de qualquer raciocínio prático, qualquer reação. Quem está em choque permanece assim para todo e qualquer assunto. Os três jovens continuaram conversando sobre os próximos passos, como pessoas normais diante de um problema corriqueiro. O que fazer, o que não fazer, para onde ir. Em seis anos de serviço na Polícia Militar, Alexandre Boto jamais presenciara uma reação como aquela. No fim das contas, era ele quem estava chocado.

O mais estranho é que Daniel e Suzane sabiam exatamente a quantia em dinheiro que fora roubada. Como sabiam? A casa estava tão revirada! Ela havia afirmado que não tinha entrado no local. Achando tudo muito fora de padrão, guardou suas observações para seu depoimento na delegacia.

O subdelegado da 27ª Delegacia de Polícia, dr. Daniel Cohen, de plantão naquele dia, foi acionado para comparecer ao local. A área foi isolada, a perícia e as equipes de investigação do DHPP foram chamadas. Todos ali seriam levados para fazer o Boletim de Ocorrência na delegacia do bairro.

O local estava começando a ficar repleto de repórteres de várias redes de TV. Ao longe já se ouvia o som das sirenes se aproximando. O pai de Daniel, sr. Astrogildo Cravinhos de Paula e Silva, já se encarregava de falar com os repórteres. A Delegacia de Homicídios e o Instituto de Criminalística começariam a famosa investigação do caso que abalou todo o país.

01. Arquivos Richthofen

A PERÍCIA

Quando foi acionada, a equipe de plantão da perícia estava em Parelheiros, zona Sul de São Paulo. Só foi possível chegar ao bairro de Campo Belo por volta das 7h30. Lá só estavam a Polícia Militar, preservando o local, e várias equipes de reportagem.

A análise do local do crime é uma combinação de conhecimentos criminalísticos e criminológicos. A criminalística é a aplicação da ciência nas evidências físicas, como manchas de sangue, DNA e trajetória de projéteis. A criminologia inclui um ângulo mais psicológico, que envolve a procura de motivos, características pessoais do assassino e comportamentos que possam ajudar na interpretação de evidências.[1] É o estudo do crime pelo lado do autor.

As evidências físicas que seriam observadas poderiam ser de cinco tipos diferentes:

1. Temporárias, que podem mudar ou se perder.
2. Condicionais, associadas a condições específicas do local do crime.
3. Associativas, que ligam um suspeito ou vítima ao local.
4. Padrão, como sangue, impressões digitais, marcas de pneu, resíduos ou qualquer evidência do *modus operandi* do assassino.
5. Vestígios, que são deixados pelo contato físico com alguma superfície.

O dr. Ricardo da Silva Salada entrou na casa, seguido de perto pelo chefe de investigação Robson, que filmava tudo por conta própria para estudos posteriores de sua equipe. Deu uma olhada geral. A porta de entrada não tinha sinais de arrombamento. A janela que dava para a biblioteca estava aberta e, na mureta, havia marcas de solado

---

[1] *The Forensic Science of C.S.I.*, Katherine Ramsland, p. 2. Berkeley: First Edition, 2001.

de tênis. A sala de visitas parecia em ordem, com cada enfeite no seu lugar. A biblioteca, à direita da porta de entrada, estava completamente revirada. O que parecia ser uma sala de estudos, com duas mesas com computadores e prateleiras com livros escolares, encontrava-se em ordem. No bar da casa, tudo no lugar. Aparentemente, a cozinha não havia sido utilizada. Salada subiu as escadas e entrou em um quarto de menina. Bichinhos de pelúcia, mural com frases publicitárias do uísque Johnnie Walker, tudo certo. Ao lado, o quarto de menino: aeromodelo pendurado no teto, TV, tudo do bom e do melhor. Na cama, travesseiros posicionados para que quem entrasse ali pensasse que o menino dormia. Em que filme mesmo inventaram esse truque? Filhos que saem de casa e deixam seus travesseiros "dormindo" em seu lugar. Que coisa mais ingênua e antiga...

Hora de entrar no local do crime propriamente. Uma sensação estranha começou a permear as ações de Salada. Ficava cada vez mais evidente que a bagunça da casa indicava uma busca direcionada na biblioteca e no quarto do casal. Ou era gente que sabia o quê e onde procurar graças a uma "dica", ou pessoal da casa. Realmente, uma situação atípica.

Em uma busca posterior mais acurada, o perito procuraria por impressões digitais, marcas deixadas por ferramentas específicas, marcas de pegadas, dentes, fluidos corporais como sêmen e saliva, fios de cabelo, resíduos sob as unhas das vítimas, fibras, resíduo de pólvora, armas, cápsulas e projéteis, notas e tudo que pudesse ajudar nas investigações ou definitivamente colocar um suspeito dentro daquele local de crime.

Sem perder tempo, Salada começou o trabalho nas duas vítimas para que os corpos fossem liberados para o Instituto Médico Legal o quanto antes. O homem tinha uma toalha cobrindo o rosto. A cabeça da mulher estava dentro de um saco plástico preto, de onde se viam as bordas de outra toalha do mesmo jogo. Salada resolveu examinar primeiro a mulher, pois pensou se tratar de morte por disparo, uma vez que um revólver jazia no chão, ao lado da mão do marido, como nos homicídios seguidos de suicídio. Com cuidado para que nenhuma prova fosse prejudicada, retirou o saco de lixo que envolvia a cabeça da vítima. Ficou surpreso ao perceber que não se tratava de morte por tiro. Massa encefálica se espalhava, grudada nos cabelos da vítima. Obviamente, ela fora assassinada por espancamento com algum objeto do tipo bastão, dotado de superfície, peso e gume. Como as fotos dos ferimentos, tipo e ângulo seriam importantes para as investigações, o perito Salada mudou de ideia quanto à ordem de serviço: resolveu examinar primeiro o homem, para criar espaço na cama a fim de que nenhum indício se perdesse. Era importante que sua mente ficasse aberta para todas as possibilidades de reconstituição dos fatos e que sua leitura dos acontecimentos não sofresse a influência de ninguém com teorias prontas. Por esse motivo, o trabalho do perito é sempre solitário.

O fotógrafo Marcos dos Santos Boy, que acompanhava o dr. Salada, tinha como missão mostrar todos os ângulos possíveis do local do crime, para que as pessoas ausentes pudessem ter a noção exata de todos os detalhes periciais. Também seriam fotografados todos os itens considerados evidência e as posições em que foram encontrados.

Nos Estados Unidos, fotografias dos corpos das vítimas são feitas de cinco ângulos diferentes:

1. Da cabeça para os pés.
2. Lado direito.
3. Dos pés para a cabeça.
4. Lado esquerdo.
5. De cima para baixo.[2]

O chefe dos fotógrafos da perícia do DHPP, Edson Wailemann, explicou-me que o procedimento brasileiro é bem diferente. Segue abaixo a transcrição de sua explicação:

> O objetivo da fotografia pericial é tentar perpetuar a cena do crime. Uma vez no local de crime, você está contaminando, adulterando, colocando outras evidências que não existiam naquele espaço. O ideal seria que o local de crime fosse fotografado de todas as maneiras possíveis e imagináveis. Poderia até ser filmado, porque muitas coisas que na hora não parecem importantes com o tempo vão ter utilidade. Isso é comum; depois de dois ou três dias, até uma semana do crime, na hora de emitir o laudo, surgem dúvidas. Aquela carteira estava ali ou não? Estava no bolso ou no chão? Não há mais como voltar; se você tem um registro da foto, dá para saber. Do nosso Código de Processo Penal, consta a obrigatoriedade da fotografia da posição de como o corpo foi encontrado

[2] *Idem*, p. 23.

e só. Mas esse código é antigo, ultrapassado. Na época em que foi escrito, não existiam máquina nem profissional. Hoje, quando as fotos de um caso são perdidas por um motivo ou outro, obrigatoriamente temos que fazer um memorando justificando de alguma maneira o fato, principalmente por causa da obrigatoriedade da foto da posição em que o corpo foi encontrado. As outras poderiam ser feitas somente para uso da perícia.

A primeira foto seria a mais geral possível, para mostrar o ambiente, o local, a rua, se era de terra ou asfalto, se tinha luz ou não, como eram as construções das proximidades, se tinha terreno vazio ou não.

Encontrar o corpo coberto é comum. Logo após a foto geral da cena do crime, tira-se a cobertura do corpo para fotografá-lo. É importantíssimo mostrar o escorrimento do sangue antes de mexer no corpo. Por quê? Quando um sujeito toma um tiro em pé, ele não cai no chão de imediato. O sangue começa a escorrer. Ao levar o segundo tiro, ele ainda pode estar em pé ou não. O escorrimento do sangue é que vai contar essa história. Se alguém depois mexe no corpo, vira-o para tirar um documento do bolso ou adulterar alguma coisa, o sangue mostra esse movimento, e essas fotos orientam muito a perícia.

A segunda foto importante é a da localização dos ferimentos: abdome, tórax, perna etc. Então você não precisa dar o detalhe, a não ser que também tenha alguma evidência de amarração, por exemplo. Ou uma marca nos punhos, que diz que a vítima foi amarrada antes, ou vestígio de disparo a curta distância, como chamuscamento e tatuagem. É importante mostrar se o assassino fez aquilo na raiva, encostou a arma para atirar ou executar o indivíduo.

Identificação: é a última foto da vítima, quem ela é. Fecha o "álbum de família".

O caso Richthofen foi excepcional. Primeiro,
por ser duplo homicídio; segundo, ocorreu
em ambiente interno; terceiro, a casa foi
mexida. Eram vários os indícios, de entrada
e de saída. Era uma casa muito grande, com
muitos cômodos. Então foram gastos muitos
filmes. Mais ou menos trezentas e poucas
fotografias foram tiradas. Nem todas foram
usadas. Ainda mais importante que a foto
é preservar o negativo. Tendo o negativo,
qualquer dúvida pode ser resolvida
a qualquer momento. Temos um estoque
deles, uma "negativoteca", de 1980 para cá,
com tudo catalogado, na ordem, e sempre
chegam pedidos de várias delegacias.

Não temos condições de fotografar
impressão digital no local.
O papiloscopista que acompanha a equipe
passa o pó mágico e levanta a impressão
digital. Ele passa uma fita adesiva
transparente, retira a impressão e a coloca
em uma lâmina de vidro. Essa lâmina
de vidro é que vai ser fotografada
depois, em laboratório, em preto e branco.
Só existe praticamente uma ocasião em que
somos obrigados a fotografar impressão
digital no local: quando essa impressão
é moldada, ou seja, uma pessoa com a mão
suja de sangue, cera, graxa ou qualquer
outra coisa encosta em uma parede ou
em um vidro. Isso não permite que você
retire a impressão com fita adesiva
porque ela ficou moldada no local. Então
o procedimento é fotografar ali mesmo.
Como no dia a dia o fotógrafo só conta
com o equipamento básico, interditamos
a área. Se é, por exemplo, uma porta ou
uma mesa, colo um pedaço de papel em cima
e lacro a área, para lá depois retornar
com equipamento próprio para fotografar
em preto e branco. Essa impressão, em
tamanho natural, é aumentada cinco vezes
ou o suficiente para dar a autoria.

O equipamento que levamos nas nossas
maletas, além do flash e da máquina
fotográfica, são os filmes. Como nós
do DHPP trabalhamos muito em qualquer
hora do dia e da noite, procuramos usar
filmes de 400 ISO, de maior sensibilidade
e que permite um melhor aproveitamento
do ambiente. Fundamentais também são as
setas para indicar ferimentos, cortes
etc. Temos alguns tipos de seta e cada
uma pode ter sua utilidade; umas só para
indicar, outras que dão noção de tamanho.
Outra coisa fundamental é essa "régua"
para marcar alguma coisa na parede.
A escala deve ser acertada, para que se
possa saber, através das fotografias,
o tamanho real do objeto fotografado.

Números diversos também são importantes.
Com eles é possível identificar múltiplas
vítimas. Cada vítima recebe um número:
essa vai ser 1, ou 2, ou 3, ou 4. A equipe
inteira trabalha com base nesses números.
Quando faço um detalhe, um ferimento como
chamuscamento no abdome, por exemplo, coloco
o número próximo também, senão eu nunca
mais vou saber de qual vítima é o ferimento.
Uso também uma lente de aumento para
colocar na máquina fotográfica. Com
essa lente consigo fotografar vários
detalhes que sem ela seriam impossíveis
de ver: impressões digitais, pegadas,
vestígios, manchas de sangue, pontas de
cigarro, mordidas, queimaduras etc.

Giz também é material essencial. Muitas
vezes existe um vestígio no teto e você
dá direção de indicação e movimento sem
danificar a casa onde o fato ocorreu.
É muito utilizado. E temos também
equipamento para proteção pessoal: capacete
e, muitas vezes, arma. Alguns fotógrafos
andam armados, para sua segurança, em
locais de crime muito inseguros.

O EXAME DE MANFRED

O dr. Salada, antes de qualquer coisa, retirou com cuidado a toalha que cobria o rosto da vítima para poder observá-la antes de um exame mais profundo. Uma importante dúvida imediatamente se instalou no raciocínio do perito: se foi um homicídio seguido de suicídio, quem teria coberto com a toalha o rosto do marido? O rosto coberto do casal já indicava que o assassino era uma terceira pessoa que conhecia as vítimas, pois esse é o tipo de cuidado que um desconhecido não se preocuparia em ter. O rosto da vítima não incomodaria um estranho, ele não teria nenhum tipo de pudor. Aprendemos isso com clareza nos crimes sexuais, nos quais é comum, quando o criminoso é próximo à vítima, chegar ao ponto de vesti-la ou cobri-la, ao menos parcialmente. A família, algumas vezes, também interfere na preservação do local do crime, sem perceber que desse modo dificulta os trabalhos da polícia para identificar o assassino. Elas cobrem um corpo desnudo ou mudam sua posição para a que julgam "mais honrada", em uma tentativa de proteger seu ente querido de comentários maldosos sobre o que quer que tenha acontecido, principalmente em casos de homicídio sexual.

No braço de Manfred havia respingos de sangue, vários ferimentos corto-contusos no rosto, principalmente na testa, e um ferimento circular na têmpora direita. Havia também um corte profundo, quase atrás da cabeça.

O fotógrafo iniciou o trabalho. O ferimento circular da têmpora foi fotografado em escala, porque parecia ter sido feito pelo cano do revólver. Os ferimentos menores também poderiam significar que a vítima tinha sido torturada ou que o assassino perdera o ímpeto no decorrer da sua ação.

Salada ainda observou respingos de sangue no teto, dinâmicos, que indicavam o movimento e a posição da arma do crime. Eles também foram marcados e fotografados.

Depois da sessão de fotos, o corpo de Manfred foi colocado no chão para exame da região posterior. Todos os cortes foram medidos e fotografados com escala e iniciou-se o exame para constatar se houve traumatismo craniano.

Cada perito tem seu método próprio de verificar esse tipo de ferimento. O perito Salada o faz batendo levemente uma tesoura na testa da vítima. A experiência permite que perceba sons diferentes, que nós chamaríamos de "oco" ou "cheio". Quando o crânio está inteiro, é como um "tum, tum, tum". Se estiver quebrado, parece mais com "ploc, ploc, ploc". Outros peritos examinam a órbita dos olhos da vítima — se há uma mancha preta, por exemplo, significa que houve ruptura na base cervical. É comum também encontrar na vítima otorragia (sangramento pelo conduto da orelha). É feito, então, um exame manual para que a fratura seja encontrada. Quando o crânio está quebrado, é como examinar um ovo de páscoa embrulhado, mas destruído. O crânio de Manfred estava quebrado.

Manchas *post-mortem*, as hipóstases, foram então examinadas para averiguar se o cadáver havia sido mudado de posição. Essas manchas ocorrem por conta do acúmulo de sangue causado pela ação da gravidade no local onde as partes do corpo estão apoiadas. Aparecem entre uma e duas horas após a morte da pessoa; a região de apoio fica esbranquiçada e a região em volta, cor de vinho. Elas também indicam o tempo de morte de uma maneira informal: quanto mais intensas, mais tempo decorreu entre o momento da morte e a perícia. É uma estimativa que em 99% das vezes confere. Quando tocadas, descolorem-se, indicam uma lividez ainda não permanente. Nesse caso, a morte ocorreu entre duas e dez horas antes do exame.

Outros fatores podem dar ao perito uma ideia aproximada da hora da morte. Se os olhos da vítima permanecem abertos após a morte, depois de duas ou três horas se forma uma "névoa" sobre eles, chamada de midríase. Se os olhos ficaram fechados, passam-se muito mais horas até que isso aconteça: pode demorar até um dia inteiro.

Definir a hora da morte de maneira formal é uma questão bem mais complicada. Nos Estados Unidos, onde o médico-legista sempre faz parte das equipes de perícia de local de crime, a temperatura do corpo da vítima é medida por meio da inserção de um termômetro especial no fígado. O médico faz uma pequena incisão cirúrgica no local correto de acesso e a resposta é muito precisa, uma vez que esse é o órgão mais irrigado do corpo humano e o que sofre menos interferência de temperatura ambiente e transporte. Em uma viatura que atravessa a cidade sob 35°C de temperatura ambiente, a temperatura do cadáver sofre modificações inevitáveis. No Brasil, o trabalho de estabelecer a provável hora da morte oficial é de responsabilidade do médico-legista e só é feito quando o corpo chega ao IML, decorridas horas e horas do crime. Aqui se mede a temperatura retal, uma inferência menos precisa, mas ainda utilizada em muitos lugares do mundo.

A cronologia de sintomas da morte varia de pessoa para pessoa. Os sinais imediatos são falta de respiração e insensibilidade.

Os consecutivos são: a rigidez, que começa pela nuca e a mandíbula e desce pelo corpo, e o resfriamento, em uma velocidade de 1°C na primeira hora e 0,5°C por hora a partir da segunda hora. Esses cálculos não são exatos, mas excluem possibilidades importantes. No caso Richthofen, Salada estimou que o casal fora assassinado na posição em que estava entre 22h e meia-noite, exatamente o que se verificou depois como hora do crime.

A "hora da morte" foi logo passada para os delegados responsáveis pelo caso. As vítimas tinham sido assassinadas dentro do período de tempo em que a filha deles, Suzane, afirmava ter passado em casa e visto os pais ainda vivos, dormindo. A partir dessa informação pericial, aliada à suspeita de encenação no local do crime, toda a estratégia de investigação seria montada.

O objeto utilizado como arma, pela análise dos ferimentos, era corto-contundente (de canto vivo), pois causou cortes na cabeça. Se fosse redondo, como um taco de beisebol, os cortes seriam irregulares nas bordas.

O que se podia concluir pelo exame é que o assassino havia aplicado uma pancada muito violenta na cabeça de Manfred e depois arrefecera seus golpes. Nenhum ferimento de defesa foi encontrado, o que demonstrava que a vítima não pôde ou não teve tempo de se defender.

O EXAME DE MARÍSIA

Com cuidado, Salada acabou de retirar o saco plástico preto que envolvia a cabeça da mulher. A toalha que cobria seu rosto foi fotografada. Ao tentar tirar a toalha, ele percebeu que a ponta direita do tecido estava presa dentro da boca da vítima, que então foi examinada em detalhes. A ponta da toalha estava engranzada dentro dela e a língua estava no canto esquerdo e havia sido empurrada. A conclusão não poderia ser outra... A toalha fora colocada ali propositalmente, sufocando a vítima.

Após retirar a toalha, Salada pôde examinar os ferimentos de Marísia: três contusos na região parietal direita e hematomas na região temporal direita. Seu crânio estava todo fragmentado; havia levado pancadas mais lineares e em maior quantidade que o marido. O assassino tinha visado mais sua cabeça e o golpe mais baixo fora na altura do pescoço.

Marísia também tinha lesões nos dedos indicador e médio da mão direita, causadas por objeto contundente, provavelmente na tentativa de se defender.

A dinâmica do sangue encontrado na cabeceira da cama, na parede e no abajur mostrava que a vítima havia se desviado dos golpes, movimentando-se para o meio da cama, onde foi encontrada sem vida. Não havia sangue no centro da cabeceira da cama, onde morreu. Fios de cabelo ensanguentados estavam colados na cabeceira e entre o colchão e a borda da cama. Marcas do instrumento foram encontradas na madeira. Tudo isso demonstrava a violência das pancadas que sofrera.

O assassino agira com menos força, mas não arrefecera nem diminuíra a intensidade de seus golpes. Marísia parecia não ter morrido tão rapidamente quanto Manfred.

O alinhamento das vestes do casal foi verificado e observou-se que, no máximo, eles teriam se sentado na cama ou ajoelhado, mas não teriam sido transportados depois de mortos.

O EXAME DA ARMA

A arma era um revólver Rossi calibre 38 novo, com capacidade para seis munições, cano de três polegadas e acabamento oxidado com cabo de madeira. Contava com apenas cinco munições íntegras e a câmara vazia estava deslocada para a esquerda do alinhamento do cano.

O revólver foi enviado para perícia específica, pois poderia ter havido tentativa de disparo sem o picote (quando a arma dá o picote significa que o tiro foi bem-sucedido e o projétil saiu do cano). Se a câmara vazia estivesse no centro do alinhamento do cano, demonstraria precaução e nenhuma tentativa de uso. Se estivesse à direita, teria sido um erro inequívoco de municiamento. Nenhuma outra munição foi encontrada na casa. A arma não apresentava manchas de sangue.

OUTRAS OBSERVAÇÕES DA PERÍCIA

No quarto do casal, o móvel tipo cômoda, de pés frágeis, estava com as gavetas abertas e reviradas. Chamavam atenção, sobre o móvel, as pequenas peças, vidros de perfume e relógio, tudo em ordem. A pessoa que revirou as gavetas o fez com cuidado.

O armário à esquerda do closet do casal compunha-se de um cabideiro na parte de cima e prateleiras na de baixo. A última prateleira, a mais próxima ao piso, dispunha de um fundo falso, supostamente utilizado para guardar as joias e o revólver. Em frente a esse armário e à cômoda havia diversos pertences do casal, espalhados. Quem revirou tudo era alguém que sabia onde procurar, caso contrário não perceberia nem encontraria o fundo falso. No fundo do imóvel havia um quartinho, utilizado como depósito. O armário do lado esquerdo servia para guardar as mais diversas ferramentas.

No chão, do lado direito da cama, onde dormia Marísia, foi encontrada uma blusa tipo "soft", com estampa multicolorida, contendo fios de cabelo. A malha parecia pequena demais para ser da vítima e foi mandada para análise, pois os fios de cabelo poderiam ser do autor do assassinato.

No vaso sanitário do lavabo foi encontrada uma ponta de cigarro da marca Minister.

No piso do escritório foi encontrada uma pasta de couro preta, que depois se verificou estar com a tampa cortada por instrumento de lâmina lisa. Também foi encontrado um envelope fechado, pronto para depósito bancário, com quatro cheques que somavam 4.730 reais.

Os trabalhos da perícia iniciaram-se às 7h30 e terminaram às 17h. A parte interna da casa foi periciada por Ricardo da Silva Salada e a área externa por Agostinho Pereira Salgueiro.

As observações iniciais indicavam a ação de dois assassinos golpeando o casal ao mesmo tempo. Se apenas uma pessoa fosse responsável por toda a ação, a segunda vítima teria saído da cama e pelo menos esboçado uma tentativa de fuga. Pela posição dos corpos e de acordo com as manchas de sangue, morreram exatamente no local. Não tiveram a menor chance de defesa propriamente dita. Pela violência dos golpes, não parecia haver uma mulher envolvida no ato de matar em si, pois as pancadas exigiam uma força física maior para levantar rapidamente e por diversas vezes um objeto pesado, a arma do crime, que, apesar da exaustiva busca, nunca foi encontrada.

O INÍCIO DAS INVESTIGAÇÕES: EQUIPE H-SUL NO LOCAL DO CRIME

Como fazia plantão naquela madrugada, a Equipe H-Sul atendeu ao chamado do 27º DP. A dra. Renata Helena da Silva Ponte foi ao local do crime juntamente com os investigadores Alexandre Chaim, Marcos, Marcelo, Valter e a perícia, além de acionar o titular, dr. Ricardo Guanaes, e toda a sua equipe. Quando o chefe dos investigadores da H-Sul, Robson Feitosa, chegou ao local, encontrou seu pessoal e alguns jornalistas. Logo depois, chegou o sr. Astrogildo Cravinhos, pai do namorado de Suzane von Richthofen. Robson, que tem por hábito filmar os trabalhos de sua equipe para seu arquivo particular, conversou com o perito Salada. Resolveram fazer uma imagem global e, depois, uma específica, para então estudar melhor o caso. Robson subiu as escadas, filmou os quartos, depois o andar térreo e, finalmente, a área externa da casa. Ao conversar com o perito Salgueiro, que fazia o exame da área externa, trocou impressões de como os muros eram altos e a casa, bem protegida. Nenhuma marca nos muros indicava que a entrada do(s) assassino(s) tivesse sido dessa maneira.

Robson logo pediu que seu pessoal levasse para dentro o sr. Astrogildo. Queria ouvir o que ele tinha a dizer, na companhia da dra. Renata e do chefe de investigações da equipe C-Sul, Sérgio de Oliveira Pereira, o Serjão.

Foi impressionante perceber quantos detalhes sobre a família Von Richthofen eram conhecidos por aquele senhor. Ele declarou que jamais imaginou um crime como aquele contra um homem com tanto dinheiro. Contou que era hábito do casal deixar sempre por volta de 8 mil reais em uma caixinha, no quartinho da frente (biblioteca). O marceneiro, que havia feito os móveis da churrasqueira, também lhe havia confidenciado que o sr. Manfred era muito chato, detalhista demais, e mandava refazer tudo o que não aprovava completamente.

O investigador experiente deu uma de bobo e continuou conversando, "dando corda" para a testemunha. O sr. Astrogildo contou que seu filho Daniel namorava Suzane havia bastante tempo e tinha viajado muitas vezes para a chácara da família Von Richthofen; que a mãe, Marísia, dava muitas ordens aos garotos e os repreendia demais; que o pai, Manfred, era mais flexível; e que nunca soube de nenhuma briga do casal de namorados com os pais da menina. Astrogildo também falou de seu outro filho, Cristian, que era investigador da polícia, do

Grupo de Operações Especiais (GOE). Robson perguntou mais detalhes sobre o cargo de Cristian, e o pai esclareceu que, na verdade, ele não era investigador, só "colaborava" com um delegado do GOE. "De vez em quando, ele anda na viatura com eles, eu até repreendi ele para não ficar andando mais com esse pessoal... Chegava em casa com a viatura na porta..."

Mais tarde, Robson descobriu que Cristian era simplesmente um "ganso" (informante) do GOE. Se de fato fosse investigador, o próprio Cristian ou alguém do GOE teria aparecido no DHPP para se inteirar dos autos. Afinal, os pais da namorada do irmão de Cristian tinham sido assassinados! Porém, ninguém jamais apareceu, nem mesmo para coletar informações sobre o caso.

Enquanto a dra. Renata e Serjão continuavam a conversa com Astrogildo, Robson se concentrou na filmagem. Uma das coisas que logo chamou sua atenção foi o fato de não terem encontrado nenhum pano de chão, rodo ou vassoura na casa inteira — o que seria discutido mais tarde, por se tratar de apenas um dos muitos pontos sem explicação em toda a investigação.

Os outros investigadores estavam espalhados pela rua, conversando com vizinhos. Era preciso saber se ouviram algum barulho, o que achavam do crime, o que sabiam sobre a família. A impressão geral era de que os Von Richthofen eram muito fechados. A vizinhança também já tinha visto viaturas da Polícia Militar na porta da casa deles e alguns reconheceram os filhos da família andando descalços em volta do quarteirão e fumando maconha.

Para a Equipe H-Sul, várias incongruências chamaram atenção logo no início dos trabalhos. Durante toda a perícia, a delegada dra. Renata esteve no local, enquanto o delegado dr. Guanaes interrogava a família e comunicava-se por telefone com os peritos.

No interrogatório de Suzane, ela informou que na biblioteca havia uma pasta, que estava cortada. Salada já a tinha visto, mas não percebera o corte, porque a pasta estava deitada sobre o rasgo e só quando mexesse nela durante a perícia saberia que estava cortada. Portanto, Suzane verificou muito bem o escritório antes de chamar a polícia, fato que não passou despercebido. E ela contara ao PM Alexandre Boto que não tinha entrado na casa. O corte na pasta foi feito por faca de lâmina lisa, mas na prateleira do escritório foi encontrada apenas uma faca de lâmina serrilhada. O criminoso teria trazido a faca, já sabendo que precisaria dela, ou havia guardado a faca depois do uso? Muito estranho...

A hora aproximada do crime que os peritos informaram para o delegado também não batia com o depoimento da filha, que dizia ter passado em casa por volta da meia-noite e visto os pais dormindo, "até roncando". Essa diferença de horários por si só já levantava dúvidas no depoimento dela.

Além disso, que ladrão deixaria uma arma de fogo nova no local do crime? Todos os policiais consideraram o fato imensamente improvável, quase infantil.

01. Arquivos Richthofen

QUINTA-FEIRA
31 DE OUTUBRO DE 2002

Suzane e Andreas von Richthofen, e Daniel e Astrogildo Cravinhos seguiram para fazer o boletim de ocorrência na 27ª Delegacia de Polícia. O relógio marcava 6h. Logo os policiais presentes começaram a reparar no comportamento do casal. Durante a espera para serem atendidos, Suzane tirava um cochilo com a cabeça encostada no ombro de Daniel, como se não fizesse parte da tragédia que estava sendo registrada. O irmão Andreas ficou ali sentado, todo encolhido, visivelmente abalado, enquanto o casal trocava carinhos apaixonados.

Suzane e Daniel não escondiam a obsessão que tinham um pelo outro. Entre as frases do depoimento de Suzane, eram trocados beijinhos e agradinhos. Suzane dizia para o delegado titular, dr. Enjolras Rello de Araújo: "Eu gostaria que vocês prendessem os caras, os bandidos que mataram meus pais..." e dava um beijinho em Daniel.

A filha das vítimas disse não saber de nada. Apenas relatou que chegou em casa com o irmão, viu as luzes acesas, ficou com medo e ligou para o namorado, que a orientou a chamar a Polícia Militar.

O casal parecia estar no mundo da lua e não saía da cabeça do dr. Enjolras o caso da rua Cuba — em que um casal foi assassinado e seu filho considerado suspeito, mas cuja autoria real nunca foi comprovada. Será que os Von Richthofen estavam envolvidos? "O ônus da prova é de quem alega, quem acusa precisa provar", foi o que disse o sr. Astrogildo dias depois, ele que sempre acompanhou todos os depoimentos dos jovens. E tinha absoluta razão.

Muita investigação ainda viria pela frente, em um trabalho de colaboração entre equipes policiais como raramente se vê. Quando um crime contra a vida acontece em São Paulo, a competência é da Delegacia de Homicídios e Proteção à Pessoa,[1] mas nada impede que outras delegacias, que fazem a chamada "clínica geral", também empreendam suas diligências. E assim foi.

---

[1] Hoje, através da Portaria DGP-22, de 31.03.2006, "As autoridades policiais em exercício no Departamento de Polícia Judiciária da Capital (Decap) ajuizarão sobre a oportunidade e conveniência de promover o imediato encaminhamento ao Departamento de Homicídios de Proteção à Pessoa (DHPP), dos inquéritos policiais instaurados para apuração dos crimes de homicídio doloso consumado e de roubo como resultado de morte, de autoria desconhecida, em que a vítima tenha sido socorrida no local do evento".

O INQUÉRITO: EQUIPE C-SUL

Da Equipe C-Sul, no local, acompanharam a perícia e as investigações preliminares a delegada dra. Cíntia P. C. M. Tucunduva Gomes e os investigadores Sergio, Wendel, Leandro, Francisco, Santana, Marcel, David e Luciano, que conversaram com os vizinhos, o vigia da rua etc. Como se tratava de investigação mais abrangente, a 1ª Delegacia também enviou seu chefe de investigadores, Carlos Eduardo Montez, o Ado, e mais três homens.

De imediato, a dra. Cíntia pediu que os investigadores Marcel e David fossem buscar Suzane, Andreas e Daniel na Equipe H-Sul e os levasse para a C-Sul, onde o delegado dr. Alvim Spinola de Castro os ouviria.

No local do crime, faziam parte da equipe da dra. Cíntia três papiloscopistas, que recolheram impressões digitais da arma, das janelas, dos interruptores e até de papéis e documentos. Para as digitais em papel, foi utilizado um líquido cor-de-rosa, a ninidrina, que as evidencia.

Para o azar dos criminosos, a dra. Cíntia é fã de histórias policiais desde criança e não perde uma oportunidade de estudar. Cada detalhe, para ela, pode esconder uma verdade ou esclarecer uma mentira.

De cara, achou estranho que o saco de lixo colocado na cabeça de Marísia fosse igual àqueles usados na casa. Assim que viu o saco, olhou todos os cestinhos de lixo da mansão, mas não encontrou nada. Os sacos de lixo do mesmo tipo, guardados na despensa, estavam fechados, sem uso. Quem colocou o saco de lixo na cabeça da vítima deixou o resto do pacote sobre a cama e não havia na casa nenhum pacote aberto para uso.

Outra coisa que logo chamou atenção dela foi a jarra amarela sobre o criado-mudo de Marísia. Já viu alguém levar uma jarra de água para o quarto sem um copo? Ia beber água durante a noite como? Além disso, os corpos do casal estavam bastante molhados. Se a jarra tivesse sido utilizada pelo(s) criminoso(s) na hora do crime para lavar os corpos, isso teria que ter sido feito por alguém que soubesse onde a jarra estava guardada, alguém da convivência da casa. Não fosse assim, a cozinha deveria estar com todas as portas dos armários abertas, o que não ocorria.

A dra. Cíntia fez muitas outras observações relevantes que ficariam guardadas em sua memória no decorrer da investigação: a casa não tinha espelhos, exceto os dos banheiros. Tudo estava muito em ordem, o que não é comum em latrocínios. Também existia a dúvida de como os assassinos teriam entrado, já que não havia sinal de arrombamento nas portas da casa, os muros eram altíssimos, nenhum vizinho teve sua casa usada como passagem, e os portões estavam trancados. Outro fato intrigante era a Blazer do casal Von Richthofen. Na garagem estava tudo aberto e o controle do portão automático foi encontrado dentro do veículo. Então, por que o ladrão não carregou a Blazer com o produto do roubo e levou o carro? Nenhum eletrodoméstico ou equipamento eletrônico havia sumido. Várias hipóteses começaram a se formar na cabeça da delegada, mas de nada adiantava "achar" isso ou aquilo. O grande problema da investigação é provar o que todo mundo "acha".

Para todos os envolvidos na investigação do assassinato do casal Von Richthofen, desde o início aquele "latrocínio" parecia uma encenação e os trabalhos se concentraram nas pessoas mais próximas da casa: filhos, empregada, pessoal da Dersa, pacientes de Marísia.

Do local do crime, a delegada Renata também continuava a passar todas as informações que obtinha por telefone para o dr. Alvim, em um trabalho realmente de colaboração entre as equipes H-Sul e C-Sul.

O DEPOIMENTO DE ANDREAS ALBERT VON RICHTHOFEN: EQUIPE H-SUL

O dr. Ricardo Guanaes, delegado titular da Equipe H-Sul, foi pessoalmente à casa da família Cravinhos buscar Suzane, Andreas e Daniel, que haviam sido dispensados após o Boletim de Ocorrência lavrado na 27ª DP.

Os três foram levados ao DHPP e assim encaminhados: Andreas seria ouvido na Equipe H-Sul; Suzane, na Equipe C-Sul; e Daniel aguardaria na Equipe A-Sul. Era importante que os três fossem separados e ouvidos, sem que um soubesse o que o outro dizia. Apenas dessa maneira seria possível averiguar se havia discrepância nos depoimentos.

Andreas entrou nas dependências da Equipe H-Sul sem nunca antes ter pisado em uma delegacia de Homicídios. Apesar da aridez do local, o garoto não parecia assustado. Pelo contrário. Comportou-se como adulto, depondo de forma controlada, com a cabeça concentrada em tudo o que acontecia ao seu redor.

Sentou-se na sala, acompanhado pela advogada, dra. Wanda Aparecida Garcia La Selva, constituída pela Dersa, e começou a relatar o que sabia para a escrivã Aparecida. Parecia uma história comum, sem nenhuma informação relevante para o caso.

Andreas, naquele dia trágico, estava cabisbaixo, mas não amedrontado. Pensava em cada pergunta para respondê-la, como naturalmente faz aquele que não traz respostas prontas. Não definia os horários fora de rotina com exatidão e seu depoimento soava real. Segundo ele, acordou às 6h40 e se arrumou para ir à escola. Às 6h55 saiu com o pai, como fazia todo dia. Assistiu às aulas no colégio Vértice até as 12h45. Suzane foi buscá-lo, como sempre fazia. Chegaram em casa por volta das 13h. Almoçaram com a mãe, como nos dias normais. O pai não almoçava em casa. Às 13h55, saiu com a irmã para ir à aula de inglês, que terminou às 15h. Daniel e Suzane foram buscá-lo e juntos seguiram para o shopping Ibirapuera a fim de comprar o presente de Suzane, que faria aniversário no dia 3 de novembro. Chegaram em casa por volta das 16h50. Às 17h, Suzane saiu. Ela avisara à mãe que iria até a faculdade onde estudava Direito participar de monitoria.

Às 18h, a mãe chegou em casa e às 18h40 ou 18h50 chegou o pai. Eles jantaram às 20h. Andreas não jantou porque já havia feito um lanche. Foi ver TV no seu quarto — assistiu ao desenho *Os Simpsons*. Por volta das 21h, enquanto tomava banho, o pai apareceu para lhe dar boa-noite. Às 22h, foi a vez de a mãe despedir-se dele. Foi a última vez que viu os dois.

Às 22h30, ajeitou as almofadas de sua cama embaixo dos lençóis, para fazer parecer que estava dormindo. Conforme o combinado no dia anterior, iria ao Red Play escondido dos pais, que, muito rigorosos, nunca deixariam que saísse à noite para jogar nos computadores de um cibercafé. Foi para o escritório e fez uma ligação para o celular de Suzane, que o passou para Daniel. Disse: "Estou pronto, pode vir me buscar". Daniel foi buscá-lo sozinho. Disse que levaria Suzane a um motel, como presente de aniversário para ela, mas não revelou o nome do local escolhido.

Chegando ao cibercafé Red Play, cumprimentou todos os que lá estavam e foi para o computador. Depois de cinco minutos, o casal foi embora. Combinaram que iriam apanhá-lo às 3h.

Às 2h50, ligou para a irmã, que estava saindo do motel para buscá-lo. Juntos, os irmãos levaram Daniel até sua casa, conversaram um pouco e foram embora. Suzane e Andreas chegaram em casa por volta de 3h55 ou 4h.

Andreas contou ao delegado que sua casa tinha alarme, que estava desligado naquela noite. Mesmo assim, se um dos botões de pânico espalhados pela casa fosse acionado, a empresa de segurança receberia o sinal.

Segundo o menino, ao chegarem, viram luzes acesas e tudo muito bagunçado, além da porta da frente destrancada e a janela da biblioteca aberta. Andreas declarou que não chamou os pais porque teve medo de ser agredido por alguém que ainda estivesse na casa. Também estava assustado demais para apertar o botão de pânico da biblioteca, que acionaria a empresa de segurança. E foi impedido por Suzane de subir as escadas...

Saiu com a irmã pela porta da frente. De lá mesmo, ela usou o celular para telefonar para Daniel, que os orientou a sair da casa e esperá-lo. Assim que ele chegou, chamaram a polícia pelo 190. Segundo Andreas, Suzane também discou o número de casa, mas ninguém atendeu o telefone.

A Polícia Militar chegou dez minutos depois e foi encaminhada para a casa por Suzane. Depois de saber que seus pais estavam mortos, foram fazer o Boletim de Ocorrência na 27ª DP e rumaram imediatamente para a casa de Daniel, onde pretendiam descansar.

Ao ler o depoimento do menino, o delegado e o investigador-chefe se entreolharam. Várias lacunas na história precisavam ser preenchidas. Definitivamente, Andreas estava falando o mínimo necessário e nada disse sobre a história da família e de suas relações.

O dr. Guanaes resolveu mudar de estratégia. Encaminhou o filho das vítimas e sua advogada para a sua sala, mais confortável e menos opressora que o lugar em que ele tinha sido interrogado, com uma escrivã relatando em linguagem policial os fatos daquele dia. Robson acompanhou-os e sentou-se no sofá de couro ao lado da mesa. O delegado sentou-se na sua cadeira, o menino à sua frente. Novamente, pediu que ele contasse como fora seu dia. Mais uma vez, o menino foi lacônico, só respondendo às perguntas que foram feitas. Delegado e policial sabiam que a história estava por demais incompleta. Começaram então a esclarecer Andreas dos riscos que corria ao omitir algum fato:

> **GUANAES:** Andreas, vamos esclarecer o que está acontecendo aqui. Seus pais morreram e quem fez isso (a eles) pode fazer o mesmo com você. São pessoas que não medem as consequências de seus atos e, se você estiver de alguma forma envolvido, ou não nos contar a verdade sobre o que sabe, pode até parar na Febem.
>
> **ROBSON:** Teu pai levou muita pancada para morrer. Ele e sua mãe estavam vivos quando foram atacados e sofreram muito. Presta atenção, Andreas, eles devem ter implorado pela vida deles. Já pensou sobre isso? Tudo o que você contar pode ajudar a descobrir quem fez isso!

Andreas agitou-se na cadeira. Olhava com aflição para os dois homens que diziam tudo aquilo que ele queria saber, mas não queria ouvir.

> **G:** Pensa nisso, Andreas. Teu pai e tua mãe foram assassinados, aqueles que te amavam, que te colocaram no mundo... Como você pode proteger quem matou aqueles que mais se importavam com você? Acabou, teu mundo caiu, você está sozinho. Conta tudo pra gente!

Nesse momento, os olhos do menino ficaram marejados. Ele olhou para cima, como se pudesse absorver novamente as lágrimas que teimavam em escorrer pelo rosto. Em um fio de voz, perguntou:

> **ANDREAS:** Vocês têm as fotos dos meus pais aí? Do que aconteceu com eles?
> **R:** Tenho, mas não vou te mostrar.
> **A:** Por quê? Eu quero ver!
> **R:** Porque o que fizeram com seus pais não se faz nem com um animal sem dono. Você está omitindo coisas no seu depoimento e vai se complicar pelo que nem fez. Sabemos que você não estava lá, mas sabemos que você sabe muito mais detalhes do que está contando para nós.
> **G:** Conta tudo de uma vez!

Andreas passou as costas da mão na testa, enxugando o suor que encharcava seus cabelos. Secou-as na calça de moletom e respirou fundo. Não queria comprometer ninguém. Não sabia o que responder. Seria tão mais fácil se pudesse trocar uma ideia com Suzane ou Daniel. Onde eles estavam? Onde estava todo mundo?

Meio perdido e constrangido, acrescentou em seu depoimento o fato de que fumava maconha. Ele e Suzane usavam o entorpecente havia mais ou menos sete meses, mas não sabia se Daniel consumia a droga antes disso. No dia anterior, logo depois de almoçarem com a mãe, ele e Suzane tinham ido até o quintal fumar um baseado atrás da caixa d'água. Muitas vezes era lá que se escondiam para consumir a droga. Outras vezes saía de carro com a irmã e o namorado e fumavam enquanto davam voltas pelo bairro.

> **G:** Você sabia que o Daniel e a Suzane frequentavam motéis?
> **A:** Sim, doutor, eu sabia. Teve uma vez que eu fui com eles, escondido no porta-malas, a um motel

>   chamado Disco Verde. Só **saí** do carro depois
>   de estar seguro de que ninguém me veria.
>   Os dois queriam me mostrar como era um motel
>   e lá a gente também usou maconha juntos.
> R: O que mais você fazia escondido dos seus pais,
>   além da maconha e das **saídas** à noite?
> A: Eu tenho uma mobilete que comprei em **sociedade** com
>   o Daniel. O Cravo (**sr. Astrogildo**) também ajudou
>   a comprar as peças na Amaral Gurgel, na "boca das
>   **motos**". O Daniel montou pra mim e fica escondida
>   na lavanderia da casa deles. Meu pai nem **sonha**
>   que eu tenho uma mobilete, ele jamais deixaria.
> R: E você usa a mobilete quando? Usou ontem?
> A: Usei. Depois que eu liguei para a Suzane dizendo
>   que já estava pronto para ir ao Red Play,
>   o Daniel me buscou sozinho e fomos pra casa
>   dele buscar a mobilete. Eu entrei na lavanderia,
>   peguei (a mobilete), verifiquei que estava com
>   o tanque cheio e fui para o cibercafé nela,
>   seguindo o Daniel e a Suzane, que foram no Gol.
> G: E você voltou pra casa com ela?
> A: Quando eu telefonei para o celular da Suzane,
>   às dez para as 3h, ela **disse** que eles já estavam
>   indo me buscar. Então fiquei dando umas voltas
>   por ali mesmo, esperando eles chegarem. Quando
>   avistei o Gol da Suzane, segui o carro. Eles
>   me levaram para dar uma volta na avenida
>   Brasil e outras ruas que eu não conheço muito
>   bem, e **só depois** fomos deixar o Dani em casa.
>   Isso **devia ser** umas quinze para as 4h.

Já eram 20h. Nada parecia fazer o menino falar livremente. Ele só respondia o que lhe era perguntado. Robson, sem aviso prévio, bateu forte na mesa do delegado:

> R: Porra, Andreas! Eu tô te falando que **seus**
>   pais foram mortos como animais e você fica
>   aí contando historinha de mobilete... Eu não
>   sou moleque, rapaz. Fala a verdade inteira!
> G: Não vem dar diploma de burro pra mim,
>   garoto. Sou delegado, só trato de homicídios.
>   Tá vendo estas pastas aqui em cima da minha
>   mesa? É o meu trabalho, tudo gente que foi
>   assassinada, e eu vou descobrir quem matou!

A: Mas que verdade vocês querem ouvir?

G: A verdade, sem criar nem esconder nada!

ADVOGADA: Andreas, fale a verdade sem proteger ninguém. A polícia não é o inimigo, o inimigo é quem assassinou seus pais. É você que tem que ajudar a descobrir quem foi.

A: Mas eu não sei o que eles querem saber!

G: É só contar tudo e qualquer coisa, mesmo aquelas que não pareçam importantes. Lembre que a idade que você tem é o tempo que a gente trabalha na polícia.

O menino, já cansado, resolveu falar do assunto familiar que sempre o afligia: a relação de Suzane e Daniel, a revolta dos pais com o namoro dos dois, as mentiras, os encontros escondidos, a cobertura que dava a eles, o peso de ser o único da família Von Richthofen a saber que o namoro continuava. Era melhor contar tudo. Naquela madrugada, Suzane e Daniel tinham pedido que protegesse o amigo, porque, se a polícia soubesse de tudo, ele seria o maior suspeito. Suzane implorou: "Andreas, tomara que isso tudo não caia na cabeça do Dani. Ele ficou trinta dias aqui em casa e deixou digital pra todo lado, em tudo quanto é canto da casa. Não fala nada dele pra polícia". Daniel também tinha conversado com ele: "A polícia vai ficar no meu pé por causa da treta que eu tive com teus pais e também porque eu fiquei morando um mês na tua casa, deixei um monte de impressões digitais".

Andreas amava Suzane, que amava Daniel...

A HISTÓRIA DE AMOR

Suzane e Daniel haviam se conhecido três anos antes do crime, no parque Ibirapuera, em uma feira de aeromodelismo. A família Von Richthofen tinha ido à exposição por causa de Andreas, que começava a se interessar pelo assunto. Não precisou de muito tempo para que Suzane e Daniel se apaixonassem perdidamente um pelo outro. Andreas também desenvolveu uma admiração cada vez maior pelo rapaz, que era o quinto colocado do mundo no esporte em que o menino almejava competir.

No começo, tudo parecia ir muito bem. Daniel pretendia fazer Direito, carreira que Manfred e Marísia aprovavam. Eventualmente, ia à casa de Suzane e chegou a participar de algumas comemorações e churrascos em família, acompanhado de seus pais, Astrogildo (chamado carinhosamente de Cravo) e Nadja. Andreas e Suzane logo se viram envolvidos pela família Cravinhos. Ali, o amor era a palavra de ordem. Todos muito afetuosos, expressavam carinho de uma maneira que nunca tinham visto. Na família Von Richthofen, as demonstrações escancaradas jamais eram feitas. Tudo era muito contido, cada um no seu lugar, no seu horário, na roupa adequada, na fala correta. Os Cravinhos nem se incomodavam se Daniel resolvesse não estudar, enquanto seu pai vivia insistindo com Suzane que ela devia prestar vestibular novamente para entrar na São Francisco, "bem melhor que a PUC que ela cursava", segundo seus conceitos.

Depois de mais de dois anos de relacionamento, Manfred e Marísia começaram a achar que o namoro de Daniel e Suzane estava indo longe demais. Segundo eles, as diferenças culturais e sociais entre o casal eram inaceitáveis. As brigas pioraram no Dia das Mães, quando Manfred e Suzane tiveram uma enorme discussão. Manfred estapeou a menina, que saiu de casa desconsolada. Quando voltou, Suzane jurou-se afastar de Daniel e o clima em casa melhorou. O pai, que sempre controlava muito seu horário enquanto namorava, relaxou a vigilância, e a menina continuou o relacionamento em segredo. Só Andreas sabia que Suzane e Daniel continuavam se amando loucamente. Só Andreas sabia que consumiam drogas. Só Andreas sabia que, quando Suzane dizia que estava indo para o monitoramento na PUC, estava na verdade indo para a casa dos Cravinhos. Lá o namoro era permitido e abençoado.

Em julho, o casal Von Richthofen resolveu viajar durante todo o mês para a Europa. Foi nesse período que Daniel "mudou-se" para a mansão de mala e cuia. Dias felizes, piscina, cerveja, muita música, o famoso "sexo, drogas e rock'n'roll". Andreas continuou acobertando o relacionamento que a irmã e Daniel mantinham e, se não havia contado isso antes, era para que não pensassem mal de Daniel: "Ele é um cara maravilhoso, gosto dele como um irmão mais velho, não queria que ninguém entendesse nada errado".

AS ÚLTIMAS DECLARAÇÕES DE ANDREAS

O dr. Guanaes incentivava Andreas a contar mais detalhes do dia do crime. Perguntou novamente sobre quando chegaram em casa. Segundo o menino, foi entre 3h55 ou 4h. Durante o percurso, Suzane contou que gastara trezentos reais no motel Colonial. Também falou que, depois de deixar Andreas no Red Play, voltou em casa para pegar dinheiro para o motel (cem reais). Suzane disse que chegou em casa à meia-noite, subiu e verificou que os pais estavam dormindo. Pegou o dinheiro e saiu, trancando a porta.

Andreas relatou que, ao chegarem, viram luzes acesas e tudo muito bagunçado, além de a porta da frente destrancada e a janela do escritório aberta. Reparou em vários papéis espalhados pelo chão, móveis com portas e gavetas abertas, uma pasta marrom com um corte junto ao fecho.

Perto da pasta estavam as chaves de reserva da casa. Segundo o menino, a pasta era da mãe e tinha segredo. Era lá que ficavam guardadas as tais chaves, além de dinheiro e cheques recebidos por ela. Também reparou em uma faca serrilhada, que era da cozinha.

Robson e Guanaes estranharam alguns detalhes do depoimento. Para ver a pasta, teriam que ter entrado na casa. Questionaram Andreas, que respondeu:

```
— Olhei rapidamente. A Suzane entrou, olhou
melhor e me contou. A pasta não estava lá?
```

— Você que tem que dizer se estava ou não!
— Ela disse que sim.
— Ela não deixou você subir por quê? Sabia de alguma coisa?
— Eu não sei mais nada.

Nesse momento, a expressão do rosto de Andreas era de susto e confusão. Só lembrava que naquela manhã, logo antes de tentar dormir na casa dos Cravinhos, a última frase da irmã fora: "Tomara que isso tudo não caia na cabeça do Dani...".

Depoimento terminado. Já eram 22h e todos estavam cansados. Robson perguntou a Andreas:

— Você quer um lanche do McDonald's?
— Quero só sorvete.
— Tua mãe acabou de morrer e você quer tomar sorvete?
— É, só um sorvete.

Mesmo assim, a polícia insistiu que o garoto se alimentasse com um lanche, fritas, refrigerante e o desejado sorvete. Andreas aceitou as fritas com esforço, rejeitou o lanche e, finalmente, saboreou o sorvete.

O garoto norteou muito as investigações da Delegacia de Homicídios. Apesar de ter Daniel como irmão mais velho e adorar Suzane, jamais se esquivou da verdade quando lhe faziam alguma pergunta. Não tinha respostas prontas; nenhum depoimento seu parecia preparado. Nunca houve nenhuma prova de seu envolvimento no assassinato dos pais. Alguns policiais têm dúvidas se ele sabia de alguma coisa, mesmo que parcialmente, mas nada nem ninguém jamais confirmou essa hipótese. Não houve prova concreta de sua participação no homicídio de Manfred e Marísia von Richthofen. Sofreria ele da conhecida síndrome de Estocolmo, fenômeno que faz com que as pessoas se afeiçoem por seus raptores? Teria ficado cativo de uma situação na qual teve que escolher entre manter silêncio sobre o que sabia ou ser uma das vítimas? Saberia de todos os detalhes daquele plano macabro ou apenas desconfiou que algo estranho aconteceria naquela noite? Aquele menino de apenas quinze anos, fruto de uma educação superprotetora, teria condições de imaginar o desenrolar dos fatos e tomar alguma atitude decisiva? Talvez nem mesmo Andreas saiba a resposta para todas essas perguntas.

O PRIMEIRO DEPOIMENTO DE SUZANE LOUISE VON RICHTHOFEN – EQUIPE C-SUL

Enquanto Andreas estava sendo ouvido na Equipe H-Sul, Suzane e Daniel foram encaminhados para a Delegacia C-Sul. Os dois ficaram aguardando no corredor, onde um velho sofá preto está sempre ocupado pelos acompanhantes daqueles que vão depor. O casalzinho esperou que o dr. Alvim chamasse a filha das vítimas para ouvir sua história. Enquanto isso não acontecia, trocavam beijinhos e abraços, chamegos e carinhos. Os policiais que por ali passavam e viam a menina com as pernas sobre o colo do namorado, cochichando e sorrindo, espantavam-se em saber que se tratava da adolescente que acabara de saber que os pais tinham sido assassinados de forma brutal.

O primeiro depoimento de Suzane foi acompanhado por Denivaldo Barni, um advogado da Dersa, que chegou à delegacia espontaneamente. A empresa em que Manfred von Richthofen trabalhava achou politicamente correto que um advogado de seu quadro de funcionários acompanhasse os órfãos nos procedimentos policiais que se faziam necessários, dando assistência à família do engenheiro assassinado de forma brutal em acontecimento trágico.

A filha do casal parecia tranquila, tinha o olhar assustado e uma história para contar que chamou atenção do delegado dr. Alvim por estar muito pronta e que parecia, de alguma forma, preparada com antecedência. O delegado estranhou, tomou nota mentalmente de suas impressões e seguiu com seu trabalho.

Ela cursava o primeiro ano do curso de Direito da PUC e declarava ter um convívio familiar harmônico. Tinha boa amizade com os pais e com o irmão, Andreas. Seus pais controlavam mais os horários do irmão, que não podia sair à noite, mas o controle não era tão rígido nos fins de semana.

Sua casa contava com sensores infravermelhos na porta de entrada e na comunicação entre cozinha e sala, que disparavam um alarme quando atravessados. No quarto dos seus pais, no seu, no do seu irmão e na biblioteca havia um botão de pânico, que deveria ser acionado se qualquer barulho estranho fosse ouvido pelos moradores. Um equipamento e tanto de segurança, se não ficasse desligado para que a empregada tivesse livre acesso à casa inteira. Duas câmeras de vídeo estavam direcionadas para as portas de entrada. O monitor ficava na cozinha, mas infelizmente não gravava o que era captado.

Declarou também que empregadas domésticas contratadas pela mãe não ficavam mais de seis meses trabalhando em sua casa e que meses antes, por coincidência, ela e a mãe haviam sido seguidas por um Escort azul de vidro escuro em momentos diferentes. Também relatou a história de uma antiga empregada que furtara dinheiro da casa.

Segundo a menina, no dia fatídico ela havia saído de casa por volta das 17h e foi para a casa de Daniel. Ficaram vendo TV até as 18h, quando resolveram ir à Blockbuster alugar um filme. Depois de procurar um título interessante, não encontraram nada e resolveram visitar o irmão de Daniel, Cristian Cravinhos. Eles precisavam devolver a ele uma máquina de cortar cabelo que Daniel havia pegado emprestada. O casal ficou na casa de Cristian por quinze minutos e depois retornou à casa de Daniel.

Por volta das 22h30, Andreas ligou para Daniel, que foi buscá-lo conforme haviam combinado. Ele queria ir jogar *Counter-Strike*, jogo de tiro em primeira pessoa, no cibercafé perto de casa, mas teria de sair escondido dos pais. Segundo Suzane, isso acontecia pelo menos uma vez por semana. Juntos, encontraram Suzane na casa de Daniel, onde Andreas pegou a mobilete que ficava escondida (presente secreto da família Cravinhos, que Daniel montou para o "cunhado"), e foram os três para o cibercafé Red Play.

Por volta da meia-noite, Suzane e Daniel retornaram para a residência dela para buscar cem reais que estavam em sua mesa de estudos. Enquanto o rapaz esperou no carro, ela entrou em casa. Encontrou a porta fechada e todas as luzes apagadas, exceto as luzes da varanda e do abajur, que costumavam ficar acesas. Suzane subiu e viu os pais dormindo com a porta aberta, como de hábito. Passou pela biblioteca para ver se tinha algum recado, foi ao banheiro e saiu. Ela e Daniel foram procurar um motel na Raposo Tavares, mas depois mudaram de ideia e resolveram se divertir no motel Colonial, onde chegaram por volta de 1h30. Solicitaram a suíte presidencial, pela qual pagaram 315 reais, e ficaram até as 2h40. Era a comemoração do aniversário de Suzane.

Ao saírem, foram imediatamente buscar Andreas no cibercafé. Acompanharam o menino, que deu algumas voltas pela cidade em sua mobilete. Suzane então deixou o namorado e a mobilete na casa dele e foi com o irmão para casa por volta das 4h. Encontraram a porta da frente da residência aberta, as luzes da cozinha e da sala acesas e viram que a biblioteca estava bagunçada. Uma pasta que continha dinheiro em moeda nacional e estrangeira estava rasgada e vazia. Saiu da casa, foi para a área da piscina e ligou para o namorado. Daniel pediu que não entrasse mais na casa e disse que iria para lá. Suzane discou 190 e chamou a Polícia Militar. Os policiais entraram, fizeram breve vistoria e noticiaram que seus pais haviam sido mortos. Confirmou que a arma de fogo que estava no local pertencia ao seu pai.

Quando o dr. Alvim perguntou a ela por que ficou apenas pouco mais de uma hora no motel quando poderia ter ficado muito mais, Suzane respondeu que Andreas havia ligado e pedido que fossem buscá-lo porque o Red Play estava ficando vazio. O irmão sabia que o casal estava em um motel. Ela também disse em seu depoimento que não fez sexo com o namorado naquela noite.

Suzane contou ao delegado que namorava Daniel fazia três anos e que seus pais nada tinham contra o namoro. Segundo seu depoimento, Daniel frequentava sua casa em datas comemorativas. Também confessou que o casal fazia uso de entorpecentes, mas que achava que seu irmão Andreas nunca tinha experimentado droga alguma. Ela não imaginava que Andreas tivesse contado que usavam drogas juntos.

O DEPOIMENTO DE DANIEL CRAVINHOS – EQUIPE A-SUL

Daniel, em seu depoimento, contou "basicamente" a mesma história que Suzane. Disse que tinha um bom relacionamento com os pais dela; que frequentava sua residência uma ou duas vezes por mês, porque os horários da namorada não batiam com sua programação; que os pais dela regulavam muito seus horários, para que os estudos não fossem prejudicados pelo relacionamento.

Naquele dia, Suzane chegou em sua casa por volta das 17h. Foram comprar ração para peixe, voltaram, mas logo resolveram ir até a locadora Blockbuster pegar alguns DVDs. Desistiram antes de entrar e voltaram para a casa de Daniel, onde esperaram o telefonema de Andreas.

Depois de deixar o "cunhado" no Red Play, o casal de namorados rumou para a rodovia Raposo Tavares, para procurar um motel onde comemorariam o aniversário de Suzane. Perto da rodovia, mudaram de ideia e resolveram ir para o motel Colonial, onde achavam que "curtiriam melhor" a data. Como o programa escolhido era mais caro, foram até a casa de Suzane para pegar mais dinheiro e completar o valor necessário. Daniel ficou no carro enquanto a namorada entrou e saiu, o que levou aproximadamente dez minutos. Seguiram para o motel Colonial, de onde saíram poucas horas depois para buscar Andreas no cibercafé. Deram algumas voltas com o garoto, que usava sua mobilete, e foram para a casa de Daniel, onde ele desceu e guardou o ciclomotor do menino. Suzane e Andreas foram embora, mas telefonaram para ele logo depois, contando que a casa estava revirada. Daniel pegou seu carro e foi imediatamente para a casa da namorada. Enquanto esperavam na rua pela Polícia Militar, deram vários telefonemas para dentro da casa, esperando que Manfred e Marísia atendessem e dissessem se estava tudo bem, mas não entraram com medo de encontrar um assaltante.

Daniel, ao saber que seus "sogros" estavam mortos, chamou o pai, sr. Astrogildo.

O rapaz também disse que os pais de Suzane bebiam cerveja e uísque diariamente e que achava que o crime poderia estar relacionado com alguma empregada da casa, atual ou antiga.

OS TRABALHOS POLICIAIS

Logo surgiram vários conflitos relevantes entre os depoimentos do casal. Primeiro: Suzane dizia que eles haviam entrado na Blockbuster, Daniel dizia que não. Segundo: entre deixar Andreas no Red Play e chegar ao motel Colonial, Suzane contou ter levado o irmão ao Red Play, depois passado em casa para pegar o dinheiro, seguido então para a Raposo Tavares e, por fim, para o motel Colonial, mas Daniel disse que levaram Andreas, foram para a Raposo Tavares, de lá para a casa de Suzane e, em seguida, para o motel. Para a polícia, o lapso de tempo entre deixar Andreas na casa de jogos e a chegada ao motel Colonial à 1h30 daquela madrugada estava confuso. E as versões só se confundem quando são mentirosas.

O terceiro conflito era sobre como o tempo foi gasto no motel. Daniel dizia que chegaram ao quarto, usaram a hidromassagem, foram para a piscina e então "pintou um clima" e transaram. Para Suzane, eles tinham ido primeiro para a piscina, depois para a hidromassagem e não tinham feito sexo naquela noite. Ora, poucas horas haviam se passado para que qualquer um deles se confundisse quanto às "atividades românticas" no motel.

Daniel também não conseguia se lembrar que roupa Suzane usava no motel, pois, segundo Andreas, ela foi levá-lo ao Red Play vestida de um jeito e buscá-lo de outro.

Outro detalhe que chamou atenção da polícia foi a aliança de compromisso que Suzane usava naquela quinta-feira. Daniel não usava aliança alguma. Quando o investigador Carlos Eduardo conversou com Miguel Abdalla, tio de Suzane, ele contou que, seis ou sete meses antes, a família Von Richthofen havia comemorado a quebra do compromisso e a retirada da aliança do dedo anular da filha. Bem, Suzane a estava usando de novo.

A decisão de manter o casal completamente separado até que os depoimentos estivessem finalizados fora realmente acertada... Alguns detalhes não estavam "bem combinados".

O sr. Astrogildo não foi ouvido de forma oficial na quinta-feira; os policiais apenas mantiveram conversas tangenciais com ele. A tática no momento era "dar corda" para todos; quanto mais falassem, mais material arquivado na memória de cada um para "quebrar" as historinhas que viriam.

Os investigadores Alexandre, Marcos e Paulo foram conversar com os vizinhos da família Von Richthofen. Queriam saber se ouviram algum barulho, o que achavam, como era a família. Descobriram que se tratava de uma família fechada, mas que, de vez em quando, alguma viatura da Polícia Militar era avistada em sua porta.

Segundo a revista *Época*,[2] no início de setembro de 2002, o 12º Batalhão da Polícia Militar de São Paulo foi chamado para apartar uma briga na casa das vítimas. Era a terceira intervenção da polícia em bate-bocas como aquele, anteriormente denunciados por telefonemas anônimos. A viatura chegou às 2h e se deparou com o sr. Manfred Von Richthofen visivelmente transtornado, gritando com o namorado da filha Suzane, Daniel Cravinhos. A menina tentava, sem sucesso, acalmá-los. O pai ameaçava bater na filha se o relacionamento dos dois continuasse.

---

2 MANSUR, Alexandre; AZEVEDO, Solange. "No rastro de Suzane: Sexo, drogas e brigas familiares na história da menina que tramou a morte dos pais". *Época*, 9 dez, 2002. Disponível em: <http://revistaepoca.globo.com/Epoca/0,6993,EPT449819-1653,00.html>. Acesso em 18 nov. 2016.

Para os PMs, Manfred declarou: "Qualquer dia desses ainda quebro esse moleque!". Daniel respondeu sem pestanejar: "Tenho vontade de pegar esse velho!".

Os investigadores Luciano e Francisco seguiram para o motel Colonial a fim de verificar o álibi do casal de namorados. Eles entraram à 1h36 do dia 31 e saíram às 2h55, apesar de poderem ficar até o meio-dia. Pagaram em dinheiro vivo uma conta de 318,50 reais, que incluía a diária de uma suíte com sauna, piscina, teto solar, cachoeira e hidromassagem e o consumo de uma lata de Coca-Cola.

Os investigadores Wendel e Leandro foram até o cibercafé Red Play ouvir o gerente, Almir, confirmando o álibi de Andreas von Richthofen quanto ao horário de entrada e saída, além de consumo. Foi pedido ao gerente um relatório de frequência de Andreas e Daniel, no qual se verificou que nunca o primeiro havia ficado até tão tarde no estabelecimento como acontecera no dia do crime. Foram chamados para depor o proprietário do local, dois funcionários noturnos e mais um empregado. Eles achavam que Suzane e Daniel fumavam maconha.

Na noite de quinta-feira, todos já cansados dos trabalhos daquele dia, ainda havia espaço para surpresas. Em conversa com o dr. Armando de Oliveira Costa Filho, diretor da Divisão de Homicídios do DHPP, Suzane von Richthofen não perguntou quem estaria cuidando do velório, do enterro e da liberação dos corpos de seus pais. Suas dúvidas se concentravam em saber se poderia vender imediatamente os carros da família e se naquele fim de semana, feriado de Finados, ela, Daniel e Andreas poderiam viajar para Boiçucanga, litoral norte de São Paulo. Revoltado com o descaso em relação aos pais, o dr. Armando chamou a atenção dos filhos, explicando que seriam responsabilizados pelas suas ações. Nada ainda podia ser provado, mas o estado de ânimo dos envolvidos, sem dúvida, era espantoso.

INSTITUTO MÉDICO LEGAL

O Instituto Médico Legal de São Paulo só atende casos de morte violenta ou suspeita, realizando perícias criminais. Se uma pessoa morre de morte natural sem assistência médica, o corpo segue para o Serviço de Verificação de Óbitos da Capital (SVOC-SP), um tipo de perícia totalmente diferente, com fins epidemiológicos e estatísticos.

O IML é dividido em núcleos, cada um com sua função. O de Clínica Médico Legal faz exames diretos e indiretos de lesões corporais, exames de verificação de embriaguez, exames de verificação de idade, de capacitação para o trabalho e fornece pareceres médico-legais em casos de erro médico.

No Núcleo de Sexologia Forense, as perícias hoje são feitas no Projeto Bem-Me-Quer e incluem exames de conjunção carnal em casos de estupro, sedução, posse sexual mediante fraude; exames de atos libidinosos (atentado violento ao pudor); e exames nos casos de aborto, nos casos de infanticídio e de delito de contágio.

O de Toxicologia Forense examina, nos cadáveres, as vísceras e os fluidos biológicos, para a constatação de venenos, substâncias psicoativas, álcool, envenenamento por metais pesados etc. Na pessoa viva, as verificações incluem dosagem alcoólica, uso de substâncias ilícitas, intoxicações exógenas etc.

O Núcleo de Odontologia Forense determina idade, lesões corporais culposas ou dolosas, identificação por arcada dentária e exames odontolegais nos casos de identificação de mordeduras na pessoa viva e em cadáveres, para identificação de autoria.

O Instituto Médico Legal também realiza exames complementares:

PATOLOGIA FORENSE: examina macro e microscopicamente peças retiradas durante o ato necroscópico para diagnóstico anatomopatológico.
BIOLOGIA FORENSE: faz pesquisa de espermatozoides em material colhido durante exame feito no Núcleo de Sexologia Forense, bem como o diagnóstico de gravidez em urina.
FOTOGRAFIA: emprego de fotos para ilustrar laudos de lesão corporal, tanatológicos, exumações etc.
EXAMES MÉDICOS: nas especialidades de otorrinolaringologia, oftalmologia, neurologia, psiquiatria e radiologia.

Por fim, o Núcleo de Tanatologia[3] Forense realiza exame necroscópico para determinar a causa médica da morte, que fornece informações para que a causa jurídica possa posteriormente ser estabelecida. Realiza também exumações determinadas pela Justiça para esclarecer casos especiais e, através da antropologia médico-legal, busca estabelecer espécie, idade, raça, estatura, entre outros, para fins de identificação médico-legal.

Quando ouvimos falar em IML, logo pensamos em um prédio feio, escuro, cheio de sombras, como em um filme de suspense. Ou em um edifício moderno, cheio de andares iluminados com luz fria, gavetas de aço em todas as paredes, funcionários que nunca tomam sol atendendo com ar lúgubre pessoas tristes que por ali passam, sem ousar falar alto.

O IML de São Paulo não poderia ficar mais longe dessa descrição: é um pequeno prédio amarelo, muito simpático, cheio de janelas azuis, no coração do Hospital das Clínicas. Foi lá que, em uma quinta-feira ensolarada, chegaram os corpos de Manfred e Marísia, dentro da viatura que faz o atendimento da zona do Centro.

A viatura estacionou para descarregar na porta dupla do necrotério, mas o caminho dos vivos até a sala de necropsia é feito por dentro do edifício. Granito azul cobre o piso e pouca gente se vê nos corredores. Na sala do necrotério, trancada à chave, o cenário vira do avesso: muito movimento, várias macas com corpos podem ser vistas pelo recinto e a temperatura é baixa. Quem não está agasalhado e fica por ali muito tempo esfrega os braços sem parar...

Cada corpo que chega lá é devidamente identificado e recebe um número, imediatamente "tatuado" na coxa com caneta Magifix, composta de anilina e corante à prova d'água — a mesma com a qual o Serviço de Inspeção Federal (SIF) marca as carnes aprovadas para consumo nos frigoríficos. Esse número de registro será o mesmo que identificará o laudo necroscópico. É o número que acompanhará o cadáver para toda a eternidade.

A maca com o cadáver fica ali, naquela enorme fila de mortos ordenada por chegada, em uma silenciosa espera para o atendimento. Naquela sala de espera, ninguém reclama do atraso. Os corpos já examinados seguem na maca para as câmaras frigoríficas, salas grandes onde são acondicionados no máximo vinte cadáveres em macas sobrepostas verticalmente, quatro em cada coluna. Na enorme porta de aço

---

[3] Parte da medicina legal que se ocupa da morte e dos problemas médico-legais com ela relacionados.

de cada uma das três câmaras, há etiquetas com o número de registro de cada caso, para que se possa encontrar a vítima exata.

Naquela quinta-feira, dois médicos-legistas estavam de plantão: o dr. André Ribeiro Morrone e o dr. Antonio Carlos Gonçalves Ferro. Através dos seus treinados olhos e mãos, Manfred e Marísia poderiam "contar" a todos nós como de fato se deu sua morte.

Os trabalhos tiveram início com a realização do exame radiográfico dos cadáveres, uma radiografia de cada corpo. O objetivo desse exame é procurar projéteis de arma de fogo ou seus rastros. Nada foi encontrado.

Cada corpo foi colocado na mesa de necropsia, lado a lado. O dr. André cuidou de Manfred, enquanto o dr. Antonio Carlos ficou com Marísia.

Os médicos fizeram o exame das vestes de ambas as vítimas, o exame externo dos cadáveres, as medidas de identificação topométrica e as medidas de todas as lesões externas que encontraram.

A NECROPSIA DE MANFRED

Homem branco, 49 anos, medindo 1,72 m e pesando aproximadamente 80 kg, Manfred (cujo cadáver vestia apenas a calça de seu pijama), sofreu as seguintes lesões e apresentou os seguintes sinais externos de interesse médico-legal:

1) Afundamento da região parietal direita.
2) Ferimento contuso com 3 cm de extensão na região periorbital direita (ferida aberta no supercílio).
3) Três ferimentos variando entre 2 e 3 cm de extensão na região temporal anterior direita.
4) Um ferimento de 6,5 cm de extensão na região temporal posterior direita.
5) Um ferimento de 4 cm de extensão na região hioidea direita (no pescoço, na altura da base da língua).
6) Hematoma bipalpebral (nas duas pálpebras).
7) Equimose localizada na região interorbital (entre os olhos, acima do nariz).

8) Duas equimoses com formato linear e espessura aproximada de 2,5 centímetros e 6 cm de extensão, paralelas entre si e com hematoma ao redor, na região anterior do tórax à direita, no terço médio. Hematoma ao redor das equimoses.
9) Equimose em formato semicircular na região zigomática (malar) direita com eritema (vermelhidão) ao redor (diâmetro aproximado de 16 mm).
10) Hematoma na região anterior do ombro direito.
11) Escoriação no dorso da base do quinto dedo da mão esquerda.

O dr. André prosseguiu com seus trabalhos, dando início à dissecação do corpo, abrindo a cabeça de orelha a orelha, como se fosse uma tiara. No exame interno da vítima, observou:

1) Hematoma extenso sob o couro cabeludo na região frontotemporoparietal direita e parietal esquerda.
2) Fratura cominutiva (fragmentada) de osso temporal direito e parietal direito.
3) Fratura linear em osso parietal esquerdo com cerca de 10 cm.
4) Hematoma subdural agudo bilateral de médias proporções.
5) Edema cerebral.
6) Contusão e hemorragia no lobo temporal direito.
7) Fratura de fossa média craniana à direita e no teto da órbita direita.
8) Hematoma na musculatura temporal direita.
9) Fratura de quarto, quinto e sexto arcos costais (costelas) anteriores à direita.

Não havia evidências de lesões traumáticas em cavidade abdominal.

Também foi colhido sangue para exame toxicológico completo, que resultou negativo para agentes tóxicos rotineiramente pesquisados pelo IML, inclusive álcool etílico.

A conclusão do médico-legista foi a seguinte, conforme Laudo Necroscópico nº 4.694/2002:

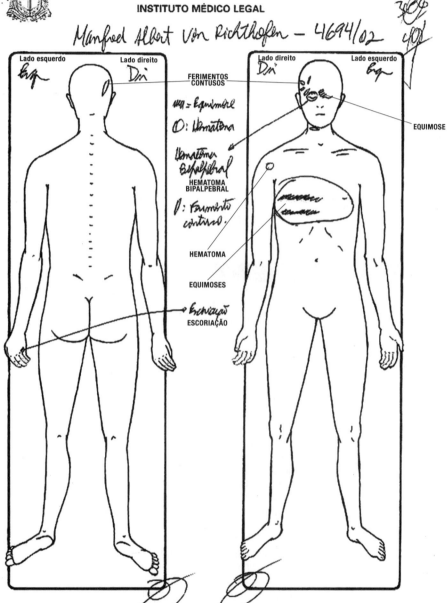

Do observado e exposto, concluímos que a vítima faleceu de traumatismo cranioencefálico causado por instrumento contundente. A vítima apresentava fratura cominutiva com afundamento da região temporoparietal direita sugestiva da ação vulnerante causada por vários golpes de instrumento contundente. O tempo estimado da morte (cronotanatognose), tendo como referência a hora do exame necroscópico (dia 31/10/2002, às 15h), sugere o intervalo de tempo estimado maior de doze horas e menor que dezoito horas, ou seja, compreendido entre às 21h do dia 30/10/2002 e às 3h do dia 31/10/2002.

Consta no laudo que o meio utilizado para assassinar Manfred von Richthofen foi cruel.

A NECROPSIA DE MARÍSIA

Mulher branca, medindo 1,65 m e de compleição física franzina, Marísia (cujo cadáver, no momento do exame, vestia calça vermelha e calcinha branca), sofreu as seguintes lesões e apresentou os seguintes sinais externos de interesse médico-legal:

1) Hematoma de pálpebra superior direita.
2) Afundamento craniano em região frontoparietal direita.
3) Equimose em região frontal direita.
4) Três ferimentos lacerocontusos (abertos) longitudinais variando entre 5 e 7 cm em região parietal direita, com exteriorização de massa encefálica.
5) Duas equimoses lineares de cerca de 8 cm de extensão, paralelas e transversais, em região cervical lateral direita, com distância de 3 cm entre si.
6) Equimose em segundo, terceiro e quarto dedos da mão direita, apresentando ferimento contuso de falange distal (mais na ponta) no segundo e terceiro dedos da mão direita.

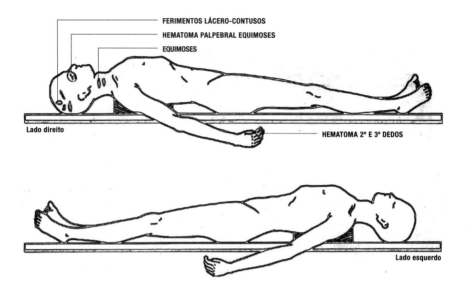

O dr. Antonio Carlos prosseguiu com seus trabalhos e deu início à dissecação do corpo da vítima, a partir da qual observou:

1) Hematoma galeal subaponeurótico[4] difuso (por baixo do couro cabeludo, espalhado, como um "galo" enorme em torno de toda a calota craniana, no "cocuruto").
2) Fratura cominutiva (fragmentada) de osso parietal e temporal direito com saída de massa encefálica.
3) Fratura linear de osso parietal e temporal esquerdos.
4) Hematoma subdural difuso.
5) Hemorragia cerebral difusa.
6) Perda de substância encefálica.
7) Fratura de base do crânio em fossa anterior e média do crânio.
8) Contusão de lobo parietal e temporal direitos (bilateral).

---

4   Aponeurose: membrana fibrosa que reveste ou envolve os músculos esqueléticos e, em certos casos, os termina à guisa de tendão.

No exame interno de tórax e abdome, depois de corte executado da ponta do queixo ao púbis (mento púbica), foram observadas petéquias subepicárdicas no coração, equimoses subpleurais nos pulmões, que estavam congestionados, e congestão passiva aguda do fígado.

Na região cervical foram observados:

> 1) Equimose em terço médio do músculo esternocleidomastoideo direito (lateral anterior do pescoço).
> 2) Hematoma periglótico próximo ao ramo direito do osso hioide (pescoço).
> 3) Hematoma nas cordas vocais.
> 4) Fratura de ramo direito do osso hioide.

Também foi colhido sangue para exame toxicológico completo, que resultou negativo para agentes tóxicos rotineiramente pesquisados pelo IML, inclusive álcool etílico.

A conclusão do médico-legista foi a seguinte, conforme o laudo necroscópico nº 4.695/2002:

> Concluímos que examinamos um corpo em estado de morte real, que veio a ocorrer em virtude de traumatismo cranioencefálico produzido por instrumento contundente. Frente aos múltiplos ferimentos cranianos apresentados pela vítima, podemos inferir que esta sofreu vários golpes de instrumento contundente. Verificamos sinais gerais que sugerem que a vítima teve uma morte agônica, ou seja, apresentou certo tempo de sobrevida entre o evento traumático e a morte. A vítima apresentava equimoses e hematomas na região cervical direita compatível com a ação de instrumento contundente. Baseados nos sinais cadavéricos, o tempo estimado de morte compreende um intervalo de tempo maior que 12 horas e menor que 18 horas, ou seja, entre 21h do dia 30/10/2002 e 3h do dia 31/10/2002, adotando a hora do exame necroscópico como referência.

O meio para assassinar Marísia von Richthofen também foi considerado cruel pelo legista.

A INTERCEPTAÇÃO TELEFÔNICA

Para que uma interceptação telefônica seja feita, a suspeita deve ser fundamentada. Foi o que aconteceu nesse caso. A juíza dra. Ivana David Boriero foi encontrada em um restaurante dos Jardins e assinou a liberação.

No prédio do DHPP, situado na rua Brigadeiro Tobias, já existe uma sala preparada para esse fim, com todo o equipamento disponível. Portanto, acionar a escuta de telefones de qualquer tipo é procedimento de execução rápida e competente. Só havia um problema que a polícia precisava resolver depois dos telefones já "grampeados": Suzane e Andreas queriam passar a noite na casa dos Cravinhos, o que seria um desastre. Ou seja, eles não teriam necessidade de se comunicar por telefone.

Os pais de Daniel e o tio de Suzane foram chamados para uma conversa informal e lhes foi dito que não pegava bem, naquele momento, que os filhos das vítimas dormissem na casa dos Cravinhos. Eles concordaram e, assim, Daniel e Suzane foram separados, para que surgisse a necessidade de contato telefônico.

Quatro investigadores foram escalados para fazer a escuta 24 horas por dia: Santana, Wendel, Leandro e Luciano. Algumas conversas direcionaram as investigações, como aquelas que levantavam suspeitas quanto às empregadas da casa, aos clientes do consultório de Marísia e quanto à empresa em que Manfred trabalhava.

A escuta durou até o dia da confissão, mas nada foi apurado além do estado espiritual dos envolvidos. No primeiro diálogo registrado pelos policiais entre o casal de namorados, Daniel avisa Suzane: "Não vamos conversar por telefone porque pode estar grampeado!".

01. Arquivos Richthofen

SEXTA-FEIRA
1º DE NOVEMBRO DE 2002

Os investigadores Chico e Luciano logo foram escalados para acompanhar o enterro de Manfred e Marísia, com o objetivo de avaliar os acontecimentos que se desenrolariam, quem compareceria, que reações teriam. É comum que investigadores do DHPP acompanhem enterros de vítimas ou seus parentes ao IML anonimamente, ainda mais se existe suspeita de algum familiar envolvido no caso. Vão como amigos ou curiosos e ficam rondando de lá para cá, observando as condições psicológicas dos envolvidos e ouvindo comentários do público presente.

A impressão de quem foi ao enterro do casal Richthofen foi de que a filha das vítimas tinha chorado "o básico". Suas roupas não condiziam com a ocasião — o que era de mau gosto, mas não era crime. Suzane era consolada o tempo todo pelo namorado, que ela carinhosamente chamava de "Dandan".

Jorge Ricardo March, amigo de Cristian Cravinhos, também teve uma sexta-feira difícil. No dia anterior, logo cedo, o amigo o havia procurado. Queria comprar uma motocicleta, tinha dinheiro vivo na mão. Ele alegou ter vários problemas com o banco Bradesco e que se comprasse a moto no seu nome seria logo acionado. De boa vontade, Jorge acompanhou Cristian à loja de Marcos Nahime, no Brooklin. Tirou a documentação da compra do amigo em seu nome. A motocicleta foi paga em dinheiro vivo e à vista: 3.600 dólares. Jorge não viu problema algum na transação, até que no decorrer do dia começou a ouvir em todos os noticiários que um casal havia sido assassinado. Para sua total perplexidade, o namorado da filha das vítimas era irmão de Cristian. Assustado, tentou em vão localizar o amigo para saber se estava envolvido. Nessa altura, no entanto, Cristian já não estava mais em São Paulo. Tinha viajado para o sítio da namorada e a moto estava guardada na garagem da família dela. Restou a Jorge aguardar.

Uma fonte anônima, ao saber da nova moto de Cristian e do assassinato envolvendo os sogros do irmão dele, também desconfiou, pois Cristian não era de ter muito dinheiro, vivia de fazer bicos. Sem perder tempo, telefonou para um amigo, o dr. Ismael Lopes Rodrigues, então delegado da Equipe Especial de Investigação de Homicídios Múltiplos (vulgarmente conhecida como Divisão de Chacinas), compartilhando sua apreensão. A informação imediatamente foi passada para o dr. Domingos Paulo Neto, diretor do Departamento de Homicídios e Proteção à Pessoa.

A equipe de investigação, ao tomar conhecimento dessa suspeita, infiltrou um dos seus, à paisana, na padaria em frente à casa de Cristian, que morava com a avó. Conversando com taxistas de um ponto próximo e alguns vizinhos na padaria, a história da moto foi confirmada. No entanto, não era raro o rapaz consertar aquele tipo de veículo, levando-os para casa. O estranho era ele ter arrumado dinheiro para comprar uma novinha.

A empregada dos Von Richthofen, Reinalva, também estava preocupada. Ela havia sido liberada do trabalho pela filha da patroa, mas queria comparecer ao enterro do casal. Ligou para Suzane, que acabou pedindo a ela para ir limpar a casa naquele mesmo dia. Reinalva chegou às 13h, acompanhada da antiga patroa que a havia apresentado a Marísia. Cabia a ela a difícil tarefa de remover o sangue do quarto dos patrões. Com o cheiro subindo por suas narinas, esfregou o chão com lágrimas nos olhos, mas parecia ser a única de luto naquela casa. Não viu nenhum dos filhos chorar a morte dos pais. Suzane não fez nenhum comentário sobre o assassinato e Andreas parecia estar alheio aos fatos, cantarolando pela casa com fones nos ouvidos. Quando Reinalva perguntou ao menino como ele estava passando, espantou-se com a resposta: "Já era, acabou".

01. Arquivos Richthofen

SÁBADO

2 DE NOVEMBRO DE 2002

Dia de Finados. Para a equipe de investigação do DHPP, não houve feriado. A dra. Cíntia e o dr. Alvim resolveram dar uma passada na casa da rua Zacarias de Góis para sentir melhor o ambiente e o estado de espírito da família e também para reconstruir a dinâmica do caso e procurar o que poderia ter sido a arma do crime.

Chegaram à mansão dos Von Richthofen em uma viatura descaracterizada. A rua estava em absoluta tranquilidade, completamente sem movimento. Tocaram a campainha e esperaram algum tempo, até que a porta foi aberta por Suzane, que trajava um biquíni. Todos estavam na piscina, aproveitando o sábado de sol, munidos de cerveja e música. Muito sem graça, a moça apagou rapidamente o cigarro e pediu que aguardassem um minuto.

Suzane voltou já vestida de short e top curto e todos saíram da piscina rapidamente. Os delegados explicaram que queriam dar mais uma olhada na casa sem causar transtorno. Ela respondeu que não havia problema e entrou com todos pela porta da cozinha. Subiram para a área dos quartos, onde a filha das vítimas, fumando novamente, apontou para a cama de casal e disse: "Bom, aqui morreram meus pais". O dr. Alvim ficou inconformado com a postura de desrespeito da moça, que não demonstrava o menor pudor ao estar no recinto onde havia ocorrido o brutal assassinato dos próprios pais displicentemente apontando o cigarro para onde haviam ficado os corpos estraçalhados daqueles a quem a garota devia a mais alta reverência.

Segundo o relato dos policiais que fizeram a visita, Suzane foi colaborativa mas fria. Mostrou os cômodos, os armários e o detalhe do móvel em que o pai guardava a arma e as joias, e como seria o procedimento para abri-lo. Realmente era necessário conhecer bem o lugar para saber a localização de compartimento tão bem escondido.

O dr. Alvim e a dra. Cíntia prestavam muita atenção em todos os pormenores, tentando encontrar algo que se assemelhasse a um bastão.

O apinhado armário de ferramentas, citado por uma das empregadas nos depoimentos, foi minuciosamente examinado. Nada relevante foi encontrado.

01. Arquivos Richthofen

DOMINGO
3 DE NOVEMBRO DE 2002

Aniversário de Suzane. Churrasco no sítio da família Von Richthofen em comemoração aos 19 anos de Suzane Louise. Dois dias depois do enterro dos pais, Suzane, Daniel e mais dois casais de amigos foram até Vargem Grande Paulista, a 40 km de São Paulo, pagar os caseiros, levar comida para os cachorros e comemorar.

Enquanto isso, no DHPP, todas as empregadas citadas por Suzane em seu depoimento foram ouvidas: Reinalva, Sislândia, Sonia e Diana. Nenhuma delas foi considerada suspeita de participação nos assassinatos, mas ajudaram a construir uma imagem do funcionamento da casa e do comportamento daquela discreta família.

Miguel Abdalla, irmão de Marísia, também depôs naquele dia. Ele tinha um relacionamento bastante próximo com o casal e costumava ir até a mansão duas vezes por mês, além de manter contatos telefônicos frequentes.

Segundo ele, o casal se dava bem. Eles costumavam viajar a cada semestre e também iam à Europa uma vez por ano. No mês de julho daquele mesmo ano, estiveram por trinta dias de férias na Finlândia.

Miguel contou à polícia que a irmã era muito rigorosa na educação dos filhos, enquanto o cunhado era mais liberal.

Quanto ao namoro de Suzane e Daniel, no começo o rapaz os acompanhava ao sítio da família durante os fins de semana, mas, a partir do ano anterior, Marísia começara a ficar desgostosa com o relacionamento, pois acreditava que Daniel não correspondia às suas expectativas para o futuro da filha. Havia criado a menina com esmero; ela falava inglês e alemão, cursava Direito na PUC, era faixa preta de caratê, tendo até participado de competições, e fizera diversas viagens para a Europa e mesmo pelo Brasil. Uma educação de primeira. Manfred e Marísia então foram "fechando o torniquete" aos poucos, até proibir a entrada do namorado da filha em casa. Falaram para ela que sentiam enorme desgosto pelo relacionamento dela com o rapaz e, em uma conversa séria, comunicaram à garota que a deserdariam caso levasse aquilo adiante. Manfred contou ao cunhado que chegou a dar "uns tapas" em Suzane nessa briga. O tio da garota esclareceu que, quando havia algum desentendimento ou chamavam a atenção dela por algum motivo, Suzane se confinava no quarto e conversava pouco, mas, depois de algum tempo, tudo voltava ao normal.

Suzane afirmou para os pais que o relacionamento havia acabado, e Miguel ficou surpreso quando, por volta das 4h30 da madrugada de quinta-feira, recebeu um telefonema de Daniel contando o ocorrido. Foi nesse momento que soube que o namoro não havia terminado.

À noite, Daniel foi jantar na casa de Miguel Abdalla, na comemoração oficial do aniversário da namorada. Também estavam presentes Andreas e a mãe de Marísia. A certa altura, Daniel comentou: "Esse crime vai ser difícil de ser desvendado porque era uma quadrilha especializada de São Paulo. A polícia não vai conseguir descobrir nada". Miguel respondeu: "Seja o que Deus quiser".

01. Arquivos Richthofen

SEGUNDA-FEIRA

4 DE NOVEMBRO DE 2002

No segundo depoimento de Suzane Louise von Richthofen, ela começou contando à delegada, dra. Cíntia, que sentiu falta da chave mestra da casa, que devia estar no chaveiro do pai; do controle remoto do portão da garagem, que pertencia à mãe; de algumas joias; 8 mil reais, 5 mil dólares e mil euros. Declarou que somente ela e o irmão sabiam sobre o armário com fundo falso no quarto dos pais.

Quanto ao seu relacionamento com Daniel, disse que a mãe não havia proibido o namoro porque ela mesma e Manfred haviam se casado sem o consentimento dos pais. Segundo soube Suzane, os avós paternos não queriam que Manfred se casasse com uma moça pobre, e os avós maternos não queriam que Marísia se casasse com um alemão. Por causa desses fatos, a mãe falava que não adiantava proibir o namoro de Suzane e Daniel, pois ela mesma havia se casado apesar da proibição.

De acordo com esse depoimento, sua mãe não mantinha relacionamento com a avó paterna. Suzane e Andreas a tinham visto pela última vez quatro anos antes, porque ela não gostava de Marísia.

Ao falar do pai, disse: "Não era de falar muito, era muito bom, tinha um coração maior que ele, era um paizão". Segundo Suzane, o pai tinha a mesma opinião que a mãe: Daniel era uma boa pessoa, bacana, respeitosa e honesta, mas que gostariam que ela procurasse alguém melhor. Contou que certa vez ocorreu uma discussão feia, com agressões por parte do pai, mas que houve um pedido recíproco de desculpas e tudo voltou ao normal. Afirmou que nunca foi agredida fisicamente pelos pais, somente uns "tapinhas na bunda" educativos.

Ainda segundo esse depoimento, Manfred e Marísia tinham o hábito de ingerir bebida alcoólica. A filha do casal afirmou que bebiam demasiada e diariamente. O pai bebia escondido de todos, ocultando garrafas de vodca atrás dos móveis, dentro da pasta executiva que usava, enfim, em diversos lugares. A mãe bebia abertamente todos os dias à noite: cerveja, Campari ou uísque.

Segundo a menina, o pai jamais admitiu que bebesse escondido, motivo habitual de discussão entre ele e a esposa. Outro ponto de discórdia na casa, de conhecimento de todos da família, eram os casos extraconjugais de Manfred, possivelmente com mais de uma pessoa. Era um assunto tratado com reservas, mas Suzane sabia que Andreas se sentia indignado e ela não podia concordar com aquilo. Chegou a conversar com a mãe, pedindo que o casal dialogasse sobre o porquê da necessidade de procurar mulheres fora de casa. Desprezava a atitude do pai e a conivência da mãe.

Extraoficialmente, em conversa com a delegada, Suzane fez algumas alegações sobre problemas com a sexualidade da mãe. Os comentários ficaram fora dos autos.

Nesse mesmo dia, foi ouvido também o responsável pela locadora de filmes Blockbuster, onde Suzane alegava ter ido com Daniel por volta das 18h da quinta-feira anterior. Ele disse que não conhecia nenhum deles e que nem Daniel, nem Andreas e nem Suzane tinham cadastro na loja como clientes. Foi pedido a gravação da câmera interna da locadora, que registra o movimento de clientes, para comprovar a versão de Suzane dos fatos daquele dia.

A secretária de Marísia von Richthofen, Ana Maria, também foi depor. Trabalhava com a psiquiatra havia sete anos e a descreveu como uma pessoa extrovertida, sempre bem-humorada e que atendia diversos pacientes. Nunca viu nenhum deles parecer exaltado no consultório. Declarou também que Marísia, apesar de ser reservada quanto à sua vida, havia chegado a comentar certa vez que não gostava de Daniel e que ele não era o namorado ideal para a sua filha. Contou também que Suzane praticava artes marciais.

Diante de todos os depoimentos e já bastante convencida de que a filha do casal teve participação concreta no assassinato dos pais, a dra. Cíntia resolveu procurar um psiquiatra conhecido para se orientar sobre o perfil de Suzane. Como interrogar a menina se ela estivesse envolvida? Que estratégia usar para conseguir uma confissão desse tipo de criminoso? Para o psiquiatra, se esse fosse o caso, a assassina teria personalidade deturpada, do tipo "condutopata", e a motivação seria financeira. Demoraria bastante para contar o que de fato ocorrera, pois esse tipo de criminoso não abre a boca fácil, mas, uma vez que começasse, contaria tudo em detalhes. Esse tipo de personalidade tem como características distanciar-se da realidade, saber manipular as pessoas ao redor e ser desprovida de emoção.

Munida dessas informações, a delegada voltou-se para a difícil tarefa de então provar aquilo de que agora tinha certeza.

01. Arquivos Richthofen

TERÇA-FEIRA
5 DE NOVEMBRO DE 2002

A equipe da 27ª DP também resolveu traçar um perfil das famílias Cravinhos e Von Richthofen para saber com quem estava lidando. O delegado dr. Enjolras Rello de Araújo, na companhia dos seus investigadores, rumou para a cidade de São Carlos, onde Manfred von Richthofen teria dado uma palestra em 21 de outubro, na faculdade de Engenharia, e pernoitado na casa de seu grande amigo e professor do curso de pós-graduação, Valter Nimir.

Segundo o professor Nimir, Manfred provia os filhos de todas as necessidades materiais, mas não mantinha muito diálogo. Era do tipo "fechadão". Estava aborrecido com a filha porque ela começara a faltar às aulas na faculdade e a tirar notas baixas, e ainda namorava um desempregado e viciado em entorpecentes, "um picareta". Contou que, como pai, estava totalmente desencantado; dava de tudo para a filha, mas a menina não era mais a mesma. Era difícil controlá-la e conseguir alguma obediência. Por esses e outros motivos, pensavam em mandar Suzane para a Alemanha, onde tinham familiares. Assim que terminassem os exames da PUC, ela cursaria Direito naquele país. Manfred e Marísia acreditavam que era a única maneira de separar a filha de Daniel, que achavam estar "desencaminhando" a menina.

Nessa mesma noite, após o jantar na casa do amigo, Manfred mostrou a ele a chave mestra que havia mandado fazer para a sua casa, impossível de se copiar, e detalhou o esquema de segurança que mandara instalar. Finalmente, ele se sentia seguro.

Naquela terça-feira, novamente delegados e investigadores fizeram uma "visita" à mansão Von Richthofen. O objetivo era passar um pente-fino, ver se aparecia algo mais concreto, encontrar o que poderia ter sido a arma do crime, enfim, investigar.

Logo de cara, Ado percebeu que Daniel tinha voltado a usar aliança de compromisso, como a de Suzane. Era hora de fazer o tipo "tira mau", enquanto os outros ainda fariam o papel de "bonzinhos". O policial chamou Suzane em um canto e perguntou se Daniel já tinha ficado sem usar a aliança. Subestimando a pergunta e quem a fazia,

Suzane respondeu que nunca o namorado havia tirado o anel. Na mesma hora, Ado se dirigiu a Daniel, relembrando-o de que ele não usava a aliança naquele primeiro dia na delegacia, no dia do crime. O rapaz então começou a se sentir desconfortável, claramente incomodado. A polícia começava a ser mais incisiva.

Os familiares conversavam na biblioteca, enquanto os policiais Arnaldo, Schumaker, Serjão e Ado, o último de costas para a porta, trocavam ideias na sala de estudos ao lado. Avisado pelos colegas de que Daniel "ciscava" a conversa dos tiras, Ado resolveu pressionar mais e o teatro começou: "Eu, por mim, quebrava o caso já! Pegava os caras e pronto!".

Daniel, inseguro com o rumo que a prosa tomava, ia e vinha. Tentou conversar com Ado, mas o policial esquivou-se pelo restante do dia, não dando abertura, pressionando psicologicamente, falando frases de efeito duplo para serem ouvidas pelo rapaz, mandando "recadinhos" importantes. Seu objetivo era que se sentissem pressionados a se movimentar, o que aconteceu no dia seguinte, quando Cristian levou de volta a motocicleta para a loja onde a comprara.

Na ocasião também foi recolhido na casa um atiçador da lareira, para verificar vestígios de sangue ou outras marcas no Instituto de Criminalística de São Paulo. A pressão aumentava a cada hora.

O delegado de polícia dr. José Masi acordou com uma persistente intuição naquela manhã: queria verificar o lixo da casa da família Von Richthofen. Rumou para o local do crime, acompanhado do investigador Serjão e da papiloscopista Patrícia Montebelo. Chegou com Suzane e Daniel e entrou com eles na residência.

Enquanto outros policiais estavam lá dentro, Masi e Patrícia conheceram toda a casa, vagarosamente, conversando com a filha das vítimas. Suzane mostrou a sala de ferramentas e a despensa, onde estavam os sacos de lixo da casa, que não se localizava em lugar tão óbvio assim. Tudo era bastante arrumado, cada coisa no seu lugar.

Depois, Suzane ficou conversando com os policiais na sala, que a distraíram enquanto Masi percorria a casa mais uma vez. Ao lado do quarto do casal, ele percebeu um alçapão que dava para uma caixa d'água. Imediatamente pediu que um policial subisse lá e verificasse quanta poeira havia no local e na tampa. Se os assassinos tivessem entrado por ali e escondido as armas do crime, por exemplo, certamente teriam deixado pegadas e digitais na poeira do chão e na tampa da caixa d'água. Nada foi encontrado. A caixa d'água externa, que ficava nos fundos do terreno, foi verificada também.

Ao retornar para dentro da casa, o dr. Masi começou a conversar com Suzane. O interessante aqui é que ele conhecia muitíssimo bem o teor das gravações das escutas telefônicas e sabia exatamente o que a moça responderia. Por exemplo, em uma conversa com uma amiga íntima, naquela semana, ela perguntou o que Suzane falaria sobre "a chave". "Sei lá", respondeu Suzane, "vou falar que sumiu quando o carro estava na concessionária, consertando." Não dera tanta importância assim à questão da chave perdida por Manfred e mencionada no depoimento da filha; então, aquela era a hora apropriada para saber mais. Em uma das salas internas, diante de algumas chaves, Masi questionou Suzane sobre as chaves da casa, como quem não queria nada ou não estava dando muita importância ao assunto. Ela passou a explicar como funcionava, enquanto Daniel e Andreas prestavam atenção na conversa que se desenrolava. Todas as chaves eram numeradas e o pai tinha a chave mestra. As fechaduras e chaves haviam sido trazidas pelos pais da Alemanha e cada um tinha acesso apenas às chaves de que precisava. Só Manfred podia abrir todas as fechaduras e carregava sua chave em um chaveiro de argolas. Não se perde uma chave assim, a não ser que se perca o chaveiro inteiro. Masi mostrou para Suzane o próprio chaveiro, do mesmo tipo do de Manfred, perguntando se o dele era igual. Suzane respondeu que sim e a cara do delegado foi de interrogação. Como foi então que ele havia perdido somente a chave mestra e não o chaveiro inteiro? Ele já sabia a resposta que viria e não se enganou. Suzane e Daniel se apressaram em dizer que devia ter havido algum problema na concessionária onde o carro fora consertado dez dias antes. Andreas abaixou a cabeça e passou a olhar para o chão. Cresceu a impressão do delegado de que havia algo de errado naquela história.

Já indo embora com Serjão, o dr. Masi comentou com o investigador que acabou não cumprindo o objetivo principal de sua visita ali, que era ver o lixo. Serjão comentou: "Doutor, tá passando vontade?". Ao que Masi respondeu: "Tô, tô passando vontade!". Serjão logo brincou: "Não passa vontade, não, doutor. Vamos lá ver o lixo". E foram.

Por conta do destino, o lixo permanecera sem ser recolhido desde o dia do crime. Até o colchão da cama do casal ainda estava na garagem da casa. Munidos de luvas apropriadas, Masi e a papiloscopista Patrícia começaram a ingrata tarefa de examinar o conteúdo da lixeira. O primeiro achado foi uma caixa de madeira e, embaixo dos lençóis ensanguentados, as caixas de joias, pequenas e grandes. Nesse momento, Suzane se aproximou e disse: "Essas empregadas não perguntam pra gente o que têm que fazer com as coisas e fazem tudo da cabeça delas. Doutor, a empregada jogou fora algumas coisas sem me perguntar, posso pegar de volta como recordação do meu pai e da minha mãe?".

Masi, ainda agachado, trocou um olhar expressivo com Patrícia e ela entendeu que era para ficar calada, não fazer nenhum comentário. A pergunta que ficou na cabeça dos dois era: para que a moça queria aquelas caixas? O delegado respondeu para Suzane: "Não tem problema, escolha e pegue o que quiser daí".

Ela se abaixou, dispensou as caixas menores e recolheu as maiores, inclusive uma que tinha exatamente o encaixe de um colar com pingente, de formato específico.

Nesse momento, raciocinando que a garota só poderia querer as caixas de volta caso as joias que se encaixassem ali fossem retornar um dia para suas mãos, os policiais formaram sua convicção. Para Masi, foi aquele o exato instante em que se convenceu de que Suzane von Richthofen estava envolvida no assassinato dos pais.

6 DE NOVEMBRO DE 2002

Os trabalhos de investigação eram intensos. Os investigadores da Homicídios continuavam a ouvir sobre a família e os envolvidos, separando verdades e mentiras, construindo suas convicções.

O depoimento do sr. Astrogildo Cravinhos de Paula e Silva contrariava muitas informações dadas por amigos e familiares das vítimas. Segundo ele, este era o perfil do seu filho Daniel: praticante de aeromodelismo, cursava o primeiro ano da faculdade de Direito da Universidade Paulista (UNIP) e tinha trancado a matrícula. Sua renda provinha da construção de aviões aeromodelos para competições acrobáticas e fora o quinto colocado em uma competição reunindo os melhores do mundo realizada em Kiev, na Ucrânia, em 1998. Conheceu Suzane no setor de aeromodelismo do parque do Ibirapuera, onde os irmãos Von Richthofen eram deixados pela manhã pelos pais, que os buscavam à tarde. O próprio Astrogildo era, na época, presidente da Confederação Brasileira de Aeromodelismo (Cobra).

Segundo seu testemunho, tinha excelente relacionamento com o casal Von Richthofen. Desconhecia qualquer proibição do namoro do filho com Suzane; só tinha conhecimento das várias regras que Marísia impusera para que aquilo não prejudicasse os estudos da filha.

Andreas costumava frequentar bastante sua residência, inclusive permanecendo para dormir algumas vezes, com a autorização dos pais. Também a mobilete do menino era escondida na sua casa, com sua permissão, mas alegou ter sido informado disso só depois de insistir para o menino levar o ciclomotor para a própria casa várias vezes, até que Daniel lhe contou a verdade. Ele acabou cedendo aos apelos de Andreas para não contar aos seus pais, diante da promessa de que ele só daria voltas no quarteirão e sempre seria "escoltado" por Daniel e Suzane.

Astrogildo contou que Marísia era uma pessoa espetacular. Dava atenção a todos, era educada, adorava conversar e se prontificava a atender quem necessitasse dos seus serviços profissionais e não pudesse arcar financeiramente com o tratamento.

Manfred e Marísia em pessoa haviam lhe contado que guardavam bastante dinheiro em casa e chegaram a lhe mostrar a pasta em que ficava armazenado. Manfred também havia confidenciado a ele, na "boca da churrasqueira", que não mais se relacionava intimamente com a esposa.

Seu último contato com o casal havia sido em 3 de julho, aniversário dele e de Andreas, que comemoraram juntos. Manfred e Marísia também haviam estado na sua casa no aniversário de Nadja, sua esposa, em 2001, prova de como seu relacionamento com a família Von Richthofen era harmonioso.

O sr. Astrogildo afirmou, com certeza, que Andreas, Daniel e Suzane não usavam drogas. O único hábito ruim do filho era fumar só cigarro importado, de cravo e mentolado, naqueles dias a 5 reais o maço, o que lhe parecia um total absurdo. Tinha conhecimento de que os três frequentavam o cibercafé Red Play, para onde foram no dia 30 de outubro, na hora da novela *Esperança*, exibida pela Rede Globo. Eles estavam na sua casa desde mais ou menos as 18h daquele dia, entre a sala e o quarto de Daniel, e chegaram até a alimentar os peixinhos do aquário. Quando a novela começou, Astrogildo levantou-se para ir trabalhar um pouco no computador e ouviu os três se despedirem. Daniel explicava para todos que iriam até o Red Play deixar o menino e depois seguiriam para um motel, onde comemorariam o aniversário de Suzane antecipadamente, já que iriam para a chácara dos pais dela no fim de semana. A esposa de Astrogildo também estava presente naquela hora.

Na madrugada do crime, quando Daniel ligou pedindo ajuda, Astrogildo e a esposa foram para a casa de Suzane. Segundo seu depoimento, os três estavam desesperados e chorando muito. Suzane, em especial, estava tão descontrolada que o sogro pensou em levá-la a um pronto-socorro.

Tinha ótimo relacionamento com a namorada do filho, que chegou a lhe confidenciar que os pais estavam bebendo muito, todo dia, e começavam a "falar besteira em casa", gerando brigas constantes.

O compadre da família Von Richthofen e padrinho de Suzane, José Carlos Simão, também foi prestar depoimento na Equipe C-Sul do DHPP. Amigo do casal assassinado desde 1977, trabalhou com Manfred nas empresas Promon Engenharia e CNEC (Consórcio Nacional de Engenheiros Consultores S.A.). Mantinha contato profissional com Manfred e social com o casal. Segundo Simão, Marísia tinha feito especialização na Escola de Psiquiatria de Heildberg, uma das melhores da Europa, na mesma época em que Manfred conseguira uma bolsa de estudos em Karlsruhe, quando ambos moraram na Alemanha. Era uma pessoa afetiva, equilibrada, carinhosa, atenciosa, preocupada e solícita.

A seu ver, a amiga era mais ligada à filha. Queria que ela fosse estudar no exterior, mas a menina não concordou e ela respeitou. Era uma mãe "ligadíssima". Preocupava-se com o namoro da filha com um rapaz que cursava "madureza" e não se interessava muito em estudar.

Jamais soube de nenhum relacionamento extraconjugal de Manfred. Para ele, o casal sempre pareceu se dar bem. Descreveu Manfred como uma pessoa tímida e desconfiada, além de séria e honesta "a toda prova". Alemão naturalizado brasileiro nos anos 1970, Manfred veio ainda criança para cá e o fato de a família ter vivenciado a Segunda Guerra Mundial poderia, em sua opinião, ser a origem de seu jeito reservado.

Manfred era um pai muito presente. Levava os filhos para a escola todos os dias e mesmo quando Suzane tirou sua carteira de motorista ele a seguia em seu carro para protegê-la de qualquer eventualidade, até estar seguro de que a menina poderia ir e vir sozinha. Ele estava muito feliz com a filha, pois ela vinha fazendo monitoria de outros estudantes na faculdade. Também não aprovava o relacionamento de Suzane e Daniel.

Parecia ser mais ligado ao filho Andreas, para quem comprara um "buguinho" no sítio, construíra um lago para pescar e um campinho para jogar bola. Andreas era tão habilidoso quanto o pai nos assuntos de marcenaria, em consertos e no uso de ferramentas. Suzane e Andreas também praticavam caratê.

O último contato de Simão com Manfred fora em 30 de outubro. O casal planejava fazer um churrasco no sítio da família para comemorar o aniversário de Suzane, que cairia em um domingo. Simão chegara a brincar com o amigo, perguntando se o "genro" já o estava chamando de papai. Manfred respondera que o namoro felizmente havia acabado e que a "Turca", apelido carinhoso pelo qual chamava Marísia, estava muito feliz com isso.

Simão esclareceu que, apesar de Manfred beber bastante socialmente, "como todo alemão", nunca bebeu fora de controle. Durante os frequentes almoços em que se encontravam, ele só bebia água ou refrigerante. Também jamais ouviu comentários do amigo sobre mulheres. Ele era do tipo que ia de casa para o trabalho e do trabalho para casa.

Soube do crime por intermédio de outro amigo e imediatamente providenciou que a advogada dra. Cláudia Maria Soncini Bernasconi acompanhasse sua afilhada e Andreas nessa fase difícil para ambos.

A empregada do casal Von Richthofen, Reinalva, foi novamente intimada para depor naquela quarta-feira. Contou que Manfred e Marísia eram alegres e bem-humorados, mas não costumavam conversar com ela sobre assuntos não profissionais. Trabalhava de segunda a sábado, das 8h às 17h.

As bebidas da casa eram guardadas em um barzinho perto da sala de jantar. A cerveja na geladeira só era consumida pelo patrão nos fins de semana. Jamais viu a patroa beber qualquer coisa alcoólica. O casal fumava cigarros da marca Free, e Reinalva nunca vira Suzane fumando na frente dos pais. Ela o fazia discretamente, na ausência deles.

Sabia que Manfred levava Andreas todos os dias para a escola, voltava para tomar banho, trocava-se e ia trabalhar. Marísia trabalhava de manhã, almoçava em casa todos os dias e só atendia consultas à tarde em casos especiais. A filha do casal estudava no período da manhã, mas ia bastante à faculdade no período noturno. Andreas estudava também pela manhã e era a irmã quem o trazia da escola para casa na hora do almoço.

Reinalva contou para a polícia que, no dia 18 de outubro, Manfred a questionou sobre a sua chave de casa, que havia sumido. Ela respondeu que não tinha visto a chave, que ficava em uma argola em um chaveiro junto com as outras, pendurada em um claviculário perto do armário da cozinha. Ele comentou que então a procuraria no carro e nunca mais tocou no assunto. O esquema de chaves da casa dos Von Richthofen era bastante complexo. Todas tinham um número gravado: as de Reinalva eram as de nº 1, do portão de entrada lateral direita da rua, e de nº 3, da porta da área de serviço, dando acesso à casa pela cozinha. A chave da porta da frente era a de nº 4. Andreas era o único que usava a chave nº 2, do portão de ferro, porque os outros usavam o controle remoto das portas da garagem, que ficava dentro dos carros.

Sobre Daniel, a empregada falou que nem o conhecia antes da segunda-feira daquela semana. Seu nome não era mencionado na casa em que trabalhava; até então Reinalva não sabia que Suzane tinha um namorado. Ficou muito espantada quando, naquele dia, a garota recebeu em casa a visita da sua amiga Dani e do namorado, trocando de roupa na frente de ambos para sair com destino à delegacia. Manfred e Marísia jamais admitiriam esse tipo de comportamento tão liberal. Também estranhou a forma como os dois irmãos, Suzane e Andreas, comportaram-se depois do acontecido, trocando cochichos pela sala. Não era a atitude normal deles.

No domingo anterior, temendo perder o emprego, Reinalva conversara com Miguel Abdalla. Garantiu a ela que continuaria trabalhando e que ele mesmo assumiria o pagamento de seu salário. Na segunda, Suzane e Daniel avisaram à empregada que ela agora era sua nova patroa e que mandava em tudo, e não o tio. Assustada, Reinalva disse que estava com medo de trabalhar naquela casa, e Daniel lhe respondeu: "Não precisa ter medo, nada vai te acontecer, quem fez isso [o crime] já está longe, e eu mesmo garanto sua vida, pode continuar trabalhando normalmente".

Andreas e Suzane não tinham o costume de receber amigos em casa. Depois de chegar da escola, o menino costumava brincar no quintal com sua espingarda de chumbinho. Reinalva não viu nenhum dos irmãos chorando depois da morte dos pais. Jamais soube de qualquer ameaça contra a vida de Manfred e Marísia, nem de nenhuma desavença mais séria com alguma empregada antiga.

Ainda na quarta-feira, a campana que observava Cristian viu o rapaz levar a moto da casa do pai de volta para a loja de motos, no Brooklin. Marcos Nahime, dono da loja, foi intimado a comparecer no dia seguinte à delegacia para prestar depoimento.

01. Arquivos Richthofen

QUINTA-FEIRA

7 DE NOVEMBRO DE 2002

Depoimento após depoimento, a polícia começava a fazer a sua própria imagem da família Von Richthofen e das inconsistências dos depoimentos de Daniel e Suzane quando comparados aos relatos das outras testemunhas.

O testemunho seguinte foi o de Rubens Cury Gossn, primo-irmão de Marísia. Eram bastante próximos, saíam juntos e se falavam semanalmente por telefone. Marísia era uma pessoa feliz, que achava graça em tudo, e por esse motivo Rubens decidira enterrá-la em um caixão lacrado, para que as pessoas se lembrassem dela risonha como sempre foi e não com a feição que ele viu no IML, quando fez o reconhecimento e a identificação dos corpos.

Segundo ele, o casal Von Richthofen tinha passado as últimas férias de julho na Escandinávia. Eles se davam bem e, se estivessem passando por uma crise mais séria no casamento, certamente Marísia teria comentado com ele ou com seu irmão Miguel. Manfred era um homem sério, mas extremamente alegre, de personalidade simples e amigável, um piadista, a atração de qualquer jantar. O casal estava feliz pelo fato de a filha ter sido convidada a fazer monitoramento na PUC por causa das suas notas altas, apesar dos planos iniciais que tinham para a menina, de mandá-la para a Alemanha, a fim de cursar Direito, ou tentar novamente entrar na São Francisco, faculdade de Direito da Universidade de São Paulo. Concordaram que a menina faria apenas sua especialização no exterior.

Rubens esclareceu que Andreas mudara de escola porque seus pais acharam que o currículo da nova era melhor, tal era a preocupação do casal com a formação intelectual dos filhos. Jamais conversou intimidades com Manfred; não sabia se eles guardavam dinheiro em casa nem que ali havia um armário com fundo falso. Ficou sabendo de tudo isso pelo sr. Cravinhos, no dia do crime, quando ele e Miguel tomaram um cafezinho na padaria mais próxima da casa onde o crime havia ocorrido. Foi também nessa ocasião que soube da ida de Suzane e Daniel ao motel e da passagem de Andreas pelo cibercafé.

Estranhou demais a história do "casalzinho" ter ido ao motel, pois a própria Marísia havia lhe contado sobre o rompimento dos dois, inclusive o fato de que Suzane retirara do dedo a aliança de prata que usava como símbolo do compromisso. Rubens também tinha conhecimento da grande discussão entre os pais de Suzane e a filha por conta do namoro e de que a partir desse grave desentendimento fora solicitado a Daniel que não frequentasse mais a casa da família.

Negou completamente que Manfred fosse alcoólatra ou que mantivesse relacionamentos extraconjugais.

Claudia Sorge, a melhor amiga de Marísia, também foi chamada para depor na Delegacia de Homicídios. Ela frequentava a casa da família Von Richthofen esporadicamente e descreveu Manfred como reservado, mas bastante brincalhão com aqueles que lhe eram próximos. Claudia costumava conversar com os filhos do casal, que tinham um relacionamento bem normal com seus pais. Andreas era bastante apegado ao pai, enquanto Suzane, segundo os comentários da própria Marísia, tinha com Manfred alguns conflitos comuns entre pai e filha adolescente.

Claudia conheceu Daniel na casa da amiga e sabia que durante muito tempo eles toleraram o namoro da filha, mas, quando o relacionamento começou a se prolongar, Manfred pedira à filha que o rapaz não frequentasse mais sua casa e fora atendido. No dia 6 de outubro, Marísia comentou com ela que Daniel e Suzane haviam enfim rompido o namoro e que encarava o acontecido como um "presente", devido às diferenças socioeconômicas, culturais e intelectuais entre os dois.

Marísia atendia seus pacientes sempre no consultório e nunca lhe falara sobre algum caso mais complicado que pudesse oferecer algum risco à sua família. Comentou com a amiga que se sentia irritada com o fato de o marido chegar em casa e querer ficar bebendo cerveja e vendo televisão, mas jamais se queixou de qualquer coisa parecida com alcoolismo por parte dele.

Claudia soube do crime pela própria Suzane, com quem conversou várias vezes sobre a morte dos pais. A menina lhe pareceu confusa, se disse desamparada, mas acrescentou que encontrava apoio no namorado, Daniel. Andreas lhe parecia bastante triste com a perda.

Certa vez, Marísia comentou com Claudia que Suzane flagara Manfred com uma mulher em seu carro, mas uma relação extraconjugal nunca havia sido confirmada, pelo menos não que ela soubesse.

Sem poder dar mais nenhuma informação relevante, Claudia Sorge foi dispensada.

O SEGUNDO DEPOIMENTO DE SUZANE LOUISE VON RICHTHOFEN - EQUIPE C-SUL

Diante de tantas controvérsias entre os depoimentos de Suzane e os dos amigos dos seus pais, a garota foi chamada para prestar novo depoimento. De mãos dadas com Daniel pelos mal iluminados corredores da delegacia em direção às instalações da Equipe C-Sul, onde seria ouvida pela delegada Cíntia, perguntava-se o que ainda poderiam querer saber, já que dissera tudo que sabia. Enquanto o namorado foi solicitado para que a esperasse no sofá da antessala, Suzane foi encaminhada, juntamente com a advogada dra. Claudia Bernasconi, para a sala da delegada responsável pelo caso. Sentando-se na simples cadeira preta que compõe a espartana decoração de todas as salas da Homicídios, começou a responder, com o mesmo tom monótono de sempre, as perguntas que lhe eram feitas.

CÍNTIA: Suzane, vamos repassar alguns pontos do seu depoimento que não ficaram claros o suficiente. Na quinta-feira à tarde, você disse que estava na casa de Daniel. A que horas mesmo vocês saíram de lá e para onde foram?

SUZANE: Foi por volta das seis da tarde. Fomos para a Blockbuster escolher alguma coisa para assistir, mas não nos interessamos por nada, saímos de lá e nos dirigimos para a casa do Cristian, irmão do Daniel, para devolver uma máquina de cortar cabelo.

C: Por quanto tempo vocês ficaram lá? Qual o endereço dele?

S: É na rua Graúna, não me lembro do número. Ficamos lá no máximo por quinze minutos e voltamos pra casa do Daniel, onde permanecemos até o Andreas ligar, por volta das 22h30.

C: Mas o Andreas não estava também na casa dos Cravinhos desde a tarde?

S: Não, não estava. Ele ligou para o Daniel, que foi buscá-lo por volta das 22h30. Eu fiquei na casa dele, mostrando uns e-mails que havia recebido para os meus sogros. Não demorou nada e eles chegaram.

O testemunho de Astrogildo contava uma história diferente, e Cíntia fez uma anotação mental, mas não comentou nada. Continuou inquirindo a moça.

C: Foi então que Andreas saiu com a mobilete para o Red Play?

S: Não, Daniel e Andreas ficaram um tempo arrumando a mobilete, mas saímos primeiro no meu carro, os três juntos, e fomos até o cibercafé para ver se já tinha gente suficiente para jogar. O Red Play tem um janelão de vidro e pudemos ver, sem entrar, que o lugar já estava até que bem cheio. Então voltamos pra casa do Daniel, onde Andreas pegou a mobilete, e voltamos pra lá. Entramos juntos, cumprimentamos os funcionários e deixamos meu irmão jogando sozinho. Deviam ser umas 23h30.

C: E então foram para onde?

S: Para a minha casa, pegar dinheiro. Eu tenho cartão de crédito, mas está bloqueado por falta de uso, e meu talão de cheques havia acabado.

C: A ida ao motel não era uma surpresa que Daniel havia preparado como presente pra você?

S: Não, combinamos o programa juntos.

C: E vocês chegaram a comentar com alguém que iriam ao motel? Como com os pais do Daniel, por exemplo?

S: Não, não me lembro de comentar com ninguém sobre o programa, nem mesmo com os pais dele.

Novamente, as versões dela e de Astrogildo não batiam. O interrogatório continuou.

C: E na sua casa, por que você foi verificar se seus pais estavam dormindo, se ia só pegar dinheiro?

S: Eu tinha combinado com eles que estaria em casa entre 0h30 e 1h. Se eles ainda estivessem acordados, eu não poderia sair de novo, então pedi ao Daniel que me esperasse no carro. Se eu não telefonasse logo é porque eles estariam acordados, e ele iria pra casa dele sozinho.

C: Como ele sairia? Ele tinha a chave?

S: Tinha o controle remoto do portão no carro. Ele podia abrir, sair e fechar novamente o portão.

C: E dentro da casa, o que você fez?

S: Destranquei a porta da sala, subi, verifiquei que meus pais dormiam, desci para a sala de estudos onde estava guardado o meu dinheiro, fui até a biblioteca ver se tinha algum recado, fui ao banheiro, saí e tranquei a porta da frente. Não demorei mais que quinze minutos.

C: E depois foram para onde?

S: Eu e Daniel fomos para a Raposo Tavares, mas chegando lá mudamos de ideia e resolvemos escolher um motel melhor, que fica na Ricardo Jafet, o motel Colonial. Chegamos lá mais ou menos à uma da manhã.

C: Por que Daniel não entrou com você em casa para pegar o dinheiro? Ele estava proibido de entrar na sua casa?

S: De jeito nenhum! Daniel nunca foi proibido de entrar na minha casa! Tive uma discussão no começo do ano com meu pai sobre o meu namoro, foi uma briga feia, meus pais ameaçaram me deserdar caso eu continuasse o namoro e o meu pai chegou até a me dar um tapa no rosto, no calor da discussão. Depois, eles me pediram desculpas e ficou tudo bem. Tanto eles sabiam da minha relação íntima com o Daniel que minha mãe até me orientou quanto a usar camisinha e tomar pílula. Mesmo depois dessa briga, jamais os meus pais proibiram que o Daniel entrasse lá em casa.

C: Você ganhava mesada dos seus pais?

S: Ganhava uma mesada pequena e pedia dinheiro quando ia sair pra algum lugar; às vezes pedia mais, às vezes menos.

C: E essa aliança de prata que você usa no dedo?

S: Essa aliança é de compromisso do meu namoro com Daniel.

C: Você usa sempre?

S: Sempre, nunca tirei.

C: Alguma vez você disse aos seus pais que tinha acabado o namoro com Daniel?

S: Não, nunca disse isso. Eles sempre souberam do namoro.

Mais uma vez, Suzane estava na contramão da história contada por todos os amigos dos pais que deram seu depoimento para esclarecimento do caso. Além do hiato de tempo entre Suzane passar em casa para pegar dinheiro e chegar ao motel Colonial, a ordem do trajeto continuava não batendo com o que Daniel contara. O mais impressionante era a disparidade entre o que a moça dizia sobre seu namoro e os depoimentos de Miguel Abdalla, José Carlos Simão, Rubens Cury Gossn e Claudia Sorge, pessoas íntimas de Marísia e Manfred. Todos eles descreveram a angústia do casal com o relacionamento prolongado da filha com um rapaz que não aprovavam, a ânsia que tinham de a filha terminar o namoro, as brigas e ameaças que fizeram a Suzane para que rompesse com Daniel, a alegria que sentiram quando isso supostamente aconteceu, a comemoração pela retirada da aliança do dedo de Suzane, simbolizando uma nova etapa na vida da menina. Será que Suzane não imaginava como era o trabalho da polícia? Não sabia que todas essas pessoas estavam sendo ouvidas? Não imaginou que seus pais também confidenciavam seus problemas aos amigos mais próximos? E, se era verdade que seus pais aceitavam plenamente seu namoro e aprovavam Daniel, por que todos mentiriam sobre isso? Com todos esses pensamentos na cabeça, Cíntia continuou seu trabalho.

C: Suzane, fale-me sobre o irmão de Daniel, o Cristian. Ele trabalha onde?

S: O Cristian não tem emprego fixo, faz bicos como mecânico e dá aulas de bateria. Também gosta muito de surfar.

C: Ele estuda?

S: Não sei se estuda. Os pais do Daniel uma vez comentaram que ele teve problemas com drogas.

C: Mas ele chegou a ter problemas com a polícia?

S: Isso eu não sei.

C: Você tem contato com ele? Sabe se ele recentemente comprou uma moto?

S: Depois da morte dos meus pais, falei com ele algumas vezes, mas não sei de moto nenhuma.

C: Você conhece os amigos do Cristian?

S: Só duas meninas que moram no mesmo prédio que ele, a Kaká e a Pitty, mas só sei o apelido delas e não tenho o telefone de nenhuma das duas.

C: Quando você chegou em casa, no dia do crime, os portões estavam abertos?

S: Não, todos os portões que dão acesso à rua estavam trancados.

C: E como você acha que o criminoso entrou e saiu da sua casa?

S: Acho que foi pelo portão automático e pela porta da rua. Lembra que eu falei que a chave do meu pai sumiu do chaveiro e que eu dei por falta do controle remoto do portão? Só pode ter sido assim.

C: Foi o chaveiro inteiro que sumiu?

S: Não, só a chave da casa, o chaveiro está lá com as outras chaves.

C: Como você soube que a chave do seu pai tinha sumido?

S: A Reinalva me contou que meu pai perguntou sobre a chave pra ela e ele também perguntou pra mim no mesmo dia em que foi assassinado.

C: Suzane, só mais uma pergunta: seus pais costumavam levar uma jarra com água para o quarto na hora de dormir?

S: Não, nunca vi eles fazerem isso.

C: E você reparou se no dia do crime havia uma jarra amarela no quarto dos seus pais?

S: Não, não reparei.

O depoimento de Suzane foi encerrado, mas todas as dúvidas e mais algumas povoavam a cabeça da policial.

Enquanto os depoimentos aconteciam no DHPP, a equipe da 27ª DP recebeu uma "dica" de que traficantes de cocaína comentavam que Cristian Cravinhos estava cheio de "grana" e tinha comprado uma moto. Foram imediatamente conversar com o sr. Astrogildo sobre seu outro filho. Segundo o pai do rapaz, eles não se davam bem desde que, no passado, ele havia se envolvido com drogas. Agora Cristian morava com a avó na rua Graúna.

A equipe seguiu então para a casa da avó de Cristian e perguntou onde ele estava. Ela explicou que ele costumava ficar com um grupo de vizinhos. Desceram e andaram um quarteirão adiante, avistando então uma roda de rapazes conversando. Para identificar a pessoa certa em meio aos outros, o dr. Enjolras gritou "Ô, Cristian...". Um deles olhou e respondeu: "Oi, sou eu". O delegado então pediu a ele que o acompanhasse até a delegacia, para ver uns objetos, reconhecimento de um roubo. Sem imaginar que já era suspeito de assassinato, ele entrou na viatura.

Na delegacia, Enjolras começou a interrogar Cristian sobre a moto que havia comprado. Cristian respondeu que não sabia de moto nenhuma. O delegado não perdeu tempo: chamou Marcos Nahime, dono da loja onde a motocicleta havia sido comprada no dia 31 de outubro, apenas dez horas após o assassinato do casal Von Richthofen. Ele olhou para Cristian, a pedido do delegado, e o reconheceu como aquele que havia estado com um amigo em sua loja e comprado uma motocicleta da marca Suzuki GSX 1100, na cor preta.

De volta à sala onde Cristian estava, Enjolras o confrontou com o depoimento de Marcos. Ele então admitiu que realmente tinha ido à loja de motos com um amigo, Jorge, a fim de ajudá-lo a comprar uma moto para ele. Só que Marcos havia também contado para a polícia que, na loja, Cristian tinha dito que a moto era dele, mas ficaria no nome do amigo porque estava com o nome sujo na praça. Confrontado mais uma vez, Cristian revelou que comprou mesmo a moto, mas, como pagou com dólares não declarados, juntados por ele durante toda a vida, ficou com medo de falar e perder o veículo.

Quando perguntado onde estava no dia do crime do casal Von Richthofen, Cristian disse que tinha ido ao Red Play por volta das 22h, onde ficou jogando durante cinquenta minutos. Retornou a pé para casa, chegando às 23h30, e ficou vendo televisão até 1h30 da quinta-feira, quando sua amiga Cristiane telefonou dizendo que precisava de ajuda porque um amigo deles, que também se chama Daniel, havia quebrado o braço. Cristian foi correndo para o hospital São Paulo, onde permaneceu até as quatro da manhã. Nesse horário, ele, Cristiane e Daniel passaram na farmácia, comeram um lanche no McDonald's e foram cada um para sua casa, chegando por volta das 5h.

Naquela quinta-feira, os peritos Salgueiro, Salada e Ermindo retornaram à casa do casal Von Richthofen para retirar a cabeceira da cama e levá-la para o dr. Osvaldo Negrini Neto, no Instituto de Criminalística, para exame das mossas (deformações na madeira) encontradas no objeto. Estavam na casa os irmãos Suzane e Andreas, além de Daniel Cravinhos. Comportavam-se como se nada tivesse acontecido.

A impressão dos peritos foi que Daniel, agora, era o dono da casa, assumidamente. Ele tomou a dianteira para atender todas as necessidades deles. Ajudou até a enrolar o móvel em um cobertor e amarrá-lo na traseira da peruinha em que foi transportado.

Na saída, Daniel estendeu sua mão para Salgueiro, que o cumprimentou. Suzane também estendeu sua mão. Salgueiro, estranhando a própria e inédita atitude, disse à moça: "Para você eu não vou dar a mão. E você sabe o porquê".

Meia hora depois, enquanto os peritos ainda estavam no trânsito, a caminho do Instituto de Criminalística, Suzane, Daniel e Andreas já estavam sendo levados ao DHPP para prestar esclarecimentos.

O dr. Ismael, da "Divisão de Chacinas", recebeu um telefonema informando que Cristian estava sendo interrogado no 27ª DP, por conta da "dica" que haviam recebido sobre a moto. Retransmitiu imediatamente a informação para as equipes da Homicídios responsáveis pelo caso, e o investigador Serjão, acompanhado pelo então delegado-assistente da 1ª Delegacia, dr. José Masi, foi buscar o suspeito. Isso se deu por volta das 19h. Cristian foi colocado no compartimento para presos da Blazer da polícia, o famoso camburão, por questões de segurança. Ele já estava detido como suspeito de homicídio e foi levado para o DHPP. A pressão sobre ele estava apenas começando. A presença de Andreas, Suzane e Daniel também foi imediatamente requisitada. Suzane foi levada para a sala do dr. Domingos Paulo Neto; Andreas, para a equipe de plantão no dia, a "Golfe"; e Daniel, para a equipe "Alfa".

Cristian foi deixado na sala da 1ª Delegacia, enquanto Masi e Cíntia subiram para o quinto andar a fim de ouvir Marcos Nahime, proprietário da loja onde a moto que estava em posse de Cristian havia sido comprada. O teor das suas declarações era similar ao que já dissera no 27ª DP, acrescentando apenas que Cristian havia deixado a moto na sua loja no dia anterior com a queixa de que ela estava falhando. Não tinha pressa para que o conserto fosse feito, ia viajar para o Sul, onde ficaria até a quarta-feira seguinte, 13 de novembro, e só então precisaria do veículo. Não tinha nenhuma dúvida de que quem encabeçara a compra da motocicleta fora Cristian, que saíra conduzindo o veículo, apesar de a nota fiscal ter sido feita em nome de Jorge Ricardo March. O pagamento havia sido realizado com 36 notas de cem dólares, correspondentes, na época, a 12.600 reais, conforme nota fiscal nº 1.443 emitida pela M. Nahime Comércio e Serviços Ltda. em 31 de outubro de 2002, por volta das 10h.

Os dois delegados se entreolharam. A moto havia sido adquirida por Cristian quando os corpos de Manfred e Marísia Von Richthofen mal tinham esfriado.

O PRIMEIRO DEPOIMENTO DE CRISTIAN CRAVINHOS DE PAULA E SILVA

A 1ª Delegacia de Polícia, no quarto andar do DHPP, não é nem de longe o que pode se chamar de confortável. Composta de duas salas interligadas por uma porta, tem um grande janelão por onde, em madrugadas não tão quentes, entra uma brisa quase fria e constante. Os policiais que acompanharam o interrogatório de Cristian ficaram na primeira sala. Masi posicionou sua cadeira no meio da porta de interligação das salas, impedindo a passagem que dava acesso à janela. Essa é uma preocupação diária na Homicídios; não é raro alguém se desesperar depois de confessar um crime e se atirar prédio abaixo. Foi colocada uma cadeira simples para que Cristian se sentasse diante do delegado. À sua frente, mais à direita, sentou-se a dra. Cíntia, pronta para registrar no computador todo o depoimento. Em um sofá atrás do suspeito, vários investigadores se revezaram durante a longa noite que se iniciava. Todos ali sabiam que não seria nada fácil chegar à verdade dos fatos ocorridos na noite do crime.

A estratégia era gerar desconforto e ansiedade em Cristian. Enquanto todos ali estavam em suas roupas de trabalho, em geral camisa e calça social, às vezes paletó, o suspeito usava uma camiseta tipo regata. O vento, vindo da janela, o pegava de frente, implacável. O fato de Cristian ser fumante estabeleceu um clima tenso. Masi não fuma e logo deixou claro quem mandava ali. Investigadores que quisessem fumar sairiam da sala; Cristian, é claro, não tinha autorização para isso. A ansiedade dele crescia a cada cigarro não fumado. A cadeira simples também não ajudava o rapaz, que mudava de posição a toda instante. Ele não estava algemado... ainda.

Masi começou a inquiri-lo de forma firme mas sossegada:

> **MASI:** Então, Cristian, quantas versões mesmo você deu para nós sobre a compra da moto?
>
> **CRISTIAN:** Eu fiquei com medo de perder a moto, doutor, porque comprei ela com dólares que não declarei.
>
> **M:** Sei... Mas você também não disse que a moto não era sua, que era de um tal de Jorge?
>
> **C:** Disse, mas a verdade é que eu pedi só para pôr no nome dele porque tinha extraviado meus documentos.
>
> **M:** Ahhhh... E como você arrumou dinheiro para comprar essa moto?

> C: Eu ganho dólares da minha família desde que fiz 15 anos. Do meu pai, do meu avô, da minha mãe, e fui juntando. Ganhei 1.100 dólares do meu pai.
>
> M: Em notas grandes, pequenas, quanto de cada vez?
>
> C: Meu pai dava notas de dez ou vinte, minha mãe, de um dólar, e meu avô me deu uma vez quinze dólares, mas não lembro em que tipo de nota.
>
> M: Mas então devia ter demorado mais para juntar tanto dinheiro que pague uma moto, não?
>
> C: É que eu também vendi uma bateria da marca Premier Signia por 1.200 dólares. Recebi em notas de valores variados, tipo de dez, vinte e cinquenta dólares, não me lembro bem.
>
> M: Mas na minha conta ainda faltam dólares. E o resto, conseguiu como?
>
> C: Fui comprando em casa de câmbio, não me lembro onde, perto da Estação da Luz. Também troquei dólar na Praça da República, mas não lembro o endereço.

Os policiais se entreolhavam. Ia ser difícil Cristian explicar os 3.600 dólares na mão dele no dia do assassinato do casal Von Richthofen.

> M: Você comprou a moto no nome desse Jorge por que mesmo?
>
> C: Porque eu perdi meus documentos, não dava para pôr no meu nome. Me roubaram tudo lá por maio ou junho, fiquei sem CIC e RG.
>
> M: E não tirou novos documentos até agora por que motivo?
>
> C: Porque eu sou um estúpido...

Ele respondeu irritado; o rapaz também percebia que a historinha não estava "colando".

> M: Bom, vamos em frente, rapaz. Onde você estava na noite de 30 de outubro?
>
> C: Estava em casa e daí, lá pelas 22h, peguei um táxi e fui para o Red Play jogar *Counter-Strike*.
>
> M: O que é *Counter-Strike*?
>
> C: É um jogo de computador.
>
> M: Tá. Você chegou no Red Play que horas?

C: Lá pelas 22h15, 22h20. Mas tava meio vazio, então tipo umas onze e pouca da noite eu fui embora a pé para casa.

M: Onze e quanto?

C: Onze e cinco, ou dez.

M: E que horas você chegou em casa?

C: Às 23h30 ou 23h45, não me lembro bem. Daí fiquei em casa vendo televisão.

M: A noite inteira?

C: Não, tipo, à 1h30 eu fui na janela e minha amiga Cristiane me chamou para dar uma ajuda, porque nosso outro amigo Daniel tinha quebrado o braço.

M: Ajudar em quê?

C: Ir até o hospital São Paulo com ela. O Daniel precisou ser engessado.

M: Ele quebrou o braço como?

C: Acho que foi em uma disputa de queda de braço.

M: Onde mora esse Daniel?

C: Perto do Red Play, mas não sei o prédio.

M: E a Cristiane?

C: A Cristiane é minha vizinha, mora no mesmo prédio que eu.

M: E vocês foram como para o hospital?

C: No carro dela, um Gol bolinha. Eu que fui guiando.

M: Mas o Daniel e o Marcos estavam com vocês?

C: Não, eles já estavam no hospital.

M: E quem levou eles para o hospital?

C: A Cristiane.

M: Mas então por que ela voltou para casa e depois foi de novo com você? Confusa essa história, hein, rapaz?

C: Não, é que antes a Cristiane estava em um barzinho com o Marcos e o Daniel, onde ele quebrou o braço. Mas ela estava com o carro do pai dela, um Honda ou Hyundai, e morre de medo de ser assaltada. Então levou eles pro hospital e foi trocar de carro, pegar o Gol, e daí eu fui com ela pro hospital.

M: Que horas vocês chegaram no hospital?

C: Acho que era 1h45.

M: E saíram de lá que horas?

C: Umas 3h45.

Masi fez um sinal para o investigador César, conhecido como Turcão, e os dois saíram da sala com uma desculpa qualquer. Lá fora, Masi pediu que Cristiane fosse levada para o DHPP e desse seu depoimento. Voltou para a sala e continuou o interrogatório.

    M: Então, sr. Cristian, vamos continuar. Saíram do hospital. Quem?
    C: Eu, a Cristiane, o Marcos e o Daniel, todo mundo no Gol da Cristiane.
    M: E foram pra onde?
    C: Primeiro passamos em uma farmácia, na avenida Ibirapuera.
    M: Que farmácia?

Cristian se ajeitava de um lado para outro na cadeira. "Ai, que saco! Quantos detalhes inúteis." Queria fumar, esticar as pernas, sei lá, tudo menos ficar ali. Seu peito estava apertado. Tentava se lembrar de tudo, tudinho que podia falar. Esse delegado era detalhista...

    C: A farmácia que fica à direita de quem olha de frente pra igreja que tem ali.
    M: Compraram o quê na farmácia?
    C: Compramos três remédios, pra dor e anti-inflamatório.
    M: Quanto custou?
    C: Acho que foi quarenta reais. O Marcos que pagou.
    M: Por que foi ele que pagou? Não foi o Daniel quem quebrou o braço?
    C: Não, quer dizer, sim, mas foi o Marcos que quebrou o braço do Daniel, então tava se sentindo culpado.
    M: E aí, foram pra onde?
    C: Fomos pro meu prédio, mas depois resolvemos ir para o McDonald's comer um lanche.
    M: "Resolvemos" quem?
    C: Nós quatro. Já sei o que o senhor vai perguntar. Fomos no McDonald's da Bandeirantes. Chegamos umas 4h15 e saímos umas 4h45.
    M: E o que vocês comeram?

Cristian olhou para o chão. Não é possível que o delegado quisesse saber até isso!

C: Eu comi um nº 4 (Cheddar McMelt, batata frita e refrigerante), o Daniel e o Marcos racharam seis cheeseburguers e Coca-Cola, e a Cristiane não comeu nada.

M: E aí, o que vocês fizeram?

C: Voltamos pra minha rua, fumamos um cigarro e cada um subiu pra sua casa.

M: Mas você não falou que o Daniel morava perto do Red Play? Como ele foi pra lá?

C: Ele dormiu na casa do Marcos.

M: Ahhhhh. E você dormiu até que horas?

C: Eu nem dormi, fui para o parque do Ibirapuera passear com meu cachorro. Só voltei umas 8h30.

M: E ficou em casa?

C: Não, umas 9h fui pra casa do Jorge encontrar com ele pra ir comprar a moto na Nahime.

M: E como vocês foram pra Nahime?

C: Na moto do Jorge, uma Honda Dream 100cc vermelha e branca.

M: A que horas vocês chegaram à loja de motos?

C: Umas 10h. Daí, eu escolhi a moto Suzuki e coloquei no nome do Jorge.

M: E pagou quanto mesmo?

C: Três mil e seiscentos dólares.

M: Em notas de que valor?

C: Era variado, entre cem, cinquenta, vinte e dez.

M: Era um pacote de notas?

C: Eu arrumei elas por ordem de valor, do maior para o menor.

M: As notas eram novas ou antigas?

C: Eram misturadas, tinha nota nova e antiga. Estavam em dois pacotes, quer dizer, três pacotes.

M: Quantas notas eram de cada tipo, de cada valor?

C: Acho que 2 mil eram em notas de cem e o resto eu não lembro.

M: Onde você conseguiu esse dinheiro?

C: Já falei, meu pai me deu uns mil dólares desde 1998 pra cá e minha mãe e meus avós também me deram. Eu também vendi a bateria.

M: Vendeu a bateria por quantos dólares?

C: Mil e cem dólares.

M: E pra quem foi que você vendeu?

C: Para um particular, não lembro o nome. O senhor só pensa em dólar, é? Só sabe falar de dinheiro? A polícia quer saber mais sobre o dinheiro do que sobre o crime...

O rapaz estava nervosíssimo, quase não se controlava mais. Todas as pessoas na sala emudeceram. O dr. Masi foi delegado-corregedor, o correto dos corretos. Fazer esse tipo de insinuação justamente para ele chegava a ser engraçado, mas quem precisou rir saiu da sala. Masi levantou devagar da cadeira e fez um verdadeiro escândalo por conta da provocação do rapaz. Ele havia cutucado a onça com vara curtíssima! Masi fez questão de mostrar para ele o que significa enfrentar um policial exaltado! Depois da enorme bronca, Cristian abaixou a cabeça, espremeu as mãos sem parar e aguardou calado que o interrogatório prosseguisse. Agora já havia entendido que ninguém ali estava brincando. Era vida ou morte. Ouviu quando foi pedido que um policial fosse buscar seu pai para um novo depoimento.

Na sala da 1ª Delegacia, Masi continuou suas perguntas:

M: Você pretende viajar neste fim de semana, Cristian?

C: Eu vou para o sítio dos pais da minha namorada na Castelo Branco.

M: Como se chama a sua namorada?

C: O nome dela é Ana Carolina.

M: Quanto tempo faz que você namora com ela?

C: Faz sete meses, mas a gente "fica" há três anos.

M: Onde ela mora? Me dá o endereço dela.

C: Eu não sei o endereço, é perto da minha casa.

M: Deixa de ser mentiroso, moleque, você namora, fica ou sei lá o quê há três anos e não sabe o endereço da menina?

Cristian, cada vez mais nervoso, tentou explicar que era por falta de atenção que não sabia o endereço, mas descreveu o prédio e sua localização. Ana Carolina também seria ouvida sobre sua versão dos fatos.

> **M:** E no Red Play, no dia do crime, quantas vezes você jogou *Counter-Strike*?
>
> **C:** Só uma, doutor, depois fui embora. Tava meio vazio lá. Tinha oito ou nove pessoas onde em geral tem umas quarenta.
>
> **M:** Algum amigo seu te viu lá? Algum conhecido?
>
> **C:** Não, não encontrei ninguém conhecido.
>
> **M:** Qual o número da máquina em que você jogou?
>
> **C:** Não me lembro. Era uma que fica de frente pra parede do lado do vidro, na divisória com a rua Jesuíno Maciel.
>
> **M:** E quando você saiu de casa para ir ao Red Play alguém conhecido te viu saindo?
>
> **C:** Não, ninguém. Eu peguei logo um táxi.
>
> **M:** E você não encontrou nenhum amigo no Red Play?

Suspirando e suando, Cristian respondeu que não. Também não havia combinado de encontrar com ninguém lá.

> **M:** Cristian, você alguma vez esteve na casa das vítimas?
>
> **C:** Estive, quando eles estavam viajando. Fui com a minha namorada, o Daniel e a Suzane.
>
> **M:** Quantas vezes você foi lá?
>
> **C:** Umas duas vezes.
>
> **M:** Você chegou a dormir na casa, passou alguma noite lá?
>
> **C:** É, uma vez eu dormi lá, mas minha namorada não estava.
>
> **M:** Você é usuário de drogas?
>
> **C:** Eu uso maconha de vez em quando.
>
> **M:** Só maconha? Nunca usou cocaína?
>
> **C:** Já usei, mas faz muito tempo, uns seis anos atrás.
>
> **M:** Como você parou de usar? Fez tratamento?
>
> **C:** Não, nunca fui internado em clínica nenhuma.

A dra. Cíntia leu todas as declarações já colocadas no papel e Cristian assinou. Mas seu depoimento ainda não tinha acabado. Ele ainda seria confrontado com as informações coletadas das pessoas envolvidas nas histórias que contou.

O porteiro do prédio de Cristian desmentiu que ele tivesse saído de táxi na noite do crime. Também disse que ele não chegou em casa à meia-noite e sim por volta de 1h30.

Daniel dizia que não sabia de nada sobre moto nenhuma, mas Cristian havia contado aos policiais, em conversas paralelas, que comentou com Daniel sobre a compra da motocicleta.

Suzane e Astrogildo faziam cara de espanto e repetiam "Coitado, ele fez isso? Comprou uma moto?", balançando a cabeça.

Astrogildo, pai dos meninos, deu novamente seu depoimento para a delegada Cíntia. Confirmou que Cristian havia levado uma motocicleta para sua casa, dizendo que era de um amigo e que faria alguns consertos nela, "daria um trato". Astrogildo não sabia o nome do amigo, mas os documentos originais do veículo estavam em sua casa. Explicou que Cristian morava com a avó, não estudava e tinha cursado só até a oitava série. Não tinha emprego fixo e vivia de bicos, como consertar motos e dar aulas de bateria. Não sabia quanto o filho ganhava, se tinha poupança ou conta em banco. De vez em quando, ele pedia dinheiro emprestado ao pai, mas não era muito, dois reais para o cigarro, coisas assim. Quando questionado sobre a história dos dólares em poder de Cristian, Astrogildo explicou que fez um empréstimo em 1998, quando viajou para a Ucrânia com Daniel a fim de participarem de um campeonato de aeromodelismo. Como compensação, deu o dinheiro que sobrou para Cristian, igualando os gastos com os dois filhos. A quantia que dera a Cristian era de 1.200 dólares, mas não se recordava se dera algum dinheiro para seu outro filho, Marco Aurélio. Confirmou que Cristian usara drogas no passado, mas já não usava mais nada. Tinha superado o problema com a própria força de vontade e o apoio da família. Ressaltou algumas sequelas do uso das drogas. Hoje em dia, Cristian fica "meio explosivo", às vezes chora, mas não é agressivo, pelo menos dentro de casa. Afirmou que nesse momento ele estava dando bastante apoio moral a Suzane, Daniel e Andreas. Não sabia dizer se o filho já tinha ido à casa dos Von Richthofen.

01. Arquivos Richthofen

SEXTA-FEIRA
8 DE NOVEMBRO DE 2002

DEPOIMENTO DE CRISTIANE SANTOS SILVEIRA, AMIGA DE CRISTIAN

Cristiane entrou nas dependências da Equipe C-Sul na madrugada de sexta-feira. Àquela altura, já imaginava que seu amigo Cristian estivesse metido em uma grande confusão, mas ela nada tinha a esconder, portanto bastava se acalmar e responder a tudo direitinho.

Foi a dra. Cíntia Tucunduva quem a interrogou.

CÍNTIA: Bom, Cristiane, vamos às perguntas que eu tenho que te fazer. Onde você estava na quarta-feira, dia 30 de outubro, à noite?

CRISTIANE: Eu estava no meu prédio, combinando de sair com uma turma.

CI: Que horas isso aconteceu?

CR: Entre 21h30 e 22h30.

CI: Quem estava combinando de sair com você e para onde?

CR: Djou (Daniel), Marcos, Carolina, Camila e Alexandre. A gente estava combinando de ir a um barzinho perto da Juscelino.

CI: E o Cristian, não estava?

CR: Não, a Carolina (namorada dele) até me pediu para eu perguntar se ele iria, mas ele respondeu que não, que iria ao Red Play encontrar com o irmão Daniel e jogar.

CI: Você falou com o Cristian pessoalmente?

CR: Nessa hora em que eu perguntei não, mas depois encontrei com ele no elevador e perguntei de novo se não queria mesmo ir com a gente ao barzinho e ele repetiu que estava indo para o Red Play jogar com o irmão Daniel.

CI: E você foi para o barzinho?

CR: Fomos para o Néctar e depois da meia-noite acabamos em uma loja de conveniência do posto Ipiranga na avenida dos Bandeirantes. Foi aí que o Marcos e o Djou tiraram um braço de ferro e o Daniel quebrou o braço.

CI: Foi você que o levou para o hospital?

CR: Eu e o Marcos, que estava apavorado. Ele entrou com o Daniel no pronto-socorro do hospital São Paulo e eu fiquei no carro esperando.

CI: Até que horas?

CR: Fiquei um tempão lá, mas sozinha no carro, com medo de ser assaltada. Fui pra casa trocar de carro e ver se o meu irmão estava lá para voltar comigo ao hospital pegar os dois.

CI: Que horas você chegou em casa?

CR: Era mais de 1h40. Entrando na garagem, eu vi o Cristian fumando na janela do apartamento dele, gritei pra ele que o Daniel tinha quebrado o braço e se ele podia ir lá comigo pegar eles no hospital.

CI: Quem dirigiu o carro?

CR: Foi o Cristian, porque eu estava muito nervosa. Ficamos um tempão no hospital esperando o Daniel ser atendido.

CI: E o Cristian estava se comportando normalmente?

CR: Ele ficou no corredor com o Marcos a maior parte do tempo, mas teve uma hora em que se sentou em uma cadeira de rodas e falou: "Eu não estou legal, estou com uma sensação estranha". Comentei com ele que devia ser porque estávamos em um hospital e o ambiente era muito pesado. Foi a única hora em que eu achei ele estranho.

CI: E depois, o que fizeram?

CR: Saímos do hospital, paramos na farmácia e fomos para o meu prédio, mas resolvemos ir até o McDonald's da Bandeirantes comer alguma coisa. Voltamos para casa por volta das 5h30, 6h.

CI: E quando você viu o Cristian novamente?

CR: Na quinta-feira, por volta de uma da tarde. Eu estava no prédio do Marcos com uma galera quando o Cristian apareceu em uma moto Suzuki 1100. Todos saímos para admirar a moto, mas ele logo foi embora. Todos comentaram que aquela moto era de primeira linha e de alto preço e que o Cristian não teria condições de comprá-la.

CI: Você chegou a conversar com o Cristian sobre isso?

Cr: Eu falei pra ele o que estava todo mundo comentando e ele até chorou, me contou que, na verdade, a motocicleta não era dele e que estava magoado por todos pensarem que ele havia se envolvido em alguma "treta" para comprar a moto.

CI: Quando e como você soube do assassinato do casal Von Richthofen?

CR: Foi naquele mesmo dia, o Cristian quem contou.

CI: E no fim de semana, você viu o Cristian novamente?

CR: Não, ele foi para o sítio da namorada. Só o vi domingo à noite, na casa dela. Eu estava lá e, quando ele saiu, a mãe da Carol e da Camila (irmã) comentou que Suzane e Daniel eram suspeitos de terem assassinado o casal, mas que Cristian disse que esteve comigo naquela noite, desde a meia-noite até as seis da manhã.

CI: E isso é verdade?

CR: É nada. Na terça-feira seguinte, eu pedi explicações para o Cristian sobre isso que ele falou. Ele insistiu que tinha ficado comigo desde meia-noite, mas eu expliquei que era impossível, porque tinha chegado em casa à 1h40 e só o vi uns cinco minutos depois, ou seja, 1h45. Ele insistiu várias vezes comigo que então seria 1h20, mas eu disse que de jeito nenhum, era pelo menos 1h45. Achei estranho ele ficar insistindo nesse assunto.

CI: O que mais você achou estranho?

CR: Durante a semana, eu vi na TV que o Daniel e a Suzane estavam no motel naquela noite, mas o Cristian disse que tinha ido com ele ao Red Play jogar. Perguntei pra ele, que me respondeu que foi e voltou a pé pro cibercafé e não encontrou o Daniel.

CI: E você conhecia a Suzane e o Daniel?

CR: Não tinha muita amizade com eles, mas todos sabem que os pais dela não aceitavam muito ele de namorado da filha.

CI: Você sabe se o Cristian frequentava a casa da Suzane?

CR: Sei que há algum tempo ele foi a um churrasco lá.

DEPOIMENTO DE JORGE RICARDO MARCH, O "DONO DA MOTO"

Jorge, acompanhado de seu advogado, repetiu o que a polícia já sabia sobre a compra da motocicleta no seu nome. Na verdade, só queria ajudar o amigo. Confirmou que ele pagou a compra com 36 notas de cem dólares. Nada de notas de vários valores. Também contou que esperou Cristian voltar do fim de semana no sítio da namorada e ligou para ele de novo, dizendo que queria conversar sobre o assassinato dos pais de Suzane e os dólares que estavam com Cristian. Acabaram marcando de jogar futebol na quarta-feira à noite, no Corpo de Bombeiros da Casa Verde. Jorge então pressionou Cristian sobre os dólares, perguntando se ele estava envolvido com o assassinato do casal. Cristian ficou bastante irritado com o amigo, contou que havia guardado os dólares, que nada tinha a ver com o crime e emendou: "Puxa, até você está desconfiando de mim!". Depois do jogo, não se falaram mais.

Jorge também contou para a polícia que Cristian, quando era viciado em cocaína, chegou a ficar algum tempo internado, até se libertar do vício. Nessa época, Cristian uma vez esteve em sua casa e contou que havia roubado um conjunto de bateria de uma banda para quem atuava como *roadie*. Estava com a bateria no carro e disse para a banda que foi assaltado, chegando até a registrar a ocorrência em uma delegacia. Os amigos comentavam que ele tinha dívidas com traficantes e teria dado a bateria como pagamento.

Cristian nunca comentou com ele se tinha ido alguma vez à casa de Suzane ou se o namoro do irmão não era bem-visto pela família dela, mas em certa ocasião disse que a família da "cunhada" tinha muito dinheiro.

A CONFISSÃO

Cada vez ficava mais claro para a polícia o envolvimento de Suzane, Cristian e Daniel no assassinato de Manfred e Marísia von Richthofen. Os três apresentavam o mesmo lapso de tempo em suas histórias. Conseguiam relatar muito bem o que haviam feito antes e depois desse intervalo (porque, nesse caso, falavam a verdade), mas durante aquela hora e meia, entre meia-noite e 1h30, enrolavam-se. A cada depoimento a convicção da polícia aumentava, apesar das caras e bocas de Suzane, indignada, perguntando incrédula se era suspeita, e das negativas constantes de Daniel, o mais quieto de todos.

A polícia começou a apertar e a pressionar Cristian. Seus depoimentos tinham tantas versões e buracos que esse era o caminho mais curto para saber a verdade. Afinal, o dinheiro estava com ele. Com seus nervos por um fio, não aguentou a pressão e se levantou abruptamente, em um gesto de descontrole. De imediato, os investigadores presentes na sala o detiveram e o algemaram. Durante o resto do seu depoimento estaria com as mãos para trás. Moralmente, ele estava no fim do caminho.

Os policiais iam de um suspeito para o outro, perguntavam daqui e dali, levantando dúvidas, plantando medos, jogando um contra o outro. Eles estavam sem celular e sem comunicação. Um não sabia o que o outro já havia contado; a tensão era imensa.

Ado falou para ele que até sua sogra achava que Cristian era o culpado, por causa da moto. A sogra nada tinha a ver com essa história, mas Cristiane havia contado no seu depoimento o que diziam sobre o rapaz "ter feito uma burrada". Turcão, Fausto, Celso, Arnaldo e Fábio Japonês, investigadores que estavam na sala de interrogatório da 1ª Delegacia no momento da confissão, insistiam:

— Você vai segurar essa história sozinho? Tua história já está toda quadrada, você já está todo desmontado, você vai ficar preso e todos os outros vão embora!

— Latrocínio... Sabe quantos anos você vai ficar preso? Você vai pra cadeia!

— Suzane e Daniel estão felizes porque você vai segurar o rojão sozinho e eles vão ficar com o dinheiro. Pobre Cristian! O casal é que vai viver feliz pra sempre...

Nos outros andares, Ado contava para Daniel e Suzane como já sabia que Cristian estava implicado, a quebra dos seus álibis, a moto. Os dois só respondiam: "Se ele fez, tem que pagar". Empurravam tudo para cima dele.

Enquanto isso, Suzane aguardava, acompanhada da advogada Claudia Bernasconi, do promotor Virgílio Antonio Ferraz do Amaral e do delegado Armando de Oliveira Costa Filho, todos acomodados na sala do dr. Domingos Paulo Neto. Depois de uma noite inteira em claro, o investigador Serjão bateu na porta, chamou a dra. Claudia e liberou-a juntamente com sua cliente, porque nada ainda haviam conseguido com Cristian. Ele apenas a aconselhou que esperasse por alguns momentos até que a polícia montasse um corredor de isolamento na rua, lotada de repórteres, para que pudessem sair do prédio da Homicídios. A dra. Claudia abriu a bolsa, pegou o tíquete do estacionamento em frente, onde estava seu carro, e ficou pronta para ir embora. Quando já seguiam pelos corredores em direção à porta, Serjão novamente apareceu, dessa vez correndo e esbaforido, dizendo: "Voltem todos, o Cristian vai confessar".

O promotor Virgílio entrou na sala do interrogatório de Cristian, que começava a hesitar. Na verdade, ele percebia que sua situação era gravíssima. Começou dizendo que quem cometera o crime foram apenas Suzane e Daniel, que ele só havia acompanhado os dois, na tentativa de evitar que cometessem aquela loucura.

A história de Cristian soava inverossímil. Mais uma vez, a roda de investigadores se formou em volta dele, mostrando como ele estava sendo ingênuo, que ia assumir tudo para o bem de todos, "puxar cana" sozinho. Sabiam que não poderia empreender o crime sem a ajuda dele; cedo ou tarde iam acabar provando. E assim continuaram, enchendo os ouvidos dele de argumentos para que contasse a história real. Ele ficou sabendo que todos prestaram depoimento, inclusive Cristiane e Jorge, além de Nahime e o pai. Verdade ou blefe? Suas pernas tremiam. Suas mãos escorregavam sobre sua cabeça. Se fosse verdade que tinham cruzado todos os depoimentos, estaria perdido.

Já eram quase 6h. O dr. Masi, em voz calma e muito séria, levantou-se, aproximou-se de Cristian, olho no olho, e avisou:

— São 5h50. Chega de enrolar. Eu vou tomar um café, daqui a dez minutos eu volto e quero ouvir essa história direito. — Saiu, batendo a porta atrás de si.

Ado saiu sorrateiramente e subiu até a sala do dr. Domingos, no quinto andar do prédio. Encostou de lado e falou para o diretor:

— Doutor, acho que conseguimos amolecer o coração do Cristian. Se a gente der um "fecha" agora, ele conta tudo.

Domingos desceu apressadamente pelas escadas e se dirigiu ao interrogatório do rapaz.

Cristian era aficionado por autoridades. Realmente, a figura do delegado-chefe do DHPP, a posição oficial de que seria bem tratado, a promessa de que ninguém ia forçar nada contra ele — tudo isso teria um peso extra na decisão do rapaz em confessar.

Já eram 6h. O dr. Masi rapidamente deu um longo gole d'água, dirigiu-se à pesada porta da sala onde Cristian estava e bateu, com estrondo, três vezes. A sala ficou em silêncio. Turcão comentou com o delegado antes que ele entrasse: "Doutor, ele está 'se rachando'".

Ao mesmo tempo, entraram na sala Ado e Domingos, com o inquérito debaixo do braço. Todos os policiais tinham semblantes serenos, tranquilos, como quem já sabe de tudo, "tudo dominado". Cristian se encolheu na cadeira. Domingos colocou o inquérito em cima da mesa e mostrou para Cristian que sua história já não se sustentava mais, não tinha mais jeito. Indicou que naquela pasta estavam os depoimentos de Jorge, da namorada, de Cristiane, Marcos e outros. Fez um resumo das contradições. Estava acabado.

Cristian engoliu em seco e contou toda a sua versão dos fatos, sem omitir nenhum detalhe. Agora, a precisão dos horários era em minutos; todas as lacunas foram fechadas com seu depoimento, que teve início às 6h35 da manhã do dia 8 de novembro de 2002.

Segundo ele, Daniel e Suzane tiveram juntos a ideia de matar os pais dela mais ou menos dois meses antes, mas depois afirmou que a ideia foi mesmo de Daniel. O motivo para que os dois desejassem e planejassem o assassinato era a maneira como ambos eram tratados por Manfred e Marísia von Richthofen. O irmão e a namorada lhe contaram que ela apanhava muito dos pais, porque eles não aceitavam o namoro deles de jeito nenhum. Matá-los era a única forma de ficarem juntos. O casal expôs o plano para Cristian na casa dele, que, mesmo sem concordar com o que ia ser feito, não conseguiu dizer não para o irmão.

Cristian comentou, nas suas declarações, que Suzane estava fria durante a execução dos pais, "fria, muito mais que eu e o Daniel". Também contou que Daniel já conhecia o fundo falso do armário em que estavam guardados as joias e o revólver. Explicou como era a arma do crime, um pedaço de ferro com uma madeira dentro que havia sido bolado por seu irmão, para que não fizessem barulho na hora do assassinato e não fossem descobertos.

Depois do crime, colocaram todo o material usado em um saco de lixo, que descartaram na esquina da avenida Ibirapuera com a rua Vieira de Moraes. Recebeu, ainda na casa, 3.600 dólares, 600 euros e 3 mil reais. Segundo Cristian, quem estabeleceu a divisão do dinheiro foi Suzane, sendo que ele não sabia o montante total que havia na casa. Isentou Jorge March de qualquer envolvimento, esclarecendo que ele não estava a par de absolutamente nada sobre o crime.

Andreas também foi isentado de qualquer conhecimento do crime ou de participação nele. Cristian comentou que o menino amava Daniel como a um irmão: "Tudo o que foi passado pra mim é que Andreas não ia saber de nada". O casal de namorados resolveu tirar Andreas de casa na data escolhida para o crime, mas Cristian não sabia dizer se escolheram essa data como presente de aniversário para Suzane.

Os planos para o futuro envolviam uma sociedade entre Cristian, Daniel e Suzane, que pretendia abrir um negócio com o dinheiro que herdaria dos pais.

Virgílio e Domingos, acompanhados de vários policiais, subiram para o quinto andar do DHPP. Era hora de pressionar Suzane.

Na sala do dr. Domingos, mais de vinte pessoas se acotovelavam. Aguardavam o momento em que Suzane confessaria. Alguns investigadores já comentavam detalhes sobre a confissão de Cristian. A garota, sentada no sofá de couro da sala do diretor, percebeu que algo ia mal. O dr. Virgílio se colocou diante dela e disparou: "Conta o que aconteceu porque o Cristian diz que a culpada é você".

Um policial ali presente, discretamente, fez sinal para que o dr. Miguel Abdalla entrasse na sala e escutasse o desenrolar dos fatos, mas o orientou para que ficasse mais escondido, a fim de não ser visto pela sobrinha.

Suzane olhou em volta, sem realmente acreditar que tudo tivesse dado errado. Tremia muito, mas nenhuma lágrima saiu de seus olhos. Levantou a cabeça e declarou: "Eu sou uma pessoa horrorosa, tenho vergonha do que eu fiz". Começou então a narrar sua versão dos tétricos acontecimentos da noite em que seus pais foram assassinados.

Segundo seu relato, todos eram felizes naquela casa, até que, no mês de maio daquele ano, sem mais nem menos, sua mãe passara a implicar com Daniel. Sem entender os motivos da mãe, o casal de namorados começou a se sentir incomodado e ela passou a ter várias discussões em família. No Dia das Mães daquele ano, chegou a levar um tapa tão forte do pai que os dedos dele ficaram marcados no rosto dela.

Daniel a confortou, mas depois desse dia parou de frequentar a casa, até que Manfred e Marísia viajaram por trinta dias no mês de julho, deixando o local livre para que ele se hospedasse lá.

Suzane fez questão de declarar que aqueles foram os dias mais felizes da vida dela. Quando os pais voltaram, a festa acabou e a realidade se assomou diante deles. Tinham que voltar a se encontrar escondidos de todos. Já em agosto surgiu entre Daniel e Suzane o desejo de se livrar dos pais, mas ela não sabia explicar ao certo de quem foi a ideia. Foram conversando sobre o assunto, e o que era apenas uma ideia foi tomando corpo e proporção, até que um mês antes Daniel construiu as armas do crime e de comum acordo incluíram Cristian nos planos. Na tarde do dia 30 de outubro, Suzane resolveu agir. No apartamento de Cristian, combinaram todos os detalhes.

Suzane disse que já estava arrependida antes mesmo de Daniel e Cristian entrarem na casa, mas não fez nada para impedi-los. Afirmou que não assistiu à morte dos pais e esperou que os irmãos Cravinhos descessem até a biblioteca. Como haviam combinado, simularam um assalto, bagunçando o local. Viu Cristian guardar as joias e todo o dinheiro que havia retirado da mala na mochila dele, mas não tinha certeza do valor. Ficou apenas com trezentos e poucos reais, para pagar o programa daquela noite no motel. A responsável pela retirada da chave mestra do pai do chaveiro foi ela mesma. Contou que, ao chegar em casa com Andreas, fingiu perceber algo estranho e ligou para Daniel, dando prosseguimento ao plano do casal.

Para o espanto de todos os presentes, Suzane disse que eles jamais imaginavam que o crime seria descoberto. Todos estavam muito confiantes de que tudo daria certo.

Quando perguntada sobre seu interesse na herança dos pais para abrir um negócio comercial com Cristian, ela negou que essa conversa algum dia tivesse acontecido. Seus motivos para matar os pais não incluíam dinheiro. Afirmou também que Andreas nunca soube dos seus planos e jamais participou de qualquer coisa relacionada ao crime.

Mais do que chocado, Miguel Abdalla chamou Claudia Bernasconi e pediu que não falassem ainda com Andreas. Ele levaria o menino para casa e pensaria em uma maneira possível de contar a ele o horror de tudo o que tinha escutado. Saiu da sala desmoronando. Era a decepção em pessoa. Foi buscar Andreas e seguiram juntos para casa. Agora, eram só os dois.

Suzane levantou-se do sofá e se dirigiu à dra. Claudia: "E agora, eu vou ser presa?". "Claro que sim", respondeu a advogada. "Então eu queria que você fosse a minha advogada", disse Suzane. E, por algum tempo, o acordo prevaleceu.

O comportamento da polícia em relação a Suzane mudou. Agora ela já não era a filha das vítimas, era uma criminosa. Seria escoltada o tempo todo por um policial.

A porta da Equipe A-Sul se abriu. Para espanto de Daniel, não paravam de entrar autoridades por ali: dr. Domingos, dr. Virgílio, dr. Armando, dr. Masi, dra. Cíntia, dr. Alvim, Ado, Serjão... era assustador. Sentaram-se todos em volta da mesa e Domingos disparou, em um tom nada amistoso: "Vai, conta aí!". Daniel abaixou a cabeça e ficou em silêncio. Todos davam sinais de impaciência. Já estavam nos 46 minutos do segundo tempo. Virgílio, bastante nervoso, falou: "O Cristian já confessou, a Suzane já confessou. Agora só falta você falar". Daniel não se mexeu. Apenas sorria. Virgílio, irritado com a atitude do rapaz, falou que nas declarações de Suzane ela dissera que só ele tinha cometido o crime. Daniel ria mais e mais. O promotor perdeu a paciência. "Você está rindo de quê? Está achando qual parte engraçada? Fale sério, a brincadeira acabou", ao que Domingos completou: "A casa caiu, Daniel. Fala logo. Vocês todos já estão presos".

Daniel parou de rir e começou a contar a sua versão da verdade: "Há mais ou menos um mês, eu tive a ideia de matar os pais da Suzane. Ela não estava feliz com eles, porque eles não queriam que a gente namorasse mais". Começaram muitas brigas e proibições, e Suzane dava a entender para Daniel que a única solução para ambos seria matar os pais dela, aguardando que ele se posicionasse. Chegou a perguntar para ele se achava que poderia dar tudo certo, se não seriam pegos ou descobertos. Daniel respondeu que não tinha certeza e que também não sabia como ficaria psicologicamente depois de cometer um crime assim.

Todo o restante do relato de Daniel é bastante semelhante aos outros. As diferenças ficam por conta de quando construiu as armas do crime (uma semana antes), que ele mesmo pegou a jarra de água amarela no armário da cozinha, que passou a toalha molhada no rosto de Manfred para tentar voltar no tempo e desfazer o que havia feito. Também afirmou que ele e a namorada faziam, sim, planos de como usariam o dinheiro da herança que seus pais deixariam.

Daniel também se disse arrependido dos seus atos.

A polícia começa então um trabalho de rescaldo, confrontando acusações, fazendo buscas e apreensões, enfim, trabalho burocrático.

O investigador Serjão, ao vasculhar a casa de Cristian em busca de provas, encontrou 490 euros escondidos dentro da capa de uma raquete de tênis e 1.810 reais dentro de um aparelho de som.

Na casa de Daniel, dentro do estabilizador do seu computador, foram encontrados 1.500 dólares e setecentos reais.

Cristian finalmente deu para a polícia a localização das joias. Estavam na chácara da namorada, Ana Carolina, no condomínio Porta do Sol, localizado na rodovia Castelo Branco. A família da menina foi contatada e rumou para lá. Em um terreno carpido nos fundos do condomínio, ao lado de um tronco, dentro de um saquinho de supermercado, estavam guardados um colar de pérolas, um colar de rabo de elefante com quatro voltas, um par de brincos de argolas, dois anéis, um bracelete, uma corrente com pingente azul, uma corrente com pingente preto, um par de brincos em forma de coração gravados com a letra "M", um par de brincos com três pingentes, um par de brincos com detalhes em branco e um pingente com patuá. Apesar de Cristian ter dito que havia atirado o saquinho no terreno baldio, parecia que fora colocado lá, como que sinalizado. Não deu trabalho algum localizar as joias de Marísia von Richthofen. Realmente o dr. Masi tinha razão ao pensar na possibilidade de Suzane ter recuperado as caixas para guardar as joias novamente.

Foi pedida a prisão temporária dos três jovens assassinos. Suzane foi enviada para a 89ª Delegacia de Polícia, onde ficaria detida. Os irmãos Cravinhos, como ficaram conhecidos Cristian e Daniel, foram transferidos para a 77ª Delegacia de Polícia. São locais que recepcionam presos com prisão temporária decretada.

A reprodução simulada do crime foi marcada para 13 de novembro, menos de uma semana após a confissão.

01. Arquivos Richthofen

A REPRODUÇÃO SIMULADA

Código de Processo Penal: Art. 7º: Para verificar a possibilidade de haver a infração sido praticada de determinado modo, a autoridade policial poderá proceder à reprodução simulada dos fatos, desde que esta não contrarie a moralidade ou a ordem pública.

A reprodução simulada dos fatos é um tipo de exame de corpo de delito complementar facultativo, retrospectivo, destinado a verificar a viabilidade de determinado fato de interesse jurídico penal ter ocorrido efetivamente na presença do indiciado ou da vítima.

A chamada reprodução simulada será sempre realizada com base no confronto específico das informações recolhidas de todas as peças dos autos do inquérito policial ou processo, com a realização prática de todos os atos materiais ali presentes e narrados. Só assim poderão ser verificadas a veracidade e a procedência dos fatos, e esse procedimento só é possível com a presença física das partes que, diante do perito criminal, relatarão os acontecimentos.

Esse exame tem como finalidade principal o completo esclarecimento do crime, englobando as exatas participações de cada um dos envolvidos, não somente para fim de enquadramento penal correto mas também em grau de responsabilidade.

Esse tipo de procedimento pericial é importante, a fim de que se possam:

1) Comprovar como ocorreu determinada infração penal;
2) Evitar falsas responsabilidades penais, oriundas de confissões espontâneas, com o intuito de acobertar o verdadeiro infrator;
3) Evitar responsabilidades penais, oriundas de confissões viciadas por coação física ou psicológica;
4) Fornecer subsídios de ordem técnica para que se aplique a lei.

O perito criminal, de forma imparcial, oferecerá, a partir do seu laudo pericial, a interpretação técnica e não jurídica dos fatos.

Das reproduções simuladas não constam somente as fotografias em série do comportamento de cada pessoa envolvida, mas a análise crítica e pormenorizada dessa conduta. Cada contradição, cada alteração comportamental assumida durante o procedimento é anotada e documentada com objetividade. Se o perito criminal não tiver elementos de ordem material para precisar os locais e a dinâmica dos fatos, qualquer manifestação a respeito será pura especulação pessoal, fugindo completamente da incumbência pericial.

Ser policial da Homicídios requer vocação. A busca incessante pela reconstrução de todos os acontecimentos que envolvem um crime, a vítima e os criminosos é quase uma questão de fé. A promotoria pretende acusar, a defensoria pretende absolver. A perícia, no entanto, quer a verdade dos fatos. E a reconstituição desses alegados fatos no momento do crime pode trazer grandes esclarecimentos.

A reprodução simulada objetiva saber de que forma um crime foi praticado. No caso Richthofen, o objetivo era saber qual a atuação, a participação de cada um dos envolvidos. A verdade que está sendo contada pelo criminoso tem que ser de possível execução no aspecto técnico. E os peritos têm que ser imparciais, isentos, apesar de estarem interagindo com assassinos confessos. Seus sentimentos são colocados de lado para que o resultado dos trabalhos seja válido.

Nesse caso, algumas dúvidas eram levantadas por policiais, peritos e médicos-legistas. As vítimas foram retiradas da cama? Sofreram alguma tortura antes de serem assassinadas? Marísia tinha uma "dobra" na calça com a qual dormia, na altura do joelho. Ela teria ajoelhado? Tentou sair do lugar? Manfred tinha uma equimose semicircular na têmpora direita, com diâmetro aproximado de 16 mm. A arma foi encostada na cabeça dele? O que teria causado esse ferimento? A toalha molhada foi colocada dentro da boca de Marísia antes ou depois de ela ter sido "ensacada"? Seu osso hioide (no pescoço) estava quebrado. Isso aconteceu devido às pancadas que levou ou ela foi estrangulada? Que instrumento de crime foi utilizado? Sabíamos que se tratava de bastão dotado de superfície, peso e gume, mas como seria de fato essa arma? Que espessura tinha? Como Manfred acabou em uma posição em que suas pernas estavam cruzadas? Suzane teria estado presente durante a execução dos pais, segundo a versão de um dos irmãos? Quem, afinal, teria coberto o rosto de Manfred e Marísia? Foi um ato de pudor ou de asfixia? Enfim, reconstruir passo a passo tudo o que acontecera naquela casa e em que ordem esclareceria essas e outras dúvidas a todos.

A equipe técnica responsável pela reconstituição seria a seguinte:

>**Requisitante:** dra. Cíntia Tucunduva Gomes, Equipe C-Sul.
>**Peritos criminais relatores:** dra. Jane Marisa M.P. Bellucci, dr. Ricardo da Silva Salada e dr. Agostinho Pereira Salgueiro.
>**Fotógrafos técnico-periciais:** Edson Wailermann e José Carlos Aloe.
>**Desenhistas técnico-periciais:** Flávio Teixeira Junior (cinegrafista), Leonardo T. Delfino Filho e Luis Cláudio A. Quintal.

Quem trabalha na perícia fica fora do movimento causado pela imprensa em um caso de repercussão. A análise técnica vai sendo feita e, a cada dado descoberto ou concluído, a equipe de investigação é informada. Lá de dentro não me parecia que o caso estava causando tanto alvoroço nas ruas.

Quarta-feira, 13 de novembro de 2002. Munida de uma autorização da juíza corregedora dra. Ivana David Boriero para assistir à reprodução simulada com fins literários, encontrei-me com a equipe pericial no DHPP e rumamos para a casa na rua Zacarias de Góis em viaturas. Esta era a primeira reconstituição que eu veria, por ser uma casa mais segura, fechada e em um bairro calmo. Acho que no local do crime existe menos perigo do que na reprodução simulada, em que o assassino está presente e muitas vezes os peritos e fotógrafos estão armados para garantir a segurança.

Ao chegar, arregalei os olhos e prendi a respiração. Garoava e a rua estava um caos. Centenas de jornalistas e público em geral se movimentavam na frente da casa, gritando e gesticulando. Descemos da viatura todos juntos, esmagados pelas pessoas, escoltados pela polícia. Agarrei imediatamente na camisa de Jane, chefe da perícia. Se eu me afastasse dela, não conseguiria mais chegar até a porta da casa. Suzane, Daniel e Cristian já haviam entrado, sob os gritos da plateia: "Assassinos!". Depois de muito empurra-empurra, estávamos na sala de estar.

A dra. Cíntia imediatamente questionou minha presença ali. Quem eu era, afinal? Tremendo sob o tom de voz dela, que tem aparência de garota, mas é brava como uma leoa, estendi minha autorização. Fui aceita ali na hora, mas precisava conversar com a delegada.

No dia anterior, uma emissora de televisão havia me feito uma proposta para entrar com uma câmera e filmar os acontecimentos que ali se desenrolariam. Acompanhada por Jane, contei a Cíntia e pedi que fosse revistada, para que, se algum material desse tipo saísse na imprensa, ficasse claro que não havia sido pelas minhas mãos. Ela resolveu que todos ali seriam revistados.

As mulheres se dirigiriam para a sala de estudos, os homens ficariam na sala de estar. Seriam procurados até equipamentos eletrônicos disfarçados, como canetas que filmam ou fotografam, botões de roupa especiais ou escutas, enfim, qualquer coisa que servisse a essas finalidades. A dificuldade era tirar a roupa em local onde as câmeras das emissoras de TV não pudessem nos filmar. Sim, todos os telhados dos vizinhos estavam coalhados de jornalistas, que queriam conseguir uma imagem do interior da casa. Encontramos um ponto cego, onde a revista aconteceu. Tudo limpo, os trabalhos podiam, enfim, começar.

Cada criminoso estava isolado de comunicação com os outros, em cômodos da casa que não seriam utilizados na reprodução simulada, como os quartos de empregada. Houve uma reunião com toda a equipe técnica, a portas fechadas, estabelecendo quais os procedimentos necessários para que aquilo não virasse um circo.

Cristian, que seria o primeiro a contar sua versão, já estava sentado na sala de estar, algemado, fumando sem parar e falando com sua advogada, a dra. Gislaine Jabur. Eventualmente, observava as conversas ao seu redor.

Era a primeira vez que eu estava cara a cara com uma pessoa que havia matado alguém. Meus sentimentos eram, no mínimo, estranhos. Ver os assassinos na telinha é uma coisa rápida, distante. Assim fica fácil ter raiva, achar que ele é diferente, não é humano. Ali, naquela sala, Cristian era um rapaz normal, desses que a gente encontra milhares de vezes por dia, por aí. Nada em sua aparência indicava que ele era um assassino.

Salgueiro esclareceu para Cristian que ele não era obrigado a fazer nada na reprodução simulada, poderia permanecer em silêncio. Ele estava ciente disso? Sim, estava ciente e abria mão desse direito.

Cristian perguntou: "Vocês vão fazendo as perguntas para mim, que vai ser mais fácil de responder?". Salgueiro então explicou que era importante que ele agisse com total liberdade. A perícia não poderia conduzi-lo nem induzi-lo a nada. O promotor Virgílio ainda completou: "Seja fiel àquilo que você tem na memória".

Jane colocou em fila os policiais que participariam da reconstituição. Pediu que cada um dissesse seu nome e o papel que representaria:

Ieda Maria Loureiro	Suzane
Fábio Ricardo Rodrigues Tunes	Daniel
Celso Pereira Lima	Cristian
Francisco Eduardo Pandolpho	Manfred
Camila Sheila Fragnan	Marísia

A VERSÃO DE CRISTIAN

Cristian relatou à perícia que só ficou sabendo dos planos do irmão e da namorada três dias antes do crime. Não acreditou que tudo isso fosse mesmo acontecer, achou que fosse apenas "impulso" dos dois, tentou demovê-los da ideia, mas não conseguiu. "Não somos marginais", disse.

Todos nós fomos atrás de Cristian para a garagem, onde a ação começaria a ser reconstituída. Ele parecia estar sofrendo de falta de ar, respirando fundo a cada passo.

Já dentro do carro, mostrou como pegou as armas, escondidas sob o carpete no porta-malas. As "armas" usadas pela perícia para reconstituir os fatos eram dois bastões feitos com papelão e fita crepe, inofensivos. Demonstrou como os dois irmãos já saíram do carro de luvas, cada um levando um bastão.

Subiram para o quarto dos pais de Suzane, e Cristian acrescentou aqui que tentou fazer barulho para acordar as vítimas, pisando forte no chão. Segundo ele, os dois comparsas chamaram a sua atenção sobre isso e ele parou.

Já na porta do quarto, Cristian estava bastante nervoso em reviver todos os momentos do crime. Na maior parte das vezes, a reconstituição pericial dos fatos faz os envolvidos lembrarem tudo em detalhes e mexe com o estado emocional do criminoso. Ele tem que repensar, relembrar coisas que não percebeu na hora, mas que vão se instalar na memória para sempre. O rapaz, tremendo muito, pediu um copo d'água. Sua calça tremulava como bandeira em dia de vento. Comentava conosco: "Esta parte é difícil".

Enquanto Cristian se recompunha, um investigador veio até Jane e disse a ela que Andreas, presente na casa durante a reprodução simulada, estava no quarto dele assistindo ao programa do Datena, no qual eram transmitidas notícias e a simulação dos trabalhos feitos ali. Jane foi até o quarto do menino, abriu a porta e falou: "Você tá assistindo isso aí? Desliga essa TV e vai pra outro lugar. Investigador, leve o Andreas pra um lugar sem televisão". Andreas, devidamente acompanhado, saiu pela porta do quarto e deu de cara com Cristian no hall do andar de cima. Os dois se abraçaram, emocionados, e o rapaz beijou o garoto. Jane interferiu mais uma vez, separando os dois e prosseguindo com a reprodução simulada.

Os trabalhos continuaram. Cristian disse que Suzane estava na porta do quarto quando entraram, mas tudo aconteceu em frações de segundo e ele não sabe se ela ficou ali ou desceu as escadas.

Como a réplica das armas feita pela perícia é bem leve, Cristian representou as pancadas que deu em Marísia com uma mão só, mas sabemos que não foi assim que aconteceu. Ao descrever as armas que Daniel havia construído, descreveu-as como de ferro, pretas e com punho de madeira. Para erguê-la, certamente era necessário que fossem usadas as duas mãos.

Foi pedido que ele posicionasse os corpos da forma correta. Ele foi para o canto do quarto, chorou muito com o rosto escondido e de cócoras. Sua advogada o acalmou. Ele disse não saber da posição dos corpos, só sabia que Marísia estava coberta, não estava com a mão para fora. Não sabia nada sobre Manfred.

Depois de atacada, Marísia "gemia e roncava muito", o que fez com que fossem molhar as toalhas no banheiro para abafar o barulho. Daniel ainda teria dito a ele: "Coloca a toalha! Coloca a toalha!". Deixou a toalha sobre o rosto da vítima, que sangrava muito. Passou a desarrumar a cômoda, enquanto Daniel bagunçava o armário de fundo falso. Cristian diz que nessa hora estava muito, muito nervoso, completamente fora da realidade.

Jane interrompeu Cristian e perguntou: "Você apenas colocou a toalha no rosto de Marísia? Pensa de novo...". Sabíamos que a toalha estava dentro da boca da vítima, asfixiando-a. Ele sabia a que ela estava se referindo, porque respondeu: "Só coloquei a toalha envolvendo o nariz e a boca, não enfiei a toalha na sua boca".

Cristian desceu para pegar os sacos de lixo com Suzane. Subiu novamente as escadas, aproximou-se da cama e colocou o saco na cabeça de Marísia. Ele repetia os movimentos que fez na noite do crime quando Flávio, o cinegrafista, interrompeu-o e disse: "Não precisa colocar o saco na cabeça da colega [a policial]. Põe atrás da cabeça dela. No dia você colocou na cabeça dela mesmo, né?", ao que Cristian respondeu afirmativamente.

Continuaram seus planos como já constava no seu depoimento. Na hora de receber o dinheiro, Cristian reproduziu Suzane tirando-o do próprio bolso e dando para ele, que guardou tudo na mochila. Segundo ele, grande parte do dinheiro ficou com Suzane e Daniel. Ainda afirmou que o dinheiro não foi propriamente dividido, foi "aleatório", e que não se tratava de um pagamento pelo crime cometido. O rapaz colaborou, mas pediu para todos os presentes que tivessem coração, explicando que estava na cadeia e que apanhava muito ali. Admitiu seu erro e começou a chorar novamente. Disse que na prisão tinha que ser forte, porque se não fosse apanhava mais. Repetiu que só colocou a toalha sobre o rosto de Marísia, que ninguém foi torturado, que eles estavam deitados e dormindo. Não tinha por que mentir, eles não haviam saído da cama. Sobre Daniel e Suzane, acrescentou: "Eles são namorados, o sentimento é deles. O que eu falei é a verdade". Salada o acalmou, dizendo que não o estavam questionando e julgando, apenas reconstituindo os fatos.

As últimas cenas foram feitas. Nelas, deixaram então "um monte de pegadas para enganar a perícia, com certeza" e foram embora. Dessa vez, Daniel dirigia.

A VERSÃO DE SUZANE

Suzane foi encaminhada para a sala de estudos. Sentou-se em frente à perita Jane, que esclareceu seus direitos e logo perguntou: "O que aconteceu no dia dos fatos?". Suzane levantou os olhos, encarando Jane com ar de dúvida. Jane explicou: "Tudo, tudo o que houve...".

Suzane docemente perguntou: "Começando de quando?". Jane respondeu: "De quando você quiser". "Do dia?", pergunta a garota. "Isso, do dia, ou de um dia antes, pode começar por aí."

Começava então o relato mais monótono sobre um crime que eu já ouvi na vida. O tom de voz era sempre o mesmo, baixo, sem emoção. Tudo descrito em detalhes:

> **SUZANE:** Então, meu dia foi normal... Acordei de manhã, fui pra faculdade, voltei, fui buscar meu irmão no colégio, voltei, almocei, fui levar ele

> no colégio de volta, pro colégio de inglês, fui
> buscá-lo, fomos ao shopping, voltamos pra casa...
> Deixei ele em casa, fui pra casa do Daniel...

Ela olhava para baixo e, de vez em quando, erguia o olhar, verificando se Jane a estava acompanhando, se precisava falar mais devagar ou mais depressa. Cumpria exatamente o seu dever.

> **JANE:** Você voltou pra casa do Daniel?

De sobrancelhas erguidas, respondeu:

> **SUZANE:** Não. Eu fui pra casa...
> **J:** Ah, foi pra casa, jantou, né?
> **S:** Não.
> **J:** Shopping, voltou pra casa...
> **S:** Fui pra casa do Daniel.
> **J:** Que horas eram?
> **S:** Umas cinco e pouco... Aí às 22h e pouco o Andreas ligou...
> **J:** Às onze?
> **S:** Não, às 22h30.
> **J:** Às 22h30 ele ligou... pra você?
> **S:** É. Daniel veio buscá-lo... aí... eu... Daniel, Andreas e eu fomos até o Red Play, deixá-lo no Red Play... e pegamos o Cristian.
> **J:** Pegam o Cristian onde?
> **S:** Perto do Red Play. Até aí eu contei sem detalhes porque acho que não tem nada pra contar.

Suzane deu de ombros. Jane respondeu que tudo bem. O depoimento dela para os peritos prosseguiu:

> **S:** Aí pegamos o Cristian e viemos pra cá... Aí paramos o carro na garagem...
> **J:** Quem dirigia o carro?
> **S:** Eu dirigia o carro.
> **J:** Você entrou na garagem dirigindo o carro... Aí eu quero que você comece a contar com detalhes.
> **S:** Tá.

> J: Você dirigia seu carro... E o que aconteceu
> no trajeto entre vocês, vocês conversaram
> alguma coisa ou... teve algum...
>
> S: Eles trocaram de roupa...
>
> J: Então, isso aí é importante pra mim, tá?

Suzane assentiu com a cabeça. Jane pediu então que ela descrevesse o que havia acontecido. Ela continuou no mesmo tom, na mesma expressão facial.

> S: Eles trocaram de roupa...
>
> J: Dentro do carro?
>
> S: É.
>
> J: Com o carro andando?
>
> S: É... e colocaram as luvas. Aí nós paramos na garagem.
>
> J: Estava você dirigindo, o Daniel ao
> lado e o Cristian atrás?
>
> S: Aham. Aí parei o carro dentro da garagem, saí
> do carro, entrei em casa, a porta tava aberta...
>
> J: A porta, que porta?
>
> S: A porta da frente, a porta marrom. Ela não tava...
> ela tava destrancada. Aí eu entrei em casa, fui
> até o hall, vi que meus pais estavam dormindo.
>
> J: Que horas eram, mais ou menos?

Suzane balançou a cabeça e disse que não sabia exatamente.

> J: A hora que você chegou aqui na casa, você lembra?

Suzane balançou negativamente a cabeça.

> J: Seus pais estavam dormindo?
>
> S: Acendi a luz e vim aqui pra biblioteca.
> Aí eu fiquei aqui, eu abri a bolsa...
>
> J: Abriu a bolsa como?
>
> S: Com o segredo. A gente tinha uma pasta marrom...
> tirei a caixinha branca, fechei a pasta de
> novo e fiquei sentada. Nesse sofá (aponta com
> a cabeça) vermelho. Aí eles desceram...
>
> J: Depois de quanto tempo? Quanto
> tempo você ficou sentada?

Suzane balançou a cabeça mais uma vez.

> S: Eu não sei, não foi muito tempo.
> J: Dez minutos, cinco minutos, quinze minutos?
> S: Um pouco mais de dez minutos, não sei quantos minutos exatamente.
> J: Aproximadamente dez minutos?
> S: Uns quinze minutos... Não sei (erguendo os ombros). Eles desceram, rasgaram a bolsa...
> J: Aquela pasta marrom?

Suzane assentiu.

> J: Com quê?
> S: Acredito que seja uma faca, não vi, mas eu vi a faca depois.
> J: A faca é daqui? Quem pegou a faca, você viu?

Suzane balançou negativamente a cabeça.

> S: Aí eles trocaram de roupa, antes bagunçaram a biblioteca...
> J: Primeiro bagunçaram a biblioteca?
> S: É. Trocaram de roupa e a gente foi embora.

Jane perguntou se Salada queria dizer algo. Ele queria reconstituir. Então Jane explicou a Suzane que agora começariam a encenar o que ela havia dito: "Não se esqueça de nenhum detalhe, todo detalhe é fundamental. Tá? Você está esquecendo...".

> SALADA: Durante o tempo em que você entrou e saiu, você chegou a conversar com o Cristian e com o Daniel?
> SUZANE: Conversar?
> SA: É, falar alguma coisa...

Ela negou com a cabeça.

> SA: Falar alguma coisa, trocar uma palavra, eles te chamaram, pediram alguma coisa?

Suzane balançou a cabeça novamente, negando.

>   SA: Nada, você entrou, ficou aqui aguardando? Daqui você não saiu?

Ela confirmou. Não saiu dali. De repente, se lembrou:

>   S: Não, fiz uma outra coisa que eu esqueci, quando eu... depois que eu desci, antes de ir para a biblioteca, eu separei os sacos pretos e deixei aqui no hall de baixo.
>   J: Separou os sacos plásticos...
>   S: E deixei ali no chão do hall. Aqui embaixo.
>   SA: Perto de onde, perto do hall, perto da escada?
>   S: Em cima do tapete azul.
>   SA: Por curiosidade, por que você pegou o saco plástico?
>   S: Porque eles pediram que eu separasse, antes de chegar.
>   SA: Ah, antes de você chegar?

Suzane assentiu com a cabeça.

>   S: Antes eles falaram "Separa uns sacos plásticos", e eu deixei lá no chão.
>   SA: E onde ficavam guardados os sacos plásticos?
>   S: Na despensa.

Jane e Salada se entreolharam e resolveram que era hora de partir para a ação. Suzane foi encaminhada para a garagem, onde estava o seu Gol. Ela abriu o primeiro sorriso do dia e disse, espantada: "Olha, é o meu carro mesmo!".

Os jornalistas, na porta da garagem, enlouqueciam de gritar para que ela olhasse para eles. Os flashes pipocavam sem parar. Dava medo sair lá fora.

A reprodução simulada começou no carro. Depois disso, quando Suzane cruzou a área da piscina, ficamos surdos com o barulho dos helicópteros sobrevoando as nossas cabeças. A cena da garota, de cabeça baixa, com as mãos cruzadas na frente do corpo, atravessando a área da piscina de sua casa, foi mostrada em quase todas as redes de televisão.

Suzane foi refazendo o seu caminho dentro da casa. Eu esperava que alguma emoção traspassasse o rosto dela em algum momento, mas isso não aconteceu. Eu esperava que ela tremesse, nem que fosse de medo, ao chegar à porta do quarto dos pais e acender a luz do corredor. Nada. A reprodução simulada seguiu em paz.

No pé da escada, fez um sinal de positivo, com o polegar direito, liberando o caminho para Cristian e Daniel, que começaram a subir as escadas. Na versão de Suzane, ela seguiu para a cozinha e não ficou na porta do quarto na hora em que eles entraram para matar. Imediatamente, meu raciocínio fez uma contagem interessante de tempo. Mesmo que ela não tenha ficado na porta do quarto, a ação deles teve início antes que ela seguisse para a biblioteca. Se o assassinato aconteceu como Cristian e Daniel descreveram, muito rápido, algumas passadas dentro do quarto e os bastões desceram sobre a cabeça do casal, foram emitidos roncos altos e gemidos, então como seria possível que Suzane não tivesse escutado nada? Como entender que ela não tenha saído correndo e, em vez disso, tenha vestido a luva apenas na mão esquerda, tirado calmamente os sacos de lixo do armário da despensa e os deixado ao pé da escada para só então se sentar e esperar? Estranho, muito estranho.

Suzane continuou a reconstituição dos fatos, seguindo até a biblioteca, sentando-se no sofá vermelho e tapando os ouvidos. Flávio então perguntou: "Você fez assim porque você estava ouvindo alguma coisa ou porque não queria ouvir?", ao que ela responde: "Eu não queria ouvir".

A garota prendeu seus cabelos em um nó, como um coque atrás da cabeça. Demonstrou um mínimo de nervosismo, uma alteração que só viu quem prestava muita atenção e aconteceu apenas nessa hora, quando foi perguntada se ouviu ou não algum barulho. Limpou algumas lágrimas fugidias. Ela então se levantou e prosseguiu. Disse que não tirou o dinheiro da caixinha branca, apenas a abriu e deixou-a sobre a prateleira. Foi quando Daniel e Cristian chegaram. Ela saiu e sentou-se na sala de estar, enquanto os dois bagunçavam a biblioteca. Depois voltou para lá, cruzando com Cristian, que estava saindo. Olhou a desordem e resolveu voltar para a sala, quando cruzou de novo com Cristian, que voltava com as joias na mão. Sentou-se no sofá e aguardou a chegada de Cristian na sala, que começou a guardar o produto do roubo na mochila. Daniel também se aproximou. Todos foram para a porta da frente, onde os rapazes trocaram de roupa, guardaram tudo o que foi usado para praticar o crime dentro de outro saco de lixo preto e cruzaram mais uma vez a área da piscina em direção à garagem. Por fim, declarou que Daniel não comentou com ela que tinha feito os instrumentos para a execução do crime.

A VERSÃO DE DANIEL

Jane explicou para Daniel que a advogada dele estaria sempre por perto, assistindo a tudo. Perguntou ao rapaz: "Você está sendo coagido a fazer esta reconstituição ou está fazendo esta reconstituição de livre e espontânea vontade?". "De livre vontade", respondeu Daniel.

Todos foram para a garagem. Eram 18h10. Daniel já estava chorando, antes mesmo de começar a reconstituir sua versão dos fatos. As versões até que eram bastante semelhantes, com diferenças que não alterava a verdade.

Segundo Daniel, ele e Cristian esperaram no pé da escada que Suzane fosse ver se os pais estavam dormindo. Ela os chamou para subir do patamar intermediário. Subiu com eles e só então acendeu a luz do hall, para que enxergassem. Jane perguntou quem entrou primeiro no quarto. Daniel respondeu que foi ele e limpou as lágrimas no ombro da camisa. Jane perguntou sobre Cristian, e o rapaz respondeu que o irmão entrou no quarto logo atrás dele. E que foi nessa hora que Suzane desceu as escadas.

Os irmãos entraram na penumbra do quarto, cada um em direção a um lado da cama. Daniel respirou fundo, chorou muito, mas reconstituiu as pancadas que deu em Manfred, não sem antes ajeitar a mão do policial para fora da cama, posicionando a vítima da maneira correta. Disse que não sabia exatamente quantas vezes golpeou o sogro. Largou o bastão no chão. Antes de continuar os trabalhos de reprodução simulada, encostou-se na parede, sentou-se no chão e teve uma crise de choro. Não parava de repetir que o policial que estava fazendo o papel de Manfred era a cara dele, que Manfred estava ali. Nós todos que estávamos presentes no quarto do casal sentimos arrepios e trocamos olhares ansiosos. Não temos as lembranças que Daniel tem ao recontar o crime. Provavelmente ele ouve os barulhos, quase sente o sangue respingar, revive literalmente o momento do assassinato, dessa vez sem a adrenalina e tendo tempo para refletir sobre cada movimento seu. O fato de o investigador ser realmente muito parecido com a vítima transtornou completamente o assassino. A advogada dra. Gislaine se aproximou e tentou acalmá-lo. Em vão. Daniel chorava copiosamente e tinha ânsias de vômito. Foi conduzido ao banheiro por Salgueiro.

O perito tinha acabado de chegar de outra reprodução simulada: um filho também havia matado o pai a pancadas, a pauladas, na rua Forte Alcântara, 25ª DP, extremo sul de São Paulo. Chegou a convidar a imprensa para acompanhá-lo nesse outro caso de parricídio, mas em um endereço tão "pobre" ninguém se interessou, apesar de ser um caso muito parecido com o da rua Zacarias de Góis.

No banheiro, Daniel abaixou a cabeça na pia, desconsolado. Salgueiro começou a acalmar o garoto, dizendo que agora ele tinha que colaborar, que infelizmente a polícia estava ali para fazer esse trabalho. Daniel se levantou e abraçou o perito, chorando ainda. Ele recebeu o abraço sem constrangimento. Provavelmente, o rapaz se lembrava do respeito com que foi tratado no dia em que Salgueiro esteve ali na casa retirando a cabeceira da cama. Tinha sido estabelecida uma espécie de relação de confiança naquele dia. Um pouco depois, Salgueiro deu um cigarro a ele e esperou que se acalmasse. Existia o perigo de o descontrole ser tanto que os trabalhos tivessem que ser interrompidos.

Salgueiro conversou com a dra. Gislaine. Disse que compreendia, não estava julgando, sabia que algumas pessoas só cometem crimes em situações específicas, mas que a reprodução simulada precisava ser levada adiante. Virou para Daniel e disse: "Daniel, vamos lá lavar o rosto e beber um pouco d'água". O rapaz o acompanhou de bom grado. Abraçou novamente o perito e, chorando, repetia: "O que foi que eu fiz, o que foi que eu fiz...".

Salgueiro então disse a Daniel: "Tenha força, tenha fé. Vamos fazer uma oração".

Formou-se uma roda com os presentes e todos rezaram. Daniel finalmente se acalmou. Pediu para continuar a reconstituição de mãos dadas com Jane. Ela concordou e também providenciou para que o investigador que fazia o papel de Manfred fosse trocado.

Os trabalhos recomeçaram. Daniel molhou a toalha na torneira da pia e abaixou a cabeça de novo. Flávio, Jane e Edson começaram um coro de "vamos lá, vamos em frente, vamos acabar", incentivando o garoto, achando que ele fosse parar de novo. Ele então explicou que não ia parar, é que no dia do crime tinha abaixado a cabeça na pia. Aliviados, cinegrafista, perita e fotógrafo seguiram Daniel mais uma vez até o quarto.

Com dificuldade de respirar, Daniel colocou a toalha molhada no rosto do investigador, titubeando. Ajoelhou-se ao lado da cama e passou a segurar o braço de "Manfred", chacoalhando-o. Jane perguntou para que ele fazia isso. Ele respondeu: "Ele não acordava... Eu ficava mexendo, mexendo... Ele fazia muito barulho... Eu fiquei com medo do barulho. Aí eu vi que ele não acordava mais. O barulho não parava e aí eu desci para pegar uma vasilha na cozinha".

Daniel voltou com a jarra e foi ao banheiro enchê-la de água. Retornou ao quarto do casal, retirou a tolha do rosto de sua vítima e jogou água nele, "para ver se ele acordava". Jane perguntou se Marísia também fazia sons, e ele confirmou. Jane ainda questionou: "Você saiu, foi lavar as mãos, foi olhá-la ou simplesmente desceu a escada?". Daniel respondeu: "Meu irmão demorou um pouco mais na Marísia". Jane continuou: "Ele estava como, o seu irmão, ele estava com toalha, com o quê?". Daniel lembrou que Cristian também colocara uma toalha em cima de Marísia. Ele não sabia bem, porque evitava olhar para ela. "Não olhava em hipótese alguma", dizia ele.

Daniel continuou a demonstrar todas as suas ações no quarto. Salada ainda perguntou por que mexeu na arma. Daniel respondeu que era para parecer um roubo. Explicou que na hora estava "completamente fora", não raciocinava direito. Ficou sem ação e simplesmente jogou a arma em cima da cama. Salada ainda perguntou para Daniel se reparou que, em algum momento, Suzane tivesse ido para o andar de cima da casa. Ele respondeu que reparou e afirmou que ela não subiu em nenhum momento, mas corrigiu, ele não a tinha visto ali em cima, mas não podia afirmar que ela não tivesse subido em algum momento.

Eu queria muito saber se Suzane, quando Daniel desceu, havia se interessado sobre o que havia acontecido. Pedi que Jane e Salada perguntassem para Daniel sobre isso. Jane falou: "Daniel, quando você chegou lá e encontrou com a Suzane, ela perguntou alguma coisa para você, tipo fez, não fez, eles morreram, não morreram?". Daniel se encostou na parede e pensou por alguns momentos. Respondeu: "Ela perguntou alguma coisa referente a isso, eu quero só saber como ela perguntou... Como ela perguntou?". Jane completou: "Foi na biblioteca, foi na sala, foi no carro?". Ele disse que sabia que havia sido dentro da casa, mas não lembrava onde.

Salada continuou: "Ela perguntou de que forma, se vocês tinham conseguido, se eles estavam mortos, e aí, tudo bem, fez o serviço, deu certo, deu errado?". Jane emendou: "Já acabou?". Daniel levantou a cabeça imediatamente ao ouvir a frase e disse: "Isso, já acabou, já acabou, foi isso o que ela falou. Já acabou ou alguma coisa muito semelhante a isso. Eu falei que sim".

Todos então desceram as escadas para que a reprodução simulada continuasse no andar de baixo.

Daniel e "Suzane" foram para a biblioteca, desarrumar tudo. "Cristian" entrou e ele saiu para buscar as facas na cozinha. Na versão dele, Suzane falou que era preciso cortar a pasta, que ela não havia conseguido. Ele então respondeu: "Pode deixar que eu faço".

Os três se encontraram na sala de estar, onde Daniel e Cristian trocaram de roupa. Daniel então percebeu que esquecera as armas do crime no quarto do casal e voltou para pegá-las. Foram para a área da piscina, guardaram tudo em um saco, simularam as pegadas na janela e saíram pela garagem.

A última parte dos trabalhos aconteceu no quarto do casal. Estavam presentes Jane, Salada, André Morrone (o médico-legista), o promotor Virgílio e eu. Ali, reproduzimos a ação que acabara de ser descrita por Cristian e Daniel, para ver se era possível que o crime tivesse acontecido daquela maneira. Jane fez o papel de Marísia; Salada, o de Manfred, os dois de lado, virados para a janela. As manchas de sangue no teto nos guiaram para posicionar os assassinos. Sim, tecnicamente era possível que tudo tivesse ocorrido daquela maneira, inclusive as pernas cruzadas da vítima. Marísia provavelmente acabou morrendo mais para o meio da cama porque podia ter sofrido convulsões, o que também explicaria as dobras na calça. Daniel teve mais eficiência em seus golpes, que foram mais reduzidos, pois é destro e estava posicionado de forma que seus movimentos estivessem "na mão certa". Cristian teve mais dificuldade, bateu mais, já que também é destro e estava na "contramão". A proximidade entre a parede e a janela também atrapalhou seus golpes.

A toalha dentro da boca de Marísia tinha que ter sido colocada ali por Cristian, o único a se aproximar do corpo dela. Isso não aconteceria ao acaso, teria que ser proposital. As toalhas em cima dos rostos pareciam ser mais uma tentativa de asfixia, para cessar o barulho que as vítimas faziam, do que um ato de pudor. O saco de lixo colocado na cabeça de Marísia, sim, era para encobrir a grande quantidade de sangue e ferimentos, uma vez que seu crânio se esfacelou, enquanto o de Manfred permaneceu inteiro. A pressão interna no crânio de Manfred fez com que ele morresse mais rápido e com menos agonia. Marísia não teve tanta sorte.

Faltava uma definição melhor do instrumento do crime. André Morrone explicou que o ferimento na têmpora de Manfred só podia ser explicado se tivesse sido causado por uma superfície plana e perfurada, causando a pressão que faria com que a pele "entrasse" pelo buraco, deixando sua dimensão marcada. Segundo o dr. André, aquele tipo de equimose não poderia ter sido causado pelo cano de uma arma.

Jane e eu descemos as escadas e nos dirigimos para o quarto das empregadas, onde estava Cristian. Explicamos nossas dúvidas e ele logo esclareceu que o bastão era perfurado, porque tinha sido feito por Daniel com algo parecido com um "pé de prateleira", dessas furadinhas. Disse que, se pedíssemos a Daniel, ele, habilidoso que era, desenharia para nós. Daniel realmente colaborou, desenhando a arma em uma folha do caderno de Jane. Ela foi entregue por mim ao promotor Roberto Tardelli.

Finalmente os trabalhos daquele dia estavam encerrados. Ainda me reuni com Jane e Cíntia, perguntando a elas se algo do que ali se passara não poderia ser revelado. As duas, em uníssono, disseram-me que nenhuma informação era sigilosa, tudo estaria no inquérito. Existiam algumas diferenças entre as versões, mas nenhuma delas era muito importante para o processo.

Saímos. Enquanto as duas enfrentaram a turba de repórteres, fui para casa tentar descansar. Tarefa difícil para quem havia passado um dia como aquele!

No dia seguinte, ao chegar ao meu escritório, procurei por toda a internet móveis que tivessem perfurações com aproximadamente 16 mm de diâmetro. Todos têm menos do que isso. A única coisa que encontrei com a medida aproximada do ferimento na cabeça de Manfred von Richthofen foi um perfilado de ferro usado em obras, à venda em casas de material de construção.

Escolhi terminar este livro com a transcrição, na íntegra, da carta de Suzane Louise von Richthofen para os pais de Daniel Cravinhos de Paula e Silva, Nadja e Astrogildo, em 22 de novembro de 2002. Essa é a única pista que temos de como Suzane se sentia após o crime, dúvida que paira em todas as mentes do Brasil.

22/11/2002

Nadja/Gravinhos,

    eu não sei se o meu primeiro bilhetinho chegou até vocês, mas de qualquer jeito eu gostaria de pedir novamente (e mais um milhão de vezes) perdão! Eu gostaria de coração que vocês pudessem me perdoar, porque eu amo muito vocês.

    Eu sei que a barra não deve estar nenhum pouquinho fácil para vocês — para mim também não está, mas eu gostaria muito que vocês me mandassem notícias de vocês. Como vocês estão de saúde, como está a dona Inês, enfim alguma palavrinha. Se vocês não quiserem me escrever, mandem alguma notícia pela advogada. Eu me preocupo muito com vocês e, se de alguma forma eu puder ajudar, não hesitem em pedir.

    Mesmo que vocês nunca mais queiram nem ouvir falar do meu nome eu quero que vocês saibam que vocês moram e vão sempre morar no meu coração.

    Eu lhes desejo toda a sorte do mundo e, acima de tudo, muita força.

    Mandem um beijão para a dona Inês e um especialmente enorme e cheio de carinho para vocês. Nunca se esqueçam que eu amo muito vocês dois.

    Com carinho
        Su

PS: Mandem um super beijo pro Dandan e outro pro Cris.
E por favor entreguem essa outra cartinha a ele. Obrigada
    Beijões Su

FOTOS DA
REPRODUÇÃO SIMULADA

Arquivos Richthofen
A VERSÃO DE CRISTIAN

Entrevista inicial com Cristian

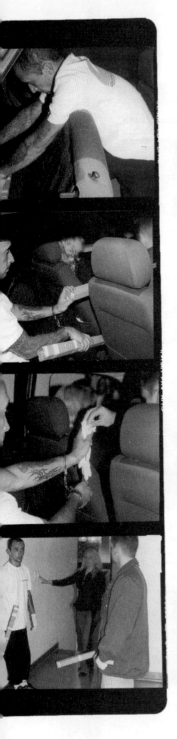
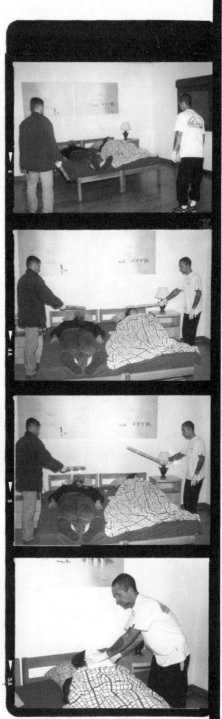

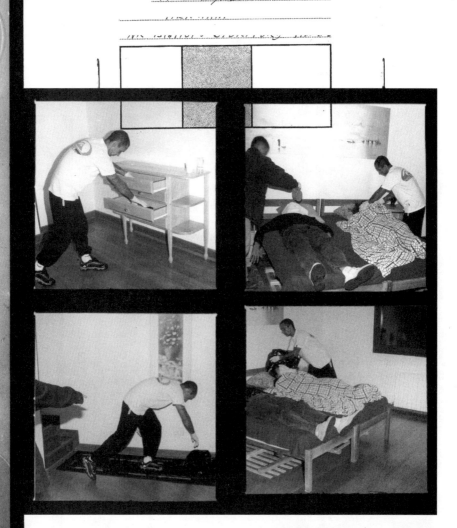

Cristian revira a cômoda no quarto do casal; molha as toalhas junto com "Daniel"; pega o saco de lixo e o coloca na cabeça de "Marísia"

Página ao lado, primeira coluna:
Cristian pega os bastões, entrega a "Daniel" e recebe as luvas, ainda dentro do carro; na última foto, os irmãos na porta do quarto do casal

Página ao lado, segunda coluna:
Cristian e "Daniel" simulam os golpes e, ao final, Cristian reproduz o momento em que coloca a toalha no rosto de "Marísia"

Cristian pega o revólver no chão, coloca-o ao lado de "Manfred", bagunça a biblioteca com "Suzane", que em seguida lhe entrega o dinheiro

Abaixo, Cristian guarda o dinheiro na mochila, lava os bastões na piscina, pula a janela e sai de carro com os outros dois

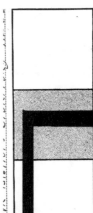

A VERSÃO DE SUZANE

Arquivos Richthofen

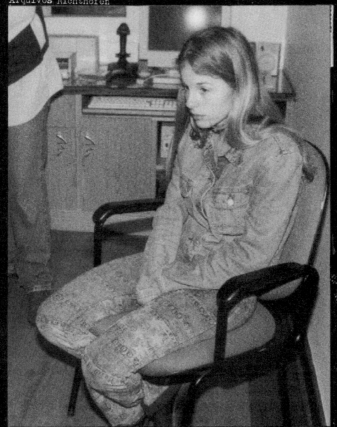

Entrevista inicial com Suzane

Suzane chega em casa e se dirige ao quarto dos pais

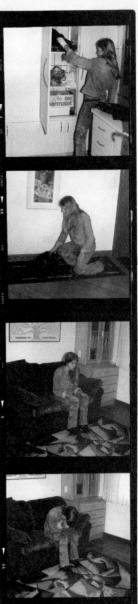

Coluna do meio:
Suzane observa os pais dormindo, faz sinal para os dois e coloca a luva

Coluna da direita:
Suzane pega os sacos de lixo e os coloca no pé da escada; senta-se no sofá da biblioteca e tapa os ouvidos

Coluna da esquerda:
Suzane pega a pasta
onde o casal guardava
o dinheiro e depois
deixa a caixa branca
na prateleira

Coluna da direita:
Com os "irmãos Cravinhos",
revira a biblioteca; depois,
aguarda na sala de estar

Cristian chega com as joias, coloca-as na mochila e pega o dinheiro

Abaixo: "Daniel" e "Cristian" trocam de roupa, colocam as roupas e os bastões usados durante o crime no saco de lixo e saem da casa de carro

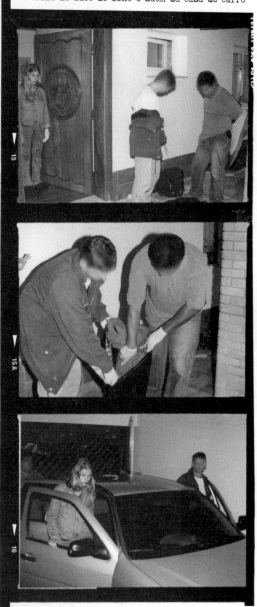

Arquivos Richthofen

A VERSÃO DE DANIEL

Daniel sai do carro e entra na casa com "Suzane" e "Cristian"

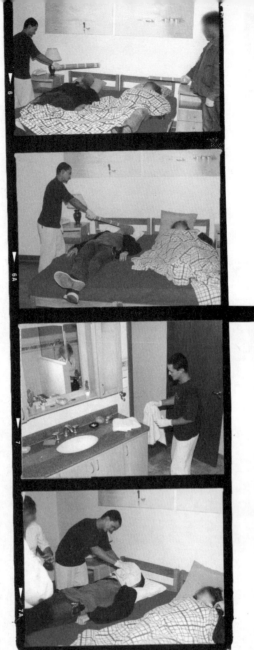

A partir da primeira coluna:
"Suzane" chama os irmãos e acende a luz; eles entram no quarto e aplicam os golpes no casal; Daniel pega a toalha e cobre o rosto de "Manfred"

Coluna da esquerda:
Daniel sacode "Manfred"
e joga água no rosto dele;
de mãos dadas com a perita
Jane, que o questiona; Daniel
abre o fundo falso no armário

Coluna da direita:
Daniel coloca a arma em cima
da cama, simula a bagunça
na biblioteca, pega as facas
na cozinha e corta a pasta

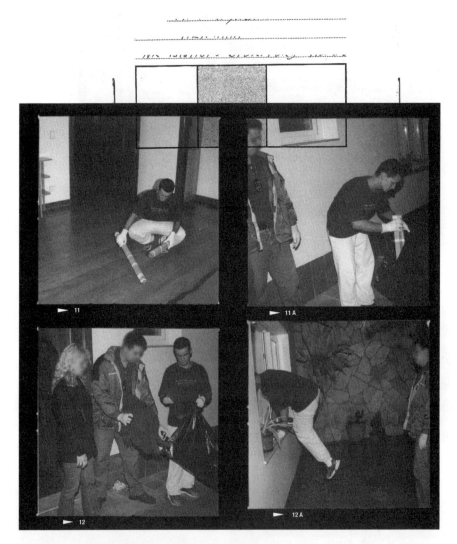

Daniel recolhe os bastões e os coloca no saco de lixo; em seguida, com "Suzane" e "Cristian", coloca as roupas no saco e pula a janela

FOTOS COMPLEMENTARES

Arquivos Richthofen

"Aqui mora gente feliz"

O perito tinha acabado de chegar de outra reprodução
simulada: um filho também havia matado o pai a pancadas,
a pauladas, na rua Forte Alcântara, extremo sul de São
Paulo. Chegou a convidar a imprensa para acompanhá-lo
nesse outro caso de parricídio, mas em um endereço tão
"pobre" ninguém se interessou, apesar de ser um caso
muito parecido com o da rua Zacarias de Góis.

aeromodelo
no quarto
de Andreas

Suzane conversa
com os peritos

O circo da mídia em frente a casa dos Richthofen

Ilana Casoy durante a reprodução simulada

Esta transcrição apresenta a íntegra dos debates entre os advogados de acusação e de defesa, além do discurso do promotor do Ministério Público, do caso Richthofen, a partir da gravação feita pelo próprio tribunal do júri. Para manter o máximo de fidelidade e respeito à oralidade, optou-se por não corrigir erros gramaticais, transcrevendo-os como aparecem em sua linguagem coloquial. O objetivo foi manter a naturalidade das falas que antecederam o julgamento, encerrado no dia 21 de julho de 2006, que acabou por condenar os três réus.

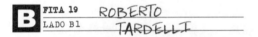

JUIZ — Com a palavra, a acusação, pelo tempo de três horas... Dr. Promotor com a palavra.

Um bom-dia a todos. Quero inicialmente cumprimentar o magistrado presidente dessa sessão de julgamento, dr. Alberto Anderson Filho, a quem endereço em nome do dr. Nadir, do dr. Alberto Zacharias Toron, em meu próprio e do MP e posso dizê-lo em nome de todos que aqui se fazem presentes, as saudações, os mais efusivos cumprimentos à Vossa Excelência. Pela forma cavalheiresca, pela forma lhana, pela forma extremamente civilizatória e humanizada com que Vossa Excelência tem conduzido este julgamento longo, penoso, extenuante, cheio de riscos e em que todas as emoções afloraram, mas que encontraram em Vossa Excelência a ponderação, a calma, o respeito das partes que tanto nós idealizamos, nós, operadores do Direito.

Quando as pessoas imaginam um juiz, imaginam um juiz de Direito, as pessoas imaginam um juiz de Direito, dr. Anderson, num julgamento grandioso como este. Certamente, porque as pessoas imaginam que os juízes de Direito são, e são efetivamente, homens e mulheres grandiosos. E Vossa Excelência está, nesse julgamento grandioso, sendo o grande destaque, o grande contraponto e dando à magistratura paulista, à magistratura brasileira, o melhor cartão de visitas que a população brasileira poderia ter. Nós, cidadãos brasileiros, nos sentimos profundamente agradecidos de encontrar em Vossa Excelência o nosso julgador, o nosso representante do Poder Judiciário. Um bom-dia de trabalho, um bom-dia ao senhor.

Quero também renovar meus cumprimentos ao meu amigo, parceiro, irmão, camarada, meu colega Nadir, que dividiu comigo os piores momentos e os melhores momentos da minha vida, e que aqui veio e que aqui me socorre com um nível de solidariedade e de companheirismo que eu talvez não tivesse capacidade para retribuir na dimensão que o meu amigo faz. Tenha certeza que os anos vão passar, nós vamos envelhecer, mas eu vou sempre me lembrar e dizer aos meus filhos e aos filhos dos meus filhos que eu tive a oportunidade de conhecer um grande promotor e ter na minha vida uma grande amizade no meu inventário, que é a sua. Muito obrigado pela sua presença aqui.

Quero também, neste momento, ressaltar uma grande aquisição de amizade pessoal que eu fiz com admiração por um notável, um brilhante advogado, o meu amigo dr. Alberto Zacharias Toron, que me ensinou ao longo desses anos todos que a advocacia é a nobre arte, que o advogado é o grande interlocutor entre as dores da família e a impessoalidade do Estado. É o advogado assistente da acusação que traz a dor da família para dentro do processo. É o advogado assistente da acusação que consegue transformar em gestos processuais a extrema solidão daqueles que ficaram privados dos seus entes queridos. E é absolutamente fundamental que esses entes queridos, que essas pessoas encontrem vozes. E quando uma família encontra uma voz abalizada como a sua, meu amigo Toron, a dor dessa família se transfere para todos nós.
A grande genialidade que o meu amigo teve e tem é tornar todos nós próximos do sofrimento daqueles que ficaram. Ter trazido e ter conduzido o Andreas von Richthofen com a dignidade que esse menino teve, com a integridade com que ele se manteve, tudo isso nós devemos à Vossa Excelência. Este processo, esta história e a sociedade brasileira devem muito à Vossa Excelência. Muito obrigado, muito obrigado Flávia [Tenembaum], você sempre uma gracinha. Muito obrigado!

Eu quero também dizer aos advogados presentes que nós devemos muito aos senhores, devemos muito às senhoras. Todas as vezes que imagino e vejo um advogado, eu me lembro, eu era garoto ainda, quando o Brasil gemia nos porões da ditadura, eram os advogados aqueles que se arriscavam, aqueles que colocavam o compromisso de seu grau na defesa das liberdades democráticas que permitem que esse ato hoje se realize com a plenitude democrática que ele tem. São aos advogados que devemos as liberdades democráticas brasileiras, a esses homens, a essas mulheres de coragem, que muitos perderam a vida, muitos perderam seus patrimônios, muitos perderam os melhores anos de sua existência na luta do Direito. A esses eu quero render as minhas mais sinceras homenagens e quero também dizê-lo, dr. Jabur, dra. Gislaine, dr. Nacif, dr. Mário Sérgio, dr. Barni, do quanto nós os admiramos. Sempre que um júri se instala e sempre que olho para a bancada de defesa, tenho sempre a sensação de que no dia que essa bancada não estiver ocupada por ninguém não haverá sentido na acusação a ser feita. Só estamos aqui porque os senhores, as senhoras nos oxigenam. Eu quero desejar a todos um grande trabalho e quero me comprometer desde já a manter um nível profissional mais elevado que eu puder. Não me interessa a discussão pessoal, não me interessa a picuinha pessoal. A história já é suficientemente trágica para que nós possamos nos perder dentro dela. Um bom-dia a todos.

Quero finalmente ressaltar o nascimento, e quero fazê-lo até em nome do Ministério Publico, da mais nossa nova instituição que vem aqui habitar este fórum criminal, que é a Defensoria Pública. Finalmente nós teremos, estamos aqui vendo hoje um júri absolutamente diferenciado de todos. Aqui em cima, no segundo andar, hoje, algumas pessoas extremamente desvalidas, extremamente pobres, estarão sendo julgadas. Não terão nas suas bancadas de defesa a competência que essas defesas têm. Mas contarão com profissionais do mais alto nível, da mais alta dedicação, que são os defensores públicos, que vêm se somar na luta pela justiça. E eu não posso deixar de apontar ao exemplo dos defensores públicos um paradigma que, para mim, é um paradigma não de uma advogada, mas de um ser humano da mais alta envergadura. A minha querida Daniela Sollberger que está aqui na plateia, exemplo para todos os que pretendem, um dia, exercitar a carreira da defesa pública. Tenham nela o paradigma dessa profissão. Muito obrigado pela sua presença, estou extremamente honrado com a sua presença hoje aqui.

Senhores jurados, senhoras juradas, hoje nós estamos fazendo história. O júri de hoje, a história de hoje, traz para o júri e para a existência do júri, tudo aquilo que nós imaginávamos e imaginamos que o júri pode ser. Em nenhum outro momento nós teremos, e talvez não tenhamos nas próximas décadas, e não tivemos décadas atrás, um momento tão alto em que a população tanto espera daqueles que aqui vieram representá-la. Os senhores vêm aqui hoje, vieram aqui e aqui estão desde segunda-feira, com o notável senso de cidadania. Nós temos aqui centenas de pessoas ali sentadas, alguns jornalistas que escrevem para milhares de pessoas, outros para milhões de pessoas, e tenham certeza que o mundo ali fora sabe que aqui dentro há sete pessoas, extremamente atentas. Os senhores sairão daqui hoje certos de que a população brasileira também lhes deve muito. Os senhores se mantiveram de uma forma absolutamente notável no exercício da maior das funções da cidadania, que é ser jurado. Os senhores ficaram isolados aqui, não tiveram contato nenhum com o mundo externo. Faz cinco dias, os senhores não sabem o que aconteceu ou o que está acontecendo, o que se passa dessa porta para fora. Eu não quero lhes dizer nada além do que afiançar-lhes que não há uma única pessoa que não esteja acompanhando e não esteja admirando cada um dos senhores, cada uma das senhoras. Muitos aqui queriam estar. Milhares de pessoas queriam tomar esses assentos. Os que aqui vieram nesse feliz acaso da vida estão cumprindo hoje da forma mais digna que a gente puder imaginar, tudo aquilo que toda a nossa gente lá fora espera do jurado: independência, atenção, concentração, cidadania. Quando as pessoas olham pro júri, muitas vão dizer assim: "Puxa vida, mas para ser jurado as pessoas deveriam ter nível superior. Como alguém que não tenha nível superior pode ser jurado?". Eu olho para essas pessoas, fico olhando pra elas e digo assim: honestidade não tem diploma. A honradez não tem escolaridade. O que nós precisamos, o que nós queremos e o que nós obtivemos hoje é a vinda de sete pessoas com seu inventário de vida, com as suas histórias, com as suas dúvidas, com os seus dissabores. O que nós julgamos no júri é a vida! Nós não queremos aqui diplomas universitários. Nós queremos gente que viveu. Nós queremos gente que aprendeu, gente que apanhou, gente que amou, gente que sofreu, gente que perdeu, gente que ganhou! Como todos nós! Gente que vai chegar para o seu filho e vai dizer, e vai ensinar, e vai avisar ao seu filho que ele vai ganhar pouco, que o sistema de transporte é ruim, que infelizmente a escola é ruim, que o sistema de saúde não funciona, mas que ele funciona! Ele! Pessoa humana há de funcionar. Nós não ensinamos aos nossos filhos que eles sejam oportunistas, nós não ensinamos aos nossos filhos que eles sejam ladrões, nós não ensinamos aos nossos filhos que eles se acanalhem, nós ensinamos aos nossos filhos que eles devem, sim, ser honestos, e é essa a cidadania que empurra este país. Somos nós transmitindo esses valores uns aos outros, nos acomodando nos ônibus, a gente volta para casa, a gente cansa de ver ônibus lotados, cansa. Mas, dentro desses ônibus, é impressionante como aquelas pessoas naqueles ônibus lotados sorriem, como aquelas pessoas conversam, como aquelas pessoas sonham, ou fazem planos, estabelecem projetos. Como que elas são felizes, porque nós temos essa capacidade, é nossa. É esse jurado que eu quero cumprimentar, e cada um de Vossas Excelências hoje aqui representa o modelo grandioso do jurado. Nós agradecemos muito, demais, às senhoras e aos senhores. Agradecemos do fundo dos nossos corações. A missão dos senhores está cumprida. A missão cidadã dos senhores e das senhoras está cumprida. Quem os olhar amanhã, cinco dias depois, quando a gente retornar ao convívio das nossas casas, retomar as vidas, retomar as nossas rotinas, tenham certeza que as pessoas os olharão com admiração, com profunda admiração. Tenham certeza que os senhores serão exemplo, no microcosmo de cada um, que se amplie, que se vai, que aumenta e que chega a todos nós. É assim que a gente modifica o mundo. É assim que a gente torna o mundo melhor. Muito boa tarde para os senhores.

A nossa história de hoje, desses dias todos, é uma história de todos conhecida. E é uma história que vem romper o nosso equilíbrio, a nossa normalidade de vida. Qual é a história, que história é essa? Vamos imaginar duas famílias. Vamos imaginar duas famílias absolutamente trabalhadoras. De um lado, um engenheiro e uma médica psiquiatra; de outro lado, um funcionário público aposentado, de anos de serviço público, e a sua esposa, cada qual cuidando de seu filhos como todas as famílias fazem. Quem criou esses filhos os criou com todo zelo e os erros que nós cometemos durante a criação de nossos filhos. Mas sempre nos dando a esses filhos. Não é vantagem alguma, é o mínimo que se espera dos pais. Vamos imaginar que essas famílias tiveram seus dissabores, tiveram seus desencontros, mas que foram levando, que foram ultrapassando, foram vencendo seus obstáculos, foram vendo seus filhos crescerem. Como é emocionante ver um filho crescer! Como é, pra quem sabe, quem já viu sabe o que é isso! Observar as primeiras letras, observar os primeiros passos, observar essas crianças crescendo, se transformando em gente. Vamos imaginar que essas famílias tudo deram delas para esses filhos, tudo. E nós não estamos falando de dinheiro! É aquele dar-se emocional, é o dar-se à vida, é o entregar à existência. Por que nós queremos ter filhos? Para que nós nos transcendamos. Os filhos são a nossa transcendência, são a nossa continuação! São os nossos passos amanhã! Esses são os nossos filhos! Aqueles que nos enchem de orgulho, independentemente de quem sejam, independentemente das dificuldades que tenham, independentemente das trombadas que sofram na vida, são os nossos filhos, que nós amamos, amamos incondicionalmente! Quem tem filho, quem escolhe ter filhos, quem faz a opção na vida por ter filhos, faz a opção de ter alguém para amar. Para se transcender, para se comunicar, para se projetar! Essa é a família, esse é o filho, esse é aquele que eu vejo nascer, que eu carrego no colo, por quem eu sofro, por quem eu choro e quem eu espero. Esse é o meu filho! Esse é por quem eu dou a vida mil vezes se tiver que dar! Essa é a minha família, essas são as minhas crianças, passear no parque, passear na rua, mostrar para as pessoas: são meus filhos! O olhar orgulhoso que a gente sente quando está com eles, assim: "Nossa, são seus filhos? Que bonito, que gracinha!". Como nós nos orgulhamos disso, como isso é importante pra gente. Filho cura febre! Filho cura depressão, filho cura a solidão, o abraço do filho, o carinho do filho, aquela criança que senta no nosso colo e conta, cheia de encantamento, o que descobriu na escola aquele dia, vale a nossa semana, vale o nosso mês! É o sonho de toda família. Qualquer família, rica, pobre, milionária, miserável, não importa, nós não estamos falando de dinheiro. Nós estamos falando de sentimento, nós estamos falando de transcendência. Nós estamos falando dessa relação que a gente não vê, desse elo de ferro que vai se formando numa família. E essas famílias vieram assim. Essas famílias caminhavam paralelamente nessa cidade gigantesca levando as suas vidas como todos nós aqui levamos. Os filhos cresceram, aquelas criancinhas cresceram, vão se tornando adolescentes, vão se tornando rebeldes, vão se tornando independentes. Faz parte da nossa formação. Os nossos filhos, a gente os vê se apaixonando. Quem nunca viu a sua filha se trancar no quarto, colocar a música no último volume e dizer: "Eu vou morrer de amor!". Quem nunca viu seu filho chorando no banho: "Eu vou morrer de amor!". Todos nós já morremos de amores tantas vezes na vida! Os nossos filhos vão assim se crescendo.

[Movimento dos réus, o júri para por alguns instantes.]

Nós vamos vendo nossos filhos crescerem. Nós vamos vendo os nossos filhos se transformarem. Quem tem menina, quem tem menina vê as primeiras transformações do corpo daquela criança, que já não é mais uma criança, mas não é alguma coisa ainda que a gente saiba o que é. É alguém que está se transformando, é alguém que está crescendo, é alguém que está olhando pra gente, que é a nossa continuidade, ela vai se apaixonar, os nossos filhos vão se apaixonar, nós nos apaixonamos e porque nos apaixonamos é que nós os temos! Foi porque nós escolhemos homens, mulheres, uns escolhem aos outros, porque nós nos apaixonamos é que nós temos os nossos filhos. E é claro que, quando a gente tem o filho,

qualquer pai, qualquer mãe, qualquer um de nós, por mais relapso que seja, projeta, sonha, sonhar é um direito, sonhar é algo que ninguém pode tirar da gente, ninguém pode roubar de ninguém! Ninguém sonha com um filho milionário! Eu não conheço pai algum que sonha em ver seu filho andando numa Ferrari. Mas eu conheço todos os pais que sonham receber seu neto em casa. Eu não conheço mãe que sonhe com a sua filha morando num castelo, casando com alguém, dando um golpe do baú, não! A gente sonha com a filha da gente se apaixonando, a gente sonha com a filha da gente vivendo, engrandecendo, desabrochando. São flores que a gente faz das mãos. Essas flores chamadas filho nascem e crescem aqui, nas mãos da gente! Na mão de cada um. Na mão calejada, suada, trabalhadora de cada um! Nessa mão que pega ônibus, que pega metrô, que pega trem! Que anda de carro importado, que anda de helicóptero, pouco importa, é dessa mão que nasce o nosso filho. A gente vê essa flor crescendo, a gente sente o perfume dessa flor, a gente projeta para essa flor, a gente olha para essa flor e fala: "Esse é o meu filho, essa é minha filha!". É claro que eu tenho que projetar um sonho; se eu não sonhar, eu não sou ninguém! Eu não tenho o direito de ser pai! Se os filhos vão crescendo, eles vão se tornando cada vez mais bonitos, eles vão se tornando cada vez mais independentes, eles vão nos preocupando, eles saem à noite, eles não voltam, eles não telefonam, o celular está desligado, a gente não sabe o que acontece, eles colam na prova, eles brigam com o professor, eles são postos pra fora, eles brigam na rua, meu Deus, é a vida da gente! Eles namoram, eu adoro a namorada, eu odeio o namorado da minha filha! Eu odeio aquele piercing! Eu não suporto aquela coisa tatuada na minha casa! Que direito que eu tenho? Eu estou vivendo a vida, a vida está me transformando, eu tô transformando as pessoas. Meu Deus! É um direito meu, é um direito da minha esposa, é um direito da minha família, é um direito do meu pai, da minha mãe, do meu primo, do meu tio! Essas famílias foram andando. Até que alguém, de uma família, conhece alguém de outra família. Só que esses alguéns não são alguéns comuns. Nós continuamos sonhando.
Sr. Manfred, dona Marísia, trabalhavam. Seu Astrogildo, dona Nádia, trabalhavam. Ninguém criou filho com dinheiro saído da rua. Dinheiro não é capim. Essas duas criança começam a namorar. Essas duas crianças começam a se envolver. Essas duas crianças começam a se apaixonar. Quem nunca viu um filho se apaixonar, quem nunca viu um filho morrer de amores? Ora, teve outros namorados, teve vários, meu Deus! Ah, a minha filha é namoradeira, que bom! Que alegre. Alguém conhece algo mais gostoso que namorar? Alguém conhece algo mais divertido que namorar? Alguém conhece algo mais prazeroso do que aquele cafunezinho na cabeça? Não tem! Não inventaram ainda. Nós estamos no mundo como

seres humanos, como *Homo sapiens*, e ninguém inventou nada melhor ainda. Nós somos 6 bilhões de pessoas no planeta e ninguém inventou nada melhor ainda. Esse namoro vai andando, esse namoro vai andando, esse namoro vai andando, esse namoro meio que vai se perdendo, até que um momento, e esse momento é um direito de cada um, você diz o seguinte: eu não estou gostando desse namoro, esse namoro está me preocupando. Isso nunca aconteceu na nossa vida? Nós, eu indago aos jurados, homens, que façam a reflexão: nós sempre fomos bem recebidos na casa das nossas namoradas? Nós somos campeões mundiais de aceitação? Nunca nenhum pai de uma namoradinha nossa olhou torto pra gente? O que há de anormal nisso? A coisa começa a quebrar-se, algo começa a se quebrar quando esse namoro se transforma não numa relação de amor, não naquela coisa gostosa que a gente vê os nossos filhos. Levar o filho e a namorada do filho ao cinema, buscar na balada! Depois que o filho adquire determinada idade, ele parece que pensa que nós abdicamos do direito de dormir. Nós temos que acordar às 4h30 da manhã, cruzar a cidade inteira e ir na porta de uma boate horrorosa, com um som horroroso, encher o carro de moleque e fazer um tour que começa em São Paulo e termina em Uberaba, vai deixando um em cada lugar, voltamos pra casa tudo morto, a gente bocejando na direção do carro, mas felizes. São nossos filhos, é a família que está junta. Em algum momento se rompe isso e essa relação se torna uma relação de extremo egoísmo.

A relação começa a se tornar, ela própria, algo muito mais importante que tudo aquilo que cerca. Nós somos mais importantes. Meus pais não gostam de você, problema deles; seus pais não gostam de mim, problema deles! Nós vamos enfrentá-los, quantos enfrentam! Mas nós não queremos apenas enfrentar os seus pais e assumir as consequências disso. Vamos viver de amor, vamos numa casinha de montanha, vamos trabalhar, vamos sair de casa, vamos cuidar da vida, vamos ser gente. Não! Não. É preciso um dado a mais. Eu preciso uma coisa a mais. Eu quero o teu dinheiro, eu quero o teu suor, eu quero o teu trabalho, e eu quero isso sem esforço. Eu quero isso porque é meu! Não é seu. E, se você não me der, eu te elimino do meu caminho... Pouco importa, pouco importa que nós desçamos à intimidade da vida desse casal, quem perdeu a virgindade com quem, quem manteve relações, onde, quando, como, meu Deus, não me interessa isso! Não nos interessa saber disso! Que interesse temos nós em saber quando uma garota de 15 anos perdeu, desculpe essa expressão horrível, lá dos anos 1950, perdeu sua virgindade? Ora, aquele dia que a mamãe descobriu que eu não tinha ido ao caratê, o mundo caiu! Por favor...! Aquela relação estava se tornando uma relação egoísta. Estava se tornando uma relação que excluía as demais relações. Houve um momento em que essa relação sufocou as famílias. A família Richthofen, ali representada, agiu de uma forma, tentou fazer com que esse namoro terminasse. A família Cravinhos, ali do outro lado, reagiu de outra forma, tentou trazer o casal para dentro de casa e assim tentar controlar alguma coisa. Ambas as famílias sabiam que o relacionamento estava intenso demais. Chegou o momento em que essa relação incomodou tremendamente os pais, como nos incomodaria, como seria de nos incomodar. Fique comigo, minha filha, fique conosco! Alguns momentos familiares são momentos familiares de alta significação! Comer em família, sair em família, voltar em família. Os pratos na mesa, cada um tem seu lugar. Uma vez, eu me perguntei por que a gente tem essa mania. Eu não conheço casa em que as pessoas não tenham lugar na mesa. Por quê? Porque quando aquele lugar estiver vazio a gente sabe, a gente sente falta, sabe quem não está ali. Nós não precisamos olhar para o lado. Aquele lugar é cativo, é nosso. É o nosso assento naquela estrutura chamada família, naquele lugar chamado família. Não há crime algum em que os pais digam: "Não quero este namoro, não gosto do seu namorado". Não há o dever jurídico da hipocrisia. Por que você acha que não é certo para mim? Não sei! Da mesma forma como eu não sei dizer por que eu amo a pessoa amada. Peguem um papel e um lápis, um dia, e tentem pensar por que é que vocês amam a pessoa que vocês amam. Tentem racionalizar o amor, é impossível. Nós amamos um todo, um todo que é contraditório.

As pessoas são contraditórias, nós somos ambivalentes. Esse namoro vai crescendo, esse namoro vai crescendo, a família vai sendo sufocada, percebe que a filha está indo longe demais, percebe que aqueles sonhos estão sob risco, começam a implicar com o namoro. Eu aceito esse verbo. É o que a gente faz, é o que as famílias fazem, o que nós pais fazemos: implica com o namorado. Primeira coisa, horário para chegar em casa. Quando eu não gosto do namorado, que horas vai chegar em casa? Sete e quinze da noite! Corto o dinheiro, tento criar desconfortos, é irresistível fazer isso. Ou nós vamos esperar que eu encontre aquele camarada cheio de piercing, não passa na porta de banco, ele passa, a porta apita, tanto ferro que ele tem no nariz, na orelha, aqui assim. Oh, meu jovem, também quer a chave do meu carro, que você vai bater, que você vai encher a cara, mas não tem problema não, tem seguro, vai! Até que um dia acontece alguma coisa, acontece uma crise nessa família, que é uma família assentada, que é uma família composta por pessoas educadas. Existe uma briga numa data marcante, marquem a data, a briga se deu no Dia das Mães. Não foi à toa. A morte se deu nas proximidades do aniversário da acusada Suzane. Não foi à toa! São datas familiares em que nós, que não estamos mais suportando a família, quebramos a família. A partir daquele momento, que nós vimos aqui, o casal Richthofen começa a caminhar para a morte.

Só que, cinco dias depois, nós somos capazes de nos enganar e achar que... — tô observando a ausência da acusada Suzane... Tava ali... Ela voltou à posição dela? Só para saber. Tá. — Só que essa sociedade é uma sociedade fechada. Ambos estão absolutamente unidos um ao outro para que alguma coisa aconteça. O que é essa "alguma coisa"? Nós queremos a liberdade. Quer a liberdade? Vai trabalhar, vai cuidar da sua vida, vai arrumar um emprego, vai viver com pouca grana, vai subindo, vai crescendo você, tenha direito ao seu amor, tenha direito ao seu afeto. "Mas eu não quero trabalhar, trabalhar é algo que me incomoda. Lutar pela minha vida é algo que eu não preciso fazer porque sempre alguém lutou por mim! A minha vida é fácil. Eu não preciso lutar pela sobrevivência. Sempre alguém lutou por mim, e lutou desesperadamente por mim. Eu quero mais do que isso, eu quero a minha liberdade, eu quero poder ter a minha liberdade sexual do jeito que eu quiser, eu quero fazer o que eu quiser, mas eu quero dinheiro, porque dinheiro é algo também muito bom, é algo que eu sempre tive e nunca precisei me esforçar pra ter! Eu não vou ter que me esforçar agora! Talvez eu não saiba arrumar um emprego, talvez eu seja tão superior aos demais que eu não consiga preencher uma fichinha em algum lugar como 90% da população faz, eu vou ter um emprego, eu vou ter horário, eu vou ter chefe, eu vou ter patrão, eu vou ter responsabilidade, eu não quero isso! É tudo o que eu não quero! Por que eu vou querer isso se já tenho de graça?"

Ninguém percebe nada, a menina doce e o rapaz doce continuam doces! A menina meiga e o rapaz meigo continuam meigos! O casal que está ali, Cravinhos, nada percebeu! O casal que não está ali nada percebeu. O filho do casal que não está aqui nada percebeu. O outro filho do casal nada percebeu. Os amigos nada perceberam. Os vizinhos nada perceberam. Ninguém nada percebeu. Porque era uma trama do casal, era um desejo de ambos, eles eram unitários nisso. "Ora, mas eu fazia tudo por ele, eu fazia tudo por ela", provavelmente um fazia tudo pelo outro! Era a forma até que um tinha de juntar o outro. "Olha, eu paguei viagens. Olha, eu deixei de trabalhar; não, eu parei de fazer aeromodelismo; olha, eu pagava academia." Certo. Era a prova de que esse relacionamento era um relacionamento doentio, era um relacionamento disfuncional, alguma coisa tinha passado do ponto, era algo que justificava plenamente...

FITA 20
LADO A1

Em algum momento dessa trajetória, em algum instante dessa trajetória, ficaram lá, um mês na casa. O casal era tão policialesco que viajou e os deixou um mês sozinhos. A mãe desconfiava tanto da filha, regulava tanto a filha, que a filha contava a mentira mais... padrão! Existem mentiras-padrão de adolescente: "Tô na casa do meu amigo". Isso é mentira-padrão. A gente sempre tem um amigo para confirmar nossa presença. É o álibi mais primitivo que o adolescente aprende a fazer: "Se minha mãe ligar aí, fala que eu tô aí; se ela quiser falar comigo fala que eu tô tomando banho, que eu desci para a padaria, fala qualquer coisa!". "Tá." A gente sabe disso, me engana que eu gosto. "Eu vou viajar para a praia, mas a minha mãe não sabe de nada, não, não sabe de nada", eu tô vendo a pessoa juntar biquíni, saída de banho, "Você vai para onde? Você vai esquiar na neve? Com biquíni? Você vai escalar montanha, você vai para um convento de biquíni?" Por favor, a gente sabe dessas coisas. É o saber, é o saber sem precisar conhecer. A gente já sabe. A gente olha para o filho, a gente sabe. A gente sabe como o filho chega quando a porta da casa abre. A fechadura da porta... Ihhh, foi mal na prova! Brigou com a namorada, bateu a porta do quarto e ligou o som no último volume. Levou um toco da namorada. "Ô, filho, o que é que foi?" "Não enche o saco, não quero saber, quero morrer! Me deixa, quero ficar sozinho!" E música no último volume, e entra no computador, tem uma coisa chamada Messenger agora, tem uma linguagem diferente, um "locutez", é uma linguagem... é aqui com "k", a gente lê e não sabe que língua é aquela, ele está lá chorando com os amigos, os amigos meio que consolando, é uma amizade eletrônica meio louca, um negócio assim meio... A gente está sabendo disso.

Em algum momento, esse casal decidiu, esse casal ali [apontando para Suzane e Daniel], que agora está distante, mas está distante agora, decidiu que precisava fazer alguma coisa. Que precisava dar um passo a mais. E qual era o passo a mais? Eliminar o casal Richthofen, eliminar Manfred e Marísia, esse é um segredo que não se compartilha, isso é algo que não se fala, mas qual, como ninguém percebeu? Por que ninguém percebeu? Por quê? Fiquei três anos me perguntando isso! Como ninguém percebeu? Se houvesse alguém dominado, se houvesse alguém com a vontade dominada... Em algum momento... Eles se seguravam perfeitamente, eles se seguravam perfeitamente, tanto que aquele casal que está ali [Astrogildo e Nádia] e a quem eu quero renovar os meus respeitos, a quem eu quero dizer da minha solidariedade, não percebeu! Aquela senhora que deu o depoimento que deu aqui. Aquela senhora que diz: "Olha, a mãe não vasculha o quarto do filho, mãe não arruma o quarto do filho, a mãe inspeciona o quarto do filho", inspecionou e não achou nada. Essa mãe é atenta! Essa mulher dedicou a vida à educação desse menino! Essa mulher, a mãe de família, não percebeu nada! Por que não percebeu nada? Porque havia identidade ali! Eu dou um tiro no quarto da casa dos pais da minha namorada e nada acontece e ninguém percebe nada. Por quê? Porque as coisas estão absolutamente sob o nosso controle.

As ações dessa "empresa", Cravinhos/Richthofen para matar, correspondem a cotas iguais. Suzane é mais organizada, nós percebemos isso aqui. Fala bem, se expressa bem, ela parece um ônibus: ela vai passando ponto por ponto toda a história. Ela recolhe todos. Ela recolhe todos. O Daniel, nós vimos aqui, é um emotivo, apaixonado, descontrolado, foi o casamento perfeito, o cérebro e a coragem! Ora, ela me dizia que era violentada pelos pais desde os 12 anos. Por favor! Ela morava com os pais, vivia com os pais, viajava com os pais, viajava com o namorado. Que abuso é esse, que infâmia que é essa! As coisas vão caminhando, vão caminhando. A pressão caminhando. Um gesto heroico é feito. "Papai, mamãe, olha, não estou namorando mais. Sabe, papai e mamãe, vocês estavam certos." A família Richthofen sai soltando rojão, "olha, minha filha desfez o namoro porque a gente achava que era ruim para ela". Nós não temos a Marísia e o Manfred, nem jamais os teremos, o Miguel não diz isso, "porque eles são pobres", essa foi a expressão que veio, demagogicamente no curso da instrução. "Eu tenho agora tempo e espaço, porque agora não estou namorando mais. Conto com a cumplicidade do meu irmão adolescente, que é um bobinho, é um menino." Até que, vejam bem, a briga foi no Dia das Mães. As coisas aconteceram no aniversário dela, datas familiares, portanto. Até que ele fabrica a arma... Será que nós imaginávamos que esse casal [aponta para Astrogildo e Nádia] que está lá sentado, se passasse e visse [Daniel] serrando dois porretes, vai imaginar para quê que aquilo serviria? Esses dois senhores passariam mil vezes e não se dariam conta do que estava acontecendo! O irmão poderia passar um milhão de vezes, ela poderia chegar para o próprio Andreas — "Olha, hoje eu vou matar meu pai e minha mãe" — e ele não acreditaria. Nós não acreditaríamos, nenhum de nós acreditaria. Mas era verdade. Só que o menino era um problema, era preciso tirar o menino daquela casa, como se faz isso? Como se tira um garoto da casa, um adolescente da casa, é preciso fazer alguma coisa para ele. É preciso dar a ele liberdade, uma sensação de liberdade, e quem tem filho adolescente se arrepia quando ouve esta palavra: lan house. Quem tem filho adolescente sabe do que eu estou falando. É um tal de *Counter-Strike*, é um jogo muito louco que eles jogam lá dentro. O horário da lan house, o mais legal, é à noite! "Vamos à noite pra lá, mas cuidado, se você falar para o papai e para a mamãe que você vai de madrugada para a lan house, eles vão acordar e não vão deixar você ir, e consequentemente não vai dar para eles fazerem o que iam fazer." O menino vai, inocentemente. E nós iríamos, qualquer um de nós iríamos. E aí começa a maior sequência que eu já vi, e desafio quem tenha visto, de destruição e morte que eu, em 22 anos de carreira, presenciei. "Estávamos drogados", mas com absoluta condição de dirigir um carro. "Eu estava muito drogada", mas eu dirigi meu carro. Houve uma testemunha aqui que engoliu um GPS, a dona Ivone, ela engoliu o mapa, a mapografia, ela é capaz de dizer a rua, "vira aqui", e eu fiquei imaginando, naquele relato quase anedótico que ela fez, como seria se eu tivesse com cola, tíner, maconha, cocaína... Eu não faria esse trajeto. O guia mapográfico que ela engoliu seria demais para mim. Eu bateria no primeiro poste. Eu provavelmente não teria condição de dar a partida no carro. "Olha, eu não sabia o que ia acontecer...", mas ele foi com uma malinha, o Cristian foi com uma malinha para a Red Play [nome da lan house]. Ele foi com uma mudinha de roupa! Porque ambos trocaram de roupa, nós vimos aqui. "Eu falei para o meu irmão: 'Meu irmão, não faça isso! Mas, já que você vai fazer, eu vou lá e te ajudo a dar umas pauladas'." Meu Deus do céu, o que é isso? E vejam que coisa curiosa, vejam que coisa curiosa, eu ouvi ele dizendo aquilo... as pessoas dizem aquilo que não falam. Ele disse: "Eu fui covarde por não ter segurado meu irmão". Lembram-se disso? Disse aqui, emocionado. Ele não disse que não foi covarde para dar as pauladas. Ele não teve coragem, segundo ele, para segurar o Daniel, mas tava cheio de coragem para dinamitar a cabeça da Marísia. Não é estranho, não é uma coragem, um receio estranho? Não fui irmão para segurar meu irmão, mas fui irmão para dizimar o casal. "Olha, eu não comprei moto" — eu pensei, "ele ganhou na rifa" — mas ele, não, "eu comprei a moto para aplicar o dinheiro para a Suzane". Eu pensei: "Meu Deus!". As pessoas tem um senso de humor inadequado para horas que ele não cabe! Vão até a casa. No percurso que aquela mulher que engoliu o GPS nos contou, mas não deve ser muito diferente, eles tiveram milhões de chances de não fazer. Passaram pelo guarda da rua, cumprimentaram o guarda da rua, que também não percebeu nada. Entraram na casa; a filha doce que a gente sonha, que a gente idealiza, entra passo a passo, vai até o quarto, percebe que os pais estão dormindo, retorna, chama os executores: "Venham agora!". Nós estamos de noite, nós estamos no silêncio da noite, tudo isso é feito aos sussurros. "Venha, venha, pode entrar..." Sobem as escadas, ela mais uma vez vai olhar... É agora! É agora que nós vimos o resultado daquilo que os senhores viram. Eu pediria à diretora-escrivã, se tivesse, se fosse possível, que trouxesse, eu pedi para que se trouxesse, as toalhas que foram encontradas no dia do crime. Queria também que se pudesse trazer a arma da família. O barulho deve ter sido ensurdecedor! As cabeças foram arrebentadas, o sangue era espalhado por todo lado. A vítima Marísia roncava porque ela sofreu um golpe na base do crânio! O ronco é desesperador! Eu enfio uma toalha... eu coloquei... nós veremos o tamanho da toalha, se ela estiver apreendida aqui, senão eu mostro nas fotos aos senhores... como é possível alguém aspirar aquela toalha? Aquilo foi enfiado com uma força absurda, com uma força brutal naquela mulher que morreu, ela viu a morte, ela se sentiu morrendo! Ela teve um alumbramento, sofreu um golpe na mão! São aqueles momentos, instantes de segundo em que passa um filme na cabeça da gente, "o que é que está acontecendo? Quem está me matando? Que que eu fiz, eu vou morrer! Eu estou sentindo, eu não respiro mais!".

Aquele barulho ensurdecedor, aquele sangue espalhado por todo lado. Eles tiveram tempo de pensar em luva cirúrgica, meia-calça, descem do quarto, todos transtornados. Ela, transtornadamente, espalha as coisas que estão no escritório. Eles, transtornadamente, a ajudam nessa tarefa. Transtornados, eles saem. O Cristian vai para casa e ainda tem tempo de socorrer um amigo até o hospital. Alguém já socorreu um amigo ao hospital? É jogar ele na porta, preencher fichinha, desce, acompanha, responde perguntas... Ele acabou de arrebentar a cabeça de uma mulher, viu seu irmão arrebentando a cabeça de um homem e consegue responder perguntas como: estado civil? Solteiro. Você mora onde? Rua tal. Mas ele estava muito apavorado. Os dois, apavoradamente, gastam trezentos reais na suíte do motel Colonial, onde disse o Daniel que foi, não para manter relações sexuais, foi para se acalmar e se acalmou. O dia seguinte, o Cristian continua a vida. Suzane e Daniel continuam a vida. Mentem no DHPP, jogam a culpa sobre empregadas domésticas, pessoas que trabalham na casa. A polícia ouviu dezenas de homens e mulheres, perguntando a eles, gente pobre, gente humilde, que mora ali no Taboão, Capão. Gente que, na "mente superior", nós podemos achar facilmente culpáveis. "Vamos jogar a culpa no primeiro, na primeira faxineira que tiver, no primeiro amante de faxineira que passar por aqui que está tudo certo! E vamos viver a vida! Vamos protagonizar a cena erótica lá no DHPP, nós estamos transtornados! Vamos protagonizar quase um filme pornô na porta da delegada de polícia!" Essa mulher estava apurando a morte dos pais dela, dos pais do namorado dela [apontando para Suzane], gente que eles tinham matado fazia poucos dias, o sangue ainda estava quente nas mãos deles, e eles davam um "malho" no DHPP! E vem dizer aqui: "Não, eu estava transtornado". Mentira! Gente impiedosa!

Nesse ínterim, nesse paralelo, a vida do Cristian vai seguindo. Ele compra uma moto. Exibe a moto orgulhoso ao pai da namorada dele. Mente para o amigo! Que arrependimento é esse que a pessoa compra uma moto — "Ah, eu sempre gostei de moto!" —, todos nós gostamos de moto! Apavorado, o Cristian vai e passa o fim de semana na chácara do tio, do pai da namorada. Conta para a namorada o que aconteceu, diz para a namorada não contar para ninguém e participa do churrascão! Quem tem chácara, tem chácara para fazer churrasco. O "churrascódromo", ele estava lá. Desesperado. Daniel, Suzane, chegam a sair com a amiga do casal que esteve aqui! A Claudia Sorge. Foram comer pizza! Que arrependimento é esse, como nós podemos dizer que um induziu o outro? São iguais, sócios. O que aconteceu? Quando foram presos, quando descobriram a mentira, a sociedade quebrou, não deu certo. Agora, é preciso que um jogue a culpa no outro. Agora, é preciso demonizar o Daniel, demonizar a Suzane, reduzir o Cristian a um idiota, para que alguma coisa ali possa fazer sentido nas mentiras que eles contam. Mas não é verdade, são dois jovens que agiram de forma egoísta, ambiciosa, mataram sem piedade, mataram sem chance, mataram impondo um sofrimento absurdo, e aquele outro que se uniu por cupidez, pelo dinheiro, pela ganância, que é um defeito da alma humana! Este crime foi assim. O desespero, o choro, claro! Uma coisa é o arrependimento, que eles poderiam ter tido, que eles tiveram chance de ter. Várias vezes. "Eu não sabia o que fazer. Eu estava desesperado. Eu não sabia mais o que estava fazendo, não tinha ideia de mim. Mas eu pude pedir a ela, Suzane, que me arrumasse o saco plástico. Eu não sabia o que fazer. Eu peguei um saco plástico assim [mostra]... E dobrei assim em alguém! Aqui coube a cabeça da Marísia! Isso é não saber o que fazer? Mas não! Vamos correr! Meu Deus do céu, o que é que está acontecendo? Tão desesperados, olhem o corte como é feito. Olha a precisão do corte [mostrando aos jurados o corte na pasta de dinheiro]. Olha aqui. Eu tenho que ter a mão firme para fazer isso. Por favor! Não querem pegar? Tentem pegar. Tentem tomar contato com isso. Tentem perceber que nós precisamos de uma mão firme para fazer este corte. Não de uma mão trêmula, não de uma mão desesperada, mas de uma mão segura, uma mão que sabe o que está fazendo, de uma mão que entendeu qual é a sua função nesse julgamento, qual a função neste caso. Fez isso com corte a laser? Ele pegou uma máquina? Fez isso com faca de cozinha, menino habilidoso. Um jovem aeromodelista de extremo talento. De mão firme, de gesto preciso. Tá aqui. Como nós vamos, meu Deus, por favor, me contem como eu posso sustentar que pessoas que tenham esses gestos firmes, pessoas que tenham os destinos certos, eu estou tão transtornado que eu peço a única nota fiscal que o motel Colonial deve ter expedido desde a sua fundação! Eu imagino que se chegar na porta de um motel e falar que eu quero uma nota fiscal, isso deve ser um problema burocrático lá. Tem que achar a mocinha que guarda a nota fiscal — "tem um doido pedindo uma nota fiscal aqui, o que a gente faz, dá ou não dá essa nota? Chama um cata-louco aqui, o que é que a gente faz? Tem um doido aqui pedindo nota fiscal, vai lá ver, é vão lá! É, tem mesmo! Ô João, traz a nota!" Que transtorno é esse? No dia seguinte, diz a secretária da Marísia, o casal esteve no consultório dela! Ela estava morta! Ela ainda estava fresca! O barulho deve ter ficado no ouvido quanto tempo? Foram lá revirar gaveta, foram lá procurar...o que eles procuravam? O que eles iam achar? O que eles queriam? Receita médica? O dinheiro, o cheque. Como nós podemos falar que um fez a cabeça, caiu a ficha? Isso não é máquina de fliperama! Como alguém na porta, a delegada de polícia sentada aqui, alguém protagonizando uma cena erótica aqui! Que vão perguntar sobre a morte dos meus pais, chacinados a pauladas! Tiveram de ser separados! Isso não incomoda a moral pública, isso choca, isso afronta! "Olha, você vai ser fotografada como autora, como suspeita de..." "Então deixa eu pentear meu cabelo, que eu quero sair bonita na foto."

Só negando completamente a realidade nós podemos afirmar que um tenha dominado o outro. São tão desesperadamente arrependidos que estavam tomando banho de sol na piscina! Foram almoçar na casa do tio! Olha, será que esse crime um dia vai ser descoberto? A irmã chega para o irmãozinho, essa cuja renúncia ela anuncia, quatro anos depois diz — cuidado, vai poder sobrar para o Daniel, tem muita impressão digital na casa... São tão mortalmente arrependidos que têm de ser ouvidos três vezes para confessar! "Não, imagina! Eu me dava muito bem com o sr. Manfred, ele me adorava!" Quando quebrou o barco — "Não, ele era um abusador sexual. Ele bebia." Eu desafio alguém a encontrar, quem quer que seja, a encontrar uma garrafa de bebida alcoólica na casa do casal Richthofen naquele dia. É o primeiro casal alcoólatra que não tem bebida em casa. A polícia esteve lá e vasculhou tudo, menos esse ursinho maldito [mostra um urso de pelúcia que ficava no quarto de Suzane, onde estava escondido um revólver]. Porque não dá para imaginar que dentro dele teria o que tem. Mas a despensa, a cozinha, o lixo. Perguntem se acharam uma latinha de cerveja. Não. O Manfred era um bêbado, a Marísia era uma bêbada! No toxicológico, não. Desafio quem quiser achar uma garrafa de bebida nessa casa. Devia ter? Devia ter.

Quem da família Richthofen disse que eles bebiam? Ninguém. Mas eu preciso encontrar uma razão para justificar o fato, não de eu ser um assassino ambicioso, mas de eu ser o cavaleiro negro que vai salvar a donzela do castelo. Eu preciso dizer que o casal é abusador sexual. Uma infâmia desse tamanho contra quem jamais vai se defender! O que me estarrece, o que me enche de horror é que além de matar da forma como matou, além de arrebentar a cabeça da forma como arrebentou um e outro, ainda conseguem difamar o casal que morreu! O sangue não foi o bastante, eu preciso mais! Vamos imaginar o barulho que ficou reverberando no ouvido, reverberando, batendo, olhando, o que que está acontecendo... "Ora, eu nunca tive interesse em dinheiro!" Pediu a metade do seguro, está aqui no processo! Eu quero dinheiro, quero dois salários mínimos por mês, que agora é pouco, eu quero sete! "Eu quero contar todos os bens da casa" — copo, prato, talher, guardanapo, fronha! "Da minha casa! Mas eu não tenho interesse no dinheiro. Eu não quero o dinheiro." É um inventário que se arrasta há quatro anos. "Mas eu não quero o dinheiro." Pede para ser nomeada inventariante. Para explicar a quem não sabe o que é, inventariante é a pessoa que administra os bens da família em relação àquele que morreu. "Mas eu não tenho interesse nos bens. Mandei contar talher, copo, faca, colherinha de café, guardanapo, fronha." Mandou fotografar a casa inteira, esquadrinhar a casa de foto, porque, por exemplo, "alguém poderia surrupiar um quadro, alguma coisa que me pertence". E, por fim de tudo, eu peço a metade do seguro de vida do meu pai. Do pai que eu matei. A amoralidade é tamanha que me soa ofensivo dizer — a ficha caiu! Isso é amoral, isso é abjeto. "Ora, mas eu, puxa vida, era Daniel no céu, era Deus no céu e Daniel na Terra. Ora, eu não sabia o que fazer, ele foi me introduzindo na maconha." Por favor, nós estamos no ano de 2005 e estamos falando de uma moça que fala três idiomas, que estudava na PUC, que tinha uma vida social intensa. Oh, mas eu fui fumando maconha, eu fui... [imitando Suzane]. Por favor! Por favor! Como dizem os meninos aí: menos! Olha, ele viu um espírito! Essa história é fabulosa! Um espírito negão. Nadir do céu! Cadê o Nadir? [Referindo-se ao promotor Nadir, que é negro. Plateia ri.]

Espírito tem cor, é "negro"! Por quê? Porque é uma coisa inferior, é uma coisa baixa dessa gentalha. E que eu acreditei. Traz uma fundamentalista religiosa que quer converter o mundo [refere-se à uma testemunha, funcionária da cadeia] e diz: "Olha, ela realmente via o espírito negão". Vamos todos acreditar que ela viu. Porque a Suzane não mente, a Suzane não mente? Ah, que bacana. Poxa, que depoimento cheio de credibilidade! Ele bateu o carro porque o espírito do negão — Bate! Pau! Pronto, bati! Por favor! O quê que é isso? Esse espírito negro, tá bom que espírito é espírito, a gente não sabe quando que começou existir, quando que deixou, enfim, essas coisas que eu não gosto de mexer com o lado de lá da cerca. Mas ele apareceu agora [risadas — Nadir entra no plenário]. Foi coincidência, dr. Nadir, foi! [Mais risadas.] Nós não combinamos... Nós não combinamos, mas é impossível! Nem nesses teatros de vaudeville a gente consegue fazer uma marcação com tamanha precisão assim! [Quando essa história do "espírito negão" foi contada por Tardelli neste momento durante o júri, o promotor Nadir estava no banheiro desavisado, e voltou ao plenário no exato momento em que se referiam ao "tal espírito", causando uma brincadeira, como se ele mesmo fosse a entidade.]

Estávamos falando, dr. Nadir, do espírito negro, e estávamos falando que esse espírito apareceu na hora que o senhor surgiu, que esse espírito apareceu agora na hora que o senhor nos deu a honra de adentrar no ambiente.

Mas isso é para dizer, isso é para mostrar que não há respeito à inteligência! Isso é para mostrar que, primeiro, o crime foi cometido por aquela gentalha, sabe aquela gentalha chamada empregada doméstica, que a gente dá tudo e elas traem a gente? "Deve ter sido uma delas... Passou muita gente aqui, minha mãe era má pagadora. Teve uma que brigou, essa gentinha, nunca se sabe!" Procure nessa gentinha. "Olha o espírito do negão, um negro, traficante, o negro da favela, o traficante, que morreu, que aparece para o Daniel e eu acreditava. Por isso que eu era dominada por ele!" A própria Fernanda, amiga da Suzane que aqui esteve, disse: "Olha, ninguém dominava ninguém. O que eu via era uma relação de casal. Ela fazia muitas coisas pra ele, ele fazia coisas pra ela". E alguém vai dizer que a Fernanda não deu um depoimento de uma amiga absolutamente leal a Suzane aqui? Nós não podemos, nós não podemos, e a gente fica assim sempre supondo imaginar, mas dinheiro e sexo foram suficientes? Foram mais do que suficientes. Por que eles não fizeram outras... por que ela não sai de casa? Vai trabalhar, vai cuidar da vida, vai arrumar emprego, vai viver. Porque não é esse o kit, não é esse o hábito, eu não vou lutar pela sobrevivência, eu não preciso fazer isso, eu não quero fazer isto! Eu não preciso fazer isto! Esse processo mostrou uma coisa muito curiosa em relação à acusada Suzane. Família, para a Suzane, tem prazo de validade. A dela ela eliminou, da forma brutal, sangrenta, que ela eliminou. Nós vimos aqui ela eliminar a família Cravinhos. Eliminou simbolicamente, só foi simbolicamente porque ela está presa! Mas a família Cravinhos, esta senhora e este senhor, foram mortos simbolicamente por ela, nós vimos essa morte aqui. Ela os matou aqui friamente, perante todos nós, impiedosamente. Há uma carta que ela manda para eles, e essa carta lhes foi exibida, em que ela pede desculpa ao casal Cravinhos, mas não se refere um único momento aos pais dela, ela não fala assim: "Puxa, eu queria que meus pais me desculpassem pelo que eu fiz". Mas é que eles já estavam mortos. Aqueles já eram carta fora do baralho, já eram coisa passada! Ela escreve uma carta, pedindo desculpa ao seu Astrogildo e pra dona Nádia. "Desculpe o que eu fiz com a vida de vocês." Não há uma palavra nesta carta onde esteja escrito Manfred, Marísia, papai, mamãe. Ela se desculpa pelo resto — pelo o que ela fez, não.

Ela se apresenta como uma pobre órfã e pede a saída de Natal. Está no processo. Ela diz que é uma pobre órfã e pede o seguro de vida, está no processo. Ela sabe que está proibida de entrar na casa, e nós vimos o irmão dela aqui, o tamanho do receio dele: "Eu não sabia que ela tinha esse acesso à casa". [Foram mostradas fotos em que Suzane está dentro da casa da avó.] Eu vou no seu jardim e tiro uma foto com o seu cachorro. Te mando a foto. O que eu estou te dizendo? Teu cachorro não me morde. Eu entro aí a hora que eu quiser. Entro com quem eu quiser, porque aquelas fotos foram tiradas por alguém. E o menino não está sob ameaça? É, ela matou pai e mãe. E o menino não está sob ameaça? Quem pode afirmar isso? Quem pode dizer "Olha, não há nenhum perigo para o Andreas"? Quem? De repente, acontece um tsunami processual aí. Acordo de um pesadelo e vejo a Suzane solta. Quando eu vejo aquilo, o mundo está começando a girar ao contrário, não é possível! E nós convivemos com isso, nós convivemos com quem rompeu todos os limites no mesmo patamar de liberdade que a gente. "Ora, mas eu tinha medo de sair de casa..." Foi à praia, passeou, tomou sol! Existe um Boletim de Ocorrência da delegacia de Ubatuba, Caraguatatuba, São Sebastião, sei lá, que ela tenha sido molestada por quem quer que seja? Não. Ela caminhou placidamente na praia. Ela estava de férias da cadeia. Mas muito arrependida, muito triste. Mas na praia, pulando ondinha. Pouco depois, pouco não, meses depois, porque a situação aí não foi igual, eu reconheço que o dr. Jabur e a dra. Gislaine tiveram um trabalho muito mais intenso para soltar o Daniel e o Cristian, eles são soltos e dão aquela entrevista que nós ouvimos ontem na rádio Jovem Pan. [A entrevista tinha sido reproduzida no dia anterior durante o júri, mas foi dada tempos antes.] Deve estar por aí um dos jornalistas que teve a honra de recebê-los no estúdio naquele dia. É a voz de quem está arrependido? É a voz de quem está triste? É a voz de quem perdeu a sua vida em razão daquilo? De forma alguma. É a voz de alguém — "É, nós até testamos a arma uma semana antes, testamos, vimos que fazia barulho e eu optei por outra". E o faz, isso é o que me deixa assim neste processo, é a voz doce com que todos contam as suas atrocidades! As coisas mais atrozes são ditas com voz boa, voz mansa, voz pausada, uma voz quase beata... — "Então nós entramos no quarto, eu não sabia bem o que fazer... E arrebentei aquele casal!" No dia seguinte, já não tinha mais o colchão, tira essa cama daí! Nós vamos precisar exibir as fotos novamente? Nós exibiríamos, mas eu creio que não há necessidade mais de submetê-los a esse bombardeio de sangue. Nós já vimos o que tínhamos de ver. Daniel fez por amor! Não! Não! Ele fez pelo dinheiro, fez pela vida boa! Mas o Daniel não precisava disso! Precisava. Tanto que fez. O Cristian fez. Por quê? Por dinheiro! Dinheiro, dinheiro, um dinheiro fácil que ele comprou a moto no dia seguinte. São três pessoas muito imediatistas. São três pessoas que não conseguem ver o depois de amanhã, só enxergaram o imediatamente. Se eles enxergassem o depois de amanhã, eles saberiam que estariam aqui. Quando estão aqui se desesperam, acaba a sociedade, é espírito do negão, é droga, é tíner, é "caiu a ficha". E uma afirmação que é a mais aterradora afirmação que eu já ouvi.

Os senhores viram as fotos. Os senhores viram, a senhora pediu para exibir o laudo de exame necroscópico. Nós vimos as fotos do local, nós vimos como eles ficaram, nós vimos as fotos da reconstituição. São fotos horríveis. São fotos horripilantes. Eu estava sentado ali, dr. Nacif aqui, a acusada ali, com a voz doce, a voz mansa, dizendo... "Quando eu estive de férias da cadeia..." — ela não falou de férias... — "em prisão domiciliar, eu estudei o processo". Estudou o processo? Ela folheou essas fotos? Ela viu, ela estudou, ela procurou brechas no processo em que ela é a protagonista? Nunca se disse isso neste tribunal, nesses andares, nessas varas todas que nós temos aqui! Como alguém pode se dizer arrependido? Eu tô vendo a foto do meu pai, da minha mãe! Não porque alguém impiedosamente, cruelmente, me tenha dado para ver, mas porque eu quis estudar o processo! Eu sou superior, eu vou ver as brechas que os meus advogados não viram, eu sou... [Fita 20 — Lado B1] ... é a minha mãe com a toalha enterrada no pescoço. Eu vou estudar isso? Como se eu tivesse estudando... isso? Eu vou ver essas fotos, eu vou ver o meu pai quebrado! Eu vou ver a minha mãe chacinada, eu vou ver o sangue naquele quarto, eu vou me transportar para aquele dia! E eu consigo estudar esse processo? E vem me falar que está arrependida? E vem me falar que teve a cabeça feita? Como pode se atrever a dizer isso! Perguntem para qualquer advogado criminalista, qualquer um, qualquer um, que tenha quarenta, cinquenta, setenta, mil anos de experiência aqui no fórum criminal, pergunte a eles quantos dos seus clientes olharam para as fotos do processo e viram o resultado do que fizeram. E ouçam a resposta. Esse distanciamento frio, esse distanciamento amoral, não é de quem está arrependido, de quem fez o que fez. "Agora, eu quero renunciar à herança." [Tardelli faz voz de menininha.] "Agora, agora, quero renunciar. Tragam a renúncia, por favor!" Que comovente! "Porque amanhã eu vou dizer que eu renunciei porque eu estava aqui, presinha ó, e não tinha outra saída senão renunciar à herança. Eu renuncio à herança se o meu irmão desistir da ação de exclusão de indignidade." Ahhh. Eu vou lhes dizer uma coisa: se ela renunciar à herança, a herança vai para o irmão. Se o irmão concordar com ela e desistir dessa ação de exclusão de herança, se esse irmão morrer, e as pessoas morrem, e perto dela as pessoas morrem mais, ela herda tudo. Ela é herdeira universal, e ela consegue exatamente tudo aquilo que quis. Ora, ela queria para pagar advogado, e acho justo que se pague, o advogado tem de ser pago, as pessoas vivem do seu trabalho, é um trabalho honesto, é um trabalho digno. É um trabalho decente. Mas não vejo nenhum problema ético, nada nesse sentido, mas ela quer o dinheiro para mais! Ah, não, eu vou representar o Brasil fora... Rapaz, você matou duas pessoas, você arrebentou a cabeça de dois, isso já passou, isso já acabou, isso já ficou lá atrás, esquece! Não fala mais nisso! Meu amigo! Você arrebentou dois! Ah, eu vou, vou continuar com o aeromodelismo, vou fazer, quero ir para fora, quero ir para o exterior... Rapaz, todo mundo se distanciou, o distanciamento é acrítico, é amoral. Vamos debulhar em choro? Vamos, por quê? Porque estão vendo que vão passar os melhores anos das vidas deles no pior lugar do mundo, que é a cadeia! Suzane, se a Justiça funcionar, vai ficar presa até quando passar dos quarenta anos, mesma coisa os outros dois. Não é para desesperar? Não é para chorar? Não é para...

E vamos voltar nos sonhos dos nossos filhos. Eu não quero ser demagógico, eu não quero ser piegas, eu não tenho essa intenção, não é isso que eu quero fazer. Mas garanto que esse casal aqui [pais de Daniel e Cristian] nunca, nem no pesadelo mais cruel, imaginaria estar aqui assistindo a essa cena. Nós temos que separá-los. Sr. Astrogildo e dona Nádia Cravinhos são pessoas da mais alta dignidade. Como nós. Têm defeitos? Quem não os têm? Olha, ele conta vantagem? Quem não conta? Quem não conta vantagem na vida, se não das minhas coisas, pelo menos do meu time de coração. Nenhum problema, sr. Astrogildo. Ora, deixavam fumar maconha na casa... Por favor! Por isso mataram pai e mãe! Vamos separá-los. Vamos imaginar que há um muro que separa os dois filhos, que desgraçadamente não atenderam a educação dos pais, dos pais. Não são eles que estão sob julgamento. Ora, mas ela era a galinha dos ovos de ouro! Ela era o prêmio da loteria! Por favor! Um escrivão de trinta anos de serviço público não precisa de galinha de ovos de ouro, nem de galinha, aliás diga-se... Oh, ela pagava coisas, eu pagava a prestação do carro para o Daniel. Eu vou pedir e vou pedir uma coisa para todo mundo, quem nunca deu um presente maluco para o namorado? Quem nunca passou um cartão de crédito 188 vezes, terminou o namoro e ficou pagando 185 vezes, chorando toda vez que fosse pagar aquilo? Quem não dá um presente maluco para a pessoa amada? Todos nós! O diabo é que o namoro acaba sempre antes do cartão de crédito! Dá vontade da gente ir para o Serasa: "Eu não pago!". Tem que pagar. Não vai ligar para a menina e pedir o anel de volta. Fica feio. Até porque você não vai aguentar ligar, você vai chorar, você vai falar: "Pelo amor de Deus volta!". E aí, isso significa o quê? Que o Daniel queria o dinheiro... Eu vou ter um espírito negão! Esse espírito negão vai aparecer pra mim e vamos amedrontá-la, e nós vamos arrebentar a cabeça dos pais dela, e ela não vai perceber nada, e nós vamos protagonizar uma cena de sexo explícito quase na porta da delegada do DHPP!" E ela vai dizer: "Oh, eu não sabia o que eu estava fazendo...". Nós vamos estar enlouquecidos se aceitarmos uma história dessas. "Oh, quando eu ia ter relações... perguntei pra minha mãe... Meu Deus do céu, perguntei pra minha mãe o quê que eu fazia com a minha namorada no meio do outro quarto." Cumpade, para. Perguntar para a mãe como faz para transar com a namorada, para. Não vamos descer tanto. [Daniel tinha testemunhado que Suzane era traumatizada com os abusos do pai e que ele tinha se aconselhado com a própria mãe dele qual era a melhor forma de fazer sexo com ela, para não assustá-la.] "Ah... Eu fui deixando, foi uma coisa que eu não sabia o que estava acontecendo... No dia eu não vi, ele estava jogando a carta quando passaram com o cassetete perto e ele não viu!" Por favor! Quem viu a reconstituição ontem, que nós vimos, percebeu um dado muito curioso. Os porretes estavam escondidos embaixo do carpete do porta-malas. Foram com uma linha para a Red Play. Foi para casa, esperou a ligação, esperou a senha... Porque ele está desesperado. Vai ao local, recebe o policial, porque ele estava desesperado. O policial desconfia da frieza dela, ele não fala da frieza dele. Liga para o pai, "Pai vem aqui, aconteceu uma tragédia!" Corre o pai lá para ver o que está acontecendo. As coisas começam a desmoronar, a gente começa a perceber por onde os filhos entraram, o pai entra em desespero. Passa por uma acareação. Já pensou a humilhação que é isso? Eu, trinta anos de serviço público, ser posto frente a frente com uma fedelha, assassina, e vão perguntar pra mim se eu sei de alguma coisa da morte que essa fedelha assassina causou a alguém? E vão falar que eu sou ruim? Seu Astrogildo foi acareado. Trinta anos de serviço público, deve ter passado por uns, no mínimo, dez juízes de Direito que nele confiavam cegamente. Que o escrivão do cartório tem fé pública. Trinta anos depois, ele foi posto frente a frente com ela, que se irritou porque ele estranhou aquela cena. O casal tira o irmão da casa, observaram nas fotos que havia da reconstituição, que era uma casa organizada, que era uma casa... germânica. O irmão deixa a cama mais ou menos em desalinho, sai. Se os pais desconfiassem de alguma coisa, no mínimo teriam fechado a porta. Como eles, o sonho do filho, o sonho da minha filha andava, e andava bem, porque aquele gesto... Eu estou longe de querer tirar o meu anel... por favor... aquele gesto lhes deu a tranquilidade para poder continuar sonhando. Puxa! Falava três idiomas, o que mais você quer? "Ora, ela era obrigada a aprender a falar três idiomas..." Ô, meu amigo, você consegue obrigar alguém a aprender alguma coisa? Se eu soubesse dessa receita eu ia obrigar meu filho a aprender matemática, eu não sei, ele não sabe, como é que nós vamos fazer? Como que eu posso ser ingênuo a ponto de dizer "ela foi obrigada a aprender três idiomas!"

Senhores, senhoras, em suma: um casal planejou um crime bárbaro. Um casal executou um crime bárbaro. A este casal se juntou aquele ali, o Cristian. Porque eram dois que precisavam morrer. Se nós não dermos hoje, e a oportunidade é hoje, não pode passar de hoje, será hoje ou nunca mais! De dizermos em alto e bom som, para todos nós, para nós inclusive, nós mesmos. Nunca mais! Nunca mais! Quem fizer vai passar o resto da vida na cadeia! Nunca mais! Não é possível que nós desrespeitemos isso! Para que nós, famílias, nós aqui, possamos continuar sonhando e ter o direito de sonhar com os nossos filhos. Esses filhos, que os senhores estão saudosos para abraçar em casa. Eu vou encerrar aqui. Quero de novo reiterar minha admiração, a minha devoção ao dr. Nadir, ao dr. Toron, à dra. Flávia, a essa doce menina que está aqui comigo, a Verônica, se vocês soubessem como ela é doce, vocês não teriam... que me ajudaram e me ajudam tanto. E depositaram na mão dos senhores, eventualmente a gente volta para a réplica. Mas é isso: quando os senhores beijarem seus filhos cinco dias depois, beijem com orgulho. Os senhores merecem, e eles também. Obrigado.

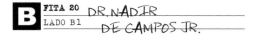

FITA 20 DR. NADIR ~~DE CAMPOS JR.~~
LADO B1

Bom dia a todos. Eminente magistrado dr. Alberto Anderson Filho, eu pediria vênia para iniciar a saudação por um critério protocolar aos eminentes desembargadores que compõem o Tribunal de Justiça do estado de São Paulo, eu peço vênia, e homenagear esses desembargadores que mantiveram a prisão de Suzane Richthofen tal qual decretada por Vossa Excelência num determinado momento, por outro colega também, dr. Richard, em determinado momento do processo. E eu o faço na pessoa do dr. Guilherme Gonçalves Strenger, no sentido de que aqui vejo a sua filha e a sua esposa, são entes queridos e que, de certa maneira, ornamentam o nosso plenário e dão a legitimidade ao ato que vem sendo praticado. Saudar também Vossa Excelência no sentido de que, sob a ótica do Ministério Público e da Assistência, o processo vem bem, andando diante da intervenção de Vossa Excelência, garantindo aos réus a amplitude de defesa e a ampla defesa tal qual está na Constituição Federal, mas mais do que isso, permitindo que o processo chegasse a bom termo. Se é possível algo mais pedir à Vossa Excelência, daquilo tudo que permitiu às partes dentro do processo, pediria o órgão do Ministério Público que Vossa Excelência tenha a coragem no momento adequado de ser o magistrado que nós sabemos, dos nossos tempos, desse mundo violento, desse mundo que precisa, de uma certa maneira, ser regrado e interpretado pelo juiz quando avalia cada dispositivo legal a ser aplicado ao réu. Se diz que *ius dicere* [o direito de falar, em latim] significa dizer o juiz dizendo o direito. Nós aguardamos, na data de hoje, que Vossa Excelência não apenas aplique a lei: diga qual é o direito. Assim saúdo Vossa Excelência. Gostaria de também saudar os meus colegas aqui, o dr. Tardelli, e dizer à Vossa Excelência que não para a imprensa, não para a sociedade, mas às vezes para os nossos próprios colegas de Ministério Público, um momento ou outro eu fui questionado a dizer o porquê da minha intervenção dentro deste processo, Vossa Excelência que desfilou os seus conhecimentos jurídicos e mais do que isso, humanitários, para que outro promotor dentro da relação jurídico-processual. E, para quem pode acompanhar parte da produção da prova de ontem, talvez pudesse perceber que, num determinado momento do processo, o colega precisou da minha ajuda, e se é possível algo revelar, é estender a mão ao colega no sentido de que os nossos filhos vão crescer, de que nossos filhos vão realmente se ver lá na frente e a gente vai falar dessa amizade. Mas, mais do que isso, meu colega Roberto Tardelli, dizer da importância da intervenção do seu filho Breno, num determinado momento em que ele dizia: "Ajude meu pai". Eu não vou explicar a ajuda pessoal, a ajuda dentro do processo se dá à medida que nós fomos companheiros. Nós não discutimos em nenhum momento do processo aquilo que pudesse revelar algo a mais de um promotor ou de outro. E, junto com o dr. Toron, nós formamos aquilo que nós podemos chamar efetivamente de um grupo de operadores de direito. E do Direito. É assim que eu gostaria de saudá-lo.

Ao dr. Toron, ao qual nós começamos aqui discutindo até posição no assento, num julgamento anterior, e terminamos, não sei se percebe, com Vossa Excelência ao centro, e ao centro no sentido de que Vossa Excelência representa mais ou menos o equilíbrio entre a atuação emocional do dr. Tardelli, a minha talvez mais presa ao sentido legal, mas Vossa Excelência representa esse meio-termo e representa a referência do bom profissional, do bom advogado, daquele que nós podemos dizer efetivamente *advocatus*, que fala por alguém. Vossa Excelência fala pela família de Suzane Richthofen, no sentido de que parte da própria família está aqui dentro do processo, e é isso que legitima a intervenção do assistente, na busca de auxiliar o próprio Estado para que Suzane Richthofen e os irmão Cravinhos, todos, sejam condenados nos estritos termos da lei.

Eu gostaria também de aproveitar a oportunidade de saudar os eminentes procuradores de Justiça que representam o Ministério Público Paulista, dr. Sebastião Baccega, dr. Emílio [Fausto Chaves] Poloni, em razão do qual e pelos quais, aproveito a oportunidade, Gabriel Scott, aproveito a oportunidade para saudar todos os membros do MP porque vejo aqui que, embora Vossas Excelências possam representar aquele nosso MP de Salgado Filho, de Ibrahim Nobre, entre outras grandes autoridades, eu vejo aqui também filhos e filhas de promotores mais novos, tal qual a filha do nosso colega competente, Fernando Grella, filha do meu colega Arthur Pinto Filho, que representam o novo MP, o MP que vai evidentemente à imprensa, mas não para da imprensa fazer holofotes para os seus interesses pessoais, vai à imprensa para esclarecer à sociedade da necessidade da prisão de Suzane Richthofen.

Eu gostaria ainda de saudar a minha própria filha que, em razão deste julgamento, ainda com tenra idade, acaba fazendo aqui e agora a opção pelo Direito. E eu que sou de uma família eminentemente de advogados, dizia a ela da nossa preocupação em estar explicando essa relação entre MP e advocacia e o juiz no ápice dessa relação jurídica piramidal. De tal sorte que ela acompanhou uma parte dos meus debates com o famoso, o retumbante, o maior advogado do júri do Brasil, segundo se intitula numa revista de grande circulação que está juntada aos autos nas páginas 3017/3071. E estava dizendo a ela que, sendo eu de uma família de advogados, e até brincando, já que gostei da brincadeira do dr. Tardelli, eu sou a "ovelha negra" da família, o único promotor de Justiça. Dizer dessa necessidade de vislumbrar na atuação de um advogado, não a parte contrária no sentido pessoal, a parte adversa no sentido jurídico. Dizendo a ela que haveria o momento próprio para o debate, para a guerra que iria se travar entre mim e o dr. Mauro Nacif. Mas a guerra das ideias, a guerra dos argumentos. E quem sou eu para enfrentar o maior advogado do Brasil? Quem é este, que, num determinado momento do processo, por estratégia eventual da própria Defesa, possa ser identificado como sendo o "espírito negrão"? De tal sorte que, se levado para o aspecto eminentemente pessoal, a primeira consequência, explicava à minha filha que não tem formação jurídica, seria a necessidade de eu me afastar do processo, porque o dr. Toron é judeu, porque eu sou negro e porque já, já se sentaria alguém ali de uma eventual raça ariana defendida por um turco. E isso refoge à realidade do processo. O que nós estamos aqui a debater, e passo assim a ler o libelo-crime acusatório, é o que fizeram esses jovens, é o que fez Suzane Richthofen, Daniel Cravinhos e Cristian Cravinhos. Diz o libelo-crime acusatório que:

Em 31 de outubro de 2002, em torno da meia-noite, na rua Zacarias de Góis, 232, Campo Belo, na cidade desta comarca, essas pessoas, Daniel e Cristian, teriam, mediante bastões, causado em Marísia von Richthofen, bem como em Manfred von Richthofen, os ferimentos descritos no laudo de exame necroscópico de folhas 399 a 415 dos autos. Diz ainda o libelo-crime acusatório que esses foram os efetivos ferimentos, que dada a gravidade, natureza e sede, foram a causa efetiva da morte das vítimas. Diz ainda o libelo que o crime foi praticado por motivo torpe consistente em vingança, contra os ofendidos, pela proibição que estes impunham do relacionamento da acusada e dos acusados, e um deles, o Daniel, bem como pela ameaça de deserdação dela, a acusada, que lhe fizera, caso o relacionamento prosseguisse. Diz ainda o libelo que essas pessoas, todas elas, valeram-se de recurso que impossibilitou a defesa dos ofendidos, posto que foi o casal Richthofen colhido de surpresa, dormindo dentro de sua própria casa, em horário destinado ao repouso noturno, sem que pudesse oferecer qualquer resistência aos golpes daqueles bastões. Diz ainda o libelo que o crime foi praticado mediante meio cruel, provocando nas vítimas intenso e inútil sofrimento, eis que essas pessoas as asfixiaram enquanto eram golpeadas com violência. E que a acusada, Suzane Richthofen, que ora não se faz presente, de certa maneira contribuiu ao resultado criminoso, ao passo que, notavelmente, com o sucesso da empreitada e juntamente com essas pessoas, planejou, organizou por longo tempo como se daria a consumação do crime, chegando a guardar luvas cirúrgicas para que não se deixassem vestígios no local. No dia dos fatos, já conhecedora da rotina das vítimas, dirigiu-se à casa com essas terceiras pessoas, entrou em silêncio e ao certificar-se que a vítima efetivamente dormia, ambas as vítimas, franqueou a entrada de ambos os acusados, para que estes, de bastões à mão e sob a batuta dela, sob a orquestra dela, pudessem eles ser executados. Diz então o libelo que se pede que a condenação, e é isso que se pede aos membros do conselho de sentença, a condenação desses três jovens a uma pena didática para toda a sociedade, no sentido de que esse tipo de conduta não é aceito pelo pensamento médio da sociedade brasileira.

Eu gostaria de continuar saudando a imprensa num primeiro momento, não num sentido pessoal, eu volto sempre a insistir nisso, se a nossa tese for a vencedora, e nós esperamos que assim seja, que não seja para o deleite pessoal de cada um de nós, porque me parece que não é isso que nós buscamos no processo. Nós usamos a imprensa, nós não fomos usados pela imprensa. A imprensa, ela ajudou ao esclarecimento da sociedade brasileira dos contornos da gravidade desse fato, de tal sorte que aqueles "do bem" que se encontram no Congresso Nacional já começam a repensar sobre as consequências de uma possibilidade de um efeito de uma condenação em relação à ação de indignidade. Não vai mais ser preciso, no futuro, que venham advogados aqui fazer gracejos com pedidos de renúncia ao apagar das luzes. Haverá a possibilidade de uma norma jurídica regulando isso.

Gostaria ainda de saudar as pessoas do povo sorteadas, porque eu acompanhei pela própria imprensa que alguém dizia que ganhou lá o sorteio feito via internet, salvo melhor juízo, como se tivesse ganho numa Mega-Sena. Como se aquilo fosse de uma importância tal para ele, pessoal, e é, tanto é que esta pessoa está aqui hoje presente, no sentido de ver essa justiça e talvez os órgãos superiores comecem a repensar que lindo seria se nós pudéssemos, estar, não filmando, não tirando fotos escondidas para sair numa primeira página de jornal, para eventualmente ter algum tipo de vantagem patrimonial, mas filmando não os réus, filmando a beleza que é o tribunal popular do júri! Filmando aquilo que representa a garantia constitucional de todos nós, que é o povo julgando o próprio povo!

Eu gostaria de saudar também os réus, e assim já ingressando propriamente na nossa tese acusatória. Eu começaria a saudar aquele que repensou, aquele que voltou atrás, eu gostaria de saudar primeiramente o sr. Cristian Cravinhos. Saudar o sr. Cristian Cravinhos, falando sim do seu arrependimento, ainda que se valendo do MP no requerimento, num segundo momento patrocinado pelos seus advogados, dizer que esse arrependimento pode evidentemente ser avaliado no momento da dosagem da pena pelo magistrado. Mas dizer que esse arrependimento significa muito mais para sua família, o casal Cravinhos, do que para o senhor, um peso que eles tiram das costas, porque a testemunha quase que chave deste processo, ainda que em prantos, que é a sua mãe, a sra. Nádia, ela diz da sua responsabilidade, que aquilo que o senhor fez, sr. Cristian, é uma coisa muito feia! Muito horrorosa! Mas que ela quer que os jurados, que o juiz e que até eu, promotor, ajude que o senhor encontre a sua culpa, que o senhor admita o fato criminoso! E que de uma certa maneira, a pena que lhe for imposta lhe será mais leve, vai ser mais fácil carregar a sua cruz a medida que admite que deu aquelas estocadas contra a cabeça indefesa de uma vítima de 1,67 m de altura! Um pouco mais de 50 kg e 50 anos! Eu gostaria de saudar o sr. Daniel Cravinhos, cuja Fernanda vem aqui dizer que não sabe se é o senhor que domina a Suzane, não sabe se é a Suzane que domina o senhor. Cujo Andreas diz ter confiado num determinado momento. Mas dizer que entre aquilo que o jurado deva raciocinar sobre o que seja motivo torpe! Eu tenho muito pouco tempo para explicar através desses montes de ensinamentos jurídicos que me passaram o que é motivo torpe, porque eles não têm formação jurídica. Eu precisaria passar para eles essa compreensão, porque basicamente o senhor admite a autoria até mesmo daquilo que o seu irmão teria feito, sr. Daniel. Eu precisaria dizer a eles que é repugnante, que é abjeto, que é nojento! [Nadir grita bastante.] Matar alguém e depois, na entrada do motel, dizer que quer a suíte presidencial, isso é nojento! Isso é asqueroso! E merece dos senhores jurados o voto SIM, com o MP, dizer a Vossa Excelência, à Vossa Senhoria, o réu, que é cruel, que é por isso que o senhor passou mal na reconstituição. Porque o senhor tinha uma arma à sua disposição, com cinco projéteis, que o senhor poderia já ter dado esse tiro e causado a morte do sr. Manfred, não, mas o senhor BATEU, O SENHOR BATEU, O SENHOR BATEU! E é por isso que o senhor passou mal. E é por isso que esse meio cruel precisa ser banido! E é por isso que esse meio cruel precisa ser votado SIM. Por último, sr. Daniel, na minha saudação à Vossa Senhoria, dizer que essa pessoa estava dormindo, que essa pessoa num determinado momento confiou no senhor. Se ele bateu na filha é porque ele sabia que isso não ia dar certo. Mas ele não esperava, dormindo, depois da meia-noite, que o senhor viesse pisando em ovos atrás da sua presa, como um felino atrás de um pequeno coiote. Foi dormindo que o senhor o matou, e é por isso que os jurados precisam votar pelo sim...

[Nesse momento, a dra. Gislaine interrompe.]

GJ: Excelência, excelência! Pela ordem. Eu acho uma atitude muito covarde do dr. Promotor...
Nadir: Não, nós estamos falando...
GJ: Com todo o respeito!
[Briga no plenário. Um grita por cima do outro!]
Nadir: Nós estamos falando sobre a prova do processo...
GJ: Com todo o respeito, COM TODO O RESPEITO!
Nadir: Nós estamos falando sobre a prova do processo!
GJ: Dá licença! Dá licença!
Nadir: Não vou admitir a intervenção!
GJ: O senhor não tem o direito!
Nadir: Não vou admitir a intervenção!
GJ: ... de humilhar... essas pessoas dessa forma!
Nadir: Excelência! Ela tem que sentar! A palavra está comigo! Eu não estou sendo cruel!
GJ: O senhor não tem esse direito!
Nadir: Cruel é a conduta dele!
Juiz: Doutora, por favor...Doutor!
Nadir: Cruel é a conduta dele! Cruel é a conduta dele!
GJ: A conduta dele até pode ser cruel... mas o senhor não tem o direito de humilhar duas pessoas desse jeito!
Nadir: Eu peço que a senhora se sente! [gritando] Eu peço que ela se sente, excelência! Eu peço que ela se sente!

Juiz: Doutor... por favor, dr. Nadir... Um momento...
Nadir: Eu peço que ela se sente! O réu não está sendo humilhado!
GJ: Eles estão algemados!
Nadir: Eu peço intervenção!
Juiz: Doutor, doutora... doutor, por favor...
Nadir: Eu peço intervenção!
GJ: Que falta de respeito!
Nadir: Isso não é falta de respeito!
Juiz: Eu estou pedindo...
GJ: É sim, senhor!
Nadir: Falta de respeito é o que se fez com duas vítimas! Eu peço que a doutora se sente!
GJ: Pode até ser! Mas o senhor não está tendo uma atitude digna de um ser humano!
Juiz: Doutora, por favor!
Nadir: Eu peço que a doutora se sente! Aguarde o seu momento... Aguarde o seu momento!
GJ: Eu sento se o senhor parar de fazer o que está fazendo!
Juiz: Doutores, por favor!
Nadir: Aguarde o seu momento! A doutora se sente! [Pedindo para ela sentar-se.] Se acalme. Porque é melhor ele pagar aqui, começar a pagar AQUI! Porque agora eu vou para a Suzane Richthofen...
GJ: Não é o senhor que tem que condenar alguém ou não! Nem dar a pena!
Juiz: Dra. Gislaine, por favor!
GJ: Ah, excelência, o que é isso?
Nadir: Chegou a saudação! Chegou a hora da saudação da Suzane! Chegou a hora da saudação da Suzane! Agora, nós vamos saudar a Suzane Richthofen! Nós não começamos a acusação, nós estamos saudando os réus!
GJ: O senhor está sendo muito irônico!
Nadir: Não, não, não, não, não! Cruel é o que eles fizeram! Cruel é o que eles fizeram!
GJ: A crueldade deles justifica a sua crueldade? [gritando]
Nadir: A doutora vai se sentar!
Juiz: Doutora! Por favor, doutora.
Nadir: Vai sentar!

Eu vou começar a saudar a Suzane Richthofen, valendo daquilo que o advogado provocou, que o advogado pediu. O advogado diz, numa obra jurídica que ele escreveu, senhores jurados, ele escreveu assim: depois de ir na imprensa dizer que ele tem 61 anos, que ele vai fazer

o júri com um moleque, com um menino, de 41, ele escreve uma
obra... [Nacif nega.] Com um menino! Quarenta e um anos! O senhor
disse, está aqui! Está gravado! Doutor, é de conhecimento público,
todo mundo sabe. Eu vou dizer aqui o que diz então o advogado na
sua obra. É isso? É do doutor essa obra, não é? [Ele mostra um livro.]
Eu vou dizer que tá aqui... Parafraseando Evandro Lins e Silva...
E EVANDRO LINS E SILVA NUNCA DISSE ISSO!... mas, eu conheço
dr. Evandro... faleceu... Era digno e representava um padrão de atuação
de um advogado. Olha aqui que lindo! Ao explicar sobre a defesa
de um cliente, ele explica! Olha que interessante! "Ao fazer a defesa
e o patrocínio de uma causa iníqua, o advogado será obrigado a usar
de recursos escusos e expedientes condenáveis, porque só assim,
com a cumplicidade de terceiros, conseguirá o trunfo do erro ou do
crime contra a verdade e contra o Direito." Isto está na obra, tá na
obra do doutor, tá aqui na obra do doutor! E agora, e agora vem pedir
que seja avaliado o tal do espírito negão! Vem pedir que reconheçam,
num determinado momento, que o espírito negão teria, através
desses dois jovens, feito com que ela tivesse, de uma certa maneira,
participado desse crime. Pois bem, o espírito negão se materializou!
O espírito negão chegou! [Dirige-se a Suzane.] O espírito negão veio
aqui para dizer que sua mãe, que te deu de mamar, moça, a sua mãe,
a sua mãe almoçou com você, Suzane. A sua mãe viu o momento
em que você tira o anel de prata e diz: "Olha, mãe. Não tenho mais
um relacionamento". Suzane, não tem problema de não olhar para
mim, porque se a Marisol [agente penitenciária que foi testemunha
em plenário] lhe disse com todos aqueles conhecimentos que tem
sobre a sua opção religiosa, se você tem o terço agora, aproveite
a oportunidade, Suzane, porque o espírito do negão chegou. Aproveita
a oportunidade, Suzane, porque eu vou lhe ler o que diz o *Evangelho
segundo o Espiritismo*: ele diz, em relação aos bens materiais, que
quanto ao materialismo, segundo Allan Kardec, com o proclamar de
um novo dia para depois se recorrer a uma saída é o nada. Porque
anula toda a responsabilidade moral anterior, sendo conseguintemente
o incentivo para o mal, que o mal tem tudo a ganhar do nada. Somente
o homem ou a mulher que se despojou de seus vícios e se enriqueceu
de virtudes pode esperar com tranquilidade o despertar de uma nova
vida, por meio de exemplos que todos os discípulos nos apresenta.
O espiritismo mostra quão poderoso é para o mal passar para o bem,
desta para a outra vida. A entrada na vida futura, o céu e o inferno
segundo o espiritismo. Talvez, me valendo da Bíblia, me reportar,
Suzane Richthofen, na minha saudação à Vossa Senhoria, ao que diz

São João no capítulo do Apocalipse: de que os estupradores, de que os homicidas terão um outro momento em que eles não poderão ficar de cabeças abaixadas, de que eles terão que encarar o Senhor. Então aquele momento, não haverá momento para outras teses. Não haverá oportunidade para as outras defesas. Que você, Suzane, possa estar preparada para esse momento, de que esse espírito negão na verdade não tem cor, de que na verdade de Deus é tão misericordioso de Vossa Senhoria, de que aqui nós temos eventualmente policiais negros, de que nós temos membros da imprensa negros, de que nós temos...

FITA 21 · LADO A1 — DR. NADIR ~~DE CAMPOS JR.~~

... que não invadiu ninguém. Esse crime foi adredemente preparado. Esse crime foi, de uma certa maneira, arquitetado por você, Suzane. E que sua mãe, que lhe deu de mamar, nunca esperava aquelas estocadas contra sua própria cabeça, causando nela as lesões que os médicos identificaram as folhas 399 para que as folhas 400 indicassem exposição de massa encefálica. Porque, segundo a prova dos autos, era para você ser feliz, e você não está sendo feliz enquanto não admitir a sua culpa, Suzane Richthofen. Dizer ainda que em relação à questão da dor, essa dor que o espiritismo nos mostra, e eu não sou espírita, mas li alguma parte para você, é preciso a gente parar para pensar, Suzane. Porque volta e meia eu converso com os meus filhos e fico nessa angústia de saber, volta e meia as pessoas se perguntam, Suzane, o que é mais dolorido. Um filho perder os pais, o pai e a mãe, ou as mães e os pais perderem seus filhos. Qual dor dói mais, Suzane? Porque eu só perdi a minha mãe. Não perdi nenhum filho. Você pode ter a sua mãe, aqui, agora, para te acalentar, para te orientar, para dizer que esses jovens então não serviam para você, e você faz a opção fria, calculista, de querer a morte deles em busca da sua felicidade. Eu saúdo você, Suzane, para que você possa, com a pena, passar a refletir, porque agora nós estamos iguais, agora não é espírito, é matéria, eu e você. Eu perdi minha mãe. Você perdeu a sua também. Queria dizer ainda, em relação ao senhores jurados, saudando-os sem antes estender a saudação aos competentes advogados, dizendo ao dr. Mauro Nacif e, num determinado momento não houve briga entre nós, em determinado momento, Vossa Excelência falava em bombas aqui, compreendeu que é momento de paz. O debate é momento de paz. O debate é momento de iluminar o caminho dos jurados. Mas, antes disso, Vossa Excelência teve a compreensão de não fazer nenhuma repergunta àquela mulher, a sra. Nádia. Isso me parece que decorreu de uma conversa minha com Vossa Excelência, de que não era possível aquela mulher sofrer a dor, não da pena que ia ser imposta aos filhos, mas da humilhação da execração pública. E nisso estendo a mão à Vossa Excelência. De que neste momento, Ministério Público e Advocacia são essenciais ao padrão ético da distribuição da Justiça. Não, agora não, Excelência. Meu tempo está acabando e eu agradeço dizer às vossas Excelências por último, a serem saudados, de que guardadas as brincadeiras, guardadas as referências pessoais que eu não preciso me justificar às Vossas Excelências, realmente está dentro do processo de que ele é o melhor advogado do Brasil [referindo-se ao dr. Nacif]. Ele assim está se intitulando. Se a tese acusatória for a vencedora, se o juiz explicar aos senhores quesito por quesito, dizendo: "Olha, aqui estarão com dr. Nadir, com dr. Tardelli, com dr. Toron", os senhores estão com o Ministério Público e assistência, não vai, nenhum de nós três, vai ganhar a sociedade. Vai ganhar os senhores. Vai ganhar a justiça e aí nós passamos para o magistrado um segundo momento de responsabilidade de dosar a pena na medida exata da culpabilidade de cada um deles. Dizer aqui, eventualmente, de coação moral irresistível, de inexigibilidade de conduta adversa para esta moça, representa, na verdade, um caminho tortuoso que os levem a uma forma de uma falsa compreensão da realidade. E Guido Palomba disse, e vocês acompanharam ontem, o que é esta falsa compreensão da realidade? Quando a ficha cai, quando a gente se apercebe, a gente tem a perplexidade de perceber onde errou. E que não tenham os senhores então essa dúvida. Não fiquem com essa dúvida. A prova do processo é contundente, a prova do processo dá conta de que quem vai a motel depois da prática do crime não está arrependida. Quem pede suíte presidencial não está arrependido. Quem mata como Cristian matou e depois vai ao hospital para fazer ficha de uma colega ou de um colega que passa mal não está arrependido. Quem compra moto após a prática do crime não está arrependido. De tal sorte os senhores jurados vão votar vários quesitos. Eu teria que ter um tempo enorme para explicar a cada um de Vossas Excelências cada um desses quesitos. Mas o dr. Toron vai completar uma nossa linha de raciocínio logo em seguida, mas eu queria deixar aqui meu parabéns, meus parabéns, para cada um de Vossas Excelências, que, de uma certa maneira, alguns mais humildes, alguns mais abastados, mas que Vossas Excelências representem efetivamente esse pensamento médio da nossa sociedade. E a nossa sociedade está lá fora a vida, está esperando, senhores, que os senhores possam voltar ao convívio de seus lares com a consciência do dever cumprido. De que o processo tem essa grandiosidade, mas que Vossas Excelências foram maiores, porque não dormiram, não deixaram de prestar atenção, fizeram perguntas e perguntas para o esclarecimento pessoal sem revelar o voto. Ajudaram a cada segundo que não pudesse qualquer nulidade ser plantada ou arguida pela defesa. Vossas Excelências são os destinatários finais da causa. Vossas Excelências julgam o mérito desta causa. Então, que aquele que nos criou vos ilumine e lhe dê guarida para a decisão final deste processo.

Muito obrigado.

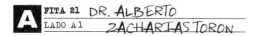

FITA 21 — LADO A1 — DR. ALBERTO ZACHARIAS TORON

Eminente juiz presidente, meus queridos amigos eminentes advogados de defesa, dr. Jabur, dr. Nacif, em nome de quem tenho a honra de saudar todos os advogados que integram a bancada da defesa, meus companheiros de bancada, dr. Nadir, dr. Tardelli, senhoras e senhores, amigos Gabriel Scotcha, Batchega, que nos honram com suas presenças, Luiz Flávio Gomes, juiz e jurista, senhores da imprensa, senhores jurados.

Eu falo em nome do dr. Miguel Abdalla, que era irmão da dra. Marísia. Ela médica psiquiatra, ele médico psiquiatra. Ele, tio da Suzane. Ele que perdeu a irmã e perdeu o cunhado. Cunhado que, mais do que cunhado, era amigo dele. Companheiro dele. Trago a cada um dos senhores não a dor da família, trago também, porque isso melhor do que ninguém foi trazido por cada uma das testemunhas que passaram por aqui. E foi curiosamente o meu colega, dr. Mauro Nacif, exemplo de advogado, advogado modelar, que trouxe aqui uma testemunha, que foi a Fernanda, que não foi minha aluna na faculdade de Direito, mas que com toda sinceridade, com toda integridade, ela disse em alto e bom som, não sei se respondendo uma pergunta do Mauro, quando falava da morte de quem ela chamava de tia, a mãe da Suzane, como isso doeu nela, como doeu na classe dela. Na classe dela, Suzane, na classe que ela estudava na PUC. A dor das vítimas, a dor da família enlutada foi trazida pelas testemunhas. Foi trazida pela dona Nádia, esposa do sr. Astrogildo, por quem nós temos o maior respeito, trazida por outro advogado modelar, outro advogado da maior seriedade e competência, que é o nosso mestre e amigo dr. Jabur, decano, um dos decanos da advocacia de São Paulo. E ela disse com toda clareza que veio enlutada. A dor da família foi trazida pelo dr. Tardelli. Todos nós, de alguma forma, com este crime, fomos atingidos. E não é por acaso que o plenário está cheio, não é por acaso que a imprensa se faz presente. Porque cada um de nós foi, de alguma forma, atingida por esse crime bárbaro, cruel e covarde. E quando nós falamos em um crime bárbaro, cruel e covarde, nós normalmente associamos estes crimes à pratica criminosa que ocorre nas favelas. À pratica criminosa tendo como protagonistas pessoas que vieram de lares partidos, daquilo que os americanos chamam de *broken home* e que Luiz Flávio Gomes, juiz e jurista, juiz hoje aposentado que nos honra com a sua presença, insisto no ponto, num trabalho que ele tem de criminologia, estudando as causas do crime em parceria com o professor espanhol Garcia Pablos de Molina, apontava essa como uma das justificativas para a prática criminosa, gente que saiu de lares quebrados, gente que saiu de lares rompidos. O pai que foi embora, a mãe que deixou, que abandonou os filhos, os filhos que foram criados na rua, à própria sorte, ou então gente que pratica crime porque vem daquela ampla camada que nós temos no Brasil, que é aquela camada dos excluídos, que é a camada dos não cidadãos, gente que não tem acesso a nada e que encontra na criminalidade uma forma perversa, mas uma forma de acesso. Não, nada disso nós temos aqui. Temos, ao contrário, pessoas que vem de lares estruturados, como é o dr. Astrogildo, como é a dra. Nádia, que nos honrou com a sua presença aqui. E temos a Suzane, que tem o privilégio de ter nascido numa família de classe média alta, pais dedicados, pais que a acalentaram, pais que cuidaram dela e do irmão e que trabalharam para construir uma casa nova, uma casa melhor. Pais que a amavam, pais que a levavam para a escola. E eu me lembro do Tardelli falando do orgulho que a gente sente pelos nossos filhos, os nossos filhos. Eu vi o meu querido Jabur chamando a dra. Gislaine, filha dele, de papai. Eles são árabes, eu sou também. Eu tenho o privilégio de ser neto de sírios por parte de mãe e filho de um judeu errante por parte de pai, que veio acolhido depois da Segunda Guerra Mundial nesse país de braços grandes. E eu vi o Jabur chamando a filha dele de "papai" como minha mãe me chamava de "mamãe", é um costume árabe. O que nós mais temos de caros, nossos filhos, e eu chamo meus filhos de papai. Eles olham para mim e falam: "Mas papai o quê? Eu não sou seu papai, eu sou seu filho". A nossa carne, a *iuni*, os nossos olhos, isso quer dizer em árabe. E esses pais dormiam de portas abertas, como eu durmo de portas abertas com a minha mulher que está aqui. E por que que nós dormimos de porta aberta? Para ouvir o choro dos nossos filhos. Se ele cai da cama, se ele tem um pesadelo. Os nossos filhos são a nossa carne, os nossos filhos são o que nós temos...

a nossa joia maior, a nossa razão de viver, como lembrou o Tardelli.
E os pais dormiam de porta aberta — "A que horas vai chegar minha
filha? Que horas vai chegar a minha pedra preciosa?". É por isso que
eles dormiam de porta aberta. E esse caso causou tanta repugnância,
causou tanta dor não apenas na família da vítima, no dr. Miguel,
no Andreas. Causou também muita dor em todos nós porque ele
representa uma traição naquela confiança básica do relacionamento
entre pais e filhos. Porque ele representa uma inversão de valores
naquilo de mais básico que nós temos. E coube a uma jornalista,
escritora, lembrar… a Ilana Casoy, que nos lembra um mandamento
que é um mandamento central na construção da sociedade, e eu não
sei se é quarto ou quinto mandamento, mas no Antigo Testamento
pelo qual eu estudei em hebraico [inaudível]: "Respeitar teu pai e tua
mãe, honrar teu pai e tua mãe". É isso que nos dói. É isso que nos dói
e é por isso que essa gente toda está aqui. Olhando e pedindo a cada
um dos senhores justiça! Não apenas justiça para servir de exemplo,
porque a sociedade não aceita, não tolera a pratica desse tipo de
vilania. Não, não queremos exemplos e bodes expiatórios. Dificilmente,
senhores jurados, o conselho de sentença, o corpo de justiça popular,
o júri popular se deparará com um caso tão frisante, tão patente, tão
retumbante em que aparecem com absoluta clareza prova nos autos da
autoria do crime. E aqui os nossos parabéns, senhor presidente, à Polícia
Civil do estado de São Paulo, à dra. Cintia que esteve aqui, mulher
honesta, séria e honrada, e com riqueza de detalhes ela descreveu como
este crime foi desvendado, sem tapa, sem porrada, sem tortura. É da
palavra deles que aparece a prova deste crime em primeiro lugar.

E a palavra deles quando eles foram ouvidos na polícia, a polícia teve
o cuidado, a polícia teve o cuidado de convocar um membro do
Ministério Público, um promotor de justiça para acompanhar
o interrogatório deles, para que eles não alegassem depois que foram
seviciados e mudassem a sua palavra. A Polícia Civil de São Paulo
colheu na palavra deles, com detalhes, o planejamento desse crime
dantesco, planejamento feito pelos três, isso dito pelo próprio Cristian
às folhas 240 nos autos. Planejamento feito pelos três, os três com
identidade de propósitos, visando alcançar o mesmo objetivo, matar as
vítimas indefesas de forma cruel, de forma covarde. Reuniram-se,
planejaram o crime e o executaram. A acusada Suzane naquela
oportunidade se fazia acompanhar de uma das mais ilustres advogadas
de São Paulo, conquanto jovem, que é a dra. Claudia Bernasconni. Mas
eles não confessaram apenas a prática criminosa deles na polícia.
Quando eles foram ouvidos aqui, neste mesmo plenário, diante deste

mesmo juiz, deste homem modelar, deste homem que é o dr. Alberto Anderson, uma figura que se impõe, não pela força do cargo, mas como lembrava Hanna Arendt, uma filosofa alemã, o dr. Anderson é daqueles juízes que se impõe pela aceitação, ele legitima a autoridade pela aceitação dos que trabalham com ele. Nós, advogados, promotores, serventuários, que o tem como uma figura modelar, um homem de consenso, um homem respeitado e com o respeito que ele granjeia pelas suas atitudes que não são arbitrárias, que são atitudes de um homem sensato, ele é respeitado. A força do cargo de juiz dele vem daí. Do ser que ele é, desse ser magnífico. E estes homens, o Cristian, o Daniel e a Suzane, foram ouvidos por este juiz, este juiz que os senhores veem, os advogados veem, e me desminta se seu estiver errado, esse juiz que é um homem bom, ameno, lhano no trato. Eles foram ouvidos aqui livres de quaisquer constrangimentos, diante de seus advogados, cercados de todas as garantias, Ministério Público presente. Eles foram ouvidos e narraram mais uma vez, com riqueza de detalhes, a perversa prática criminosa. E o Cristian, quando foi ouvido aqui, disse com absoluta clareza, numa oportunidade anterior, não desta última, que ele também desferiu as pancadas, as pauladas nas vítimas. Vejam os senhores, vejam os senhores, pego o caderno oferecido pelo meu ilustre colega dr. Jabur, vejam os senhores, os senhores receberam já este caderno, o Cristian era um homem forte, não é à toa que a dra. Marísia, a vítima mulher, como disse a perita Jane aqui, foi muito judiada. O Cristian era sarado, todo tatuado, está aqui a foto dele quando ele apareceu pela primeira vez ao vivo e em cores para todo o Brasil. Um rapaz sarado, forte, dá para o senhor ver? Senhora, conseguiu ver? [Ele pergunta para os jurados, mostrando a fotografia nos autos.] Um rapaz... no fundo, deu para ver? Um rapaz sarado, forte, que bateu! E a perita Jane, quando foi ouvida, ela falou com absoluta clareza que este crime não poderia ter sido cometido por apenas uma pessoa. Até a forma de bater é diferente. E é por isso então, ante essa massa de provas, a palavra dele na polícia, a palavra dele aqui diante do juiz num primeiro momento, onde ele afirmou que bateu e depois vem aqui — "Não, eu não bati, eu não fiz nada!". Como não bateu, como não fez nada? Ante o ridículo que essa nova versão, numa tentativa desesperada de construir a realidade de forma truncada, de forma defeituosa, de forma mentirosa, quando ele percebeu o ridículo disso, ele veio aqui, até obteve o carinho, o peito, o abraço do dr. Nadir, que com ele aqui, juntos, ele então recolocou as coisas no lugar e admitiu a sua responsabilidade como tinha que ser. Mas, mesmo que ele não tivesse feito aquele gesto desesperado, dramático, choroso, e eu entendo o choro e respeito o choro, porque não é para rir mesmo. Mesmo que ele não tivesse feito aquilo, ele haveria de ser condenado porque há provas nos autos, idôneas e mais do que suficientes. E, quando eu falo em prova, eu lembro sempre daquele grande membro do MP, que é o professor Antonio Magalhães Gomes Filho, professor titular da Universidade de São Paulo, que nos lembrava que etimologicamente, a palavra prova, ela tem a mesma origem que probidade, idoneidade. E as informações que nós temos aqui, que nós chamamos de prova, são absolutamente idôneas para responsabilizarmos os três, os três autores do crime, planejaram, executaram, o crime não poderia se tornar possível sem a adesão de um e de outro. Pensem o seguinte, amanhã poderão querer dizer "não, mas o Cristian só bateu na dra. Marísia, ele não pode ser responsabilizado pela morte do sr. Manfred, o engenheiro Manfred". Pode e deve! Porque se for prevalecer este raciocínio, nós teríamos que dizer: "A Suzane não deu paulada em ninguém, então ela não pode ser responsabilizada pela morte de nenhum dos seus pais!". Não, jurados! A nossa lei, a lei brasileira, sabiamente, na linha do que fazem os diplomas repressivos, os códigos penais de outros países, ela responsabiliza o mandante, ela responsabiliza o autor intelectual, ela responsabiliza o partícipe. Se eu digo para ele: "Eu quero matar uma determinada pessoa que tem um problema na vista. Eu quero matar uma determinada pessoa que está na minha frente e eu não vou dizer quem é. Mas é o seguinte, para eu matá-la, quando ela estiver passando por aqui, você faz assim com a mão e eu vou alvejá-la". Jurados, se para eles matarem os pais dela, ela precisou dar um sinal e entrar, e é o que bastaria, ela fez muito mais. Mas é o que bastaria já para responsabilizá-la. Porque a ação não teria sido possível se ela não entrasse na casa para enganar, para enganar o vigia, eles entraram tranquilamente, lembrem-se disso. A ação da Suzane, no contexto dos fatos, era imprescindível. Então eles estavam unidos por um liame que nós chamamos de liame subjetivo, eles tinham um elo, uma identidade de ideias, um objetivo comum, comum, a ser cumprido, que era matar. Mas além dessa identidade subjetiva no plano das ideias, no plano do espírito, no plano do objetivo a ser alcançado, eles tinham mais uma coisa, eles tinham uma cooperação no plano objetivo, quase que uma divisão de tarefas. Nós entramos no seu carro para não chamar a atenção da vizinhança, nós entramos no seu carro para não despertar a atenção do vigia que está aqui. Então ela entra, mas nós precisamos saber mais. Teus pais estão dormindo mesmo? Que é a ação das pessoas covardes! Porque uma coisa é no mano a mano, uma coisa é no mano a mano — vem cá,

Maurão! Não, pode ficar aí... [O dr. Mauro começou a vir.] Vamo pra porrada! Isso é uma outra coisa, é homem com homem! E eu cumprimento a sua filha também, nossa colega e querida amiga [cumprimentando Nonô]. Outra coisa é você pegar alguém dormindo, covardemente! De forma, assim, pusilânime. E foi o que ela fez, ela subiu e falou — ok, positivo, *It's now or never*! É agora ou nunca! E aí, e aí o que foi que eles fizeram? Eles foram lá, eles foram lá e castigaram impiedosamente. Então vejam, não é o problema de ele ter dado a paulada ou não no Manfred que o torna irresponsável. O problema é que todos estavam articulados com o mesmo objetivo e desempenharam funções objetivamente consideradas essenciais para consumar um duplo homicídio. E esse duplo homicídio se deu como, jurados? Esse duplo homicídio, ele é um homicídio que foi praticado talvez por relevante valor moral, porque os pais abusavam dela, e o namorado, Daniel, foi lá de forma heroica vingar o pai estuprador? Nã, nã, nã, não! Não teve aqui relevante valor moral nenhum! Não teve aqui violenta emoção porque não teve discussão, não teve absolutamente nada disso. Absolutamente nada disso. Não teve coação, essa história da coação — ele foi me dando maconha, e eu maconhada, ou "emaconhada", como falou o dr. Mauro Nacif, meu mestre, meu amigo, uma pessoa fidalga, lhana no trato também. Não tem nada a ver com maconha! E maconha não tem o condão de provocar esse tipo de coisa. Aliás, trouxe aqui um estudo que os senhores poderão ver depois, se lhes interessar, de dois dos mais prestigiosos psiquiatras, professores da Universidade de Nova York, Kaplan e Sadock, que, num compêndio de psiquiatria, chama a atenção para a inocuidade da maconha para certos aspectos. E se fumar um baseado, fumar um pouco de maconha pudesse levar alguém a matar os pais, esse país seria um país de órfãos, jurados! Este país seria um país de órfãos! Não! Não vamos nos enganar, isso tem a ver com caráter, porque o Daniel fumava maconha, isso é confesso, e não matou os pais! Não matou os pais. Mesmo Luiz Flávio Gomes lembrou-nos uma vez no *Fantástico*, que conhecia muitas e muitas pessoas, profissionais ilibados e ilustres, que também fumavam maconha, ninguém nunca matou os pais e são os professores da Universidade de Nova York, Kaplan e Sadock, quem vão nos dizer, os que vão nos dizer exatamente isso. Que a maconha permite, por paradoxal que possa parecer, concentração. Que a maconha permite objetividade, dizem eles, esta capacidade para manter a objetividade pode explicar porque muitos usuários experientes conseguem comportar-se de modo perfeitamente sóbrio em público. Mesmo quando estão altamente intoxicados. É por isso, dona Nádia, que a senhora não percebia nada, porque a maconha, ao contrário do que se imagina, e eu tive a honra de ser presidente do Conselho Estadual de Entorpecentes no governo do saudoso engenheiro Mário Covas, e trabalhei muito com essa questão, seja como ex-presidente do Conselho Estadual, seja como membro do Conselho Federal de Entorpecentes, seja como professor de Direito Penal, e posso lhes assegurar que não é a maconha que leva alguém a matar, mas o caráter das pessoas. E aqui nós chegamos onde falou o dr. Tardelli. O quê que eles queriam? Queriam vida boa, cobiçavam os bens do casal, cobiçavam o bem-viver, cobiçavam o que era dos pais dela. Ela mesma queria a casa, queria o bem-viver, queria o mundo cor-de-rosa que o Daniel lhe prometeu e nunca lhe deu. Então essa história de que ela foi levada pelo Daniel ou que o Daniel foi levado por ela, conversa! Os dois agiram de comum acordo, livres, livres, leves e soltos para fazerem o que quisessem. E fizeram juntos. Por isso, jurados, é importante que os senhores tenham presente que esse, além de não ser um crime cometido por relevante valor moral, ao contrário, é um crime cometido por motivo torpe! O crime que eles praticaram, perguntem-se, não nos causa viva repulsa, não é uma coisa abjeta, asquerosa? Isso é a torpeza! Isso é o que nos lembram todos os tratadistas quando falam do que é a torpeza. A torpeza, desde o clássico direito romano, era identificada em si com o próprio parricídio, matar o pai. Isso, por si só, já era torpe. Mas, no caso, há de se agregar uma coisa. Há de se agregar o fato de que eles cobiçavam, a cobiça dos bens materiais, da herança. Ela e ele. E o Cristian, também agiu impelido por um motivo torpe? Sim, jurados. Agiu ele também, Cristian, impelido por motivo torpe, por quê? Cometido mediante paga, com a promessa de pagamento. E qual é o pagamento dele? Não é pagamento, pagamento como quem vai comprar uma coisa: "Olha, vou ali comprar esse livro e vou pagar". Pegou os bens, passou a mão, diz ele que é amor de irmão! Que amor de irmão! E diz ele que chorava quando dava pauladas: lágrimas de crocodilo! Jurados, ele comprou uma moto, ele comprou uma moto, jurados! Comprou uma moto e foi desfilar com a moto. Ele falou: "Não, eu ia fazer um pecúlio para a Suzane". Um pecúlio! Eu guardei para ela. Eu ia fazer uma poupança em moto? Mas ele foi desfilar com a moto! E quem fala que ele estava com a moto é a testemunha arrolada pelo próprio dr. Jabur. Ele nos disse — comprou a moto. Está aí o motivo torpe! O egoísmo deles exacerbado quando recebeu o freio, o freio justo e legítimo dos pais, que queriam vê-la estudando. Que por razões que agora não importam e que talvez nunca importarão, não queriam o namoro! Esse egoísmo contrariado também tipifica a torpeza. Mas eles não foram apenas torpes nos seus comportamentos. Foram covardes. Então, o homicídio, ele é mais reprovável, é mais reprovável quando é cometido por motivo torpe, e este caso é um caso típico de torpeza. Mas ele também é mais reprovável quando ele é cometido, jurados de São Paulo, revelando de um lado a covardia dos agentes criminosos e de outro lado, quando se procura pegar as vítimas sem que elas possam se defender. Sem lhes dar chance de defesa, e eles estavam dormindo, jurados. E todos, sem exceção, na doutrina, daqueles que pensam o Direito, daqueles que ensinam o Direito, e eu lembro sempre a lição de Cesar Bitencourt, que eu trouxe e não vou ler... Trouxe tantos livros e... mas, se quiserem, está aqui à disposição dos senhores. Luiz Reges Prado, Heleno Cláudio Fragoso, tantos nomes do Direito e todos são unânimes em dizer que pegar uma pessoa da forma como a que eles pegaram, quando elas se encontravam dormindo, é caso típico, é caso claro da utilização de um recurso que impossibilitou ou dificultou a defesa dos ofendidos. Eles dormiam, como lembrou o Tardelli, o Manfred tomou as pancadas, a outra tentou acordar! Tentou... a mão dela estava machucada, era um gesto de defesa que a perita e as fotos deixaram claro isso. Mas eles não puderam esboçar, quem sabe ela, na agonia final dela, Nadir, quem sabe ela não pensou: "Será que vão pegar minha filha?". No desespero dela, talvez maior, fosse: "Será que não vão pegar minha filha?". E ela então, num grito final, ainda foi asfixiada! E aqui nós temos uma nova faceta, porque uma coisa é dar um tiro, outra coisa é você asfixiar, esganar, é provocar um sofrimento cruel, atroz, uma morte em que a pessoa vive uma agonia! O Direito, a sociedade politicamente organizada, reprova com mais intensidade e é por isso que nós dizemos que esse é também um homicídio provocado com a utilização de um meio cruel. E o que é um meio cruel? Lembram-se... penso que foi a senhora que pediu a leitura do exame necroscópico [dirigindo-se à uma jurada]. E o quê que é o meio cruel? Os laudos diziam que eles tiveram uma morte agônica. E o que diz a nossa jurisprudência? Jurisprudência é formada por um conjunto de decisões dos tribunais. Homens que como o dr. Anderson dedicaram as suas vidas à causa da Justiça, ao mister de julgar. Homens que depois são promovidos e vão ao Tribunal de Justiça. A jurisprudência diz, e para que ninguém tenha dúvida, eu leio aqui o repertório oficial do Tribunal de Justiça, *Revista de Jurisprudência do Tribunal de Justiça*, com a autorização do meu colega, dr. Mauro, a jurisprudência diz: "O vocábulo cruel, em Direito Penal, tem o mesmo sentido que o vulgar, que o comum, traduzindo a malvadez, a falta de piedade, o intuito ferino ou de aumentar o sofrimento da vítima. O simples uso de punhal para ferir, fora dos casos de imperiosa necessidade denota frieza e insensibilidade. Dois ou três golpes em pontos vitais já revelam dolo intenso para a consumação do homicídio. Daí para cima, patenteia-se o excesso, ora, o ocorrido na multiplicidade de punhaladas...". Aqui nós tivemos uma multiplicidade de pancadas, além de ferir a vítima uma vez no dorso da mão esquerda e duas no antebraço correspondente, atingiu-a ainda mais dez vezes no peito e na região escapular em diferentes direções, denotando, além da intenção de matar ou propósito de submeter a infeliz criatura, a maior aflição e padecimento, agindo pois com crueldade. É exatamente o nosso caso. Eles vão dizer: "Não, nós não queríamos ser cruéis!". Asfixiaram, pouco importa, isso quem nos disse na sentença de pronúncia foi o dr. Anderson. O juiz desse caso, o homem que acompanhou de perto esse caso, quando disse que este caso deveria ser remetido para o júri, o dr. Anderson disse com absoluta clareza: pouco importa, pouco importa que eles não tivessem a intenção de provocar um padecimento maior, um sofrimento maior, uma agonia maior nas vítimas. O fato é que provocaram. E por que provocaram? Este crime é também um crime marcado pelo emprego do meio cruel. Então vejam, jurados, então vejam os senhores, nós estamos diante de um duplo homicídio, duas vidas foram ceifadas, duas vidas foram covardemente suprimidas porque eles pegaram as vítimas dormindo. Esse é um crime cruel porque elas padeceram um mal muito maior. E pior do que tudo, um crime cometido, planejado pela própria filha contra os seus pais, jurados. Crime este ao qual aderiram os dois irmãos Cravinhos, que planejaram, que executaram, e, por isso, eles devem ser condenados por dois homicídios triplamente qualificados. Agora, jurados, uma coisa importante. Como é que os três acusados devem ser tratados? Devem ser tratados, eu permito dizê-lo em alto e bom som, com respeito. Os acusados devem ser tratados com respeito. E tratá-los como homens de respeito é tratá-los como homens responsáveis pelos seus atos. Devemos, sim, tratá-los como homens de respeito. Respeito que eles não tiveram para com as vítimas. As vítimas que não puderam se defender. Eles acusaram as vítimas, eles foram ao mesmo tempo os defensores "das vítimas", entre aspas, sentenciaram as vítimas e executaram a pena de morte. Eles não deram às vítimas a menor chance de defesa, chance de defesa que eles estão tendo. Eles não tiveram nenhum respeito para com as vítimas, mas nós, sociedade politicamente organizada, nós, sociedade civilizada, fundadas no Direito, com autoridade de um tribunal, vamos tratá-los com respeito. E tratá-los com respeito, eu insisto nesse ponto, é tratá-los como homens responsáveis pelos seus atos. Não além da culpabilidade, lembrava-nos sempre o dr. Jabur. Na medida exata da culpabilidade deles. A culpabilidade deles vem expressa, repito, pela prática de dois homicídios, todos praticaram dois homicídios, todos planejaram essa empreitada criminosa, todos dela participaram na fase da execução. E esses homicídios são triplamente qualificados, respondam sim às qualificadoras quando lhes chegar o momento desta indagação. Afastem a ideia de espíritos, afastem a ideia da maconha, afastem ideias falsas que não condizem com a realidade desses autos. A condenação deles também pelo furto, porque eles não escondem que furtaram. A condenação deles também porque eles mudaram a cena do crime, que é o crime de fraude processual, para enganar a polícia. Eles devem ser condenados sim, na medida da sua culpabilidade. E em nome do Ministério Público, em nome do MP e da assistência de acusação, falando pela família das vítimas, nós pedimos que os senhores reconheçam, em favor do Cristian, em favor do Daniel e em favor da Suzane, a atenuante genérica da confissão, porque eles confessaram. Confessaram na polícia, confessaram diante de um juiz e confessaram diante dos senhores. É verdade que procurando mitigar um pouco as suas responsabilidades, mas na sociedade organizada temos que mostrar para o mundo inteiro que sabemos provar, que não aceitamos essa inversão de valores que hoje ocorre, que reafirmamos para a família das vítimas da dona Marísia e do sr. Manfred a nossa solidariedade, que reafirmamos o nosso repúdio à práticas criminosas como essa. Nós precisamos também ao mesmo tempo mostrar que, malgrado a sociedade seja exigente e rigorosa quando se trata de reprovar condutas inadmissíveis, a sociedade também tem um outro lado pra quem procura, não sei como, se é verdade ou se não é, pouco me importa, pra quem procura ajudar a justiça confessando. E eles confessaram. Nós temos hoje aqui uma oportunidade de ouro, jurados de São Paulo. Os senhores estavam reclusos, incomunicáveis, sem ver televisão, jornal, nada, mas anteontem ou ontem foram condenados os algozes daquele casal de namorados, do Felipe Caffé e da Liana Friedenbach. Que alegria, que alegria eu vi naquela mãe que perdeu o filho, o Felipe Caffé, e no pai que teve a sua filha dilacerada por estupros sucessivos, quando eles foram condenados e viram finalmente que a Justiça nesse país existe, não só para pobres, que a Justiça existe para todos. E é o que nós precisamos hoje. Reafirmar para toda a população a nossa confiança na Justiça, que nós somos um país civilizado, que nós somos um país de amor.

[Juiz avisa que Toron só tem mais dois minutos.]

É isso que a sociedade brasileira espera dos senhores. Espera que os senhores digam sim à vida, sim ao Direito, sim ao amor entre as famílias. Esperam que manifestem reprovação ao ato bárbaro que praticaram, porque, em primeira e última análise, neste caso que é triste, nesse caso que envolve as paixões mais diversificadas, os sentimentos mais diversificados, o que nós precisamos é de alguma forma dizer alto e bom som, que acreditamos na Justiça. E fazer Justiça hoje é condenar os três por dois homicídios triplamente qualificados. Muito obrigado.

FITA 21
LADO B1

Juiz: ... a fala nas três horas que cumulativamente os defensores tem o tempo...
Jabur: Excelência, mais uma vez, desde o momento em que eu não quis a cisão, eu não quis criar qualquer tipo de problema com o meu colega Mauro Otavio Nacif, e mais uma vez, para o bom andamento, eu me submeto, no bom sentido...
Juiz: Claro!
Jabur: ... em fazer o uso da palavra logo após a manifestação dos órgãos do MP e do assistente de acusação.
Juiz: Muito bem. Então, com a palavra a defesa, Vossas Excelências terão três horas em conjunto para promover a defesa dos acusados. Então, 15h52 até 18h52 encerrará o prazo... Não... O total da defesa... dr. Geraldo com a palavra.

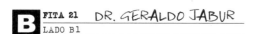

FITA 21   DR. GERALDO JABUR
LADO B1

Magistrado Alberto Anderson Filho. Me perdoem eu dar as costas e falar de frente para o dr. Alberto. Nestes quatro anos de convivência, tratando cada qual dos seus interesses, eu fui me aproximando de Vossa Excelência, sempre no bom sentido da palavra. E no correr das minhas manifestações, eu fui traduzindo à Vossa Excelência que a minha ideia, o que dominava o meu pensamento, era de não criar-lhe qualquer tipo de problema no bom andamento da causa. Fui além, dr. Alberto. Eu só vou usar o remédio legal extremo se eu tiver absoluta necessidade. E ao depois eu o comprovei na interposição, na interposição de pedido de *habeas corpus* em favor da acusada Suzane, e lá foi apenas um pedido de extensão, para que se sufocasse uma preterição em cima dos meus clientes. O tempo foi passando, a admiração crescendo, porque eu descobri em Vossa Excelência valores morais e espirituais que o credenciam não só para exercer a condição de magistrado, mas de conselheiro reto. E, nesse instante, quando a palavra me é entregue, eu quero de viva voz, para que o plenário ouça que eu não fugi no outro julgamento, eu quis exercer, na sua plenitude, um direito constitucional que pertence aos meus clientes, e mais uma vez, não por culpa de Vossa Excelência, mas por culpa dos agentes penitenciários do nosso Estado, o senhor me permitiu que eu jamais voltaria em Itirapina, e se eu voltasse a Itirapina, talvez hoje eu não estivesse fazendo uso da palavra. O senhor coerente, não abrindo uma exceção, mas entendendo a necessidade de nós, Gislaine e eu, tínhamos de conversar pessoal e reservadamente com os nossos clientes. E o senhor marcou três datas, dia 30 de junho, dia 6 de julho e 13 de julho; foram quinze horas onde pelas vezes primeiras nós pudemos, sim, conversar à vontade. Então é uma demonstração inequívoca como o senhor gosta, faz bem para Vossa Excelência exercer a justiça com imparcialidade. Também, magistrado Richard Francisco Chequini, Deus me deu a ventura de conhecê-lo também no seu mister, e de uma forma rápida, eu me apercebi que o senhor era a continuação do dr. Alberto, foi fácil dialogar, foi fácil descobrir por Vossa Excelência das dificuldades que esse defensor tinha nesta causa, e Vossa Excelência, tal qual o dr. Alberto, foi permitindo que as nossas razões devessem ser consideradas com imparcialidade. E para culminar nessa sequência, em data de ontem, quando se exibia a reconstituição, os meus clientes se sentiram mal. Cada ser humano reage de um jeito, e nós temos que respeitar, independentemente da prática de um ato antissocial. E foi Vossa Excelência, com humildade, que entrou na cela, deu guarida moral, preocupou-se com a parte médica, permitindo que devagar, aos poucos, Daniel fosse se recompondo, evitando um mal maior. E quando eu digo isso, não é para justificar a ação de um e de outro, isso vai ser desenvolvido na sequência dos trabalhos. Muito obrigado, não por mim, muito obrigado pela própria população de São Paulo, porque o senhor também a representa.

Dr. Roberto Tardelli, eu não sei, e talvez o senhor também não o saiba, que impressão primeira nós dois nos causamos. Ela ficaria a mercê daquilo que eu fosse me apercebendo e Vossa Excelência pela minha conduta profissional nestes autos. O tempo foi passando, um belo dia, pela primeira vez talvez no exercício da minha profissão, 15 horas, dia de semana normal, eu me encontrei com o senhor à porta de um cinema E o senhor indagava: "O que é que o senhor está fazendo aqui?". Eu falei: "Estou com o meu neto Marcelo". E o senhor estava com seu filho e nós mal sabíamos que, naquele exato instante, se realizava uma audiência neste fórum. Fui também me apercebendo das suas qualidades, procurando ser aquele promotor que não busca só a condenação, mas, sim, o deslinde real dos fatos. Também eu peço as minhas desculpas porque não vim ao julgamento e o senhor sabe bem por quê. Dr. Alberto Zacharias Toron, talvez hoje, sem medo de errar, uma das maiores figuras da posição intermediária da classe dos advogados. Representa com dignidade São Paulo no Conselho Federal da Ordem. Eu queria dizê-lo publicamente que ao juntar esse número da revista *Época* e lendo as suas respostas, especialmente duas que definem bem o seu caráter, característica que odeia nos outros, o senhor respondeu sem pestanejar: falsidade. E em você, falsidade, então eu me apercebi. Eu também tinha uma característica, e ousaria dizê-lo neste plenário do júri, que eu também abomino a falsidade. E aí comecei a fazer uma reflexão bem íntima, que talvez, talvez, o que é só o grande arquiteto do universo que sabe, a afinidade entre Vossa Excelência e quem vos fala começasse por essa característica tão importante. Muito obrigado por me dar atenção, inclusive quando me desloco no Conselho Federal da ordem. Muito obrigado por eu assistir Vossa Excelência impedir que se cometesse uma injustiça com um colega nosso do Piauí, rábula, que queriam tirar-lhe a carteira. E eu no canto lhe pedi, dr. Alberto Zacharias Toron: "Não a recolha, não impeça desse colega nosso continuar advogando no longínquo Piauí". E ao depois quando lhe perguntei, com aquele sorriso amplo, aberto seu, a resposta foi que a integridade daquela carteira havia sido mantida. Muito obrigado por ele, que está longe! Porque reflete a sua conduta profissional. Infelizmente, dr. Alberto, eu aguardei o meu momento. Talvez o senhor diga: que momento é esse? Era o momento de poder falar com o dr. Nadir, não em termos bravos, violentos, pouco educados. Eu ia dizê-lo publicamente também, que do meu lado não haveria nenhum tipo de manifestação, que eu ia respeitá-lo como eu continuo respeitando-o, independentemente do que ocorreu aqui. Apenas me surpreende, e eu gostaria que o senhor fosse testemunha, que ele se encontra ausente, mas essa figura ímpar certamente vai transmitir ao dr. Nadir que a amizade e admiração é a mesma, ela continua intocável, e é por isso, dr. Roberto Tardelli, que eu, na simplicidade da minha poltrona não me levantei, não me insurgi e não cometi nenhum ato que o desagradasse. Apenas eu peço a Vossas Excelências que, por outro lado, entendam a manifestação da minha filha Gislaine, jovem, acostumada a ver o pai com atos de coragem, naquela linha ética que eu tracei para a minha família. Então o senhor transmita ao dr. Nadir, que não há nenhuma mágoa, que ele continue tendo a liberdade de dizer o que lhe melhor aprouver.

Gislene Haddad Jabur. Foi trabalhando que você fez aniversário ontem, mas você aprendeu do seu pai que a responsabilidade caminha em primeiro lugar. Veio, desenvolveu o seu labor e hoje, não perante os outros, não, é perante quem vos fala, aquele que tem zelo especial por você, por tudo aquilo que você representa para mim. Você foi corajosa, imponente, decente, cheia de si, na defesa de Daniel e de Cristian, porque falem o que quiserem — repito! — falem o que quiserem, seja agora ou após o resultado dessa contenda, nós estamos, eu, você e os demais componentes de nosso escritório, dando tudo por esta causa, mostrando que o Direito ou a aplicação do Direito tem que ter um caminho reto, não desvirtuado. Te agradeço, Gislaine, tudo aquilo que você já me deu de bom, seja no campo moral, seja no campo profissional. Edson Calixto Silva, hoje uma promessa, são os primeiros degraus, certamente vai se transformar em uma realidade como verdadeiro operador do Direito. Oxalá eu não esteja errado, muito obrigado pela sua ajuda.

Eu não poderia faltar com a minha palavra franca aos auxiliares da Justiça, dr. Roberto. Eles formam aqueles componentes absolutamente necessários para que se consolide a Justiça. Corajosos policiais militares, é preciso que a sociedade civil do nosso Estado, o mais adiantado, o mais poderoso economicamente, se aperceba quantas vidas de policiais militares são alcançadas, deixando muitas vezes as suas famílias à mercê do nada! Também Vossa Senhorias, como os companheiros da Justiça, realizam uma tarefa importante. Colegas Mauro Otávio Nacif, eu não os deixei para o fim. Na condição de colegas, eu me permiti fazer esta saudação por último, antes que eu me dirija ao corpo de jurados. Pouco importa, dr. Nacif, eventuais posições diferentes, até porque o que o colega busca é resolver o problema da sua cliente. Fica aqui o meu respeito, da mesma forma ao dr. Barni, ao seu filho, à jovem que os auxilia. Mário Sérgio de Oliveira, eu já o disse e você transmita ao Mário de Oliveira, companheiro de muitas jornadas, na emissora que ele trabalhava, no exercício da advocacia e que ele tenha passado para vocês, eu tenho a certeza, aquela coragem que o caracterizava e mesmo na ausência do seu irmão, Mário de Oliveira Filho, você leva o meu abraço dizendo que o Jabur o quer como um verdadeiro colega. Você não podia ficar de fora. Eu tenho uma história com a tua família. Você não está lá, você está sentado aqui. Há 31 anos, minto, há quase 35 anos, eu vi um sonho do seu irmão Flávio, idealista, não sei se mais corintiano ou não do que eu, pouco importa, formar uma torcida que representasse os anseios de praticamente dois terços da população brasileira. O Flávio foi, mas a lembrança está aqui, está viva em você. Eu lhe agradeço porque tenho a sua amizade.

Colegas Eliseu e Lobo, ele me parece que está ausente, mas você tal qual o representa. É preciso que o plenário saiba, não é só atacar, não é só botar defeitos, nós precisamos procurar, buscar soluções. A Ordem dos Advogados do Brasil, seção de São Paulo, em caráter oficial, está aqui presente fiscalizando esse julgamento, na certeza de que ele vai se desenvolver normalmente e que alcance o seu final. Obrigado, Eliseu.

Procuradores, dr. Gabriel, dr. Emílio e dr. Sebastião, eu não vou nem complementar os nomes, porque quando a pessoa ganha a amizade, o prenome muitas vezes é mais que suficiente. A presença de Vossas Excelências enaltece e aperfeiçoa este julgamento, porque Vossas Excelências continuam como verdadeiros fiscais da lei. Imprensa falada, escrita e televisada, do nosso Estado, era impossível esquecê-los nesse dia a dia incessante, em busca de notícias e em busca também de como este caso verdadeiramente se desenvolvia, para terminar definitivamente com as preterições. Nós precisamos buscar a igualdade, condenados ou inocentes, é preciso que todos tenham as mesmas oportunidades perante a lei. E Vossas Senhorias, nos momentos certos, denunciaram os fatos. Não que nós quiséssemos que Daniel e Cristian mudassem de posição e que passassem para a posição de vítimas. Eles o fizeram, tem que responder, mas nós vamos discutir como devem responder. Então também o nosso respeito, também a nossa gratidão, porque nós não poderíamos olvidá-los. Dona Najla [é assim que ele pronuncia] e Cravinhos, talvez esse julgamento até não se realizasse se a senhora não colocasse, com aquela sabedoria, com aquela meiguice, com aquela tranquilidade. Hoje, hoje, nós não estamos discutindo mérito ainda. Mérito vem depois. Vem através de Vossas Excelências. Hoje eu sei que a senhora está de luto por duas famílias. Quando eu lhe perguntei porque que a senhora estava de preto, a senhora aqui disse: "Eu estou de luto pelas duas famílias". A senhora, com o dr. Cravinhos, também foi atingida, e ao desenvolver a minha fala, eu vou contar, eu vou realçar, eu vou dizê-lo o que o Cravinhos e a senhora representam para mim no decorrer de tantos anos. O meu respeito. Acredite na Justiça, porque eu sei que a senhora acredita em Deus. Sem acreditar nele, nenhum passo pode ser dado. E esse caminho seu é um caminho, que com todas as dificuldades, Deus já o santificou, porque independentemente dos seus filhos, os exemplos vão continuar germinando.

Senhores jurados. Perfeito, porque compõe-se de mulheres e homens, numa mescla de experiência, numa mescla de imparcialidade e que, ao final do julgamento, eu tenho certeza absoluta que ela vai se refletir.

O resultado é importante, o resultado é a resposta que Vossas Excelências vão dar a cada um daqueles que compor a nossa sociedade civil. Vossas Excelências hoje representam a certeza da continuação, da distribuição, da justiça do Brasil. O tribunal do júri ele é intocável. O tribunal do júri representa tudo aquilo que o ser humano deseja quando ele precisa de um julgamento. O meu respeito bem acentuado. Gislaine, eu fiz as minhas saudações, elas saíram do meu peito. Agora, eu passo para você, a defesa propriamente dita, e depois eu volto. Talvez eu volte até com mais força pela carga sua em cima do teu pai. Muito obrigado.

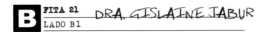

B FITA 21 DRA. GISLAINE JABUR
LADO B1

Vou procurar ser breve nos meus cumprimentos, meu pai já falou tudo. Dr. Alberto, o senhor para mim é um exemplo de magistrado e de pessoa. Muito obrigado, que eu aprendi muito com o senhor. Dr. Tardelli, horas atrás, minutos, não sei, o senhor pôde demonstrar que, mesmo estando em partes contrárias, existe dignidade. Dr. Toron, o senhor deu uma aula, hoje e sempre, obrigada. Flávia também, obrigada. E é difícil para mim, que estou engatinhando no Direito, é uma responsabilidade muito grande atuar no meio de, com todo o respeito, feras jurídicas. Então, eu vou tentar dar a minha humilde contribuição e a minha vontade, o meu empenho de querer melhorar, crescer, para um dia poder estar sentada ao lado deles, de igual para igual. Eu só queria pedir licença para agradecer ao meu pai e à minha mãe pela educação que eles me deram, pela oportunidade de eu me tornar quem sou hoje. Obrigada a vocês. Queria agradecer ao meu irmão pelo incentivo, como professor, doutor, que sempre me deu, para eu me empenhar, para eu estudar, para pesquisar, obrigada. Queria agradecer aos funcionários, aos policiais, os boas-tardes, os bons-dias, os apertos de mão, as felicitações de aniversário, tudo isso foi muito importante para a gente aguentar estar aqui cinco dias sem comer, sem dormir, enfim, nessa tensão e tudo mais. Agradeço de corações a vocês. E deixo por último a minha filha que está aí, e quero dizer para ela que toda a minha vontade de crescer, de ser melhor e subir na vida é por ela e pelo meu outro filho.

Senhores jurados, sr. Dionísio, dona Cleide, dona Iolanda, seu José Wiliam, seu Luís, dona Maria Regina e seu [inaudível] [ela chama os jurados cada um por seu nome]. Eu agradeço de antemão a atenção a mim dispensada nesse momento. Durante todos esses dias, imagino que a tarefa é muito difícil, e nesse momento eu agradeço vocês também.

Agora, eu vou tecer algumas considerações em relação ao acusado Cristian, na verdade alguns esclarecimentos, que são importantes, porque o fim maior de tudo isso que nós estamos vivendo aqui do tribunal é chegar na verdade. E, para que isso seja feito de uma maneira justa e correta, nada mais importante do que saber delinear corretamente, precisamente, a atuação de cada acusado nesse infeliz acontecimento.

Em relação ao Cristian. Cristian, como foi falado aqui, não participou de toda a elaboração, de como ia ser feito, que arma ia ser usada, se ia fazer barulho, se não, enfim, Cristian não participou de nada disso. No dia dos fatos, que foi comprovado pelo depoimento de Daniel, e foi comprovado pelo depoimento da própria Suzane, Cristian aderiu a tudo isso no final do dia, sem saber como ia ser feito, que jeito ia ser feito. No final do dia, ele aderiu a tudo isso. Sendo assim, ele, na melhor das hipóteses, se dirigiu à casa de Suzane para matar uma pessoa. Ele teria sido chamado para matar Marísia, não Manfred. Em nenhum momento Cristian assumiu a posição, quis, teve a intenção, desejou matar Manfred. Em nenhum momento. Eu peço a licença para ler, de Cesar Roberto Bitencourt, um trecho: "Nos crimes de resultado, deve existir uma relação de causalidade entre ação e o resultado, isto é, uma relação que permita, já no âmbito objetivo, a imputação do resultado ao autor da conduta que o tenha produzido". Ou seja, a atuação de Cristian, a conduta de Cristian não interferiu em nada no homicídio de Manfred. Portanto, ele não pode e não deve ser acusado de dois homicídios. Repito: ele não planejou, ele não construiu arma, quando ele chegou nessa história tudo já estava decidido. Ele teve a intenção, ele foi para matar uma pessoa só, em nenhum momento ele cogitou de cometer um outro homicídio. E isso precisa ficar bem claro, porque a sociedade realmente espera de vocês...

Toron: Vossa Excelência me concede um aparte?
Gislaine: Pois não!
Toron: O Cristian, quando foi ouvido na polícia, ele expressamente disse, folhas 240, informa que os três combinaram como fariam isso em sua casa. Antes
Gislaine: Doutor, só pra... dá licença? O Cristian já disse aqui que não leu o depoimento na polícia, e mais, estava desacompanhado de advogado. Já concedi o aparte, por favor.
Voltando. Então isso é muito importante. Realmente a sociedade espera de vocês, juízes da causa, uma atuação justa, uma atuação, mas, ninguém está dizendo que não aconteceu, que não fez, que não matou, não. Apenas precisamos delinear a conduta, a culpabilidade de cada um dos acusados. Voltando, a ação de Cristian, em momento algum, contribuiu

para o homicídio de Manfred. Em momento algum. Se tirássemos a ação do Cristian, Manfred teria morrido da mesma forma. Então precisamos refletir nessa situação.

Outra coisa. Cristian, como foi dito pelo dr. Tardelli ou dr. Toron, não me recordo, ele realmente, ele falou para o sr. Hélio, a testemunha que veio aqui, não me recordo, que era o pai da namorada dele, mas me recordo também que ele disse que Cristian não disse que a moto era dele. Ele não disse. Ele disse que estaria com uma moto que talvez estaria para arrumar, ou para reformar, que era o trabalho dele. Então, quero fazer essa ressalva e relembrá-los dessa fala, desta testemunha.

Outra coisa, nenhum momento, nenhum momento foi falado por Suzane ou por Daniel em pagamento em relação a Cristian. Isso não existe. Não existiu. Ela poderia ter falado, diante de toda essa situação: "Não, realmente prometi a Cristian...". Mas ela em momento algum falou isso. Não existiu promessa de pagamento. Não existiu. Cristian, infelizmente, infelizmente, acabou aderindo a esta infeliz situação por causa do irmão. E realmente ele deixa claro isso em todos os seus depoimentos, seja no policial, seja no interrogatório, seja aqui, que ele não iria ficar com aquela moto.

Veja bem, jurados, vamos raciocinar em conjunto. Se ele fosse tão esperto assim, se ele realmente quisesse se sair bem nessa história toda, ele não teria comprado essa moto. Ele poderia fazer qualquer outra coisa com esse dinheiro e não teria comprado a moto. Porque existe um parêntesis nessa história. Daniel e Cristian cometeram um crime, sim, mas eles não são criminosos até então. Eles não eram criminosos, eles cometeram um crime, isso ninguém vai negar, mas eles não eram criminosos. Então, pelo fato de não ser criminoso, demonstra até uma certa ingenuidade de Cristian de pegar esse dinheiro e comprar uma moto. Se ele tivesse guardado o dinheiro ou feito qualquer outra coisa com esse dinheiro, de repente nós nem estaríamos aqui agora. Isso, na verdade, não demonstra uma má intenção. Não. Demonstra uma falta de perspicácia, de maldade nessa compra dessa moto.

Cristian é acusado de homicídio triplamente qualificado. Ele mostrou, na reconstituição, vocês chegaram a ver pelo vídeo, Daniel explica claramente, inclusive confirmado pelo depoimento da dra. Cintia, a delegada, como da dra. Jane, a perita, mostrando toda a emoção dele no momento, isso foi verdadeiro, que ele, num ato de desespero, de repente naquele momento ter pensado no que ele fez, vocês puderam ver na reconstituição e elas presenciaram, ele começou a sacudir o Manfred, tentando acordá-lo. E nesse desespero, nessa crise, enfim, ele pegou uma toalha para limpar o rosto do Manfred. É muito difícil a gente poder medir a emoção interior daquela pessoa, mas isso está nos autos [do processo]. Essa é a verdade que os autos trazem, que Daniel, diante de uma perita e uma delegada, numa reconstituição, sacudia Manfred na esperança, na fantasia de que ele pudesse acordar. E talvez, num sinal de arrependimento, pegou a toalha, limpou o seu rosto, aonde Cristian, da mesma forma, pegou a toalha e fez a mesma coisa no rosto de Marísia e diante do barulho que esta estava produzindo, ele, diante do desespero daquela situação, pôs também a toalha no rosto dela. Em momento algum desses autos, em momento algum, deixar bem claro, foi provada a asfixia. Muito pelo contrário.

Às folhas 400 dos autos, no laudo do exame necroscópico de Marísia, existe uma pergunta clara: qual a causa da morte? Resposta: traumatismo craniano. Isso é um laudo, um estudo, o mesmo acontece no exame necroscópico de Manfred: causa da morte, traumatismo craniano. Nenhum dos laudos fala em asfixia, ou seja, as vítimas não morreram por asfixia, morreram por traumatismo craniano, ou seja, não houve asfixia, não houve, em nenhum momento, a intenção de Cristian de asfixiar Marísia. Tal fato não foi provado, muito menos comprovado. Nós não podemos impor uma pena a algo que não está comprovado.

Em relação ao fato da Marísia estar machucada, é muito fácil de se entender. Daniel tinha um envolvimento com Suzane, Daniel, por tudo que Suzane passava para ele, independente de ser verdade ou mentira, ele sentia raiva, ele sentia muita raiva. Cristian, não. Cristian não sentia raiva nenhuma. Tornando para ele essa tarefa mais difícil, porque você pegar um pedaço de ferro ou de pau e dar uma paulada em alguém sem raiva, é muito mais difícil, você não tem aquela emoção do momento, você não tem aquele sentimento. O Cristian, era essa a verdade dele naquele momento. Para ele, foi muito mais difícil fazer tudo isso. Por isso que Marísia estava machucada, e não porque houve uma intenção de ser cruel. Inclusive, em relação à crueldade, a escolha das armas, na verdade, como relatado por Daniel, deveria ter sido os apetrechos da lareira, enfim, depois foi mudado por este pedaço de ferro, a crueldade não foi um ato intencional, não foi algo que foi feito de propósito para que eles pudessem ser mais cruéis com aquelas pessoas. Não. A crueldade, ela adveio da própria arma. Eles não tiveram a intenção de ser mais cruéis, eles não pensaram: "Vamos ser mais cruéis, vamos agir de uma forma a causar mais dor, a causar mais sofrimento para essas pessoas". Não.

Não. O resultado pode até ter sido mais cruel, mas foi em decorrência da própria arma usada, não da intenção de Cristian e de Daniel.

Sendo assim, senhores jurados, após essas ponderações, eu peço que vocês reflitam em relação às qualificadoras. Merecem responder pelo que fizeram, sem dúvida, mas eles têm que responder na medida da sua culpabilidade. Devemos ser justos, sim, devemos agir com justiça, sim, mas o remédio tem de ser na medida certa, porque, se não for feito dessa forma, a justiça não vai existir. Obrigada.

[Silêncio prolongado.]

Geraldo Jabur: Eu me permitiria repetir ao dr. Nadir o que eu já disse, que não havia nenhuma mágoa minha, que eu compreendia e que, durante os contatos que nós tivemos, eu enxerguei nele um caipira como eu, sempre no bom sentido. Ele de Bauru, e eu da minha querida e amada Jaú, e que nós, caipiras, sabemos nos entender. Então eu, publicamente, mais uma vez, já dei demonstrações no andamento deste processo, quanto respeito eu tenho pelo senhor, quanta afinidade na lide jurídica dentro deste processo. Então eu renovo...

FITA 22
LADO A1

[Prossegue Geraldo Jabur.]

... Então os encontros foram se aproximando, as afinidades crescendo e cada um procurando colaborar com o outro na solução dos seus problemas. E aí a gente via aquele homem aparentemente frágil, pequeno também aparentemente, que a grandeza não está na altura, a grandeza e a sabedoria está na cabeça e no coração. Cravinhos [Astrogildo], não só para este advogado que vos fala, foi ajudando, ajudando, ajudando e por volta de 1994 ou 1995, ele cumpriu a missão dele sem a menor anotação na sua ficha de funcionário do Estado. Entretanto, a maldade campeia hoje em dia. A senhora dele, numa única entrevista, para uma determinada empresa, resolveu dá-la, falava mãe, e nas cinco últimas linhas eles diziam que Cravinhos havia sido condenado, que Cravinhos havia respondido por processos. Então nós nos apressamos em entrar com uma queixa-crime contra o representante legal desta revista, aonde eles se retrataram. Mas era pouco, era pouco. Ingressou-se, através do meu filho, com ação ordinária competente e há poucos dias, numa sentença invulgar, a ação foi julgada procedente, procurando reparar mais uma injustiça que se fez contra esse homem, porque é bom que se diga e é preciso que se repita: não é ele nem a esposa que estão sentados no banco dos réus. São os filhos. Outros personagens, por outros motivos que não lhe dizem respeito, porque se falou aqui e já se sabe que tanto dona Najla como seu Cravinhos a tudo desconheciam, e infelizmente, nas piores notícias, avassaladoras, os pais ou os parentes mais próximos são os últimos a saber. E no caso em tela, uma particularidade: Cravinhos pai, quando percorreu os organismos policiais, acreditava, sim, que tanto Cristian como Daniel e a coacusada Suzane não tivessem tido a fraqueza humana de fazer o que fizeram. E, durante dias, ele buscou localizar a inocência dos seus filhos, e quando ele se deparou com a realidade, com a verdade dos fatos, ele passou a exercer uma outra função, que só os pais sabem fazê-lo, de dar assistência moral e material para esses dois jovens infelizes. Assim, Cravinhos tem feito, com todas as dificuldades, a sua função de pai, ao lado de dona Najla, e da mãe dele, presentemente com 84 anos de idade, que lá no seu cantinho, sofre, pede a Deus que eles sejam protegidos. E é isso, e é isso que se espera.

Quando o dr. Toron foi constituído, exatamente pela vez primeira, em 12 de novembro de 2002, ele me trouxe uma preocupação. Zeloso, dedicado, será que o dr. Toron está sendo constituído apenas para acusar os Cravinhos? E deixei a coisa se desenvolver, até porque não havia momento propício para que eu pudesse fazer alguma manifestação neste sentido. Mas o tempo, para alguns, ele é algoz, para outros, ele beneficia. Com o tempo o dr. Toron, com essa inteligência invulgar, em 24 de abril de 2006 — percebam, quase quatro anos depois —, ele se apercebeu corretamente que o patrocínio não podia se desenvolver só em cima dos dois Cravinhos. Numa reflexão bonita, que também, também o patrono dele, apesar de sanguíneo dela, entendia que ela tinha responsabilidade. Então eu quero cumprimentar o dr. Toron, porque esta, esta situação se resolveu e, aí, eu passei a ter a certeza que o assistente de acusação neste processo também entendia que a responsabilidade não podia se resumir só aos dois Cravinhos. Eu o parabenizo.

Toron: Eu agradeço Vossa Excelência e peço licença para roubar-lhe um segundinho apenas, para dizer o seguinte: eu nunca tive dúvida a respeito da necessidade de acusar os três, apenas que o tio dela, ele sempre pensava: "O que minha irmã, se fosse viva, gostaria que eu fizesse?". E ele só dirimiu esta dúvida quando de um episódio, ao qual não vou me referir, ficou clara uma encenação que ele não tolerou e aí se decidiu por me constituir também para acusar a sua própria sobrinha. Mas saiba Vossa Excelência que, da

minha parte, nunca houve esse tipo de dúvida quanto a necessidade de se acusar os três, com justiça, seriedade e sinceridade.
Jabur: E eu lhe agradeço e provo a mim mesmo que eu não estava errado. Senhores jurados, os senhores se aperceberam, nesses cinco dias, como é que os trabalhos se desenvolveram. E que nós, defensores dos Cravinhos, não havíamos feito nenhum pedido de leitura de peças. Haveria uns cinco em razão de uma testemunha corretamente intimada, presente no julgamento anterior, e que, por motivos que eu desconheço, não veio. Então eu disse: "Dr. Alberto, eu desisto dela, eu fui contra a cisão, eu quero este julgamento e não vou pedir o adiamento deste próximo porque entendo desnecessário". Então eu não pedi nenhuma leitura de sentença. Eu me restringi a um programa da TV Bandeirantes [*Canal Livre* — do qual a autora Ilana Casoy e Guido Palomba participaram], que vai traduzir a minha manifestação em razão dos jurados. Vossas Excelências verificaram ontem, através de três pessoas distintas: dr. Roberto, que aqui se encontra, a escritora Ivana [ele estava se referindo à autora e quis dizer Ilana] e o perito judicial Guido [Palomba]. Porque é que eu pedi somente essa peça? Porque o representante do MP dava bem, com conhecimento de causa, a proporção do que houvera acontecido, e que, e que a primeira e única responsável, repito-o, a primeira e única responsável, e que me desculpe o dr. Nacif a quem eu respeito, era esta jovem, que talvez, que talvez, infelizmente, infelizmente, se valendo da sua condição de moça rotulada como rica, morando em bairro nobre desta cidade, pudesse fazer com que o Daniel, que tinha uma profissão definida e se preparava para fazer Direito e um desportista de escol como aeromodelista, começasse a ficar submisso naquele relacionamento amoroso que começou a existir. O que nós temos que despir neste plenário, especialmente com Vossas Excelências, é a capacidade de mentir, mentiu em torno de uma ideia. Ele é responsável, sim, há meses eu venho dizendo nas minhas manifestações públicas que hoje, hoje, eu iria pedir para os senhores, de cabeça erguida, que condenassem os dois. E vossas excelências verificaram que quem tem a mesma opinião é a própria mãe dos acusados, só que como ela, o que a gente pede, o que a gente pede e se espera, é que as coisas sejam colocadas nos devidos lugares, dentro de uma proporcionalidade. Por exemplo, a dra. Gislaine já disse, e eu vou repeti-lo, que a posição e a situação do Cristian é absolutamente diferente dos dois. Ele não a namorou, ele não fez pacto! E quando o dr. promotor de Justiça, e eu respeito, e deixei que ele falasse, o que também agora eu não gostaria de ser interpelado, fez, sim, o dr. Toron um aparte, mas não quero fazê-lo novamente, porque

há outros momentos de tréplica e réplica, o Daniel se envolveu, repito, nas mentiras. Mas independentemente das mentiras, ele precisa também ser condenado! Só que com um detalhe, e é isso que eu quero discutir, ele não agiu com dolo, ele não agiu com premeditação ao atender à sua amada. Ele foi, matou? Estou de acordo. E há uma qualificadora que eu não vou discutir, a incapacidade das vítimas de se defenderem! Então vejam, o homicídio existiu, por parte dele em cima do sr. Manfred, e ele precisa ser alcançado sim, por esse homicídio e pela incapacidade das vítimas de se defenderem. Mas eu discordo, respeito a opinião destes dois mestres, com relação à promessa de pagamento do primeiro item. Concordem ou não concordem comigo, o que é um direito que Vossas Excelências têm, e sem também pretender discordar do dr. Roberto, será, eu vos indago, que uma tragédia desta natureza, uma tragédia, uma desgraça, poderia ficar resumida num valor de uma moto? Façam uma reflexão. Pensem nos filhos, nos sobrinhos, nos parentes, nos amigos, até porque, até porque, aquele oficial de Justiça que merece fé pública, ele disse a Vossas Excelências de viva voz, que ele jogou a valise num lugar visível e que Cristian respondeu, com relação à moto, que era uma moto que era para ser vendida. Por quê? Porque ela pedira para que o dinheiro lhe fosse reservado. Ele não cometeu nenhum furto. Tudo o que aconteceu dentro da casa da família de Suzane foi montado por ela, não havia a possibilidade de que o Cristian soubesse onde estavam os dólares, os euros e mais outras moedas. Cristian também não sabia que as joias poderiam estar num determinado lugar, elas foram espalhadas, e logo que o policial militar adentrou na casa, ele se apercebeu que jamais se tratava de um latrocínio. Tanto é verdade que, no dia 31 de outubro de 2002, ao serem submetidos a exame de corpo de delito, lá consta expressamente duplo homicídio, sem fazer alusão à latrocínio.

Às folhas 899, eu vou mostrá-la para Vossas Excelências, quando a Suzane foi inquirida judicialmente, que eu vou fazer alusão e comentário do que vale um depoimento na polícia, que para mim nada vale, especialmente quando sem advogado, o dr. Alberto perguntou: "Quanto ao dinheiro que havia na casa, na mala que falou, havia sido combinado do dinheiro ficar para o Cristian? Havia algo planejado a respeito disso?". A resposta dela que eu submeto a Vossa Excelências: "Não! Não havia sido nada combinado". E eu pediria ao Calixto que passasse, e que Vossas Excelências se debruçassem por um segundo nessa resposta que ela deu, e que, em caso de dúvida, Vossas Excelências poderão consultar o magistrado que preside esta ação penal. Então verifiquem, verifiquem que Cristian não sabia absolutamente de nada que envolvesse dinheiro. Ele é outro trouxa, ele é outro bobo, que se achando esperto resolveu seguir o irmão. Agora é necessário que também nós, de uma maneira mais rápida, porque é impossível, nós perdermos horas e horas aqui, até porque temos prazo certo, de fazer uma avaliação correta quando a pessoa está submetida numa situação dessas! Quiseram falar em drogas, quiseram falar em interesses, quiseram falar em dinheiro da família. Nada disso existiu! Existiu, sim, um romance de uma moça rica, que eu me ousaria dizer para cada uma das senhoras e dos senhores, meio parecido com a Bia Falcão, numa novela que terminou há pouco. Rica, poderosa, mandou matar e com os meios econômicos que ela tinha, ela num avião saiu levando o dinheiro, e o pior, levando um moço que poderia ser seu filho a tiracolo. E nessa mesma novela, nessa mesma novela, porque isso foi assunto, a filha de um rico, no caso a Cláudia Raia, se apaixona por um mecânico que lidava com pneus, com mãos sujas, aparentemente, com mãos sujas aparentemente. Por quê? Por que aquelas eram as mãos do trabalho, da mesma maneira as mãos de Daniel fazendo os seus aviõezinhos, tendo um ganho certo para viver dentro de uma vida que ele traçou. Então, é importante que se faça reflexão em torno desse tema, para que a gente possa estabelecer uma verdade próxima. Veja como o mal se alastra. Essa revista é recente. É a revista *Vogue* [mostra um exemplar]. O que diz aqui da Carolina Dieckman? "A vitória da loira má", "A vitória da loira má", está sem consequência porque é ficção. Aquela [aponta Suzane] conseguiu levar parte da família e parte da família dos Cravinhos num acontecimento que revoltou São Paulo! Nós não estamos aqui só julgando esse caso. Eu queria chamar a Vossas Excelências e todos aqui presentes, que nós deveríamos fazer uma reflexão desse assunto com os pais, o poder judiciário, o Ministério Público, Polícia Civil, Polícia Militar, psiquiatras, terapeutas, psicólogos, para que se encontre, para que se vislumbre um caminho que se faça capaz de impedir crimes desta natureza. E é por isso que eu disse a Vossas Excelências que eu iria pedir a condenação, mas ela tem que ser gradual, ela tem que ser proporcional ao que cada um fez. Quando Cristian quis, quando Cristian quis retificar o seu depoimento, eu não quero dizê-lo em termos de explicações, eu quero dizê-lo que a lei o permitiu, a ponto do dr. Nadir, com uma humildade extraordinária, própria de um promotor que sabe exercer seu cargo, agarrar nas mãos dele para que ele tivesse forças de poder continuar explicando para Vossas Excelências. E depois de quando? Depois do clamor, daquela que sofre calada, daquela que sofre calada. E vejam bem, não discordando do dr. Roberto, de forma alguma, ele até porque é um mestre. Mas quando que o arrependimento floresce? Por isso que eu tomei a liberdade, num livrinho pequeno, cujo título é *Do Ressentimento ao Perdão*. Se a pessoa comete um ato antissocial, ele tem ou não tem o direito de ter perdão? Quando a pessoa faz algo errado, ela deve ser só castigada? Ela não deve ter uma oportunidade para que ela volte à sociedade civil e se reintegre? Então, castiguemos, sim, mas com penas adequadas, permitindo, permitindo, e aí vai ao encontro do dr. Alberto, a definição quando ele for dar a sentença, dos regimes que deverão ser [inaudível], isso em razão da mudança do Supremo Tribunal Federal com relação aos crimes hediondos. Então tudo isso, no momento certo ele vai explicar a cada uma de Vossas Excelências.

Então, o quê que a defesa dos Cravinhos pretende?

O Cristian, o Cristian deve ser alcançado sim, num homicídio qualificado porque ele fez em cima de uma pessoa sem capacidade de se defender. O furto, absolutamente impossível, absolutamente impossível de ser atribuído a ele. A fraude processual, dois desembargadores, desembargador Kogan e desembargador Biazotti, já vislumbraram no Tribunal de Justiça de São Paulo que este crime não ocorreu, e era impossível que ele ocorresse. Não houve nenhuma enganação, não houve absolutamente nada. O que houve sim, um amadorismo confessado dos três, não é só dos meus clientes, não. Dos três, amadores e talvez acreditando, e é uma advertência pública que eu faço, acreditando que o crime é perfeito. Perfeito é só Deus! O grande arquiteto do universo. É esse que rege os nossos passos, é esse que dita as nossas ações. Cogitar de que o crime é perfeito é uma ilusão, é uma mentira. Então é necessário que Vossas Excelências, quando entrarem na sala secreta, se tiverem dúvida, as desfaçam na palavra do dr. Alberto... Pois não?

Juiz: Permite? Eu não quero atrapalhar a sua exposição, eu só quero confirmar o seguinte: no primeiro dia, o senhor disse que cederia uma parte da sua metade, vamos dizer, então eu quero confirmar isso, porque, se daí, nós estamos em cima da hora e alertar o senhor do tempo.
Jabur: Mais uma vez eu vou fazê-lo, porque eu não quero nulidade, eu não quero fazer parte dela, eu tenho certeza que haverá réplica e tréplica, mas se não houver, não há problema, eu estarei dando mais uma vez a minha contribuição desinteressada para que este julgamento seja, chegue ao seu final. Vou dar sim, excelência. De tal maneira que o ilustre colega não venha dizê-lo que eu tive mais tempo do que ele. Se eu não tiver oportunidade mais de falar, não depende de mim, eu vou sair daqui com a minha consciência

tranquila, respeitando a posição de cada um e contribuindo, repito, mais uma vez a que se faça a necessária justiça.
Juiz: Sem dúvida nenhuma. Então seriam mais ou menos uns dois minutos, eu vou ter que dar um descontinho da minha interrupção aqui para não prejudicá-lo, por favor.
Jabur: Tudo bem. Eu devo voltar à Vossas Excelências em razão do que a lei permite quando ocorrerá a réplica e a tréplica. Eu não quero usar o meu tempo por inteiro, que seria de duas horas, e o dr. Nacif uma hora. Então eu vou ceder meia hora para que nada se alugue, porque também não quero comprometimento no julgamento que Vossas Excelências vão fazer. Não sei, não sei, não sei, se eu teria condição física ou psicológica de me submeter a um outro julgamento. Eu vos confesso, o sofrimento, noites, vigílias, parentes distantes se entregando à causa, correndo risco de vida na penitenciária de Itirapina, ficando rendido, impossibilitado de falar com os clientes, pedindo pelo amor de Deus para que nós tivéssemos pelo menos a oportunidade sagrada de conversar com os dois jovens. Muito obrigado, me desculpem se houve algum excesso, e, se eu tiver condições, eu volto a conversar com Vossas Excelências. Muito obrigado.
Juiz: Obrigado, dr. Jabur, especialmente pelas palavras que o senhor falou. Na realidade, não é uma... Bom, eu vou até indagar. Os senhores jurados, veja bem, normalmente, nós não interrompemos as manifestações. Só que no caso aqui há uma peculiaridade, porque são réus distintos, teses distintas, defensores distintos. Os senhores jurados por acaso querem um intervalo rápido para utilizar o sanitário ou alguma coisa? Não há necessidade? Então, nós vamos fazer um... Mas é exatamente isso que eu ia falar. Nós não estamos suspendendo os trabalhos, nada. Só vou suspender a contagem do tempo para trazer um quadro, não meu, um quadro branco, no caso, um quadro para que seja feito um desenho ou escrita pelo doutor, para não atrapalhar, por favor.
Juiz: Defesa da ré Suzane, dr. Nacif e demais defensores, né? Equipe, como o senhor disse agora. Eu estou pegando pelo relógio do plenário, 17h25, nós temos então... [Faz as contas.] Então, Vossa Excelência...
Nacif: Um segundinho só... por favor, excelência.
Um segundinho só, excelência. Por favor, excelência.
Juiz: Então Vossa Excelência está com a palavra a partir das 17h25, pelo relógio do plenário, até às 19h05.

FITA 21 DR. MAURO
LADO B1 ~~OTÁVIO NACIF~~

Excelentíssimo senhor doutor juiz presidente deste régio tribunal, meus respeitos. Douta acusação, meus respeitos. Senhores funcionários, doutos colegas, minha saudação. Senhores do povo, minha saudação. Minhas colegas, funcionários, doutor juiz que organiza o tribunal aqui na parte administrativa, meus colegas da defesa, senhoras juradas e senhores jurados. Senhoras juradas e senhores jurados. Esse caso é muito clara a situação das partes, porque a essa altura dos acontecimentos, nesse ínterim de vários e vários dias, Vossas Excelências, três juradas e quatro jurados, já conheceram muito da prova, ouviram as testemunhas, ouviram os réus, ouviram a acusação, ouviram a defesa. Então agora não é hora mais de fazer um verdadeiro histórico do caso. É importante agora, nós irmos no ponto central, o dedo na ferida. Quais são os pontos principais desse caso? O ponto principal desse caso, eu já vou dizer daqui a pouco que é de quem teve a ideia, mas antes, eu gostaria que Vossas Excelências olhassem para esse quadro branco, por gentileza, não são obrigados a olhar, nada, o defensor não o obriga a nada. Se quiserem olhar, claro, olhem. Se não quiserem, não olhem, mas eu estou aqui em busca da verdade real. Esse quadro aqui, esse mapa que a minha colega Milena fez, é muito importante para este caso, eu já vou explicar por quê. O primeiro item que está aqui, o item número um, que eu vou dizer, chama-se dúvida. Eu vou explicar para Vossas Excelências com todo respeito. Segundo as normas do Direito Brasileiro, as normas, quando houver dúvida, eu não estou dizendo que há dúvida obrigatoriamente, eu estou apenas dando para Vossas Excelências um subsídio, uma ideia. Diz o Código de Processo Penal, no artigo 386 inciso VI, do CPP, do nosso código, e isto se aplica aos senhores jurados, segundo a doutrina, segundo a jurisprudência, segundo os estudos, a dúvida favorece sempre ao réu. É um dogma. Assim como a dúvida favorece a sociedade na hora da denúncia, da exordial da denúncia, assim como a dúvida favorece o Ministério Público na hora da pronúncia, que os senhores já ouviram, aqui, as senhoras juradas e os senhores jurados, na hora do julgamento, isto é algo universal, a dúvida favorece ao réu. Então, eu até trouxe aqui um trecho de um livro do dr. Carlos Biazotti, que é um desembargador, aonde ele diz no livro dele sobre o processo penal: *Non liquet*. Essa dúvida, a dúvida favorece ao réu, ele é chamado também de "*non liquet*", *non liquet* ou *in dúbio* pro réu. O quê que é *non liquet*? O dr. Carlos Biazotti, esse grande desembargador criminal, diz no seu livro, que está aqui: *non liquet*, isto quer dizer, não está claro, não convence, estou em dúvida! A coisa não está bem esclarecida! Eu vou repetir para os senhores. A dúvida é um dogma do código que está no artigo 386 VI, do CPP, do Código Processual Penal, e isso se aplica aos senhores jurados.

Porque hoje os senhores jurados são magistrados, são os juízes de fato. Vossas Excelências hoje são os juízes, são magistrados. Então aos juízes magistrados se aplica a lei, até porque, eu vou voltar a questão da dúvida que é importantíssimo nesse caso. Até porque, até porque, no compromisso dos senhores jurados, que os senhores fizeram um compromisso, um juramento, está dito assim, na hora em que todos nós ficamos em pé. E Vossas Excelências juraram, para o compromisso dos jurados, para se metamorfosearem, essa que é a imagem interessante. Vossas excelências, naquela hora do juramento, do artigo 464 que eu vou ler, naquela hora, Vossas Excelências não mais participam do povo. Vossas Excelências, a partir daquele juramento que foi feito em pé, Vossas Excelências, eu repito, se metamorfosearam, se transformaram em julgadores. Inclusive em Minas Gerais, eu já fiz júri em Minas Gerais inclusive, em Minas Gerais o jurado vem com a roupa que quiser, porque é uma pessoa do povo, como eu também sou, como todos nós somos, mas em BH há uma norma do Tribunal de Justiça de que os jurados devem usar uma capa preta, uma roupa solene, nobre, preta. Os jurados ficam o tempo inteirinho em plenário com uma capa preta parecida com essa [mostra sua beca]. Mais simples, mas comprida até o calcanhar. Então, voltando à dúvida, que é o ponto principal, Vossas Excelências ao começo do júri fizeram um juramento. O que diz o código do juramento, para chegar no artigo 386 VI. Diz o código, em nome da lei, concito-vos a examinar com imparcialidade esta causa e a proferir a vossa decisão de acordo com a vossa consciência e os ditames da justiça. Eu repito, os ditames da justiça. Quais são os ditames da justiça? São do código. O que é que diz o código? Na dúvida, em favor do réu. Quando houver uma dúvida relevante, uma dúvida grave, uma dúvida forte, uma nebulosa, algo cinzento, algo amorfo, uma dúvida, diz o código, não sou eu, art. 386 VI do CPP. E essas matérias de Direito, Vossas Excelências inclusive poderão perguntar ao nobre juiz, ou na sala secreta ou não, qualquer jurado, matéria de Direito, não matéria de fato, qualquer jurado pode levantar a mão e perguntar: "Sr. juiz, é verdade que a dúvida favorece o réu?". Os senhores, se tiverem alguma dúvida sobre a dúvida, os senhores podem levantar a mão: "Dr. Anderson, é verdade que o Código de Processo Penal determina que a dúvida deva pender para o réu?". Pode perguntar à vontade! Ou agora, ou na sala secreta. Então, encerrando essa parte que é fundamental para a defesa da ré, eu volto então ao livro do dr. Carlos Biazotti. Ele explica que o art. 386 VI, que a dúvida, ela é chamada de *in dubio pro reo*, na dúvida em favor do réu, e também de *non liquet*. É uma expressão mais bonita, latina. *Non liquet*, que quer dizer? Não está claro, não convence, estou em dúvida, e mais, diz o desembargador, a coisa não está bem esclarecida. Então, encerrando essa parte, se os senhores eventualmente, numa interpretação da prova, numa interpretação de um documento, num raciocínio, numa imagem, os senhores tiverem uma dúvida pequena, os senhores poderão decidir livremente. Mas, se a dúvida for uma dúvida mais relevante, uma dúvida mais forte, uma dúvida realmente pesada, os senhores devem escolher a versão da ré, porque não sou eu que estou dizendo, é o Código que diz, *in dubio pro reo*, qualquer dúvida... consulte o magistrado sobre esta norma.

Vamos agora para um outro item. O item dois. De quem foi a ideia? Este é o ponto principal deste júri. Isto foi dito várias e várias vezes aqui, inclusive a acusação usou muito o depoimento da Fernanda, aquela Fernanda do que mesmo? Fernanda, Fernanda, por favor, Fernanda? Itahara! Kitahara? I, I. Com G? A acusação usou muito o depoimento de Fernanda Guitahara [Fernanda Soel Kitahara] que veio aqui, uma moça extremamente importante, séria, com uma grande confiabilidade e credibilidade, elogiou muito o depoimento, elogiou muito o depoimento desta Fernanda Kitahara que esteve aqui, mas usou muito o seguinte: ela mesma disse, e disse a acusação, e é verdade, ela mesma disse que não sabia quem dominava quem. Ela não sabia se era a Suzane quem dominava Daniel ou vice-versa. Muito bem. Então vamos para a linha do meu raciocínio inicial. O ponto principal desse caso, o ponto número um desse caso, é o seguinte: de quem foi a ideia. Porque a ideia deve ser encarada como uma ideia unilateral! Alguém teve uma ideia, alguém teve a ideia de matar os pais de Suzane. Alguém teve essa ideia macabra, mórbida, violenta, incrível! Alguém teve essa ideia, algum ser humano teve esta ideia, alguma pessoa teve essa ideia. Alguma pessoa chegou num certo momento, num certo silêncio, perante o espelho, perante uma parede ou não, e teve a ideia. E eu vou provar para Vossas Excelências que essa ideia é de Daniel! Eu vou provar que a ideia é de Daniel. Então, aonde eu quero chegar, as juradas e os jurados que entenderem que a ideia foi de Suzane, se os jurados chegarem na sala secreta e pensarem assim: "Realmente, eu não tenho dúvida, não tenho dúvida alguma, eu não tenho nada, eu tenho 100% de certeza que a ideia foi de Suzane" — condene a Suzane! O jurado que chegar à conclusão, sem dúvida, de que a ideia foi de Suzane, há de condenar Suzane, está encerrado o júri, está encerrado o julgamento. O jurado, no entanto, como eu vou provar aqui, que chegar à conclusão como jurado, como cidadão do povo que se metamorfoseou em jurado, que recebe uma missão divina de Deus de julgar um semelhante. Eu li outro dia uma frase bonita de um escritor francês que dizia assim, um filósofo francês que dizia assim, eu li e guardei: "Ser bom é fácil", ele se referia aos magistrados lá da França: "Ser bom é fácil, ser bom é fácil, o difícil é ser justo". Ser bom é fácil, o difícil é ser justo. Então, com tudo que será mostrado, com tudo que será analisado aqui, nesse pouco tempo que eu tenho, porque eu nem faço saudação, é prova, prova, prova! Esta moça aqui tem o direito de ter todos os segundos do júri ditos em favor dela! Aqui não tem saudação, não tem homenagem, não tem nada! É prova, prova e prova! Em homenagem a ela, que é a ré! Então veja os senhores jurados, é o número dois, por favor [mostrando no quadro].

FITA 22
LADO B1

Tardelli: Doutor, doutor, parece que um jurado está se dirigindo ao juiz...
Nacif: Claro!
Tardelli: Eu pediria que...
Nacif: O juiz vai conversar com o senhor...
Alguém não identificado: O senhor me desculpe, o senhor me desculpe...
Tardelli: Claro, por favor! Então eu estou
marcando lá, doutor... Dois minutos.
[trecho inaudível]
Alguém não identificado: Dr. Nacif!
Nacif: Pois não?
Alguém não identificado: Dois minutos...
Nacif: E eu poderia saber qual foi... Eu mudo
o quadro... Quer que eu explique?
Bem, continuando então, e eu agradeço ao senhor jurado. Todos os esclarecimentos eu estou disposto. Até porque, senhor jurado, eu vou ler, eu vou ler, senhor jurado, eu quero contar para o senhor que aqui no Código de Processo Penal, que é a nossa Bíblia, a nossa bússola, vai ter um momento nesse júri, quando os debates terminarem, isso eu vou dizer para o senhor jurado e para todos os senhores jurados, há uma norma aqui no código que diz assim: quando os debates terminarem, quando Suas Excelências falar dos quesitos, na hora de ir para a sala secreta, na hora de ir para a sala secreta, o juiz é obrigado

a perguntar para os jurados, em público... Eu vou ler o artigo. Sabe o artigo de cor? É 47, né? Onde é que está aqui? Sabe, dr. Nadir?

Antes de se retirarem para a sala secreta, o juiz perguntará se querem mais algum esclarecimento. Então vou ler, rápido então, pra mim. Eu voltarei a esta questão já com o senhor.

Voltando à questão da dúvida, então está encerrada a questão da dúvida. Vamos voltar à questão de quem teve a ideia. Eu repito para os senhores jurados mais uma vez. O jurado que entender que a ideia foi de Suzane, exclusivamente, que ela sozinha, que ela é uma menina diabólica, que ela é uma feiticeira, que é uma diabólica e que ela sozinha teve essa ideia, há de condenar Suzane. Aquele jurado que entender que não, primeiro, que há uma dúvida enorme, olha a dúvida de novo, que há uma dúvida enorme, de quem foi a ideia, ou então o jurado que entender que a ideia foi de Daniel, como foi realmente! A ideia foi de Daniel, e depois eu vou contar por que que ele teve essa ideia! Por quê! O jurado que entender que a ideia foi de Daniel, abrem-se as portas para a absolvição de Suzane, pela coação moral irresistível, como eu vou explicar daqui a pouco. Este é o ponto principal, de quem foi a ideia. Encontrou o artigo? Você pode me ajudar, Toron? É o artigo... 479, 481... 474... [continua] O senhor pode me ajudar, excelência?... Um instantinho só, eu já vou continuar... Não nã, nã, não. Não é relevante? Não! É super-relevante, tá certo? Tá aqui! Tá aqui, tá aqui, achei, não, minha filha achou!... Quatrocentos e setenta e nove, não é?... [Confusão total no plenário, na defesa.] Não, não, eu vou ler, me dá o artigo. Senhor jurado, voltando à sua questão que o senhor perguntou para o magistrado alguma coisa, eu quero contar para todos os senhores jurados o seguinte: existe uma norma aqui do código que eu vou ler, que é o artigo 479, que diz o seguinte: em seguida, isto aqui em plenário, quando terminar o julgamento, em seguida, lendo os quesitos e explicando a significação legal de cada um, o juiz indagará das partes se tem requerimentos a fazer, devendo constar da ata tatatatá, lido os quesitos... Artigo 478, eu enganei de artigo, é o 478. Concluídos os debates, eu acho muito importante este artigo, até vou dar uma sugestão. Concluídos os debates, o juiz indagará dos jurados se estão habilitados a julgar ou se precisam de mais alguns esclarecimentos. Eu vou repetir. Quando terminarem os debates, acabaram os debates completamente, daqui a algumas horas, o juiz, o juiz vai perguntar para Vossas Excelências, com base no artigo 478 do CPP, o seguinte: o que é que diz a lei? Concluídos os debates, o juiz indagará dos jurados se estão habilitados a julgar, a julgar, ou se precisam de mais esclarecimentos... Nesse momento inclusive eu quero dar uma sugestão para Vossas Excelências. O juiz pergunta isso de uma maneira tradicional, normal, mas um pouco rápida. Essa frase é muito rápida, geralmente. O juiz pergunta: "Os senhores estão habilitados, os senhores precisam de mais esclarecimentos?". Ou os senhores estão habilitados a julgar? Geralmente o jurado, até por timidez, até por não retardar mais o júri, geralmente não fala nada. Então eu pediria para Vossas Excelências, nesse momento, do artigo 478 do CPP, que a minha filha encontrou finalmente, se os senhores entenderem que ainda falta algum esclarecimento, como o senhor quis um esclarecimento agora, pode levantar a mão e o juiz não vai se retirar para a sala secreta, não vai ler os quesitos antes de que o jurado resolva algum esclarecimento. E digo mais! Na sala secreta, inclusive, aqui um outro artigo... Na sala secreta, está dito aqui no código, na sala secreta, o jurado que entender que alguma dúvida, que queira ler o processo, que queira ler um laudo, que queira ler um depoimento, poderá da sala secreta pedir os autos, um escrivão leva e o jurado lê. Então, o jurado só pode decidir com todos os esclarecimentos! Então, eu repito! O art. 478 é muito importante naquele momento. Vai dizer o juiz: vamos julgar ou os senhores querem mais esclarecimentos? Quem quiser levanta a mão! Muito bem. Continuando então, vamos voltar para o ponto principal desse processo.

O ponto principal desse processo é realmente de quem teve a ideia, como eu já falei para os senhores aqui. Inclusive, eu quero falar duas coisas sobre esse argumento, argumento não, sobre esse raciocínio que é importantíssimo esse raciocínio. Quem teve a ideia! O dr. Tardelli quando começou a sua acusação hoje, aliás brilhante, ele disse assim aqui em plenário, nós temos hoje aqui, senhores jurados, o cérebro e a coragem, se referindo a Suzane e a Daniel. Nós temos realmente, eu vou usar essa frase, o dr. Tardelli me ajudou muito com essa frase, muito! Nós temos realmente aqui em plenário o cérebro e a coragem. Nós temos em plenário aqui. O cérebro é Daniel, e a coragem é Cristian! Eu vou dizer para os senhores de novo! O dr. Tardelli me ajudou muito nesse júri. Disse uma frase brilhante para a defesa. Disse ele: nós temos aqui em plenário hoje, senhoras juradas, o cérebro, Suzane, e a coragem, Daniel. Errado! A interpretação está errada. Nós temos em plenário aqui sim, o cérebro, que teve a ideia, que organizou tudo, que tinha o motivo, que tinha o porquê, que era dinheiro! Nós temos aqui o cérebro: Daniel. Nós temos aqui a coragem: Cristian! Porque ele que pulou a janela, ele que invadiu, ele que ajudou, ele que participou. Isto é muito importante. Esse argumento é fundamental.

[Há um problema com o microfone, e o áudio fica inaudível.]

Eleonora [filha de Nacif e advogada]: ... Que ele teve a ideia de matar os pais... Cristian confirma essa ideia que eu acabei de ler para os senhores às páginas 280, Cristian Cravinhos de Paula e Silva diz: "Daniel lhe passou a ideia para ver se aprovava". Senhores jurados, na página seguinte, 281, Cristian diz ainda: afirma que o planejamento do crime começou há dois meses e quem deu a ideia "foi meu irmão Daniel Cravinhos". Sem mais por hora, dr. Mauro. Nacif: Vejam, Vossas Excelências. Está provado nos autos, está dito nos autos, que a ideia, não só na palavra do próprio Daniel, depois ele mudou! Como mudaram. A ideia do crime, o porquê do crime, a ideia do crime, foi exclusivamente de Daniel. Ele que teve essa ideia, e há prova nos autos. Agora, em cima disto, eu vou começar a argumentar com vossas excelências de por que a ideia foi de Daniel e jamais de Suzane. Vejam, Vossas Excelências, como a coisa é lógica, o júri é algo lógico! Vejam os senhores jurados, e a dúvida favorece a ré. Vejam os senhores jurados. Essa moça era milionária. Essa moça morava numa mansão no Brooklin, no Campo Belo. Essa moça tinha todo dinheiro que queria. Essa moça inclusive foi, tudo que eu estou falando está nos autos, ou na palavra dela, ou na palavra das testemunhas, porque eu vou usar a palavra dela, por exemplo, quando ela conta, por exemplo, que ela veio aqui, a questão dos 17 anos, que ela vinha aqui no fórum assistir júri trazida por um promotor de Justiça, cujo nome eu vou omitir, tudo que eu vou dizer tem base na palavra dela. Só que eu não posso agora nesse tempo exíguo, que os segundos escapam pela minha mão como uma areia que eu vá segurar, como gelo que eu vá segurar, eu tenho uma responsabilidade de defender esta moça do começo ao o fim, até o último segundo. Eu não posso ficar vendo processo, mas eu garanto para Vossas Excelências, para as senhoras juradas, que tudo que eu vou dizer aqui, ou tem base na palavra dela, nos autos, ou em outro lugar, ou num documento. Então vamos lá. Esta moça, ela já tinha o dinheiro da família. Essa moça já era herdeira de tudo. Essa moça era milionária. Essa moça era viajada. Era educada. Era culta. Era simpática, era retraída. E mais! O pai dela, segundo os autos, o pai dela mais ou menos uns seis meses antes dela conhecer o Daniel, o pai dela foi assaltado, tipo assalto relâmpago, rapidinho assim no banco. Muito bem. O que aconteceu? O pai dela ficou traumatizado com essa questão do assalto dele porque ele estava sem dinheiro na carteira, foi uns seis meses antes de conhecer o Daniel, mais ou menos. E o pai começou a usar então bastante dinheiro dentro da carteira, coisa de três mil, quatro mil, até o dr. Anderson perguntou para ela aqui, eu me lembro aqui, no interrogatório da acusada aqui, o dr. Anderson

perguntou, mas você tinha tanto dinheiro como? Ele perguntou. Ela tinha bastante dinheiro, fora o que o pai dava tudo para ela, chamava a ré de florzinha, a mãe também, ele tinha dinheiro na carteira aos montes! Ele andava na carteira com quatro, cinco ou seis mil reais! E não se incomodava. Ele andava para não ser assaltado. Quando ele fosse assaltado de novo, ele pensava, em vez de me levarem para um caixa eletrônico, um, dois, três, quatro etc., eu já pego o dinheiro e já dou o dinheiro e fico livre dos assaltantes, compreenderam?
Eleonora: Dr. Mauro, ela e o irmão Andreas também podia. usar bastante o dinheiro à vontade, inclusive o Andreas montou uma mobilete com esse valor. Os dois irmãos tinham acesso.
Nacif: Exatamente. Eu quero... aqui o júri é em equipe. Vocês me aparteiem sempre que quiserem, o irmão também pegava o dinheiro?
Eleonora: Sim, o dinheiro era para os dois filhos.
Nacif: Mário, você não quer pegar um outro microfone? Eu prefiro... É isso mesmo, então? O irmão também usava o dinheiro?
Mário de Oliveira Filho: Foi confirmado pelo Daniel que eles tinham uma mobilete em sociedade, em que as peças foram compradas pelo Andreas e ele montou a mobilete, então o Andreas também tinha, uma criança de 15 anos, também tinha acesso ao dinheiro fácil. Assim como a Suzane.
Nacif: E eu tinha esquecido desse argumento. Por isso que é bom júri em equipe, com aparte favorável.
Mário: Dr. Mauro, só mais um para acrescentar.
Nacif: Só mais um não! Você fale quanto você quiser!
Mário À época dos fatos, o Andreas tinha 12 anos de idade quando montou a mobilete.
Nacif: Talvez... vejam, senhores jurados... eu vou falar a partir de agora, senhores jurados, porque se eu ficar falando muito Vossas Excelências e etc. eu posso perder muito tempo e até ficar rouco, que eu estou com um pouquinho de bronquite ainda. Então, o seguinte, senhores jurados, eu estou me referindo primeiro, sempre que eu falar, senhores jurados, eu estou me referindo sempre primeiro às mulheres, primeiro a mulher, depois os homens. Então, senhores jurados, faz de conta que é, mulheres e homens. Muito bem. Primeiro a mulher, sempre a mulher. Muito bem. Continuando então, o meu colega disse uma coisa que eu nem me lembrava, porque é tanta coisa... que realmente o Andreas, menor, tinha 12 anos, não é? Já tinha dinheiro porque iam na carteira do pai, e o pai dava à vontade. Então ela tinha dinheiro à vontade. Ela tinha viagem para a Europa, ela tinha chofer, tinha carro, tinha tudo! Jamais passaria pela cabeça dela matar o pai e a mãe, participar desse assassinato, por dinheiro! E isto foi uma ideia do Daniel!

FITA 24
LADO A1

Tardelli: ... Meninos de rua, o que é estranho. Eles têm família, tem pai, mãe, cresceram! O Daniel fez o primeiro ano de faculdade de Direito! Não pode terminar, nós terminamos, o senhor terminou, mas compará-los? Fazer essa redução social? Me parece perigosamente preconceituoso além do quê, em nada lastreado na prova dos autos. É isso que eu estou dizendo.
Mário: Sem nenhum preconceito, até porque não existe, com uma diferença: Daniel tinha experiência de vida. Daniel vivia no parque Ibirapuera no meio de pessoas. E Daniel mesmo é quem diz no seu interrogatório na polícia que já usava drogas. Não sou eu quem diz, é o próprio Daniel, está aqui no processo quando ele diz o seguinte... É que eu estou pior que o dr. Mauro, eu não estou enxergando. Afirma que realmente utilizava habitualmente de maconha, e somente uma vez, no início, fez uso de ecstasy. Então era uma pessoa que já conhecia a vida! Contra uma menina que vivia num regime trancado em casa, naquela redoma, que não tinha o conhecimento, então muito fácil de ser manipulada pela mente diabólica do Daniel.
Nacif: Mário, Mário, só para não deixar a coisa mal esclarecida, eu vou fazer um aparte em você. O seguinte, você quis diminuir os irmãos falando de meninos de rua?
Mário: Não, exatamente o contrário, eu quis demonstrar que eles tinham experiências de vida, os dois já conheciam tanto que conhecia que o Cristian já não morava mais em casa, é uma família que o Cristian morava com a avó, diz ele, que por motivos de doença. Ele morava com a mãe, mas já conheciam a vida, tinham conhecimento do que é a vida. Frequentavam outros meios que a Suzane não conhecia, a qual ela foi levada, que inclusive o mundo das drogas.
Nacif: Obrigado. Senhores jurados, vamos continuar então para nós chegarmos então naquela questão da reconstituição e tudo. Então vejam os senhores jurados. Toda caminhada, todo estrada de mil quilômetros tem o primeiro passo. O primeiro passo é este, de quem teve a ideia, e nós já conversamos sobre isso, já dei a minha ideia para os senhores sobre isso. A ideia. Agora vejam os senhores o seguinte: eu quero mostrar, eu quero mostrar para os senhores jurados algo muito importante que já está na lousa, já está na lousa. Eleonora, você pode apagar já essa dúvida e o 386 VI etc. Pode deixar só o mapa da carceragem. Apaga tudo. Não só o do lado direito. Milena, é melhor você

apagar. É por que ela... na não, é porque ela que fez o mapa, só o que está escrito. Obrigado. Bem, vamos agora falar sobre a questão da coação moral... aliás, excelência, estou deixando claro, a minha tese principal é: não exigibilidade de conduta diversa, naquelas circunstâncias em que ela estava dominada psiquicamente pelo Daniel. E eu vou postular um quesito só. Depois, eu vou debater com Vossa Excelência porque o dr. [inaudível] de Paiva Coutinho entende que é um só, Assis Toledo dois etc. A outra tese é: coação moral irresistível, com excesso culposo, com excesso culposo. Coação moral irresistível, e depois o excesso culposo fundido com esta tese. E depois as qualificadoras etc., isso aí não tem quesito. Eu pergunto para Vossa Excelência, há alguma dúvida sobre as teses? Por enquanto não, então tudo bem. Não, porque eu fiz um júri há tempos atrás e o juiz disse: "Ah, doutor, o senhor não falou na inexigibilidade, e eu vou quesitar estado de necessidade".
É NÃO EXIGIBILIDADE DE CONDUTA DIVERSA. Eu até trouxe um acórdão pioneiro aqui de São Paulo do Gentil Leite. Bem. Mas depois eu volto e falo de novo sobre a tese. Eu tenho verdadeiro medo, eu tenho medo de terminar o júri e aí o juiz: "Doutor, o senhor não falou a sua tese!". Outro dia eu vi um defensor público aqui, não, aqui não, lá em Santana, parece, que ele terminou o júri e falou: "Então a violenta emoção..." Disse a juíza: "Doutor, o senhor não falou em violenta emoção!". Pronto! O rapaz quase teve um enfarte! Então eu quero ser bem claro, que a minha tese são duas teses: o excesso é um complemento. Muito bem! Claro que eu vou combater as qualificadoras, combater tudo! Tem a questão da coação moral resistível, mas aí não tem quesito. Muito bem! Continuando então, agora nós entramos no segundo ponto mais importante desse processo. O primeiro ponto mais importante desse processo, que é um degrau, a defesa não vai conseguir absolvição desta moça, desta moça que está sentada aqui, se eu não convencer os senhores jurados que a ideia não foi dela. Como já falei. A ideia não foi dela! Ela não tinha motivo para ter essa ideia, não é verdade? Tudo aquilo que foi dito aqui ou pelo Cristian. A ideia foi de Daniel, infelizmente aconteceu essa tragédia. O jurado que entender que a ideia foi dela condena a Suzane. O jurado que entender que a ideia foi de Daniel, como está no processo, certo, Mário? Quem é que diz que a ideia foi de Daniel, Mário, por favor. Quem é que diz? Por favor!
Mário: Que a ideia foi de Daniel está demonstrado no processo pela palavra deles, apesar de que a palavra deles muda a cada momento, dependendo da situação. Porém, ontem ficou questionado porque o Andreas saiu de casa, e que Suzane teria tirado o Andreas de casa para que eles pudessem cometer o crime. E mais uma vez

leem aqui o depoimento do Daniel, que diz que deu a ideia para
o Andreas ir até à Red Play, de modo que ele não estivesse na
residência, ou seja, quem também deu a ideia para tirar o Andreas
de casa foi o Daniel, de acordo com o depoimento dele.
Nacif: Então agora que nós terminamos com o primeiro ponto principal
do processo, que é quem teve a ideia, vamos agora para o segundo ponto
mais importante desse processo, o segundo ponto. Antes de começar
o segundo ponto, eu quero me orientar com a minha cliente. Porque ela
que sabe dos fatos aqui da carceragem, não eu. Eu não estava lá. Eu vou
consultar a minha cliente sobre um detalhe que eu esqueci. É aquele
mapa. [Conversa com Suzane.] Senhores jurados, vamos agora para
o segundo ponto mais importante. Esse processo, e aí que entra a coação
moral irresistível, aí que entra a não exigibilidade de conduta diversa,
que depois eu vou explicar com um rascunho dos quesitos, o segundo
ponto mais importante do processo é o seguinte: esse processo, ele tem
uma zona limítrofe. Olha, eu estou um pouquinho surdo por causa
do catarro. Está chegando bem a voz aí? Está? Está mesmo? Nesse
processo tem uma... tem, né? Tá. Esse processo tem uma zona limítrofe,
tem uma data limítrofe. É um abismo, esse processo tem um abismo!
Esse processo, ele é um processo até o dia 4 de fevereiro de 2003. Esse
processo, ele é um processo "xis" até o dia 4 de fevereiro de 2003.
E esse processo é um outro processo. Ele se metamorfoseou num outro
processo. A partir do dia 4 de fevereiro de 2003. O que aconteceu no dia
4 de fevereiro de 2003 é fundamental para esse processo, é fundamental
para a questão da reconstituição, é fundamental para a conduta de
Suzane na participação dos fatos, tudo se resolve nesse dia. Quatro
de fevereiro de 2003. E eu vou explicar para os senhores jurados. Esta
moça, ela foi interrogada pelo juiz de Direito, o mesmo de hoje, só uma
vez. No final de 2002. Foi a única vez que ela foi interrogada. Ela veio
ao fórum em final de 2002, foi interrogada, um longo depoimento, mas
vazio, na verdade, você espreme esse depoimento e você não consegue
pegar... ela usa muito o verbo obedecer. Já em 2002. Ah, eu obedecia
o Daniel, eu obedecia o Daniel, eu obedecia o Daniel. Mas na verdade
é um depoimento que não é um depoimento, é um depoimento dúctil,
ele é elástico, ele é vai-e-vem. Por quê? O que aconteceu neste dia?
Neste dia aconteceu o que a [agente penitenciária] Marissol Ortega
falou aqui. Esta funcionária pública de dezesseis anos [de trabalho]
altamente séria! Altamente religiosa, e altamente compenetrada, de
grande confiabilidade, de grande respeitabilidade. Aconteceu o seguinte:
até, prestem atenção, senhoras juradas, que isso aqui é o segundo
ponto mais importante do processo. Até o dia 4 de fevereiro de 2003,

a Suzane ainda era dominada psiquicamente pelo Daniel, ainda era apaixonada perdidamente pelo Daniel, ainda era envolvida pelo Daniel, pela família do Daniel, pelo amor do Daniel, por tudo com o Daniel.
Eleonora: Faltam trinta minutos, doutor, só para avisar.
Nacif: Já? Mas com o tempo extra? Não, pera um pouquinho só, pera um pouquinho só. Mas já com o tempo extra ou não?
Eleonora: Já.
Nacif: Mas não pode ser, doutores. Eu estou falando há quanto tempo? Mário, por favor, Mário... Não.
[Inaudível.]
Nacif: O final dos finais? Com esse acréscimo?
[Inaudível.]
Nacif: Então, o tempo todo... Toron, há quanto tempo, Toron. Toron, o tempo total, total. [inaudível] Eu quero, faz favor. E falta meia hora? Tá, tudo bem. Dá tempo, Mário, dá tempo. Tudo bem, excelência, está certo. O senhor me avisa, por favor, dez minutos e cinco minutos. Dez e cinco, está certo? Eleonora, quando o magistrado falar cinco, você vai contando: quatro, três, dois, um. Está certo? Bem, bem, então atenção. Atenção. Vamos então para o segundo ponto mais importante. O segundo ponto é o seguinte: esse processo tem duas datas. Esse processo é um processo até o dia 4 de fevereiro, depois muda completamente, porque foi nesse dia que Suzane mudou completamente, caiu a ficha. Nesse dia que Suzane entendeu quem era, quem era Daniel. Nesse dia, aconteceu o que nesse dia? Eu vou explicar para os senhores jurados. Aconteceu o seguinte: ela foi interrogada pelo juiz em final de 2003. Começou o processo e no final, no começo de 2003, ela foi interrogada em 2002, no final. Em fevereiro de 2003, ela veio para o fórum, junto com os réus. Os dois réus. E para participarem de uma audiência, a última audiência. Acontece que uma das testemunhas não quis que ficassem os réus junto lá na sala de audiências, e o dr. Anderson tirou os três réus da sala. E eles foram embora, para uma cela...
Gislaine: Dr. Mário, posso dar um aparte?
Nacif: Sim.
Gislaine: Só para corrigir uma coisa que o senhor falou, falou que dia 2 de fevereiro de 2004...
Nacif: Não, 4, 4.
Gislaine: Só para esclarecer, a reconstituição foi no dia 13 de novembro de 2002, portanto.
Nacif: Não, não, não.
Eleonora: Ele falou da audiência.
Nacif: Nã, nã, não, doutora

Gislaine: O senhor ponderou que tudo o que aconteceu na reconstituição se daria por causa desse dia, então só estou avisando que a reconstituição foi antes...
Nacif: Não, não, não, eu não falei isso!
Gislaine: Então o senhor me explica...
Nacif: A senhora entendeu mal, então vou ter que explicar.
Gislaine: Não, não, não, o senhor me desculpa então, eu só queria constar isso.
Nacif: A senhora entendeu mal o que eu estou falando, o que, até o dia 4 de fevereiro ela estava dominada pelo Daniel, inclusive na reconstituição! Eu falei isso... tá claro, Mário? Hã?
Eleonora: Apaixonada, apaixonada...
Nacif: Até o dia 4 de fevereiro, tudo o que essa moça falou, tudo o que essa moça ponderou, ela estava ainda completamente envolvida e dominada pelo Daniel. É essa a nossa tese.
Eleonora: Capturada psiquicamente, doutor. Sequestrada psiquicamente.
Nacif: Então eu vou explicar de novo. No dia 4 de fevereiro, no dia 4 de fevereiro de 2003... Eu vou repetir. A reconstituição foi em 2002. No dia 4 de [fevereiro] de 2003 essa moça veio para o fórum, o dr. Anderson a tirou da sala para ir para...para onde que ela foi? Nesse dia, nesse ínterim dessa audiência? Para onde que ela foi? Normalmente, numa carceragem, não ficam homens e mulheres. Numa cela homens, numa cela mulher. Normalmente não ficam. Porém, por uma questão de praticidade, e esse argumento quem descobriu foi a dra. Fabiana, que está sentada ali, de branco, que foi conosco até a carceragem, por uma questão de praticidade, porque os réus sairiam... Mário, você... Nonô, traz o outro aqui pra mim... que esse aqui está dando microfonia. Saiu, quando ele saiu, os réus, quando os réus saíram daquela sala, por uma questão de praticidade, praticidade, não tinha cabimento a audiência sendo realizada na vara do júri e levar os dois réus lá pra uma carceragem "xis" e ela como mulher lá longe. Eles acabaram ficando na mesma carceragem. No dia 4 "do dois" de 2003. Na carceragem do segundo andar... vem cá, Milena, vem cá... é segundo andar? Explica para os senhores jurados. É segundo andar da sala tal? Rua tal? [Ela explica. Inaudível.] Bem, tudo bem. É uma carceragem, chama-se carceragem do júri, que eu não conheci. Eu conheci agora há dois dias, eu não conheci. Eles foram pra lá. Essa carceragem, não era o normal. Em princípio, mulher fica numa carceragem, homem em outra. Mas nesse dia, por praticidade, porque eles tinham que voltar para a audiência logo, que o dr. Anderson ia continuar a audiência, eles ficaram juntos nessa carceragem, que nós

fomos conhecer faz dois dias...que eu quero que os senhores vejam... aqui Milena, aqui, aqui Milena... por favor... pois não. Como? Pois não!
Eleonora: Doutor, por favor, o tempo está correndo, né?
Tardelli: O que está no processo, e que a acusada Suzane disse, mas não está no processo, não consta do processo...
Nacif: Consta porque ela disse!
Tardelli: Doutor, só um instantinho. Não consta do processo esse esquema gráfico que o senhor vai fazer...
Nacif: Ahhh, não! Eu não posso nem fazer como é a carceragem?
Mário: Dr. Mauro, então em busca da verdade real, vamos ver se esse local existe!
Nacif: Não, não, mas antes de pedir a diligência, eu vou explicar mais. Vossa Excelência impugna então o meu desenho? [para Tardelli] É isso? Quer que eu apague o desenho?
Tardelli: Não, o senhor não precisa nem apagar o desenho, o desenho tá bonitinho. O que eu vou pedir é para o senhor não usá-lo. O senhor não pode fazer. O senhor pode narrar o que ela disse, o senhor pode traduzir em palavras tudo o que ela falou, não há problema algum. O que não é possível é um esquema gráfico que representa uma planta baixa aqui do prédio, parte do projeto arquitetônico...
Nacif: Tá bom, tá bom. Nã, nã, nã, nã, não. Então atenção. Vamos para o segundo ponto mais importante do processo. No dia 4 de fevereiro, ela, ela, a Suzane e os dois réus foram para essa carceragem, que fica aqui no segundo andar. É uma carceragem quadrada, retangular melhor dizendo, com várias salas, inclusive salas de bico, assim, por exemplo. Assim, tem um canto da carceragem, um canto, tem uma cela aqui e tem uma cela aqui [mostra] e outras aqui. Uma cela aqui, uma cela aqui. Então, nesse dia excepcionalmente, dia 4/2, a Suzane ficou aqui e os irmãos Cravinhos ali [mostra uma cela em frente da outra]. Um dava para ver o outro. Se viesse... eu fui lá na sala. Não estou testemunhando! Não estou testemunhando! Eu estou dizendo que eu conheço a cela. E conheço, eu entrei na cela. Não é advogado testemunhando. Tô contando que eu conheço. Então, vejam bem. Ele ficou, ela ficou aqui e ele ficou aqui, num bico da carceragem. Então, chegando perto da grade, um podia falar com o outro, numa distância de mais ou menos dois metros e meio. Muito bem. E ficaram lá, os dois...
Gislaine: Doutor, posso dar um aparte? Posso dar um aparte?
Nacif: Pois não?
Gislaine: O senhor sabe que não é permitido, que nenhum preso converse na carceragem. Isso é impossível.

Nacif: Mas eu falei, doutora, que em princípio
não é assim. Falei, em princípio...
Gislaine: O senhor pode até comprometer outras pessoas.
Nacif: E daí? Eu tenho que defender a minha cliente!
Gislaine: Mas o senhor sabe que isso não é possível!
Nacif: Eu estou seguindo a versão dela! Eu estou seguindo a versão dela!
Gislaine: O senhor sabe que não acontece esse tipo, homens
e mulheres ficarem na mesma... carceragens iguais, e, segundo,
é proibida a conversa entre presos. O senhor sabe disso.
Nacif: Eu não posso, eu não posso, eu não posso. Data vênia,
eu não posso me omitir. Se eu não contar essa história, eu
estarei sendo desleal com a minha cliente. Vamos continuar,
a senhora me desculpe. Respeito, eu respeito...
Gislaine: Tudo bem, eu respeito a sua posição.
Nacif: Eu respeito, mas eu não posso! Senão, eu posso ser acusado
de patrocínio infiel. Então é o seguinte: nesta cela, que normalmente
não ficam homens e mulheres, eu concordo com a dra. Gislaine, mas
nesse dia ficaram. Esperando voltar para o dr. Anderson. E ficaram,
a Suzane ficou num bico aqui, num bico aqui, e os irmãos Cravinhos
aqui. A cela aqui e ela ali [demonstra]. Muito bem. Depois ficaram meia
hora lá. Depois de mais ou menos uns quinze minutos que estavam
lá, segundo ela, e eu acredito piamente nessa história, porque ela está
ligada à outra umbilicalmente, está ligada umbilicalmente à muitas
coisas do processo. Dia 4/2, ela ainda era apaixonada por ele. Ela
estava ali, quando então os irmãos Cravinhos chegaram até a grade,
na palavra dela, que eu acredito, que é verossímil, até porque ela
descreveu a carceragem para mim, ela jamais poderia descrever se não
estivesse lá, veio aqui perto da grade, os dois: "Suzane, Suzane, vem cá,
Suzane". E ela veio do fundo da cela e chegou até a grade. Segundo ela!
Agora, diz a dra. Gislaine: "Ah, o senhor pode provocar um processo
administrativo porque o PM não podia...". Isso não é um problema
meu. O meu problema é defender a minha cliente com unhas e dentes.
Se o PM vai ser processado ou não, eu não sei, acho que não. Porque
era uma questão de praticidade, para continuar logo a audiência. Bem,
resumindo. Eles vieram para a cela, para a grade: "Ô, Suzane", a dois
metros e meio, "vem cá, Suzane, vem cá". Ela pega, vai até a grade, os
dois irmãos, Cristian e Daniel. "Ô, Suzane, nós vamos voltar lá para a sala
de audiências agora, e o dr. Anderson, que é o juiz, o dr. Anderson vai
nos interrogar de novo." Ela falou: "É?". "É. Nós vamos subir" — ou não
é subir, é no mesmo andar — "vai continuar a audiência e nós temos
uma informação que o dr. Anderson vai reinterrogar a gente." O que

é possível, até porque o Cristian foi reinterrogado. Ela: "É?". É e tal. "Então, você vai fazer o seguinte, quando você voltar lá e nós também, você vai dizer que o seu pai, o Manfred, ele estuprava o Andreas." Não era ela. "Que o seu pai, o Manfred, ele estuprava o Andreas. Que ele era estuprado, sexo anal com o Andreas" — não falou sexo anal, eu que estou falando. Ela também não falou isso. Estuprava o Andreas, que é sexo anal. "E que ele, Manfred, estuprava você!" Ela ficou perplexa! Ela ficou boba! "Mas o que vocês estão falando? Que meu pai estuprava o meu irmão e a mim?" "É isso, você diga isso, vamos lá subir agora, vamos dizer isto, você diga isto, que com isto está justificado o fato de eu ter matado seu pai e sua mãe e todo mundo vai sair bem..." "Mas o que vocês estão falando?" Ela ficou tão indignada que voltou para o fundo da cela e ficou quieta. Até foi interessante porque esta Marisol Ortega, que aliás enfrentou o dr. Nadir brilhantemente, o dr. Nadir enfrentou, na parte intelectual, de religião etc., e a Marisol Ortega enfrentou o dr. Nadir de olho no olho, como todos viram aqui, a Marisol Ortega disse para ela, antes da audiência: "Olha Suzane, você vai acabar se decepcionando com os irmãos Cravinhos", disse a Marisol Ortega. E ela ainda era apaixonada. Quando ela ouviu esse absurdo, esta calúnia, esta indignidade, esta baixeza, esta vilania, essa coisa abjeta, de que os irmãos Cravinhos queriam de que ela dissesse que o pai estuprava o Andreas, não ela só, e a ela, ela voltou, ficou indignada, voltaram para a sala, o dr. Anderson não interrogou os dois, e voltaram para o presídio. Quando ela chegou no presídio e contou para a Marisol Ortega, que esteve aqui, a Marisol, segundo ela me contou, falou: "Tá vendo, eu não falei para você que você iria se decepcionar com os irmãos Cravinhos e com ele principalmente?" [Aponta Daniel.] E ela então, caiu a ficha! Isso foi no dia 4 de fevereiro. É uma data importantíssima, tudo o que ela fez antes, inclusive na reconstituição, que a dra. Gislaine veio dar um aparte pra mim, mas ela se enganou quanto à data. Inclusive, na reconstituição, ela só obedecia ao homem da vida dela. Aliás, um homem que não teve a hombridade de dizer que tirou a virgindade dela. Essa moça perdeu a virgindade e ela foi para uma ginecologista, indicada pela companheira do Cristian, essa moça perdeu a virgindade na cama do Daniel, pouco tempo depois de conhecê-lo, e ele não teve a dignidade de chegar aqui e dizer: "Não, realmente nós fizemos amor uma coisa um pouco cedo, talvez", porque se conheceram muito rapidamente, ela com 15 anos, ele então rejeitou, ele desprezou esse detalhe, esse subsídio da virgindade, porque eu acho importantíssimo, porque o sexo, ele no caso dela, o sexo foi, e a maconha também, dr. Toron, eu já vou explicar porque é que a maconha é importante nesse caso. Dez minutos só? Doze é melhor do que dez! Mas eu queria mais, hein? Eu queria mais. Mas eu não vou alegar nulidade, eu não vou, não vou. Com esse tempo a mais, não tem nulidade. Muito bem, a virgindade... mas voltando então, ela ficou indignada! Então aonde eu quero chegar? No dia 4 de fevereiro, caiu a ficha, aquela carta que foi lida, tudo isso, tudo o que aconteceu antes do dia 4 de fevereiro, quando caiu a ficha para ela, quando ela percebeu que os irmãos eram pessoas que estavam querendo inventar coisas erradas do processo e inventar esta questão que estupravam o filho, que estuprava a filha, caiu a ficha, aí ela passou a crescer, aí ela ficou adulta, hoje ela sabe dizer não. Essa moça não sabia falar não! Essa moça obedecia Daniel piamente, Daniel a dominava integralmente. Tudo o que aconteceu antes do dia 4 de fevereiro, antes desta cela, que está aqui, que o dr. Tardelli não me deixou mostrar, ou pode mudar de ideia? [Pergunta para Tardelli, e ele nega, faz que não com a cabeça.] Eu respeito. Antes dessa cela que está aqui, a carceragem, foi nesta carceragem que esse processo mudou, porque na carceragem ela escutou o verdadeiro lado sombrio do homem que ela amava, quando ele disse, eu não sei exatamente, deixa eu perguntar... [pergunta] Quando os dois, quando os dois disseram para ela, na carceragem, você diga que o seu pai estuprava o Andreas, e diga que você era estuprada pelo seu pai, isso é uma verdadeira indignidade. Caiu a ficha, então aonde eu quero chegar? Antes desse dia, a participação em tudo era tudo coação moral... excelência, está claro! Mas, veja bem, a minha tese está clara? Eu estou pedindo no quarto quesito, no quarto quesito, no quarto quesito, era exigível... depois eu vou dar minha sugestão. Era exigível, por parte de Suzane, devido às circunstâncias do caso, dominada psiquicamente pelo namorado, conduta diversa de que assumiu? O NÃO absolve, tá? E a outra, coação moral irresistível, é um quesito simples. Aí o SIM absolve. Alguma dúvida? Muito bem, muito bem. As teses estão colocadas. Muito bem. Então, continuando então. Neste dia, na carceragem, esta carceragem é a segunda coisa mais importante nesse processo. Foi nessa carceragem que caiu a ficha. Foi nessa carceragem que ela percebeu quem é o Daniel e quem é o Cristian de verdade! Quando eles, para se safarem do ato hediondo que cometeram, começaram a falar disto, que o pai tinha feito sexo com o filho, e feito sexo com ela! O que é um absurdo! O pai sempre a chamou de "florzinha". O pai é um homem digno e correto e honesto! A última testemunha veio aqui, a Claudia, e falou que pagou o arquiteto direito, era um homem correto, era um homem digno! Foi nessa carceragem que tudo aconteceu! A carceragem é o segundo ponto mais importante do processo! Antes da carceragem, essa moça estava completamente dominada e subjugada e subserviente, escravizada, a psique dela, antes dessa carceragem... Por isso que ela escreveu a carta, que está no livro da Ilana Casoy! Que é sobrinha do Boris Casoy. Uma escritora de muito talento. Essa carta que termina o livro, tudo foi antes... nessa carceragem aconteceu tudo! Então agora eu requeiro ao dr. Anderson... Desculpe, doutor... eu espero, faz favor, eu espero... Dr. Anderson, nesse momento solene, essa carceragem, o momento... porque a defesa dos irmãos Cravinhos insiste de que é impossível de homem e mulher ficar junto. E que é impossível de uma cela falar com outra pessoa, compreendeu? Então, nesse momento importante, eu requeiro à Vossa Excelência diligência rápida até a carceragem aqui...de que andar é, Mário? Segundo andar, porque há uma dúvida. Alguns entendem que nesta carceragem não pode quem está numa cela conseguir falar com outro. Isto é fundamental para a defesa, porque foi ela, ela está acusando os irmãos Cravinhos disto! Então, expressamente, eu requeiro neste momento à Vossa Excelência essa diligência até o segundo andar desse fórum, e que sejam e que seja a diligência, ou deferida por Vossa Excelência normalmente, ou que os jurados sejam consultados. Isto eu entendo imprescindível.

Anderson: Deixa eu só esclarecer uma coisa, a doutora não disse que é impossível conversar, ela disse que normalmente a polícia não permite. Tanto que o senhor falou até em processos administrativos e tal. Quer dizer, isso não quer dizer que, permitindo ou não, certo? Não tenha havido ou tenha havido, tá certo? Eu estou dizendo na colocação dela. A colocação dela foi apenas no sentido de que normalmente os policiais não permitem? Ela não falou que não é possível... desculpe, foi isso que eu entendi, doutora? Hein? Está de acordo?
Nacif: Mas mesmo assim, doutor, essa diligência é fundamental pra mim. Porque eu entendo, o seguinte: esta carceragem, esse momento, é o momento inclusive que a Marisol Ortega... eu estou só complementando, sei que Vossa Excelência já vai decidir.
Anderson: Veja bem, eu estou só preocupado com uma coisa, doutor, que nós estamos por três, quatro minutos aí.
Nacif: Não tem importância, pode ter um segundo, eu quero a diligência! Eu requeiro à Vossa Excelência agora, por gentileza, que faça uma diligência até a carceragem, porque isso é fundamental para a minha defesa. Eu requeiro!
Toron: Senhor presidente, pela ordem, com a devida vênia, a diligência é manifestamente expletiva, é uma diligência absolutamente desnecessária, porque vejam ou não os jurados a tal carceragem, com isso não vai se demonstrar se houve ou não a conversa! Porque isso

é uma versão dela e nada mais que isso, de modo que é absolutamente desnecessário e fica comprometida a descoberta da verdade real e, portanto, espera-se que Vossa Excelência indefira o tal pedido, em homenagem à seriedade da Justiça! Com a devida vênia.
Jabur: Excelência, uma questão de ordem. O ilustre defensor da coacusada teve tempo material de fazê-lo, se é que tinha efetivamente esse interesse de requerer, que fosse feito um croqui ou qualquer coisa semelhante. A finalidade é tumultuar; o que a revista traz é que ele se intitula o rei das nulidades! E mais... um momentinho, um momentinho! Para justificar essas nulidades que ele diz obter, ele tem uma lupa, porque ele tem a capacidade de enxergar em dobro, mais do que o senhor, mais do que eu, que qualquer um! Então, a defesa dos Cravinhos é pelo indeferimento por falta de amparo legal!
Anderson: Veja bem, na realidade, se há alguma dúvida, e essa dúvida deve ser dos senhores jurados, então eu vou esclarecer. Peço para os senhores, por favor, que depois só me respondam sim ou não, com relação a se querem ou não, vamos dizer, fazer essa diligência. O que seria a diligência? Nós sairíamos daqui, iríamos até onde ficam as celas para olhar, tá certo? E voltaríamos, os senhores fariam uma inspeção visual pessoalmente. E, para esclarecer bem, o pleito do dr. Nacif com relação à diligência é para que os senhores possam ter certeza acerca da possibilidade de haver não um contato visual, está certo, doutor? Até porque eu me lembro que ela não menciona qualquer contato visual.
Nacif: Não, menciona, menciona, ela falou que viu...
Anderson: Ela viu de onde estava? Tá bom.
Nacif: Isso que é importante, que ela chegou a ver. Inclusive teve um advogado magro que passou por lá que eu não quero tocar.
Jabur: Excelência, mais uma vez uma questão de ordem. A palavra da coacusada, nessa altura dos acontecimentos, não pode valer! Sob pena de eu requerer isso, requerer aquilo, em detrimento do bom final deste julgamento!
Anderson: Nós estamos já no termo dele, aqui pelo menos no período de defesa. Mas, veja bem, eu acho que é imprescindível indagar aos jurados, porque não sou eu que julgo. Eu posso decidir as questões processuais, mas quem vai decidir, quem precisa de ter efetivamente subsídios são os jurados. Então, a pergunta dos senhores é no sentido de se sentem necessidade de ir até lá ou se a afirmação do dr. Nacif é suficiente para os senhores. Não quero dizer se é válida ou não. Mas, vamos dizer, se os senhores precisam ou não se certificar disso.

Nacif: [Ao fundo: "Eu vou abrir mão já".] Senhor presidente, eu posso pedir a palavra pela ordem? O dr. Nadir me lembrou de uma coisa importante, posso?
Anderson: Pois não.
Nacif: Antes da pergunta, o seguinte: caso essa diligência seja indeferida, eu me comprometo a não entendê-la como nulidade. Eu não vou suscitar, eu vou entender que a decisão dos senhores jurados foi razoável e eu não vou suscitar, está claro, dr. Nadir? Dr. Nadir?
Nadir: Não, não foi isso que eu disse. Eu disse que está aqui o documento. O senhor pode usar o documento que é a versão que ela traz [inaudível], que ótimo, está aqui o documento! Isso o senhor pode usar.
Nacif: Não, não, mas eu não estou entendendo, e quanto à diligência?
Nadir: Eu estou dizendo que, em vez da diligência, o senhor pode usar aquilo que ela disse durante o interrogatório.
Nacif: Mas não é o suficiente, Nadir...
Anderson: Veja bem, nós estamos com o tempo passando, não é, doutor? [Referindo-se ao tempo da defesa.]
Nacif: Para a minha tese... Onde eu fui desleal com você? Onde eu fui desleal com você? Não sei!
Nadir: [Inaudível.]
Nacif: Eu não vou arguir a nulidade. Está claro?
Anderson: O senhor, por favor, doutor? Eu não estou tendo visão de todos os jurados. Então, a minha pergunta vai ser bem objetiva. Se algum dos senhores sentir necessidade de fazer uma constatação pessoal disso — para convencimento dos senhores, certo? —, então eu só peço que faça um movimento com a mão e mais nada. Se não sentirem, que permaneçam, vamos dizer, imóveis como estão, tá certo? Então posso concluir que nenhum sente necessidade de comparecer ou subir até a cela? O senhor quer ir? Desculpe? Não quer ou quer? Sim? Tá, então tudo bem, não temos nem que discutir isso.
Nacif: É coisa rápida...
Anderson: É questão dos senhores jurados, então... Veja bem, eu peço para que todos fiquem onde estão. Nós vamos nos ausentar por alguns minutos, que é o tempo de sair e voltar, certo? E retornamos.
Tardelli: Espera aí, questão de ordem, Excelência!
Anderson: Por favor, eu peço para os senhores jurados que se retirem para a sala secreta um minutinho, até para que nós possamos isolar o trajeto para chegar lá.
Tardelli: Só uma questão de ordem. Em razão desse requerimento, quanto tempo a defesa terá?

Anderson: Bom, olhando agora ali estaria esgotado. Na verdade, a última vez que eu disse, quando houve essa questão do requerimento, faltavam dois minutos, certo? [Alguém reclama.] Não, quando ele levantou a questão, quando ele levantou essa polêmica e eu fui consultar os jurados, quer dizer, eu disse que iria consultá-los, aí faltavam dois minutos, certo? Então seria esse o tempo.
Toron: Mas como houve a discussão antes eu acho que o justo seria dar cinco minutos que está pleiteando a colega até para esclarecer os jurados.
Anderson: Não tem problema, acho que não há prejuízo nenhum.
Toron: Cinco minutos.
Jabur: Temos que levar em consideração que eu já dei o meu tempo.
Anderson: Sim, sim... Mas esse tempo, na verdade, é em função do que os jurados teriam que decidir acerca da diligência. Deixa eu só verificar as condições, se houver... estiver em condições, nós vamos todos juntos, né?
Jabur: Menos os réus!
[Nacif pede para alguém ir.]
Anderson: Não há necessidade, doutor, são só os jurados que devem ir. Eles vão olhar o ambiente todo. Nós não vamos mostrar nenhum lugar, cela, essa ou aquela, eles vão lá conhecer o local. E voltamos.
Nacif: Carceragem do júri...
Anderson: É que nós temos duas carceragens lá em cima.
Nacif: Nã, nã, não, a grande, a grande.
[Confuso. Todos falam ao mesmo tempo.]
Nacif: É no segundo andar, é uma quadrada, tem uma escada no meio, grande. Está claro?
Jabur: Essa "música", dr. Tardelli. Me atordoa! É a sua palavra contra a nossa, *tó*! É o que vale! Que é isso! [Falando para Nacif]
Anderson: Continuando... Ai, ai...
[Murmúrios, conversas generalizadas e simultâneas. Está como uma feira. Todos aguardando e falando ao mesmo tempo. Alguns minutos se passam.]
Anderson: Silêncio, por favor! Tomem seus lugares. Cinco minutos, doutor.
Nacif: Fica claro os quesitos?
Anderson: Sim. Ficou tudo claro. Não exigibilidade de conduta diversa, coação moral irresistível.
Nacif: O senhor teria um rascunho para mim?
Anderson: [Rindo.] Ainda não, doutor! Nós subimos juntos!
Nacif: Mas eu posso falar em quatro quesitos...?
Anderson: [Inaudível.]
[A discussão segue com Nacif. Ele demora a retomar.)]

Anderson: Doutor... dr. Nacif, são 19h50, o senhor tem cinco minutos a partir de agora, por favor. [Ele encerra a discussão determinando o tempo.]
Nacif: O dr. Mário Sérgio de Oliveira, meu ilustre colega, vai iniciar os cinco minutos finais.
Anderson: Então, não perca tempo!
Mário: Senhores jurados, eu gostaria que vocês tivessem em mente tudo o que foi explanado. Suzane é uma mente diabólica! Suzane planejou o crime! Suzane dominava Daniel! Se realmente ela fosse essa mente diabólica, ela teria praticado o crime com 18 anos ou com 17, porque tinha pleno conhecimento e frequentava, veio aqui com a faculdade, assistiu a vários júris, sabia que sendo menor de idade não responderia pelo crime. Estaria no estatuto da criança e do adolescente. Se fosse essa mente que realmente é colocada, que realmente só pensava em dinheiro, ambiciosa, diabólica, para cometer um crime, não teria cometido com 18 anos, e sim com 17. Então, que reflitam se realmente ela tem essa mente, se ela tem esse poder de dominar o Daniel, ou ele tinha uma ambição, vejam, uma ambição até muito pouco demonstrada. O Cristian, no primeiro momento, sabe o que ele fez? Foi comprar uma motocicleta. E se vocês tivessem a oportunidade de ler o livro da Ilana Casoy, que estava presente, é muito claro que ele disse que comprou inclusive com dólares que havia adquirido por meio ilegal e que não queria declarar, por isso é que pediu para outra pessoa comprar. Então, ele mentiu o tempo inteiro, o Cristian, mente o Daniel, e Suzane foi envolvida, como o dr. Mauro Nacif vai demonstrar agora nesses dois últimos minutos.
Nacif: O senhor me avisa quando faltar um minuto? [Pede ao juiz.] Um minuto! Senhores jurados, nós já estamos chegando no final do julgamento, porque não vai ter réplica, este julgamento. Pela minha sensibilidade, eu estou sentindo que a douta acusação não vem para a réplica. Estou quase garantindo que não vem para a réplica. É uma estratégia da acusação, muito válida, eu já fui muitas vezes como assistente da acusação também, na minha opinião o júri vai acabar agora! Não vai haver réplica. Então, nesses minutos finais que me restam, um minuto inclusive que o dr. Anderson vai me dar, ou melhor, vai me avisar, eu quero contar uma coisa para os senhores jurados. Eu tenho aqui na minha cabeça uma relação de coisas que ela pagava para o Daniel. Todas elas confirmadas por prova testemunhal, e fora a cola, que cheiravam cola também. Cola, né? Cola! Porque o aviãozinho não é feito com Super Bonder, porque é muito caro. A própria Fernanda, elogiada pela acusação, disse que ela contava... este rapaz, o verdadeiro culpado do crime, chama-se Daniel, que merece todo respeito como ser

humano, mas ele é o culpado. Ele é o ambicioso. Esse rapaz introduziu maconha para o Andreas, que era menor. Para ela, ela já tinha fumado maconha, mas pouco. Introduziu tíner para ela, e cola! Aí a dra. Vitória, essa senhora, a moça de vermelho que está aqui, ela que me orientou que o aviãozinho não é colado com Super Bonder. Pode até ser colado, que Super Bonder é muito caro; é colado com cola de sapateiro. Então ele introduziu cola de sapateiro, tíner, maconha e ecstasy também! Ecstasy! Para ela, e para o menino, cola, tíner e maconha, muito bem. Mas eu quero terminar o meu tempo, quanto falta, doutor?
Anderson: Um minuto. Agora está certo.
Nacif: Nesse um minuto, eu vou contar para os senhores jurados as coisas que ela pagava para ele, comprovadas nos autos. Ela pagava para ele, pagou aquário... me ajuda, Milena? Pagou aquário, pagou... Peixes exóticos, camisa de grife, prestação do carro, maconha, ecstasy, carpete de madeira da casa, cheque especial...Som do carro, óculos de mil reais, ela deu um par de óculos para ele de mil reais! Um mil reais! Quase três, dois salários mínimos e pouco, um par de óculos! Que mais? Prestação o carro, camisa de grife, era a galinha de ovos de ouro! Galinha de ovos de ouro! Acabou o tempo, doutor? Então eu acabei de falar!

[Risadas no plenário inteiro. Nacif larga o microfone. Conversas laterais.]

Anderson: Silêncio, por favor. Dr. Nacif, eu fico satisfeito de após cinco dias de intenso convívio termos chegado a um consenso com relação à palavra FIM, TÉRMINO, ENCERRAMENTO. [Ri.] Obrigado. Desculpe, é uma brincadeira, mas carinhosa. Encerrada a defesa, eu indago do MP, da acusação, se o excelentíssimo promotor deseja fazer uso da réplica.
Nadir: Não, obrigado.
Anderson: Bom, não havendo a réplica, em seguida então nós temos que passar à leitura dos quesitos e, na sequência, à votação. Eu vou fazer um intervalo para dar tempo de imprimir os quesitos e acabar todos, porque com essa diligência atrapalhou um pouquinho, e, na sequência, retornaremos para isso.

PODER JUDICIÁRIO
SÃO PAULO

I TRIBUNAL DO JÚRI DA COMARCA DA CAPITAL FÓRUM DA BARRA FUNDA

Réus: **DANIEL CRAVINHOS DE PAULA E SILVA; CRISTIAN CRAVINHOS DE PAULA E SILVA; E SUZANE LOUISE VON RICHTHOFEN**

VISTOS.

Submetidos a julgamento pelo Tribunal do Júri, o Conselho de Sentença houve por bem:

RÉU: DANIEL CRAVINHOS DE PAULA E SILVA:

1. No tocante à vítima Manfred Alberto Von Richthofen: por maioria de votos reconheceram a autoria e por unanimidade a materialidade do crime de homicídio;

Por unanimidade reconheceram que o crime foi praticado por motivo torpe, mediante recurso que impossibilitou a defesa da vítima e mediante meio cruel.

Por maioria, reconheceram em favor do réu a existência de circunstância atenuante.

2. Com relação á [sic] vítima Marísia Von Richthofen: por maioria de votos reconheceram a autoria, a materialidade do crime de homicídio e, ainda, as qualificadoras e a existência de circunstância atenuante.

3. Por unanimidade reconheceram a existência do crime de fraude processual e, por maioria a existência de circunstância atenuante em favor do réu.

RÉU: CRISTIAN CRAVINHOS DE PAULA E SILVA:

1. No tocante à vítima Manfred Albert Von Richthofen: por maioria reconheceram a autoria e materialidade do delito de homicídio.

Por maioria reconheceram que o crime foi praticado por motivo torpe, mediante recurso que impossibilitou a defesa da vítima e mediante meio cruel.

Por maioria, reconheceram em favor do réu a existência de circunstância atenuante.

2. Relativamente à vítima Marísia Von Richthofen: por unanimidade reconheceram a autoria e materialidade do delito de homicídio e, ainda, também por unanimidade todas as qualificadoras.

Por maioria, reconheceram em favor do réu a existência de circunstância atenuante.

3. Por unanimidade reconheceram a existência do crime de fraude processual e, por maioria a existência de circunstância atenuante em favor do réu.

4. Pelos senhores Jurados, foi ainda por maioria, reconhecida a existência do crime de furto e também a existência de circunstância atenuante em favor do acusado.

RÉ: SUZANE LOUISE VON RICHTHOFEN:

1. Em relação à vítima Manfred Albert Von Richthofen, por unanimidade foi reconhecida a materialidade do delito e, por maioria a coautoria do homicídio.

Por maioria de votos, negaram que a ré tivesse agido em inexigibilidade de conduta diversa, bem como, também por maioria, negaram tivesse agido sob coação moral e irresistível.

Por maioria de votos, reconheceram a qualificadora relativa ao motivo torpe e, por unanimidade reconheceram as qualificadoras do recurso que impossibilitou a defesa da vítima e do meio cruel e, ainda, por maioria, as atenuantes existentes em favor da acusada.

2. Vítima Marísia Von Richthofen: por maioria foi reconhecido a materialidade do delito de homicídio e, também por maioria reconheceram a coautoria, sendo negada a tese da inexigibilidade de conduta diversa, por maioria de votos, assim como, a tese relativa a coação moral e irresistível.

Por maioria de votos, reconheceram a qualificadora relativa ao motivo torpe e, por unanimidade reconheceram as qualificadoras do recurso que impossibilitou a defesa da vítima e do meio cruel e, ainda, por maioria, as atenuantes existentes em favor da acusada.

3. Por maioria de votos foi reconhecida a coautoria do crime de fraude processual e também as circunstâncias atenuantes existentes em favor da acusada.

Atendendo a soberana decisão dos Senhores Jurados, passo à dosagem das penas:

RÉU DANIEL CRAVINHOS DE PAULA E SILVA:

Pelo homicídio praticado contra Manfred Albert Von Richthofen, atento aos elementos norteadores do artigo 59 do Código Penal, considerando a culpabilidade, intensidade do dolo, clamor público e conseqüências do crime, incidindo três qualificadoras, uma funcionará para fixação da pena base, enquanto as outras duas servirão como agravantes para o cálculo da pena definitiva (RT 624/290). Assim, fixo a pena base em dezesseis (16) anos de reclusão, a qual aumento de quatro (04) anos, totalizando vinte (20) anos de reclusão. Reconhecida a presença de circunstâncias atenuantes, que no caso deve ser considerada a confissão judicial, reduzo a pena de seis (06) meses, resultando em dezenove (19) anos e seis (06) meses de reclusão.

Pelo crime no tocante à vítima Marísia Von Richthofen, atento aos elementos norteadores do artigo 59 do Código Penal, considerando a culpabilidade, intensidade do dolo, clamor público e conseqüências do crime, incidindo três qualificadoras, uma funcionará para fixação da pena base, enquanto as outras duas servirão como agravantes para o cálculo da pena definitiva (RT 624/290). Assim, fixo a pena base em dezesseis (16) anos de reclusão, a qual aumento de quatro (04) anos, totalizando vinte (20) anos de reclusão. Reconhecida a presença de circunstâncias atenuantes, que no caso deve ser considerada a confissão judicial, reduzo a pena de seis (06) meses, resultando em dezenove (19) anos e seis (06) meses de reclusão.

Pelo crime de fraude processual, artigo 347, parágrafo único do C.Penal, fixo a pena em seis (06) meses de detenção e dez dias multa, fixados estes no valor mínimo legal de 1/30 do salário mínimo vigente no pais à época dos fatos, devidamente corrigido até o efetivo pagamento.

No caso há evidente concurso material, nos termos do artigo 69 do Código Penal.

Com efeito, o réu praticou dois crimes de homicídio, mediante ações dirigidas contra vítimas diferentes em circunstâncias diversas, uma vez que é o autor direto do homicídio em que é vítima Manfred Albert Von Richthofen e, coautor do homicídio em que é vítima Marísia Von Richthofen. Além desses, também, praticou o crime de fraude processual.

Assim, as penas somam-se, ficando o réu **DANIEL CRAVINHOS DE PAULA E SILVA**, condenado à pena de trinta e nove (39) anos de reclusão e seis (06) meses de detenção, bem como, ao pagamento de dez dias-multa no valor já estabelecido, por infração ao artigo 121, §2°, inciso I, III e IV (por duas vezes) e, artigo 347, parágrafo único, c.c. artigo 69, todos do C.Penal.

Torno as penas definitivas à míngua de outras circunstâncias.

Por serem crimes hediondos os homicídios qualificados, o réu cumprirá a pena de reclusão, em regime integralmente fechado e, a de detenção em regime semi-aberto, primeiro a de reclusão e finalmente a de detenção.

Estando preso preventivamente e, considerando a evidente periculosidade do réu, não poderá recorrer da presente sentença em liberdade, devendo ser expedido mandado de prisão contra o réu **DANIEL CRAVINHOS DE PAULA E SILVA.**

RÉU CRISTIAN CRAVINHOS DE PAULA E SILVA:

Pelo homicídio praticado contra Marísia Von Richthofen, atento aos elementos norteadores do artigo 59 do Código Penal, considerando a culpabilidade, intensidade do dolo, clamor público e conseqüências do crime, incidindo três qualificadoras, uma funcionará para fixação da pena base, enquanto as outras duas servirão como agravantes para o cálculo da pena definitiva (RT 624/290). Assim, fixo a pena base em quinze (15) anos de reclusão, a qual aumento de quatro (04) anos, totalizando dezenove (19) anos de reclusão. Reconhecida a presença de circunstâncias atenuantes, que no caso deve ser considerada a confissão judicial, reduzo a pena de seis (06) meses, resultando em dezoito (18) anos e seis (06) meses de reclusão.

Pelo crime no tocante à vítima Manfred Albert Von Richthofen, atento aos elementos norteadores do artigo 59 do Código Penal, considerando a culpabilidade, intensidade do dolo, clamor público e conseqüências do crime, incidindo três qualificadoras, uma funcionará para fixação da pena base, enquanto as outras duas servirão como agravantes para o cálculo da pena definitiva (RT 624/290). Assim, fixo a pena base em quinze (15) anos de reclusão, a qual aumento de quatro (04) anos, totalizando dezenove (19) anos de reclusão. Reconhecida a presença de circunstâncias atenuantes, que no caso deve ser considerada a confissão judicial, reduzo a pena de seis (06) meses, resultando em dezoito (18) anos e seis (06) meses de reclusão.

Pelo crime de fraude processual, artigo 347, parágrafo único do C.Penal, fixo a pena em seis (06) meses de detenção e dez dias multa, fixados estes no valor mínimo legal de 1/30 do salário mínimo vigente no pais à época dos fatos, devidamente corrigido até o efetivo pagamento.

Pelo delito de furto, artigo 155, caput do C.Penal, considerando a circunstância em que foi praticado o crime, fixo a pena em um (01) ano de reclusão e dez dias multa, fixados estes no valor mínimo legal de 1/30 do salário mínimo vigente no pais à época dos fatos, devidamente corrigido até o efetivo pagamento.

No caso há evidente concurso material, nos termos do artigo 69 do Código Penal.

Com efeito, o réu praticou dois crimes de homicídio, mediante ações dirigidas contra vítimas diferentes em circunstâncias diversas, uma vez que é o autor direto do homicídio em que é vítima Marísia Von Richthofen e, coautor do homicídio em que é vítima Manfred Albert Von Richthofen. Além desses, também, praticou os crimes de fraude processual e furto simples.

Assim, as penas somam-se, ficando o réu **CRISTIAN CRAVINHOS DE PAULA E SILVA**, condenado à pena de trinta e oito (38) anos de reclusão e seis (06) meses de detenção, bem como, ao pagamento de vinte dias-multa no valor já estabelecido, por infração ao artigo 121, §2º, inciso I, III e IV (por duas vezes), artigo 347, parágrafo único e, artigo 155, caput, c.c. artigo 69, todos do C.Penal.

Torno as penas definitivas à míngua de outras circunstâncias.

Por serem crimes hediondos os homicídios qualificados, o réu cumprirá a pena de reclusão, em regime integralmente fechado e, a de detenção em regime semi-aberto, primeiro a de reclusão e finalmente a de detenção.

Estando preso preventivamente e, considerando a evidente periculosidade do réu, não poderá recorrer da presente sentença em liberdade, devendo ser expedido mandado de prisão contra o réu **CRISTIAN CRAVINHOS DE PAULA E SILVA**.

RÉ SUZANE LOUISE VON RICHTHOFEN:

Pelo homicídio praticado contra Manfred Albert Von Richthofen, atento aos elementos norteadores do artigo 59 do Código Penal, considerando a culpabilidade, intensidade do dolo, clamor público e conseqüências do crime, incidindo três qualificadoras, uma funcionará para fixação da pena base, enquanto as outras duas servirão como agravantes para o cálculo da pena definitiva (RT 624/290). Assim, fixo a pena base em dezesseis (16) anos de reclusão, a qual aumento de quatro (04) anos, totalizando vinte (20) anos de reclusão. Reconhecida a presença de circunstâncias atenuantes, que no caso deve ser considerada a menoridade à época dos fatos, reduzo a pena de seis (06) meses, resultando em dezenove (19) anos e seis (06) meses de reclusão.

Pelo crime no tocante à vítima Marísia Von Richthofen, atento aos elementos norteadores do artigo 59 do Código Penal, considerando a culpabilidade, intensidade do dolo, clamor público e conseqüências do crime, incidindo três qualificadoras, uma funcionará para fixação da pena base, enquanto as outras duas servirão como agravantes para o cálculo da pena definitiva (**RT** 624/290). Assim, fixo a pena base em dezesseis (16) anos de reclusão, a qual aumento de quatro (04) anos, totalizando vinte (20) anos de reclusão. Reconhecida a presença de circunstâncias atenuantes, que no caso deve ser considerada a menoridade à época dos fatos, reduzo a pena de seis (06) meses, resultando em dezenove (19) anos e seis (06) meses de reclusão.

Pelo crime de fraude processual, artigo 347, parágrafo único do C.Penal, fixo a pena em seis (06) meses de detenção e dez dias multa, fixados estes no valor mínimo legal de 1/30 do salário mínimo vigente no pais à época dos fatos, devidamente corrigido até o efetivo pagamento.

No caso há evidente concurso material, nos termos do artigo 69 do Código Penal.

Com efeito, a ré participou de dois crimes de homicídio, mediante ações dirigidas contra vítimas diferentes, no caso seus próprios pais. Além desses, também, praticou o crime de fraude processual.

Assim, as penas somam-se, ficando a ré **SUZANE LOUISE VON RICHTHOFEN**, condenada à pena de trinta e nove (39) anos de reclusão e seis (06) meses de detenção, bem como, ao pagamento de dez dias-multa no valor já estabelecido, por infração ao artigo 121, §2º, inciso I, III e IV (por duas vezes) e, artigo 347, parágrafo único, c.c. artigo 69, todos do C.Penal.

Torno as penas definitivas à míngua de outras circunstâncias.

Por serem crimes hediondos os homicídios qualificados, a ré cumprirá a pena de reclusão, em regime integralmente fechado e, a de detenção em regime semi-aberto, primeiro a de reclusão e finalmente a de detenção.

Estando presa preventivamente e, considerando a evidente periculosidade da ré, não poderá recorrer da presente sentença em liberdade, devendo ser expedido mandado de prisão contra a ré **SUZANE LOUISE VON RICHTHOFEN**.

Após o trânsito em julgado, lancem-se os nomes dos réus no rol dos culpados.

Sentença publicada em plenário, dou as partes por intimadas. Registre-se e comunique-se.

Sala das deliberações do Primeiro Tribunal do Júri, plenário 8, às 02:00 horas, do dia 22 de julho de 2006.

ALBERTO ANDERSON FILHO
Juiz Presidente

MAPA DO JÚRI

O QUINTO MANDAMENTO -

MAPA DE UM JÚRI

Cela (com banheiro e ante-sala)*

Alojamento dos jurados (2 beliches e 2 banheiros por alojamento)

Sala secreta Local onde o juiz se reúne com os jurados

Refeitório (para os jurados)

Entrada dos réus

PORTA DE ACESSO

PORTA DE ACESSO

PORTA DE ACESSO

Corredor

RÉUS   TELÃO 1   JUIZ   TELÃO 2   JURADOS

DEFESA   ESCREVENTE   CADEIRA PARA INTERROGATÓRIO   PROMOTOR

Corredor

Entrada

Entrada

Entrada

AUDITÓRIO: 239 lugares

Salas para testemunhas

Plenário 10

Área exclusiva do juiz (Com TV, banheiro e computador)

* Os réus são divididos em celas masculina e feminina

INFOGRÁFICO: LEO ARAGÃO/AE

CADERNO
ILANA CASOY

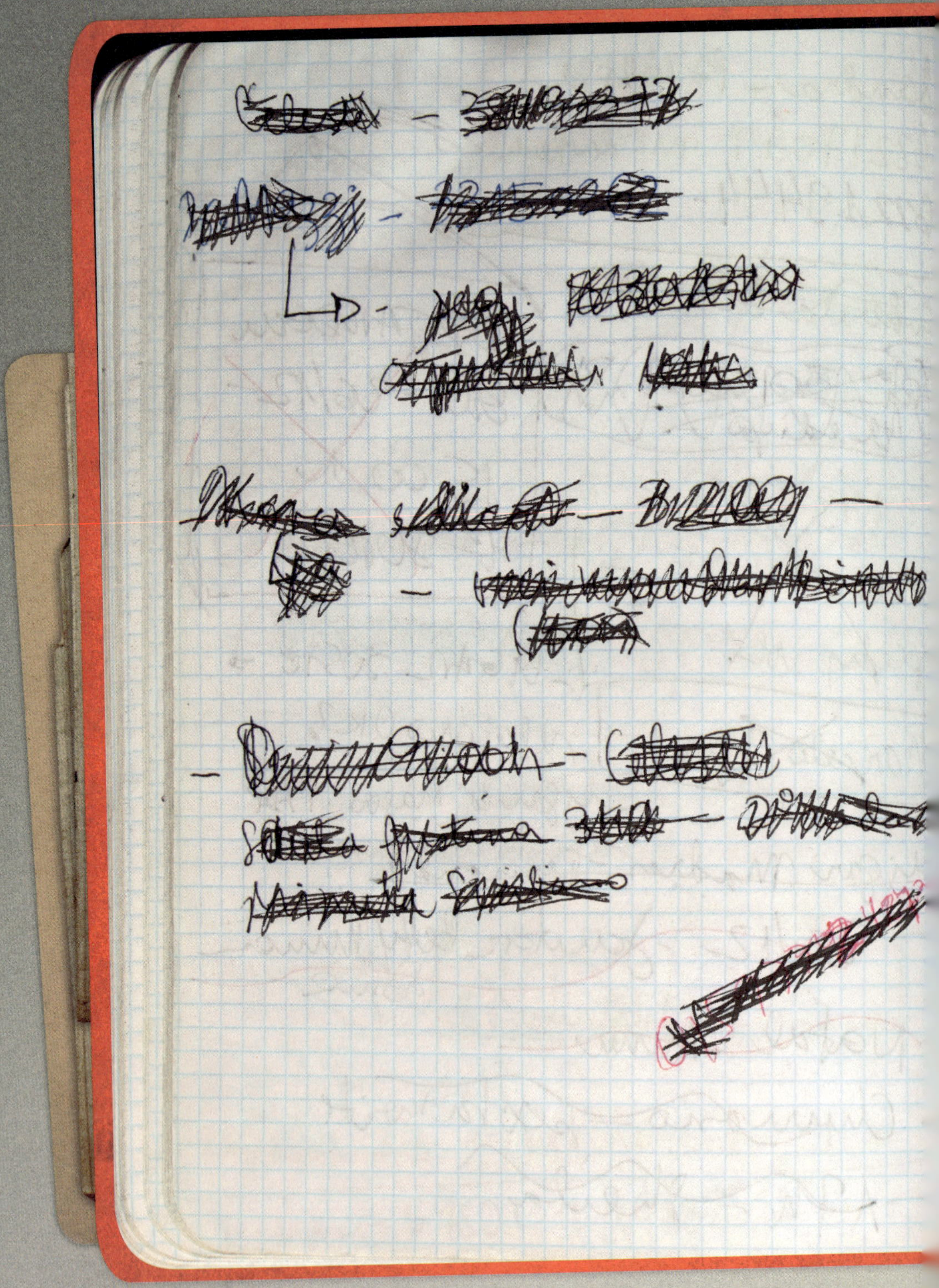

Caso Richthofen – 19/12/02
Testemunhas de Acusação

14:00h

Suzane sorri p/ Cravo e se emociona. P/ Claudia tb. Daniel procura olhar de Suzane. Encontra. Leve sorriso, CR tb.

Todos de uniforme igual. Calça bege, camiseta bca.

Os 3 algemados.

Os réus foram retirados.

1ª Testemunha – José Carlos Simão / Petição cerca [de] 40 documentos => Jabur (diz) para juiz. / Algumas perguntas serão com base nesses documentos. Claudia não viu também (são fotografias) / => Conhece os réus? / Sim, desde 1977. É padrinho da Suzane. Conhece Daniel. Viu 1 ou 2 ou 3 vezes na casa [de] Manfred. Mínimo [há] 1 ano atrás. / Escritório [é] próximo [à] casa [do] Brooklin. Recebeu telefonema. Foi até lá, encontrou empregada e policial. Confirmou assalto. Informou-se que...

...as crianças estavam depondo. Ligou para [a] Dersa e pediu apoio legal para Suzane e Andreas. / Ofereceu apoio e solidariedade à Suzane. Achou que seria rápido. Comunicou-se com filho (advogado). Foram até [a] delegacia (Mazi/Armando). Liberação [dos] corpos [às] 18h. / Encontrou S[uzane] + A[ndreas] [no] velório. / – Relacionamento familiar Von Richthofen? / Não tenho condições de avaliar o dia a dia. Alegres que ela entrou [na] faculdade. Estava orgulhoso que ela era monitora [da] PUC. Descontentamento com namoro, mas de forma digna. Ela era bem preparada e ele fútil, sem vontade.

Nada de diferente na XXX. / Contato em datas comemorativas. / – Quando noticiado, como tomou conhecimento? / Imprensa. Conversas [com eles] na linha do que precisavam, se estava amparada. / Desde a confissão não teve mais contato cm Suzane. /PROMOTOR / – Marísia com Suzane? / Impunha muitos limites? / Era arbitrária? / Marísia era mãe amorosa (se emociona), era presente (chora/água). / Acompanhou a menina...

na escola, nas aulas de natação, festas, sempre juntas. / Pode ter tido área de atrito, mas educação é [algo] complexo, mas entende que Marísia era normalmente rígida e flexível. / Não tinha prisão em casa. / Era mãe absolutamente presente. / Pai levava na escola. / Mãe fazia natação junto. / – Viu Daniel na casa? / Confraternizando não vi. / Como jovem, numa data comum, não em festa. / – Em que momento o casal disse que o namoro era proibido? Quando soube? / De maneira peremptória, não era característica do casal. Descontentamento era...

frequente, confronto não. / – Era permitida a presença? Não ficou sabendo que foi proibida a entrada. /Manfred falou [às] 19h [da] noite do crime que o casal estava satisfeito com o rompimento do namoro. / – PM [Polícia Militar] foi chamada? [se refere à discussões familiares] / Nunca soube nada. / – Hábitos do casal? Álcool? Freq[uentemente] almoçava com Manfred. / Nunca pediu álcool. / No trabalho, absoluta convicção [de que] não [usava] álcool. / À noite, se poderia beber socialmente. Nunca viu Manfred e Marísia bêbados...

...nem em festas. / Conhecia Manfred desde 1977. / Conheceu Suzane no dia do parto. / Daniel – não mais que 2/3 anos. / Conversou pelo telefone com Suzane quando estava na polícia. / [Ela] Respondeu que estava dando depoimento tranquilo, civilizado, nenhuma queixa contra a polícia. / – Qual o padrão de vida do casal? / Não ostentavam, austeros, tinham qualidade sem ostentação. Vida até com padrão abaixo do que poderiam. / Marísia [era] psiquiatra em clínica particular, atendia principalmente estrangeiros.

– Freq[uentava] a casa? / Depois q[ue] mudaram ia à casa com menos frequência. / Por semana, [falava] com Manfred, 1/2 vezes [por] telef[one] + 15 almoços. / – Manfred era violento? / Era de família nobre, europeia, mais ouvia que falava, educado, bem preparado, tímido até conhecer bem [a pessoa]. / – Calmo ou estourado? / Absolutamente calmo. / – E Marísia? / Árabe, comportamento mais afetivo, exteriorizava emoção.

– Dra. Marísia estava como com fim do namoro?
– Falei + com pai, ñ falei c/ ela.

CLAUDIA

Manfred como profissional?
– Alta respeitabilid, confiança e credibilidd

Boatos sobre Rodoanel?
– Nunca suas convicções permitiriam isso

Imprensa ⇒ foi viajar c/ filha?
Não

Última viagem c/ Marísia p/ Países Nórdicos e Pólo Norte

JABUR

N/ devem ser perguntas em forma de resposta

- Participou churrascos qdo estava Daniel?
— Sim, 1 ano ± pouco atrás!
- Nome filho advogado
— José Fernando Simão
- Explicar descontentado dos pais c/ DN
— O namoro só era bem aceito
- Qdo prestou depoim na polícia, fez sozinho ou acomp?
— acomp. Claudia B.

2ª TESTEMUNHA

MIGUEL ABDALLA
(TIO)

– Participou [de algum] churrasco quando estava Daniel? / Sim, [há] um ano + pouco atrás. / – Nome filho advogado? José Fernando Simão. / – Explicar descontentamento dos pais [de Suzane] com Daniel. / O namoro não era bem aceito. / – Quando prestou depoimento na polícia, foi sozinho ou acomp[anhado]? / Acomp[anhado] [por] Claudia B[ernasconi] / ——————— / 2ª. TESTEMUNHA – MIGUEL ABDALLA (tio)

Jabur leva "contradita"
↳ (test parcial)
  só informante p/
⇨ pelo réu Daniel   Juiz
⇨ indeferida pq a test
parentesco direto c/ ré vai
prestar depois.

• Dr, é tio, irmão da mãe?
— Sim
• Qto aos fatos, n' presenciou?
— Não
• Tomou conhec¹to como?
— 30/out ± 4h ligou Daniel
disse. Tô ligando pq entra-
ram na casa da Su e
mataram minha irmã
e cunhado
• Ele afirmou q. haviam
matado?
— Sim
• Na seq?
— De início, saí de órbita.
Minha mãe 83 anos

Jabur leva "contradita" +> (testemunha parcial) – só informante para juiz / Pelo réu Daniel / Indeferida porque a testemunha [tem] parentesco direto com [a] ré vai prestar depoimento. / [MINISTÉRIO PÚBLICO] / – Doutor, é tio? Irmão da mãe? / Sim. / – Quanto aos fatos, não presenciou? / Não. / – Tomou conhecimento como? / 30 outubro + [às] 4 horas, ligou Daniel (e) disse: Tô ligando porque entraram na casa da Su e mataram minha irmã e cunhado. / – Ele afirmou que haviam matado? / Sim. / – Na seq[uência]? / De início, saí de órbita. Minha mãe [tem] 83 anos...

...não sabia como contar. / Ligou para [o] primo Rubens para XXX Suzane e Andreas. / — Teve contato [com os] sobrinhos? / Rubens chegou às 7h [da] manhã e ligou [para] Miguel [e disse] que não dava para entrar. Foi para casa [de] Miguel. Sobrinha ligou da delegacia. Estava fazendo B.O. Perguntou onde iriam, disse que iria para [a] casa do Daniel. / Rubens + Miguel foram para a casa [dos] Cravinhos. / — Manteve contato com sobrinhos? / Sim, porque passaram a dormir na minha casa.

— Foram [à] delegacia com eles? / Sim => quinta [às] 16 horas [no] DHPP e ficou com Andreas até 23 horas. / — Qual [o] comportamento deles? / Sobrinha arredia, sempre cabisbaixa, senti certa frieza, não queria conversar. / — Estava indiferente? / Não, estava ressabiada. Se esquivava de respostas. / Daniel foi várias vezes procurá-la. No domingo foram ao sítio pagar o caseiro e [levar] ração [para os] cachorros. Ficaram duas horas e voltaram. / Domingo => Daniel jantou em casa — aniversário [de] Suzane. Daniel [teria dito]: "Este crime vai ser difícil de ser desvendado porque era [uma] quadrilha especializada e promotor amigo...

...deu telefonema que sabia sobre a quadrilha. Que a polícia não conseguiria desvendar. / – Daniel freq[uentava]? / Se conheceram no Ibirapuera, na feira [de] aeromodelismo. No início, Marísia convidava para sitio, para não ficarem [em] SP sozinhos. Quando Marísia percebeu drogas, [que ele era] vadio, não estudava, ela fez torniquete e começou a orientar que não era [boa] companhia. /
– Foi proibido? / Desde [o] início do ano a irmã e o cunhado proibiam a entrada deste cidadão na casa deles.

- Su relutou?
— De imediato relutou, pais Europa 1 mês julho, qdo voltaram avisou que terminou, todos felizes

- filhos?
— praia litoral Bahia por +- 10 dias

- Teve contato julho?
— por telefone

- Depois ficou sabendo contato d/ Daniel e Suz

- Relacion° d/ pais c/ filhos?
— Era mãe e pai p/ filha. Merece celebração e puxão de orelha. Pais presentes, preocupados c/ filhos

- Eram reservados na forma ou afetuosos?
— ñ eram rígidos, só com propósito

- Castigo físico?
— Não, imposição de limites

PROMOTOR

PROMOTOR / Polícia – folhas 89 => disse que Manfred deserdaria Suzane. / Isso aconteceu. Manfred comentou comigo na casa deles, fim de semana (duas vezes [por] mês ia lá) => Cunhado [estava] preocupado, nervoso, inquieto e disse que Suzane estava mentindo para eles. Ele checava com carro e era mentira o paradeiro dela. Ela quis morar com Daniel, e Manfred disse: "Você quer morar com ele, tudo bem, mas eu te deserdo!"

- Castigo físico?
— Na pause depois do crime no depoito dela.
- Marisia — filha drogas?
— Ela desconfiava q isto estivesse acontecendo. Comentou superf. que tinha droga envolvida nisso.
- comport pais? álcool? episódios embriaguez?
— esporadicafe fim de semana de forma moderada. nunca vi meu cunhado e irmã embriagados.
- Andreas, de quem é tutor → quais foram os passos seguintes? O que e quanto sofreu?
— guarda e tutela? Tutela provisória → continua c atividds, passou de ano... Ele perdeu tudo.
- mantinha relação + intima c o senhor? Cumplicidade?

Era + distante. Atualmente está muito próximo. / – Posicionamento [de] Andreas com Suzane? / Tem carinho muito especial, está preocupado. / – Perdão? Como foi? / Partiu da imprensa. Nunca escreveu papel. Tem mantido contato com Suzane, tem visitado. Tio não acompanha. Sente saudades dela e fica eufórico quando vai visitá-la. / – Padrão de vida? / Psicanalista. Padrão simples, sem ostentação. Padrão subiu naturalmente, não de repente. / – Propina Rodoanel? [Manfred era suspeito de ter recebido propina no Dersa] / Juiz não vê relação deste questionamento com [a] morte do casal.

Acervo de bens patrimoniais? / Patrimônio de médica psicanalista que atendia classe média/alta e engenheiro. Normal, nada [de] exuberância. / – Daniel, após o crime, passou na casa Miguel para pegar Suzane e Andreas? / [Dia] 04/11 – segunda, saíram [do] DHPP. Na casa exigiu presença de Suzane e Daniel foi junto. Por volta [de] 22h um dos sobrinhos atendeu o telefone e Andreas disse: "Tio Miguel, Daniel vai vir aqui, tudo bem? Não, eu trabalho amanhã. Dez minutos depois ele chegou. A avó ficou revoltada, disse que estavam dormindo e Andreas e Suzane desceram. A avó disse para Daniel => o senhor é um delinquente de menores e está tirando 2 menores de casa [às] 22 horas. Daniel peitou dizendo que se [ela] quisesse, [que] chamasse a...

polícia. / Voltaram 1 hora depois e Miguel disse para Daniel: "Um dia a gente se encontra à sós!" / CLAUDIA / – Imprensa => festa de aniversário? Sítio? / Não houve. Não aconteceu. / – brigas PM – Manfred e Daniel? / Só através da [revista] Época. Não sabe se é verdade. / – Última viagem? / [Em] Julho, com esposa. / Manfred no trabalho? / Honesto e generoso. / JABUR / – Manfred tinha relacionamento extraconjugal?

- Que eu saiba não, em hipótese alguma
- A família Abdalla foi ao casamento Manfred Marísia?
- Sim, em dez[embro] de 1976
- Quem estava qdo Daniel disse que seria difícil desvendar?
- [Minha] mãe, eu, Sz + Andreas. Mãe ouviu isso e subiu.
- Qdo Daniel e Sz começaram namorar?
- ± 3 anos
- Afirmou em termos fortes q DN n tinha emprego, era delinquente e vagabundo.
- Alguma vez entrou na casa dos Cravinhos?
- Juiz — disse que a irmã que considerava isso.
- Sabe q Daniel dentro de casa trabalhava?
- Não, n conheceu residência de Daniel

– Apresentei 40 documentos. Dr. Miguel, pode identificar quem são as pessoas da foto das folhas 26/27 da petição da defesa? (Foto com [os] Von Richthofen e Cravinhos juntos.) / [Juiz pede para que a] Testemunha fizesse a leitura correspondente de título "AMOR" para dizer se a assinatura e letra são de Suzane. / Não conhece a caligrafia de Suzane. / Miguel acha que as fotos parecem "montadas". / Promotor – por que razão? / É escamoteado. Está óbvio. / – Conhece [os] pais de Daniel e Cristian? Nunca os vi.

- Foi por sua determ. q mobilete foi recolhida?
— Nem sabia antes do crime. N sei do paradeiro desse objeto q se denominou mobilete
- Pais de Manfred estavam no casa/o? (M+M)
— Sim

―――
3ª TESTEMUNHA —
? ? ? ? ? ? ? ? ? ?

Interrupção =>
Juiz esclarece q. imprensa ñ pode entrar e foi desrespeitado. Agora vieram informações q. pessoas presentes seriam da imprensa.

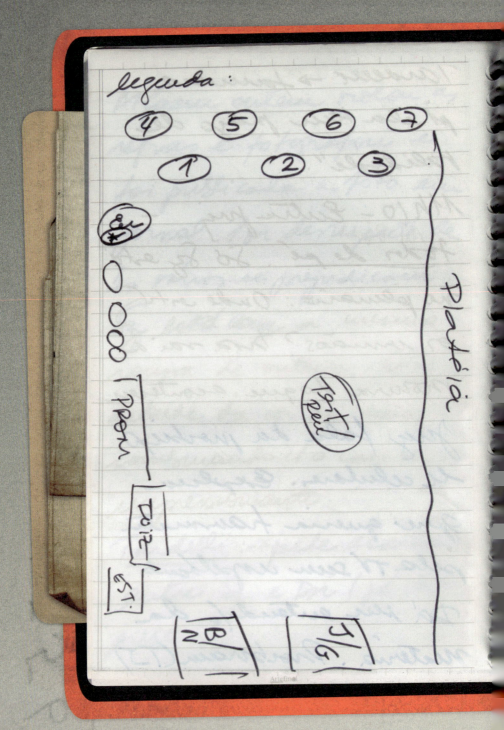

Mapa do Júri

10h20 – O juiz [Richard Francisco] Chequini me deixou sentar no plenário do júri. É incrível! Estou ao lado dos 7 jurados, sentados à minha esquerda. Minha visão é de frente "para o mundo", ampla e irrestrita. Assistir os trabalhos com este enfoque é emocionante! São 4 homens e 3 mulheres no júri.

Sentaram-se:

(H) (M) (M) (H)
(A) (M) (H)

Na maioria, os jurados são mais velhos.
A Acrimesp (Mira) já chegou. Talarico acaba de entrar. A segurança se movimenta incessável. Jabour já no plenário, conversa c/ Luiz Flavio Gomes e + 1 assistente. Cravinhos na 1ª fila mesmo, em pé, conversa

.... com assist[ente de Geraldo] Jabur. Entra a promotoria (10h30), Tardelli e estagiários. Pergunta (para [o] júri) se o "hotel" está bom, se tomaram café, se é pelo menos um "3 estrelas". Todos sorriem, de bom humor. Verificar como se inscreve para ser jurado. [em vermelho] São pessoas que estão voluntariamente aqui, gostam de fato do que fazem.

Duro vai ser ficar aqui em cima sem fumar e sem falar. Que castigo! Acabei de conversar com o Chequini sobre a acareação. Ele e Anderson acham q[ue] não tem valor jurídico porque o réu pode e mentir e Cheq[uini] falou para Tardelli que seria um "tiro no pé", porque ela "engoliria" os dois.

Eu me intrometo na conversa. Falei p/ Cheq. que a acareação seria ótima p/ ver a dinâmica entre os 3 réus, quem manda, quem obedece, dominador e dominado. Mesmo que ela "engula" eles, será ótimo p/ os jurados assistirem e formarem sua convicção. O Cheq tb. acha q. ela é dominante

Eu me intrometo na conversa. Falei para Cheq[uini] que a acareação seria ótima para ver a dinâmica entre os 3 réus, quem manda, quem obedece, dominador, dominado. Mesmo que ela "engula" eles, seria ótimo para os jurados assistirem e formarem sua convicção. O Cheq[uini] também acha que ela é dominante.

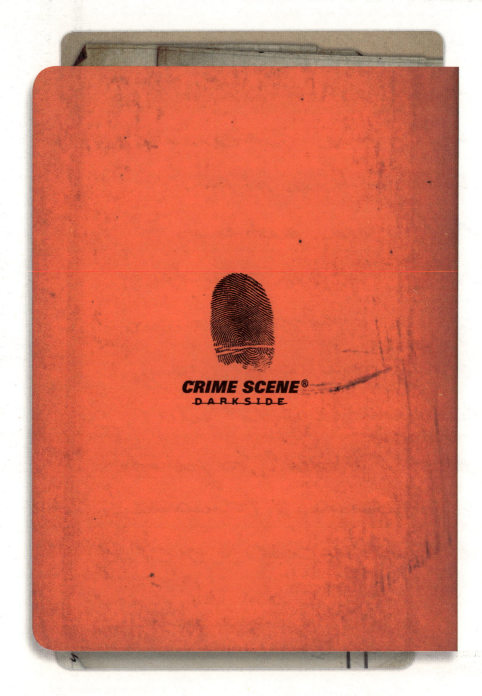

AGRADECIMENTOS.

Muitos dizem que tenho sorte. Acredito que tenho bons amigos. Sem eles, nada seria possível.

Na Superintendência da Polícia Técnico-Científica, que engloba o Instituto de Criminalística e o Instituto Médico-Legal, contei sempre com Celso Perioli, José Domingos Moreira das Eiras, Jane M.P. Belucci, Agostinho Pereira Salgueiro, Ricardo Salada, Edson Wailermann, Flávio Teixeira Jr., José Carlos Aloe, Marcos Rogério dos Santos Boy e os médicos-legistas André Ribeiro Morrone e Antonio Carlos G. Ferro.

Na Polícia Civil, meus colaboradores foram Marco Antonio Desgualdo, Domingos Paulo Neto, Armando de Oliveira Costa Filho, José Masi, Cíntia P.C. Tucunduva Gomes, Alvim Spinola Castro, Carlos Eduardo Montez, Robson Feitosa da Silva e Sérgio de Oliveira Pereira. Agradeço também a todos que participaram da investigação, fazendo história.

No Ministério Público, ajudaram-me incansavelmente Ivana David Boriero, Alberto Anderson Filho, Roberto Tardelli, Virgílio Antonio Ferraz do Amaral, Divanira de Fátima Moraes e Gessilda Gallardi.

Os amigos de todas as horas, para o bem e para o "mal", e por ordem alfabética (é claro!): Adriana Monteiro, Christian Dunker, Claudia M.S. Bernasconi, Maria Adelaide de Freitas Caíres, Rodrigo Cardoso e Rosangela Sanchez.

Janice Florido e Carla Fortino, sua expertise foi fundamental, seu carinho, imprescindível.

Eduardo Morales, meu assistente querido, meu amigo incondicional. Sua dedicação me comove e faz toda a diferença.

Fernando e Marcelo, filhos amados, sempre conto com vocês ao longo do caminho. A vida é melhor porque vocês estão sempre presentes.

Jacques, meu marido e amigo, ombro de todas as crises, companheiro de todas as horas, paciente, incentivador, aquele que sempre acredita e nunca desiste nem me deixa esmorecer. Obrigada por estar sempre perto e por me proporcionar esta vida linda!

A PROVA
É A TESTEMUNHA

ARQUIVOS 02.
NARDONI

"UMA ÚNICA ANNE FRANK
NOS EMOCIONA MAIS
DO QUE MILHARES DE OUTRAS
QUE SOFRERAM TANTO QUANTO ELA,
MAS CUJOS ROSTOS PERMANECERAM NA SOMBRA.
TALVEZ SEJA MELHOR
DESSA FORMA, POIS,
SE TIVÉSSEMOS QUE ABSORVER
O SOFRIMENTO
DE TODAS ESSAS PESSOAS,
SERIA IMPOSSÍVEL CONTINUARMOS A VIVER."

— PRIMO LEVI

À pequena Isabella, que, em tão
curta vida, nos deixa tão grande
mensagem. Menina cheia de luz.

Aos homens da minha vida:
Meu pai, o passado, sempre "advogado
do diabo", argumentando o outro
lado, me fazendo vislumbrar
o improvável e o impossível,
enxergar as várias verdades que
cada um pode carregar. Que saudade.

Meus filhos, o futuro, que a eles
pertence de direito e de dádiva, que
suportam a distância para a qual
um livro me carrega, persistindo
no amor e na compreensão.
A eles pretendo sempre causar
o refletir, como aprendi.

SUMÁRIO
A PROVA É A TESTEMUNHA

ARQUIVOS NARDONI

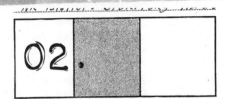

PREFÁCIO 281.
PRÓLOGO 285.
DENÚNCIA 288.

PRIMEIRO DIA 291.
22 de março de 2010

SEGUNDO DIA 309.
23 de março de 2010

TERCEIRO DIA 346.
24 de março de 2010

QUARTO DIA 374.
25 de março de 2010

QUINTO DIA 423.
26 de março de 2010

Epílogo 467.
Sentença 469.
Fotos do 482.
laudo final da perícia

Agradecimentos 493.
CADERNO ILANA CASOY 496.
CASO NARDONI

02. Arquivos **Nardoni**

PREFÁCIO

Sempre ouvi dos mais experientes que a vida costuma nos pregar peças e que ela, diversas vezes, nos conduz ao encontro de pessoas que acabam se tornando muito importantes pelos caminhos menos agradáveis. Isso aconteceu novamente. Quis o destino, de forma surpreendente, que eu conhecesse o trabalho de Ilana Casoy e com ela estreitasse laços de amizade em razão de uma tragédia que envolveu a morte de Isabella Nardoni.

A verdade é que nosso intenso convívio nos últimos dois anos e o apreço mútuo — ou, nas suas palavras, "uma amizade improvável para quem nos conhece, mas inquestionável para aqueles que conosco convivem" — estão diretamente relacionados com o infeliz episódio que comoveu o coração até mesmo dos mais insensíveis e cuja repercussão ultrapassou as fronteiras do país.

Eu poderia citar uma dezena de razões para justificar Ilana como a pessoa mais gabaritada para escrever e relatar o que de fato aconteceu nos cinco dias de julgamento dos acusados. Perspicácia e inteligência para tanto não lhe faltam.

Posso afirmar, ainda, que ela vivenciou, passo a passo, e de forma muito intensa, todas as etapas do processo, ao mesmo tempo que aproveitou para conhecer as pessoas envolvidas no caso, mergulhando no universo dramático de cada uma.

Além disso, mostrou-se sempre disposta a discutir, com inacreditável paciência, toda sorte de pensamento, ouvindo minhas ponderações com redobrada atenção, compartilhando as naturais aflições e, principalmente, auxiliando na difícil missão, reservada para poucos, de entender os sinuosos percursos da mente humana que levam pessoas comuns a cometer crimes violentos.

É um universo que faz parte de sua história, construída com obras de conhecida reputação, as quais nasceram após longo tempo de dedicação e estudo.

Era final de março de 2008, início de nova estação, o mês ainda chuvoso, os julgamentos acontecendo, ao menos para mim, com a naturalidade dos vinte anos passados no tribunal do júri. A vida seguia a ordem regular das coisas e, subitamente, fomos todos sacudidos por um tsunami de notícias sobre um crime chocante. A morte de uma criança de quase 6 anos de idade, atirada pela janela do sexto andar de um prédio, figurando como suspeitos seu próprio pai e a madrasta. Num misto de perplexidade, indignação e curiosidade, torcíamos para que não fosse verdade.

Nos primeiros momentos, era incompreensível que lhe tivessem interrompido a vida daquela maneira, especialmente por aqueles que lhe deviam proteção e amor. Logo nos primeiros dias, seu rosto meigo e alegre passou a estampar todas as capas de jornais e revistas, além dos noticiários de televisão. O sofrimento das pessoas que verdadeiramente a amavam marcou a vida de muitos brasileiros que, por razões insondáveis, passaram a viver aquela dor. A angústia coletiva, talvez gerada pela incompreensão de tão aberrante fato e pela busca de respostas, era patente.

Naquela época ninguém imaginou, nem mesmo eu, que o crime se transformaria no mais emblemático caso da história jurídica do Brasil. No fim das contas, era fácil entender o porquê.

Inicialmente, ainda me considerava mero espectador, aguardando, com paciência, informações técnicas que permitissem uma resposta clara. Causavam espanto a pressa e a ansiedade da população, e também da mídia, que queriam, em curto espaço de tempo, respostas que não poderiam ser dadas naquele momento. Mas, para tranquilidade dos operadores do Direito, a prova pericial aliada a outros importantes elementos logo me mostraram o caminho a ser trilhado. Depois, a cada etapa processual vencida, até o julgamento popular, apenas constatei que a competência de alguns profissionais que propiciaram o esclarecimento do crime foi determinante para que uma resposta justa fosse dada.

Foi nessa época que fui apresentado a Ilana Casoy, que, àquela altura, estava muito bem informada e com a opinião sedimentada, uma vez que tinha lido os seis volumes do inquérito policial, com a autorização do juiz, dr. Maurício Fossen. Muitas conversas, trocas de experiência, milhares de páginas discutidas. Ilana sempre esteve presente. Seguiu-se uma cansativa instrução criminal, com incidentes compreensíveis em casos de repercussão. Já era possível vislumbrar que o julgamento duraria dias e geraria incomum tensão para as partes, as testemunhas, os familiares, o juiz e, certamente, também para Ilana. Seria um júri acompanhado pelo país inteiro, todos na expectativa do desfecho que selaria o destino dos acusados.

O julgamento foi restrito a poucos. O pequeno plenário comportou apenas familiares dos acusados e da vítima, convidados das partes e jornalistas, estes últimos com a dura missão de fazer um rodízio. O livro de Ilana Casoy, de narrativa vibrante e agradável, nos transporta para aquele acanhado plenário e nos conta, com fidelidade, o que aconteceu no julgamento.

Trata-se, sem dúvida, de um precioso documento à disposição daqueles que quiseram, mas não puderam, estar presentes.

A leitura da obra me trouxe de volta sensações que experimentei quando da tensa instalação da sessão: o sorteio de cada nome dos jurados; o sofrimento estampado no rosto da mãe de Isabella ao prestar depoimento; as verdadeiras aulas ministradas pelo legista Paulo Tieppo e pela perita Rosângela Monteiro; a segurança da delegada Renata Pontes; as desavenças que naturalmente ocorreram com os competentes advogados de defesa; os questionamentos que fiz aos acusados, muitos dos quais sem que me fossem dadas respostas ou, quando dadas, não satisfatórias; enfim, tudo foi contado por Ilana com maestria incomum, que usou de sua competência e sensibilidade nos momentos em que emitiu opiniões e fez suas pertinentes considerações.

Da noite que antecedeu o dia mais importante de todos, o decisivo, quando os debates finalmente seriam travados pelas partes, tenho poucas lembranças. Daniela Sollberger Cembranelli, minha esposa, talvez possa contar melhor como foram aqueles momentos de tensão. A ela pedi ajuda:

```
A semana foi intensa. Ao final de cada
dia, os debates continuavam, ora na casa
de Ilana, ora em nossa casa. E assim foi até
a véspera dos debates. Nesse dia, fugindo
à regra, Francisco quis ir para nossa casa,
sem a companhia dos amigos. Precisava ficar
sozinho. Estava rouco e cansado. Não queria
nem mesmo falar sobre o interrogatório dos
réus, que, para ele, era previsível. Dormiu
pouco, quase nada. Após três horas de sono
turbulento, levantou-se para ler mais uma
vez aquilo que conhecia como ninguém. Pela
manhã, perguntei se ele queria conversar
sobre o júri ou sobre a sua fala. Disse-
me que não. A tensão era visível. Nada
que eu falasse a respeito da excelência
de seu trabalho ou sobre ter cumprido
a sua obrigação legal com galhardia seria
```

suficiente para atenuar a angústia que ele
sentia. O silêncio tomava conta. Em geral,
gosta de discutir os casos, de ouvir minhas
ponderações, de contra-argumentar quando
não concorda. Naquela manhã, nenhuma
palavra. Era como se conversasse consigo
mesmo o tempo todo. Confesso que fiquei
preocupada. Mas eu conhecia bem a prova
do processo e, o mais importante, conhecia
como ninguém a capacidade desse promotor
em plenário. No júri, não me lembro de
ter testemunhado alguém que conseguisse
aliar segurança, competência e poder de
argumentação igual a ele. Resolvi aguardar
e nada mais perguntei, até chegarmos ao
fórum. Uma vez lá... Bem, ninguém melhor
do que Ilana, essa talentosa e irreverente
escritora, para relatar o que aconteceu.

Então, caros leitores, resta-me apenas deixar que a narrativa cativante de Ilana Casoy possa envolvê-los e transportá-los ao julgamento emblemático do caso Isabella Nardoni.

Francisco J. Taddei Cembranelli
Promotor de Justiça

PRÓLOGO

Era uma vez...

Uma menina de quase 6 anos, cuja fotografia estava estampada em todas as reportagens e todos os jornais brasileiros, Isabella de Oliveira Nardoni. Foi jogada pela janela do apartamento de seu pai, Alexandre Alves Nardoni, acusado de defenestrá-la depois de a madrasta, Anna Carolina Trotta Peixoto Jatobá, a esganar, em 29 de março de 2008.

Seria esse caso diferente de outros tantos que acontecem na calada da noite ou do dia, rompendo a barreira do sagrado? Crimes de família não são tão raros quanto se pensa. Além do horror de uma pessoa ser assassinada em meio àqueles a quem se ama e em quem se confia, "a terça parte dessas tragédias familiares envolve uma mulher como autora do crime, e elas são maioria quando se trata de filhos assassinados (55%). Os números chegam a ser freudianos quando apontam a realidade de que pais matam, na maioria das vezes, as filhas, e as mães, os filhos. Assim se dá também quando observamos filhos que assassinam os próprios pais: filhas matam, na maioria das vezes, o pai, e os filhos, a mãe".[1]

Naquele mesmo mês, um juiz havia me convidado a estudar outro caso em que a mãe matara seu filho de 2 anos, Elvis, encontrado asfixiado ainda com a chupeta na boca. Não saiu nos jornais. Não apareceu na televisão. Nenhuma matéria jornalística foi feita, mas não era menos impressionante do que o caso Isabella. Por que a mídia "elege" alguns crimes para explorar, enquanto outros, com as mesmas características, são esquecidos? Já tinha feito essa pergunta várias vezes a mim mesma; na reprodução simulada do caso Richthofen, havia outra ocorrendo ao mesmo tempo, também ignorada, mas de igual teor.

Por ser especialista em crimes violentos, existe sempre a solicitação, pela imprensa, para que eu elabore o perfil desse ou daquele acusado quando ocorre um ato desse tipo. Incansavelmente, os jornalistas buscam explicações sobre as causas da criminalidade para dar a seus leitores. No entanto, um trabalho sério de análise de um caso só é possível depois

---

[1] Artigo publicado pelo *Jornal da Tarde* em 19.04.2008.

que se lê o processo inteiro; e como é inviável ler todos os processos de todos os casos noticiados, é preciso selecionar os que serão estudados.

Um domingo distante, 14 de abril de 2008. Eu chegava de uma complicada viagem ao exterior, onde ficara durante quinze longos dias. Malas no chão, ligo a televisão. Só se falava no caso de uma menina jogada pela janela, provavelmente pelo pai e pela madrasta. Como sempre, crimes de família chamam atenção de todos, mas não me ative a ele em especial, mesmo porque estava chegando atrasada nessa história, não havia acompanhado os acontecimentos nem mesmo pelo noticiário. Cansada, no dia seguinte, no Fórum de Santana, já começaria uma semana de trabalho difícil, assistindo a um júri de um médico[2] acusado de assassinar e esquartejar uma paciente. O caso ganhara enorme repercussão na mídia durante os últimos cinco anos. Eu, porém, que até então só o havia seguido pela imprensa, queria saber a distância entre o noticiário e a realidade do processo (porque ouço semanalmente de meus colegas juristas que "o que não está no processo, não está no mundo!"). Nem imaginava como seria útil essa reflexão no caso a que assistira pela televisão no dia anterior, o crime cometido contra a menina Isabella. Eu estava interessada na cobertura da imprensa e em sua influência na formação da opinião pública nos casos de repercussão, mas não pensei que minha pesquisa seria enriquecida, de forma jamais vista no país, com artigos dos mais variados estudiosos de comunicação, direito, psicologia, psiquiatria; toda a interface foi explorada.

Durante os três dias de julgamento do tal médico, fui interpelada por inúmeros repórteres que faziam a cobertura dos acontecimentos no júri. Eles, no entanto, não queriam falar sobre o caso Farah, mas sobre o assassinato de Isabella Nardoni. Eu sabia pouco sobre a morte da menina, e era o que respondia, mas me sentia como quem havia chegado de outro planeta. Parecia ser a única ali a não ter uma opinião formada, uma convicção.

Por fim, dei uma entrevista para o jornal *O Estado de S. Paulo* e fui a voz ponderada da vez, chamando atenção exatamente para o cuidado que se deve ter nessas questões de Justiça. Muitos erros são cometidos

---

2 Farah Jorge Farah foi condenado a treze anos de prisão em abril de 2008 por matar e esquartejar sua ex-amante, Maria do Carmo Alves, em júri depois anulado pelo Tribunal de Justiça. O crime ocorreu em janeiro de 2003. O ex-cirurgião ficou preso até maio de 2007, quando o Supremo Tribunal Federal (STF) aceitou o pedido de *habeas corpus* da defesa para que ele aguardasse em liberdade um segundo júri popular. Em maio de 2014, foi condenado a dezesseis anos de prisão, mas recorre da decisão em liberdade.

e é preciso ter muita cautela no momento em que ainda não saíram laudos, mandados de prisão, indiciamentos. Depois, essa entrevista foi amplamente utilizada por amigos dos indiciados, que me acusariam de "mudar de posição", sem perceber que aquela ainda não era uma posição e sim um discurso de "Calma, vamos aguardar mais informações oficiais".

Dessa vez, minha curiosidade intelectual — por ver tamanha turbulência no país, nos jornais, nas televisões que transmitiam notícias sobre o caso, às vezes por mais de quarenta minutos, sem interrupção, das "sinceras opiniões" espalhadas por bares e entrevistas — estava aguçada além do limite normal. Todos pareciam saber a "verdade" sobre o crime e o analisavam até com certa displicência, sem pensar nas consequências de suas palavras. Uma amiga queria me apresentar o promotor responsável, o dr. Francisco José Taddei Cembranelli, conhecido como um dos mais brilhantes promotores do júri, mas eu hesitei. Conhecer um processo utilizando um contato direto de um dos lados pode não ser confortável se você, ao final da leitura, tiver um convencimento diferente daquele que lhe abriu as portas. Resolvi pedir a um amigo que fornecesse minhas referências profissionais ao juiz do caso, figura imparcial do processo. Marcamos. O dr. Maurício me recebeu muito gentilmente; um senhor quase tímido, quieto e seríssimo. Expliquei a ele sobre meu trabalho e minha pesquisa, e pedi permissão para ler os autos. Como todos sabem, o processo de homicídio é público, mas as autoridades envolvidas devem ser respeitadas. O sereno magistrado me autorizou a ler os volumes no cartório, sem copiá-los. Acho que nunca imaginou que eu ficaria lá sentada pelas duas ou três semanas seguintes, estudando incansavelmente cada folha. Já eram oito os volumes do processo nº 274/08.

A cada página lida, mais intrigada eu ficava. Leio um inquérito ou processo como quem monta um quebra-cabeça, juntando as peças, fazendo anotações, procurando bordas que combinam ou não, analisando cada comportamento das pessoas ou dos profissionais envolvidos; examino a perícia até a exaustão. E nesse caso havia um agravante: os acusados negavam com veemência a autoria do crime. Apesar de todas as incongruências. Apesar de não se comportarem exatamente como inocentes, uma vez que desde o primeiro dia eram orientados por advogados. Apesar das contradições.

Depois de árduo trabalho, leitura concluída, me levantei, peguei o celular e liguei para minha amiga. "Pode me apresentar ao promotor Cembranelli. Se eu acompanhar esse caso, tem que ser pela acusação!" Estava convencida por provas que só ganhariam notoriedade durante o julgamento, mas que já estavam ali desde o início.

MINISTÉRIO PÚBLICO DO ESTADO DE SÃO PAULO

ÍNTEGRA DA DENÚNCIA

<u>EXCELENTÍSSIMO SENHOR DOUTOR JUIZ DE DIREITO
DO II TRIBUNAL DO JÚRI DA CAPITAL.</u>

IP Nº 0274/2008

Noticiam os inclusos autos de inquérito policial que no dia 29 de março de 2008 (sábado), por volta das 23 horas e 49 minutos, na rua Santa Leocádia, nº 138, apt. 62, Vila Izolina Mazzei, comarca da capital, os indiciados **ALEXANDRE ALVES NARDONI E ANNA CAROLINA TROTTA PEIXOTO JATOBÁ**, qualificados às fls. 585 e 604, respectivamente, agindo com unidade de propósito, valendo-se de meio cruel, utilizando-se de recurso que impossibilitou a defesa da ofendida e objetivando garantir a ocultação de delitos anteriormente cometidos, causaram em **ISABELLA DE OLIVEIRA NARDONI**, mediante ação de agente contundente e asfixia mecânica, os ferimentos descritos no laudo de exame de corpo de delito às fls. 630/652, os quais foram causa eficiente de sua morte.

Consta, ainda, que alguns minutos antes e também logo após o cometimento do delito acima descrito, os denunciados inovaram artificiosamente o estado do lugar e dos objetos com a finalidade de induzir em erro juiz e perito, produzindo, assim, efeito em processo penal não iniciado.

Apurou-se que **ISABELLA DE OLIVEIRA NARDONI** era fruto de um relacionamento amoroso havido entre o denunciado **ALEXANDRE** e **ANA CAROLINA CUNHA DE OLIVEIRA**, estando o casal separado à época dos fatos, razão pela qual a menina passava aquele final de semana em companhia do pai e da madrasta, a indicada **ANNA CAROLINA JATOBÁ**.

Há notícias de que o relacionamento entre os denunciados era caracterizado por frequentes e acirradas discussões, motivadas principalmente por forte ciúme nutrido pela madrasta em relação à mãe biológica da criança. **ISABELLA**, nos finais de semana que passava com o casal, a tudo presenciava.

Na manhã do dia mencionado, os indiciados, em companhia de seus dois filhos e de **ISABELLA**, dirigiram-se para o vizinho município de Guarulhos ocupando um veículo da marca Ford, tipo ka gl, placa **DOG-1125**.

No final da noite, após retornarem para o edifício da rua Santa Leocádia, ocorreu forte discussão entre o casal, ocasião em que **ISABELLA** foi agredida com um instrumento contundente, fato que lhe ocasionou um pequeno ferimento na testa, provocando sangramento. Na sequência, a denunciada Anna Carolina apertou o pescoço da vítima com as mãos, praticando uma esganadura que ocasionou asfixia mecânica, cujos ferimentos estão descritos no laudo já mencionado.

O denunciado Alexandre, a quem incumbia o dever legal de agir para socorrer a própria filha, omitiu-se.

Com a criança desfalecida, porém ainda com vida, os indiciados resolveram defenestrá-la. Para tanto, a tela de proteção da janela do quarto dos irmãos da ofendida foi cortada, após o que o indiciado Alexandre subiu nas camas ali existentes, introduziu **ISABELLA** pela abertura da rede e a soltou, precipitando sua queda de uma altura de aproximadamente 20 metros.

A denunciada **ANNA CAROLINA** concorreu decisivamente para a prática da conduta descrita no parágrafo acima, uma vez que a tudo presenciou, além de aderir e incentivar, prestando auxílio moral.

Apesar do socorro prestado por uma unidade do Resgate, os ferimentos provenientes da queda, aliados àqueles decorrentes do processo de esganadura, causaram a morte de **ISABELLA**, criança de 5 anos de idade.

O meio utilizado foi cruel, uma vez que a vítima, além de sofrer asfixia mecânica e já apresentando ferimentos pelo corpo, foi defenestrada ainda com vida, padecendo de sofrimento intenso.

Além de ter sido surpreendida quando da esganadura contra si aplicada, a ofendida teve, ainda, a sua defesa impossibilitada ao ser lançada inconsciente pela janela.

Os denunciados objetivaram garantir a ocultação dos delitos anteriormente praticados contra **ISABELLA**, a qual já havia sofrido uma esganadura e apresentava ferimentos.

Finalmente, os denunciados simularam que um ladrão havia invadido o apartamento da família e lançado a vítima pela abertura feita na tela da janela. Enquanto o indiciado Alexandre descia pelo elevador, sua esposa Anna Carolina permanecia no imóvel alterando o local do crime, como já havia feito pouco antes da ofendida ser jogada, apagando marcas de sangue, mudando objetos de lugar e lavando peça de roupa. Ao mesmo tempo, o pai da criança, já no térreo do edifício, no momento em que **ISABELLA** estava caída no gramado, ainda com vida e necessitando de urgente socorro, preocupava-se em mostrar a todos que havia um invasor no prédio, fato que motivou a imediata chegada de mais de trinta policiais militares, os quais, após minuciosa varredura no local e em imóveis vizinhos, nada encontraram. Algum tempo depois da queda, a denunciada **ANNA JATOBÁ** apareceu na parte térrea do edifício e passou a ofender o porteiro com palavras de baixo calão, sugerindo falta de segurança no condomínio.

Em vista do exposto, denuncio a Vossa Excelência **ALEXANDRE ALVES NARDONI** como incurso nas sanções do artigo 121, § 2°, incisos III, IV e V c.c. o § 4°, parte final e artigo 13, § 2°, alínea a (c/ relação à asfixia), e artigo 347, § único, todos c.c. o artigo 61, inciso II, alínea e, segundo figura e 29, do Código Penal e **ANNA CAROLINA TROTTA PEIXOTO JATOBÁ** como incursa nas sanções dos artigos 121, § 2°, incisos **III, IV** e **V** c.c. o § 4°, parte final e artigo 347, § único, ambos c.c. o artigo 29, do Código e requeiro, após o r. e a. desta, sejam os denunciados citados para interrogatório e, enfim, para serem processados até decisão de pronúncia, julgamento e condenação, nos termos do artigo 394 e seguintes do Código do Processo Penal, intimando-se as testemunhas do rol abaixo objetivando prestarem depoimentos em juízo, sob as cominações legais.

São Paulo, 7 de maio de 2008.

FRANCISCO J. TADDEI CEMBRANELLI
Promotor de Justiça
II Tribunal do Júri

ROL DE TESTEMUNHAS

1 — Ana Carolina Cunha de Oliveira — fls. 150
2 — Antônio Lucio Teixeira — fls. 12
3 — Valdomiro da Silva Veloso — fls. 15
4 — Luciana Ferrari — fls. 70
5 — Waldir Rodrigues de Souza — fls. 92 - 951
6 — Alexandre de Lucca — fls. 70
7 — Paulo César Colombo — fls. 72
8 — Karen Rodrigues da Silva — fls. 80
9 — Geralda Afonso Fernandes — fls. 93
10 — Rosa Maria Cunha de Oliveira — fls. 121
11 — Provimento 31 — fls. 520
12 — PM Robson Castro Santos — fls. 104 - 217
13 — Dra. Rosangela Monteiro — Perita — fls. 657
14 — Dr. Paulo Sérgio Tieppo Alves — IML — fls. 638
15 — Dr. José Antônio de Moraes — Perito — fls. 739
16 — Dra. Renata H. da Silva Pontes — fls. 1041

PRIMEIRO DIA

22 DE MARÇO DE 2010

Quase dois anos após o assassinato de Isabella de Oliveira Nardoni, chega o dia do julgamento dos réus Alexandre Alves Nardoni e Anna Carolina Trotta Peixoto Jatobá.

No Fórum de Santana, diversas emissoras de rádio e televisão se posicionavam do lado direito da pista da avenida Engenheiro Caetano Álvares, na Zona Norte de São Paulo. Uma equipe de aproximadamente trinta seguranças, entre policiais militares e guardas civis metropolitanos, se alternava no controle dos manifestantes que tomavam quase toda a calçada. Uma equipe da Companhia de Engenharia de Tráfego (CET) cuidava para que o trânsito, já caótico nos dias normais, pudesse fluir com mais rapidez.

Do lado de fora do prédio, havia uma multidão que disputava a todo custo uma senha para acompanhar o julgamento. Os jornalistas que improvisariam a cobertura "minuto a minuto" para mídias eletrônicas acomodavam-se no canteiro, tentando conseguir uma sombra, já que a temperatura naquele horário já marcava mais de trinta graus.

Ansiedade total era o sentimento dominante em toda a sociedade, que acompanhou o caso em seus detalhes desde o dia do crime até aquele momento, quando enfim teríamos um desfecho.

O advogado de defesa contratado pela família dos réus, dr. Roberto Podval, chega sob uma pequena manifestação de vaias, mas passa rápido pelos jornalistas e não faz nenhuma declaração à imprensa. É incrível como a população confunde o papel do advogado e o ataca como se ele próprio tivesse cometido o crime em pauta. Será mesmo que a sociedade ficaria satisfeita com uma condenação sumária de réus que não teriam direito à defesa em um tribunal do júri? Gostaríamos de ter pessoas condenadas apenas pela opinião pública, sem qualquer garantia legal, sem que o crime seja avaliado com isenção de ânimos, pelas provas do processo? Seria um retrocesso gigantesco nos direitos de liberdade. Podval empurra um carrinho onde parece estar o processo do caso, aparentemente mais de trinta volumes.

Logo em seguida, chegam ao tribunal Antônio e Cristiane Nardoni, o pai e a irmã do réu, andando a passos largos sob o som ensurdecedor de vaias, alvoroçando o público na entrada do prédio. Alguns manifestantes até desferem palavras de baixo calão contra os dois.

Já dentro do fórum, a sala de imprensa está lotada de jornalistas montando seus computadores e procurando tomadas elétricas, que, no fim das contas, são insuficientes. Em um balcão próximo à janela são servidos água e café, que naquele momento já está gelado. Na parede, ao fundo da sala, vemos pregada a lista com o revezamento dos jornalistas, indicando o horário exato que cada um vai entrar. Serão três turnos de vinte repórteres que se revezarão nas duas primeiras filas do plenário por uma hora. São 56 os veículos de comunicação cadastrados. A movimentação é intensa e a tensão é quase palpável.

As horas se arrastam angustiantes. Nem sempre um júri marcado acontece realmente. São comuns os adiamentos pelos motivos mais diversos e, nos dias anteriores, a grande questão é se aquele julgamento se daria na data marcada ou não.

Durante a espera, na sala do cartório, a expectativa é enorme. Tudo e todos estão mobilizados para os próximos cinco dias de trabalho.

Daniela Sollberger Cembranelli, esposa do promotor, chega, aflita, com uma notícia inesperada, para a qual pede absoluto sigilo. Seria possível o que ela relatava? Fiquei trêmula dos pés à cabeça. Se for mentira, que coragem; se for verdade, que coragem. Nada mais deveria me espantar, mas fiquei em choque! Segundo Daniela, um jurado do primeiro tribunal do júri ligou para o promotor afirmando que sabia que um dos jurados estava comprado — e pelo pai do réu — para absolver. Conversaram por telefone e a polícia foi enviada para trazê-lo ao Ministério Público e confirmar a história diante do promotor. Depois esse indivíduo chegaria bêbado, acompanhado da esposa, completamente constrangida, e a denúncia não se sustentaria. Mas assustou!

No início da tarde, chega a notícia de que o júri começou. Sorteio dos jurados, juramentos, recomendações. Ainda estamos fora do plenário, todos com os nervos aflorados. Observo as atividades de bastidores, pessoas que trabalharam em tantos casos anonimamente, agora responsáveis por todos os assuntos operacionais necessários para o desenrolar da história. Ao meu lado, no cartório, o telefone toca pela enésima vez desde que estou ali. Um homem, que alega ser o pai da ré, diz ter problemas com a senha. "O senhor pode vir falar pessoalmente?", pergunta a funcionária. Ele se diz impossibilitado porque "tem muitas coisas a fazer", um discurso sem sentido para alguém cujo destino da filha está para ser decidido. Não dá para saber se é ele ou não. Duas mulheres tentam pegar a tal senha, dizendo que são da família da ré. Poderia ser golpe. Todo cuidado é pouco, porque nenhum familiar dela chegou até então. Sinistro.

Entrei no plenário II do segundo tribunal do júri só após as 16h. A sala, mesmo acanhada em número de lugares, não perde a solenidade. Pouco mais de setenta poltronas estofadas de couro vermelho, além de algumas poucas extras, aguardam para acolher seus ocupantes temporários. A minha é a de número dois, senha do Ministério Público. Entre o plenário e a plateia, uma portinha que não deve ser ultrapassada divide os principais personagens do público em geral. À frente, a enorme mesa de madeira escura e entalhada onde se sentará o magistrado, o juiz dr. Maurício Fossen. À sua esquerda, o estafe do tribunal. À sua direita, o Ministério Público, que dará voz à vítima; a partir da minha posição, à esquerda, as sete cadeiras de espaldar alto, alinhadas em dois patamares e unidas em uma peça só, com mesa complementar, o lugar dos jurados; à direita, a bancada da defesa.

Estou dentro e estou emocionada. Chegou o dia, vamos lá.

Nesse momento, presente no plenário, apenas Roberto Podval, advogado de defesa, que se aproxima de mim e conversamos. Ele acha que os réus já estavam condenados, mas daria dignidade aos trabalhos.

Pouco depois entra o promotor Francisco Cembranelli. Ele anda de um lado para o outro, com passos curtos e firmes. Vários flashes de memória se apoderam de mim. Lembrei-me de como o havia conhecido no corredor do tribunal, por acaso, antes mesmo de sermos formalmente apresentados. Ele havia lido meu livro O Quinto Mandamento/Arquivos Richthofen e fizera algumas considerações sobre o texto. Ali nasceria uma amizade profunda e duradoura. Temos uma afinidade improvável para quem nos conhece, mas indiscutível para aqueles que conosco convivem. Lembrei-me de nossas inúmeras conversas, nossas teses, nossos questionamentos, nossas críticas um ao outro e de reuniões e estudos, informações trocadas, apreensões em comum. Tudo passou como um filme diante de mim. Bem, estávamos ali. Começava o ato final.

Um mural estava encostado no plenário, esquecido, escrito com caneta hidrográfica, como todos os dias, por alguém de letra perfeita. Dessa vez estava escrito:

```
PROC. 274/08
DATA 22/03/10
M.M. JUIZ: Dr. MAURÍCIO FOSSEN
PROMOTOR: Dr. FRANCISCO JOSÉ TADDEI CEMBRANELLI
ASSISTENTE DO M.P.: Dra. CRISTINA CHRISTO LEITE
DEFENSORES: DR. ROBERTO PODVAL
             Dr. MARCELO GASPAR GOMES RAFFAIN
             Dra. ROSELLE ADRIANE SOGLIO
RÉUS: ANNA CAROLINA TROTTA PEIXOTO JATOBÁ
      ALEXANDRE ALVES NARDONI
VÍTIMA: ISABELLA DE OLIVEIRA NARDONI
```

Entram em plenário os jurados, quatro mulheres e três homens. Cinco deles nunca participaram de um júri, o que deu início a várias teorias sobre um possível resultado. A primeira e a segunda filas de poltronas do plenário estavam reservadas para a imprensa, que entra em fila indiana e toma seus lugares.

Baptistão, ilustrador por profissão, está ao meu lado nessa hora. Fora jurado do primeiro tribunal por longos dezoito anos. Achava difícil um jurado condenar em sua primeira atuação; precisaria estar muito convencido. Segundo ele, sente-se o peso de ter o destino de alguém nas mãos. Eu contra-argumentei dizendo que os jovens de hoje assistem a todas as séries de TV sobre perícia e polícia, são bem-informados e estão familiarizados com um julgamento mais técnico, o que facilita o entendimento das provas e evidências e, assim, ajuda a determinar a inocência ou culpabilidade de um réu. Outros se manifestaram sobre os sexos, se era melhor ter mais homens para a defesa ou mais mulheres para a acusação. Na realidade, cada caso é um caso, com suas particularidades e características únicas.

Ouvimos, então, em tom de voz elevado, a frase tão conhecida de todos que assistem a filmes de julgamentos: "Todos de pé!". Era o juiz Maurício Fossen, entrando para iniciar os trabalhos. Ele adverte o público, pede calma, explica que qualquer manifestação está proibida, assim como as comunicações por redes sociais, rádio ou celular, além de gravações. Essa medida funcionaria muito bem operacionalmente, mas para os jornalistas — que participariam apenas de parte do julgamento, por conta do rodízio de senhas — seria difícil ter uma visão completa do que aconteceria ali; ora a opinião da imprensa tenderia para um lado, ora para outro — mas nenhum veículo conseguiria evitar perder o fio da meada.

Em seguida, o dr. Maurício informa os jurados, e por consequência o público, de que há um relatório para cada um deles sobre a mesa e passa a dar a todos, então, um histórico do júri, a diferença entre crimes dolosos e culposos contra a vida, os quatro tipos de crime que vão a júri popular (aborto, homicídio, infanticídio e assistência ao suicídio), bem como o todo o caminho da Justiça nesses tipos de crime — ou seja, tudo que é da competência do tribunal do júri.

Juiz para jurados: "Nós trabalhamos juntos. Eu sou a voz dos senhores aqui". Em seguida, ele passa a ler o relatório.

Eu mal saí da sala. Ao assistir a um júri para escrever um livro, o medo de perder alguma coisa é enorme. Mais de uma hora depois eu estava no mesmo lugar, mas o primeiro turno da imprensa acabou, ou seja, quem saiu não viu absolutamente nada acontecer.

Entram os réus, Alexandre Alves Nardoni e Anna Carolina Trotta Peixoto Jatobá. Ela está de calça preta e blusa branca, ele de jeans e camisa polo azul e vermelha, mas com uma novidade: óculos. Ambos, sem algemas, ficam lado a lado atrás de uma coluna. Entram de maneira despercebida, quase sorrateira.

Os depoimentos estão prestes a começar. Logo no início dos trabalhos, depois de Cembranelli pedir para a mãe da vítima, Ana Carolina Cunha de Oliveira, ser ouvida primeiro, e evitar assim desgaste maior, Roberto Podval levanta uma questão jurídica curiosa sobre Ana Carolina ser testemunha. Segundo sua visão, ela é parte interessada na condenação, tanto que contratou uma advogada para assistir o Ministério Público na acusação. Está ali representada por Cristina Christo Leite, nomeada sua assistente, comprovando que não estava apenas interessada na Justiça, mas na versão dos fatos que acreditava verídicos. Deveria então ser ouvida como "informante", que não presta compromisso, ou seja, não precisa ser imparcial nem isenta, como uma testemunha deve ser. O dr. Podval também coloca em dúvida a legalidade do assistente técnico sentado à mesa da promotoria, o dr. João Baptista Opitz Júnior, que, segundo a defesa, não deveria participar do julgamento porque é médico, não advogado. O juiz logo esclarece que esse assistente técnico legalmente constituído pela família da vítima não participaria das reinquirições das testemunhas.

Os réus permanecem sentados, mãos apertadas entre os joelhos, juntos sem de fato estarem. Jatobá aprecia sorrateiramente a plateia. Cruza seu olhar com o meu por duas vezes e volta a encarar o chão. Alexandre está alheio, olha para a frente, para o nada. Cada um tem ao lado um policial militar. Jatobá está mais velha e ganhou um pouco de peso. Nervosa, esfrega as mãos uma na outra. Assoa o nariz, mas não dá para saber se está chorando ou não. Usa o papel que traz nos bolsos.

Apesar de os réus não terem trocado palavra ou olhar, sei que suas celas ficam uma diante da outra, e lá permanecem durante horas, aguardando o julgamento na carceragem do tribunal.

PRIMEIRO DEPOIMENTO
ANA CAROLINA CUNHA DE OLIVEIRA

Quando a mãe de Isabella entra para se sentar em frente ao juiz, Alexandre estica levemente o pescoço, como se fosse impossível conter sua curiosidade. Jatobá tem um ricto na boca.

Ana Carolina Oliveira veste camisa branca e calça jeans. Ela evita olhar para os réus. Parece estar muito cansada e abatida.

Sentada de costas para a plateia e, de certa forma, também para os réus, ouve o juiz ler a denúncia. Jatobá chora, cruza os braços sobre o peito, cruza as pernas, enxuga as lágrimas. Alexandre segue impassível.

Ana Carolina Oliveira responde às perguntas do juiz, que é o primeiro a lhe inquirir. Diz que é a mãe da vítima e tinha sua guarda, com o pai tendo direitos em fins de semana alternados, como no fatídico fim de semana. Conta que Anna Jatobá ligou para ela gritando demais, dizendo "Ela foi jogada!" — sem explicar o que estava acontecendo. A mãe da menina não entendeu, chegou a pensar que Isabella havia caído na piscina, pediu para alguém fazer respiração boca a boca. Jatobá gritava muito, e Ana resolveu ir com amigos até lá. Ao chegar, Jatobá estava na calçada. Ana subiu as escadas do prédio e vislumbrou sua filha na grama.

A essa altura do depoimento, a mãe da vítima desata a chorar compulsivamente. Para as testemunhas, é um momento difícil: relembrar e reviver sua maior tragédia. Ela chora tanto que lhe oferecem um copo d'água e lenços de papel.

Emocionada, entre soluços, conta que se ajoelhou ao lado da filha e colocou a mão no coração da menina, que batia muito rápido. Alexandre estava ao lado e só gritava que alguém tinha entrado no prédio. Em estado de desespero, Ana Carolina ligou de seu celular para o socorro, que estava demorando a chegar, e foi informada que o resgate já estava a caminho. Nesse momento, reparou que o menino Pietro, filho de Jatobá e Alexandre, estava presente. Leonardo, tio da vítima, pegou a criança no colo, ciente de que aquela era uma situação da qual ele não deveria participar. Alexandre continuava gritando algo sobre um ladrão ter entrado em casa, e Jatobá ainda berrava, irritando Ana Carolina ao limite. A mãe via a vida se esvaindo do corpo da filha, o coração batendo cada vez mais devagar. Começou um bate-boca entre as duas, mãe e madrasta: "Ela não parava de gritar, falei pra ela ficar quieta, pedi pra ela calar a boca, que eu não estava aguentando mais ela gritar. Aí ela mandou eu calar a boca também, me xingou e disse que aquela situação só estava acontecendo por causa da minha filha, que aquilo era por causa dela".

A mãe da vítima chora muito, mas, entre soluços e lágrimas, explica que entrou junto na ambulância, desesperada pelo fato de o coração da filha, que até então batia muito rápido, diminuir de ritmo de forma inexorável. Ana Oliveira fazia as mesmas perguntas repetidas vezes, mas ninguém da equipe de regaste tinha respostas para ela. Ao chegar ao hospital, a menina foi rapidamente removida do veículo, mas os amigos impediram que a mãe fosse atrás; ela deveria esperar. Não demorou para que a médica saísse com a desesperadora notícia de que a pequena Isabella não conseguira vencer a última batalha.

O juiz pergunta se Ana Carolina Oliveira chegou a conversar com Alexandre e Jatobá depois da morte de Isabella. Ela responde que não, que nunca conversaram, que nunca lhe explicaram o que aconteceu. No hospital estavam presentes ela, sua mãe, Alexandre e o pai dele. "Ali ele não me falou nada. Aí eu saí de lá, porque eu não conseguia ficar em pé, aí eu fiquei num canto assim do hospital, isso lá fora, no chão, porque eu fiquei muito desesperada com aquela situação, eu não conseguia, eu não conseguia pensar naquela situação, eu estava com a minha filha morta..." A depoente volta a chorar copiosamente durante seu relato e sua descrição é tão viva que chego a vê-la naquele canto agachada, encolhida de dor. Explica que viu o ex-marido perto do caixão da filha, mas nunca mais manteve contato com ele.

Cembranelli se levanta. Chegou a vez de o Ministério Público inquirir a testemunha. Ele pede que ela conte como foi seu relacionamento com Alexandre e ela dá toda a cronologia. Conheceram-se em 1999, frequentavam um a casa do outro, até que, depois de um ano e dois meses de relacionamento, terminaram. Dois meses depois reataram, ela engravidou, Isabella nasceu. Quando a filha estava com 11 meses, em março de 2003, romperam em definitivo.

O juiz interrompe, pedindo que Ana Carolina fale mais de forma mais pausada. O promotor prossegue, perguntando se ela suspeitou de traição, e ela conta que, certa noite, Alexandre ligou da faculdade dizendo que não iria para a casa dela. Era uma sexta-feira. Desconfiada, esperou-o no carro, na porta da casa dele, e o viu chegando de madrugada. No outro dia, terminaram.

Cembranelli então pede que Ana relate um episódio acontecido em uma festa de família, quando Alexandre teria brigado com um dos parentes dela. Ela descreve um homem irritadiço, orgulhoso, que diante da brincadeira do marido de uma prima teve reação desproporcional, assustando inclusive o bebê que estava em seus braços, fazendo-o chorar. "Aí chegou uma hora que a Isabella começou a chorar, ele gritava demais, ela chorava de desespero, aí ela começou a chorar e eu falei para ele: 'Vamos embora!'."

Outra situação que demonstrava a agressividade e a impulsividade de Alexandre também foi descrita por Ana, começando aí a demonstração, para os jurados, de que ali poderia haver um lobo em pele de cordeiro. Apesar da aparência calma, Alexandre tinha um histórico de rompantes, próprios de meninos mimados que não lidam bem com nenhuma frustração. Dessa vez, a testemunha contou uma briga que Rosa, sua mãe, teve com o réu sobre colocar ou não Isabella na escola. Alexandre, na porta da casa dos Oliveira, gritava para Rosa: "Sai que o meu assunto é com você, é com você que eu tenho que resolver". A sogra de Alexandre chegou, Ana Carolina já estava lá fora e, segundo ela, "era um empurra-empurra". O pai de Alexandre, Antônio, também foi chamado para acalmá-lo, já que era uma das únicas pessoas que conseguiam segurar o filho. A situação teria chegado a tal ponto que Alexandre ameaçou Rosa de morte. Os Oliveira registraram um Boletim de Ocorrência.

Enquanto ela conta essa história, Alexandre, do banco dos réus, balança negativamente a cabeça.

O relato seguinte da testemunha para o promotor foi sobre o triângulo formado por Alexandre, Anna Jatobá e Ana Carolina. Em certa ocasião, o casal Nardoni foi até a casa de Ana Carolina a fim de pegar Isabella para passarem o feriado no Guarujá. Alexandre explicou a Ana Carolina que Jatobá queria falar com ela. A conversa, praticamente um interrogatório, foi sobre o relacionamento do marido com a ex--mulher — uma relação que, segundo a testemunha, nem existia. Com muito ciúme, Jatobá gritava, sem controle. Ana respondia que a moça devia seguir a vida sem se preocupar, que ela não queria Alexandre.

Jatobá estava tão descontrolada que, segundo Ana Carolina Oliveira, o ex-marido a segurava pelo cós da calça, para que o bate-boca não acabasse em agressão. Ela queria saber como era o relacionamento dos dois, o que conversavam, como era sua vida. Ana Carolina, reagindo, teria respondido, por duas ou três vezes: "Não estou com ele porque não quero, se quisesse não seria você que impediria". Quando todos se acalmaram, Jatobá teria pedido desculpas por seu comportamento e seguiram viagem com Isabella. Depois de algum tempo, foi a vez de a ex-sogra ligar do Guarujá para Ana Carolina, xingando-a sem parar. Ao fundo, podia-se ouvir também os desaforos de sua ex-cunhada. Alegavam que ela havia falado mal das duas para Jatobá: "Me deu desespero porque elas me xingando daquele jeito e minha filha presenciando..."

Quando a mãe foi buscar a filha, só conseguiu subir até o apartamento depois de ligar para a polícia, que não precisou intervir. Na opinião dela, Alexandre viu e ouviu toda a intriga ser construída, fofocas, brigas, e jamais se posicionou ou esclareceu a verdade. Sempre que dona Cida, mãe de Alexandre, e a amiga dona Rosa, mãe de Ana Carolina, se falavam ao telefone, comentavam sobre Jatobá ser muito ciumenta e que ela implicava até com o fato de ter o mesmo nome da ex-mulher de Alexandre. Um dos episódios que dona Cida teria contado para dona Rosa foi que, certa vez, em um fim de semana em que Isabella estava com o pai, Ana Carolina teria telefonado para Alexandre. Isso irritara Jatobá profundamente a ponto de agredir o marido após jogar o filho Pietro na cama. O menino assustou-se, bem como Isabella, que pegou o garoto no colo a fim de protegê-lo e proteger a si mesma. Para "sossegar" Jatobá, Alexandre teria lhe dado um murro na boca do estômago e os pais de Nardoni foram chamados para controlar a situação. Quando Ana perguntou para Isabella se isso era verdade, a menina contou que pegou Pietro no colo porque Jatobá estava brigando com o pai dela.

Na bancada da defesa, Podval escreve rapidamente em sua cópia do processo, e a dra. Roselle acompanha o interesse dos jurados, olhando algumas vezes de soslaio para a assistente da acusação.

Demonstrado o perfil de comportamento de ambos os réus na visão da mãe da vítima, Cembranelli passa a perguntar sobre a questão da pensão alimentícia de Isabella. Quer que Ana explique por que entrou com uma ação na Justiça contra Alexandre Nardoni. Ela conta que o esquema de pensão entre eles era informal, que o ex-marido dava aquilo que achava imprescindível, mas a menina tinha algumas necessidades que só estavam cobertas financeiramente por ela. Quando pressionado, Alexandre dizia não ter dinheiro para pagar. No primeiro acordo que fizeram, o avô de Isabella, o sr. Antônio, ficou responsável por pagar mensalmente a quantia de R$ 315,00 ou R$ 325,00 reais, ela não estava certa. A quantia era referente a um seguro--saúde e uma pensão. Quando Ana arrumou um emprego que incluía o seguro-saúde da filha, a pensão diminuiu para um valor aproximado de R$ 140,00. Depois de muita briga, Alexandre passou a arcar com R$ 200,00 das despesas da filha. Mesmo assim, segundo a testemunha, atrasava e não atendia ao telefone. De acordo com seu relato, quando saíram da audiência que estabeleceu o valor da pensão, Alexandre riu de sua cara por Ana Carolina não ter conseguido a quantia de dinheiro que ele considerava ser para o proveito dela, não para Isabella. Tinham estacionado os carros no mesmo estabelecimento e não foi sem revolta que ela o viu ir embora em um Audi A4.

Outra questão importante levantada nesse depoimento foi a eventual agressividade de Pietro com Isabella. Quando ele a beliscava ou mordia, o pai a mandava revidar, diferentemente dos conselhos da mãe, que não concordava com essa "forma de educação". Segundo dona Cida, em conversa com dona Rosa, em uma das vezes que o menino machucou a irmã, Alexandre, muito irritado, teria soltado o filho no chão de certa altura.

Nas perguntas subsequentes, ficará estabelecido o retrato de Alexandre como pai após a separação, na visão de Ana Carolina Oliveira: ausente e desinformado, nada participativo. Na única vez que Isabella precisou ser internada, Ana Carolina não conseguiu falar com ele ao telefone. Jatobá teria atendido e lhe informado que o avisaria da doença da filha, mas isso não aconteceu e o pai nunca apareceu nem retornou o chamado.

Dona Cida conversava bastante com a amiga Rosa sobre o ciúme da nora. Contou sobre uma briga de casal em que Jatobá teria esmurrado os vidros da lavanderia e se cortado toda, furiosa porque o marido não lhe respondia. A sogra temia tanto as reações da nora que pedia para a filha, Cristiane, dormir na casa do casal nos fins de semana em que Isabella estava lá, de forma que a menina não ficasse sozinha com a madrasta.

Para finalizar, Cembranelli contou no tribunal que, por ocasião do interrogatório dos acusados, ambos disseram que Isabella queria morar com eles, e Ana Carolina Oliveira passou a narrar sua relação com a filha: "Ela tinha uma relação maravilhosa na minha casa, nunca teve problema nenhum [...] Ela sempre teve muito amor na minha casa, muita educação. Ela nunca demonstrou querer alguma coisa, ou ficar com ele, ou estar com ele além do período em que ela ia de quinze em quinze dias. Nós éramos bastante amigas, bastante companheiras, nós dormíamos juntas no mesmo quarto, muitas vezes ela queria dormir comigo na mesma cama". Ana Carolina se emociona ao lembrar como era ter a filha por perto e começa novamente a chorar. Conta sobre as viagens das duas, sobre como faziam confidências e da pequena grande companheira que perdeu.

O promotor encerra sua inquirição. A palavra agora é passada para a dra. Cristina Christo Leite, assistente da acusação. Ela vai se aprofundar em alguns pontos já abordados e outros ainda não revelados para os jurados mas expressos em depoimentos anteriores ao julgamento. A intenção continua sendo que todos percebam o perfil de Alexandre descrito pela testemunha, além das dinâmicas das famílias Nardoni e Oliveira, e entre ambas.

Ela começa perguntando sobre o relacionamento de Alexandre com a família Oliveira durante os anos em que mantiveram o relacionamento. Ana Carolina responde que era normal e, como qualquer casal de namorados, ele dormia na casa dela nos fins de semana. Era sempre bem-recebido e se dava bem com todos os seus familiares. Explica que Isabella foi uma criança muito bem-vinda, tanto pelo casal como por suas famílias.

A dra. Cristina pede para Ana Carolina detalhar como se deu o processo de separação. Ana conta que a decisão foi unicamente dela e não de comum acordo, porque não superou o fato de ter sido enganada naquela sexta-feira, um mês antes de a filha completar 1 ano de idade. Alexandre a teria procurado várias vezes, querendo ficar com ela; certa vez, em viagem juntos ao Guarujá, para visitar a filha, ele tentou mais uma vez reatar, mas ela não queria mais. Alexandre dizia ainda gostar dela.

(O juiz sempre interfere quando Cristina diz "acha" e pede para que ela seja mais direta — se a testemunha "ia", "fazia".)

A dra. Cristina prossegue, perguntando sobre o relacionamento entre Alexandre e a filha. Ana Carolina explica que, quando a menina começou a frequentar a escola, o pai se afastou bastante e ficou um tempo sem vê-la, mas a família Nardoni não queria que isso acontecesse e a procurou. Sobre ser verdade que ela cerceava as visitas, Ana Carolina explica que não, apenas não deixava que Isabella pernoitasse fora, em razão de ser um bebê ainda. Declarou que jamais impediria o convívio da filha com o pai e seus demais familiares, porque achava isso muito importante para Isabella. Nunca existiu "regulamentação" de visitas e a menina era muito bem-tratada. Isabella era a primeira neta; parecia ter lugar especial na família Nardoni, todos eram muito atenciosos. Comentava-se que Jatobá, exatamente por isso, tinha muito ciúme dela, pois dona Cida mostrava diferença na forma de tratar os netos, dando sempre preferência à menina.

A pergunta seguinte é sobre os telefonemas entre Ana Carolina e Alexandre. Ela responde que sempre que ligava era Jatobá quem atendia e repassava a ligação para dona Cida ou o sr. Antônio, nunca para o pai de Isabella. Ela até achava que Alexandre não estava em casa, mas a filha dizia que estava. Depois de um tempo, passou a tratar de tudo com Jatobá, para facilitar as coisas.

Outro episódio contado aos jurados foi sobre a última Páscoa. Alexandre e Jatobá estiveram na casa de Ana Carolina e Isabella foi até o carro falar com eles. Voltou triste do encontro, com dois brinquedinhos, daqueles que vêm dentro dos ovos de Páscoa, mas sem o chocolate, que o pai teria levado embora. Segundo Ana Carolina, ele não queria que Isabella dividisse o chocolate com seus sobrinhos ou com alguém da família Oliveira e levou-o embora.

A dra. Cristina pede então que Ana Carolina esclareça como era o relacionamento dela com Jatobá pela internet. "Ela questionava como era meu relacionamento com ele, falava muito da família dele, que não gostavam de mim." Ana explica que, quando entrou na Justiça com a ação da pensão, Jatobá a questionava e parecia querer investigar coisas.

Perguntada se em algum momento Alexandre comentou diretamente com ela sobre o ciúme que Jatobá sentia em relação aos dois, Ana Carolina contou que, certa vez, ao irem juntos ver a filha no Guarujá, Alexandre lhe confessou: "Ela [Jatobá] nem pode sonhar que a gente está descendo juntos, senão ela vai ficar brava, irritada, vai brigar comigo!".

Imediatamente, Alexandre se agita no banco dos réus e faz sinal para que seu advogado, o dr. Marcelo Gaspar Gomes Raffain, se aproxime. Cochicham de forma rápida. Não pude deixar de pensar que Jatobá estava sabendo apenas naquele momento sobre esse encontro de Ana Carolina e Alexandre.

O depoimento continua, agora com a testemunha contando que era frequente o comentário de dona Cida com sua mãe sobre o fato de a nova nora disputar a atenção de Alexandre com Isabella. Os diálogos ao telefone eram sempre "a três vozes", ou seja, Ana Carolina falava para

Jatobá, que transmitia a Alexandre, que respondia para Jatobá, que retransmitia para Ana Carolina. Dessa forma, muitas vezes havia discussões durante os telefonemas, pois era muito difícil combinar algo sem gerar mais uma briga. A testemunha relata uma delas, acontecida havia pouco tempo, cheia de mal-entendidos sobre quem iria buscar a filha na escola em certa sexta-feira. Alexandre, irritado, acabou dizendo a Jatobá, que retransmitiu o recado a Ana Carolina, que iria resolver as coisas de outra maneira. Ana teria respondido: "De que jeito ele vai resolver, ele vai me matar?". Ela jamais imaginou o desfecho final.

A dra. Cristina levanta então uma questão nunca abordada antes: o que Ana Carolina achava da proximidade das datas de nascimento do filho de Jatobá e de Isabella? Achava que era apenas uma coincidência? Isabella nasceu em 18 de abril; Cauã, o outro filho de Alexandre e Jatobá além de Pietro, no dia 17 do mesmo mês, com cinco anos de diferença entre eles. Mas o juiz indefere a pergunta. "Vamos aos fatos, doutora. Se é coincidência ou não, isso é subjetivo."

A assistente passa então a perguntar sobre uma ex-namorada de Alexandre, Patrícia. Ana Carolina afirma ter sido procurada pela moça quando começou a namorar Alexandre; ela alegava ter um filho dele. Ao ser perguntado, o namorado confirmou e disse que até registrou a criança, mas um teste de DNA comprovou que, de fato, não era seu filho. Ana explicou que chegou a vê-la em uma festa, mas nunca houve nenhuma "situação" entre as duas, muito menos de briga.

O depoimento continua, agora sobre brigas entre a ex-sogra e Anna Carolina Jatobá, em um episódio no qual se discutiu a preferência de dona Cida por Isabella e a diferença de tratamento para com Pietro. Cristiane teria interferido, pois Jatobá estava muito alterada, e as duas teriam trocado tapas. Depois disso, ela ficou algum tempo sem frequentar a casa da sogra.

Ana Carolina também conta que era um Alexandre completamente diferente aquele que ia sozinho à sua casa levar ou buscar Isabella. Nessas ocasiões, chegava a entrar na casa da família Oliveira, sentava-se no sofá, conversava com todos. Quando ia acompanhado da esposa, no entanto, o quadro se alterava. Nunca entrava ou conversava, apenas pegava a menina e sua bagagem. Ana Carolina ainda faz uma ressalva em relação à família Nardoni: eles sempre fizeram questão de se relacionar com a neta e interferiram bastante para que o filho mantivesse contato com ela.

Outra informação dada por Ana Carolina nos faria pensar: quando perguntada se Isabella tinha medo de ficar sozinha, ela responde: "Ela não tinha medo de ficar sozinha, até porque ela nunca ficou sozinha!". Explica que a filha tinha sono pesado, demorava um pouco para acordar e se situar. Ia para o quarto da avó e se deitava mais uma vez, demorando um tempo para vencer a preguiça e ficar ativa.

Já passava das 21h. Meus dedos quase caíam de tanto escrever e o depoimento estava se alongando, com informações que, eu sabia, seriam usadas nos debates, mas o cansaço se instalava em todos. Tratava-se de um relato de dados; o momento emocional havia passado.

No entanto, quando achei que nada mais de especial ia acontecer, a dra. Cristina entrou por um caminho que novamente traria lágrimas aos olhos de todos.

Ana Carolina começa a contar que nunca conseguiu obter de volta a mochilinha da filha, que continha vários objetos de uso pessoal, que tinham significado particular para ela. Chegou a pedir para os advogados, mas sem êxito. Também disse que havia tentado, sim, ligar para Isabella no sábado, mas que o telefone de Jatobá caía sempre na caixa postal. Já no hospital, sua mãe questionou muito Alexandre sobre o que havia acontecido, mas ele só respondia que a porta de seu apartamento fora arrombada e que entraram por lá. Ele, na verdade, não tinha respostas.

Ana Carolina passa a contar o grande sonho de sua filha: aprender a ler e a escrever. Chora ao relembrar que a menina estava sendo alfabetizada e que já sabia todas as letras: "Ela sabia soletrar e então a gente, quando ela queria escrever alguma cartinha, alguma coisa para alguém, ela me pedia ajuda, então eu ia soletrando e ela escrevendo... Ela dizia que quando ela aprendesse a escrever, que ela...", Ana chora muito, soluça sem parar, "ela escreveria uma carta para mim... a única coisa que ela sabia era o nome dela. Era uma coisa que ela queria muito... eu ia soletrando, ela queria que eu lesse para ela toda noite... o maior sonho dela era aprender a ler". A mãe está inconsolável; todos esperamos que se acalme, mas a história prossegue, sofrida: "Eu já tinha uma festa organizada de aniversario de 6 anos. Eu tinha combinado com ela um local que tinha um brinquedo...", ela para, chorando, "fui lá com ela, já havia pago...", Ana mais uma vez interrompe a fala e chora, "demorei um tempo depois que aconteceu para desfazer tudo que ela queria e que não ia mais acontecer!".

A assistência da acusação encerra. O juiz pergunta para os jurados se eles aguentam ainda a inquirição da defesa. Todos fazem um meneio afirmativo com a cabeça.

21H15
A DEFESA TEM A PALAVRA

Em muitos júris, os advogados preferem não perguntar nada à mãe da vítima, apenas apresentam sua solidariedade pela perda e dispensam a testemunha, que não está prestando compromisso, ou seja, não será acusada de falso testemunho porque não jura, não tem a obrigação de dizer a verdade.

Podval optou por inquirir Ana Carolina Oliveira sobre alguns pontos do seu depoimento para a acusação, mas ela estava visivelmente desconfortável e irritada por ser inquirida pela defesa dos réus. Além do óbvio cansaço, a testemunha estava na defensiva, como se não quisesse dizer nada que pudesse ser mal-interpretado, como se já tivesse dito tudo o que interessava.

A defesa começa perguntando como era o Dia dos Pais para Isabella. Ana Carolina responde que nunca houve festa desse tipo na escola, apenas os presentes feitos pelas crianças para seus pais. Como ela sempre acreditou em passar bons valores e conceitos para a filha, todos os anos comprava o material necessário para que ela fizesse um presente para dar a Alexandre, porque era importante que a menina aprendesse a valorizar o pai. Ele pergunta se não houve uma comemoração quando Isabella mudou de faixa no judô e se Alexandre compareceu. Ela confirma.

O advogado muda de assunto. Pergunta quanto tempo o resgate levou para chegar e socorrer Isabella no dia dos acontecimentos. Ana Carolina responde que não sabe precisar, mas acha ter demorado entre quinze e vinte minutos. Perguntada se a filha foi entubada, responde que se afastou quando eles chegaram e não se lembra de ter entrado ou saído da ambulância.

Podval pergunta se Isabella alguma vez ficou doente nas férias com a família Nardoni. A testemunha responde que nunca ficou sabendo. Apenas uma vez houve discussão sobre a marca de um remédio que teriam que dar para a filha, diferente daquele que ela costumava usar em casa, e que ela pediu que fosse comprado.

A defesa volta-se então para a Páscoa, indagando em que horário Alexandre e Jatobá teriam passado na casa de Ana Carolina para ver Isabella. Ela responde: "À noite, o horário não sei, já foi tarde".

Podval muda mais uma vez de assunto, agora perguntando, de maneira mais irônica, se ela sabe que Alexandre não sabia o nome da professora de Isabella ou se presumia. A resposta dela é seca e cortante: ele nunca foi ao colégio. O advogado insiste: "A senhora sabe que ele não sabe ou a senhora presume?". Ana Carolina faz todo um raciocínio lógico para explicar por que presume. Para ela, é algo óbvio, mas tecnicamente está presumindo.

Podval passa agora a perguntar a respeito das festas de aniversário da vítima. Sobre a primeira, que teria sido dada pela família Nardoni, Ana Carolina responde que estava com conjuntivite e não foi convidada. Perguntada, conta novamente sobre o nascimento de Isabella, quando estavam todos juntos na maternidade: "A família inteira estava feliz".

Outro assunto é abordado. Ana Carolina é inquirida sobre o nome do primo com o qual Alexandre teria se desentendido (no episódio relatado para o promotor). "Glécio", responde, explicando novamente que ninguém riu de Alexandre, ele é que entendeu mal, saiu e voltou.

As perguntas da defesa vêm e vão, saltando de um assunto para o outro. Não dá para entender a lógica da inquirição, teremos que aguardar para saber como tudo isso será utilizado. Podval pergunta: "A senhora é ciumenta?". Ela responde de forma curta e seca: "Não".

Podval a faz relembrar que, no episódio de sua separação, ela contou que tinha ficado no carro de madrugada, na porta da casa de Alexandre, para espioná-lo. Ela esclarece que permaneceu lá por meia hora, entre 3h30 e 4h, com o carro parado um pouco distante. Que só esperou por meia hora, vinte minutos.

A pergunta agora é sobre se Isabella voltava chorando da casa do pai. Ana Carolina explica que às vezes chorava, só que não por não querer estar com a mãe, mas porque queria ficar em uma festa ou continuar brincando com os irmãos, como qualquer criança.

Podval pede que a testemunha confirme que Alexandre Nardoni nunca foi agressivo com ela. Ela confirma. Pergunta como era o relacionamento dele com a família dela. Ela responde que, no início, a mãe ficou apreensiva, mas com o tempo se acostumou e aceitou, tratando-o sempre muito bem.

Agora a defesa volta para o fato relatado sobre a grande briga entre Alexandre e dona Rosa, a avó materna, quando Isabella foi matriculada na escola. Por que não aceitaram quando a também avó da menina, dona Cida, se ofereceu para cuidar dela enquanto as Oliveira trabalhavam? Não precisariam colocá-la tão cedo na escola. Ana Carolina dá sua versão, dizendo que a filha era bastante manhosa e acreditava que faria bem a ela se relacionar com outras crianças na escola.

Realmente, dona Cida havia se oferecido para ficar com Isabella, mas Ana Carolina não aceitou a oferta, agradecendo e explicando por que achava importante colocar a filha na escola.

Podval começa a entrar em um assunto mais delicado: a sugestão de que Ana Carolina talvez tivesse tido a intenção de fazer um aborto ao descobrir que estava grávida de Isabella. Levanta a suspeita quando pergunta se foi uma gravidez desejada. Ana Carolina explica que era muito nova e ficou com medo, não dos pais, mas de toda a situação. Só contou para a mãe no terceiro mês de gravidez. A família se desesperou por sua pouca idade, mas nunca a desestimulou de ser mãe.

A defesa insiste. "Alexandre a ajudou a aceitar Isabella?" "Não", responde secamente Ana Carolina. Mas algo ocorreu logo depois que soube da gravidez, algo a respeito de um remédio... Ana o interrompe, dizendo que não foi comprar remédio nenhum, estava desesperada e apenas foi conversar com um amigo. Termina a frase em tom cortante: "Ele [Alexandre] nunca foi contra o filho, se é isso que você quer saber!".

Depois de trocar com a mãe da vítima algumas informações sobre o que Isabella tinha na casa do pai, se gostava de ficar lá, sobre como era o quarto dela, Podval pergunta se Jatobá foi convidada quando Ana Carolina fez a festa de aniversário da filha. Novamente, em tom irritado, dá a resposta: "Não convidei, eu não tinha relação com ela a ponto de convidá-la".

Podval então pergunta, como que afirmando, se Isabella, naquela sexta-feira, pediu para estar com Jatobá. Ele tenta mostrar aos jurados que a menina gostava da madrasta e pedia para ficar em sua companhia. Ana Carolina de prontidão responde que a filha expressou vontade de ir à casa do pai, mas que nunca especificou se queria ficar com um ou com outro. No entanto, confirma que a menina nunca reclamou de Jatobá. Deixa claro que não eram só corações que a filha desenhava no vidro do box durante o banho; desenhava várias coisas, gostava de fazê-lo em geral.

Durante essa parte do depoimento, Jatobá acompanha tudo atentamente, sem conter as lágrimas.

A defesa quer saber se Ana Carolina não acha que, na verdade, não era necessariamente Jatobá que não deixava que ela falasse com Alexandre ao telefone. Se ela já havia pensado que o próprio Alexandre talvez não quisesse falar com ela. Ela responde com simplicidade: "Se era isso, eu não sabia". Mais uma vez, usa a lógica, dizendo que Alexandre era uma pessoa quando estava sozinho e outra na companhia da esposa. Era Jatobá, por exemplo, quem descia do carro para entregar Isabella, tirava a mala da menina do veículo e ia embora sem se deter muito.

Antes das 22h, a defesa encerra a inquirição. Antes de Ana Carolina ser dispensada pelo juiz, no entanto, Podval se levanta e pede para que ela fique disponível para a Justiça a fim de uma possível acareação. A plateia emudece. Olhares de espanto. Aquilo ninguém previra. Caso o pedido seja aprovado, a mãe da vítima vai ser impedida de assistir ao julgamento no tribunal. Cembranelli rapidamente intervém, explicando que Ana Carolina está sob tratamento e acompanhamento psicológico, que seria desumano "prendê-la" no fórum.

O juiz também interfere, perguntando a Podval se ele tem certeza de que quer isso mesmo. Ele responde que abre mão da presença de Ana Carolina no fórum, que ela pode ir para casa, desde que mantenha a incomunicabilidade. O juiz, meio irônico, responde que o advogado conhece muito bem os ritos do júri e está propondo o impossível: ou ele requer a disponibilidade da testemunha, ou abre mão dela, o meio-termo não existe. Contudo, alerta que ela está muito fragilizada psicologicamente e questiona se Podval de fato acha necessário esse procedimento.

Podval, irritado, revela que a moça não pode estar tão mal, porque já marcou uma entrevista coletiva com os jornalistas ao final dos trabalhos do dia. O juiz, indignado, pergunta: "É esse então o motivo? O senhor não quer que ela dê entrevistas?". O advogado nega e repete que a libera do fórum, mas a quer disponível judicialmente. O juiz, meneando a cabeça, repete que ele sabe que isso não é possível e indaga: "O senhor vai insistir nisso?". Podval responde: "Sim, vou insistir".

Ana Carolina sai do plenário arrasada, arrastando os pés e derramando lágrimas sem fim. Não vai testemunhar a justiça sendo feita. A defesa contratada pelos réus não correu o risco de ela ficar na primeira fileira do tribunal chorando sua perda e emocionando os jurados. Porém, talvez o preço a pagar tenha sido muito alto. Todos no plenário se condoeram por Ana Carolina, por sua fragilidade, por sua dor sem fim, por seus olhos perdidos pedindo socorro ao entender que estava excluída do desfecho do caso.

SEGUNDO DIA
23 DE MARÇO 2010

O dia 23 de março amanhece sob um sol intenso. Ao sintonizar o rádio do carro durante o trânsito, é possível ouvir as notícias sobre o segundo dia de julgamento e a questão discutida é a mesma: por que o juiz havia permitido que a mãe de Isabella ficasse incomunicável e isolada para a defesa, impossibilitando que ela assistisse ao júri? Juristas de plantão falavam sobre a importância de uma acareação, mas questionavam se teria sido uma boa decisão para a estratégia da defesa. Ao deixar o fórum na noite anterior, o advogado Roberto Podval disse que havia sido chamado de cruel, mas quem tinha arrolado a testemunha fora a acusação, verdadeira responsável pela situação toda. Informou ainda que passaria a noite em reunião com seus assistentes, debatendo a tática para o dia seguinte, já que outras testemunhas iriam depor.

O sr. Antônio Nardoni e sua filha Cristiane chegam ao terceiro andar do fórum faltando alguns minutos para as 9h. O pai usa um terno impecável; a filha, roupas claras, sempre apertando uma bolsa grande junto ao corpo. Ele chega com duas sacolas, talvez com roupas, e aguardam em um cercado de grades amarelas, colocado antes da entrada do plenário. Assim, todos precisam se identificar por meio de senha para ultrapassá-lo. Essa apresentação é conferida por, no mínimo, dois seguranças.

Um segurança explica a um grupo reunido ali que é terminantemente proibido fazer qualquer tipo de imagem, mesmo daquele local.

Vários funcionários começam a chegar, observando a intensa movimentação no corredor. Em um dos bancos de espera, as criadoras do blog "Caso Isabella Oliveira Nardoni" pedem autorização para permanecer ali com seus computadores, já que são sete pessoas dividindo apenas uma senha.

Rosângela Sanches, assessora de imprensa do tribunal, volta a falar com os jornalistas e informa que a saída deles só será permitida em conjunto, evitando assim o privilégio da notícia em primeira mão. Na sala de imprensa, o clima é de agitação. Os jornalistas circulam pela entrada entre o segundo e o terceiro andar, com o intuito de encontrar com alguém que lhes dê algum furo. Do lado de fora, estabelecem sinais de comunicação para quem está dentro passar informações. Os canais noticiam cada instante do dia.

Diversas pessoas procuram em salas próximas o número de seus processos anexados à porta, detalhando o horário exato de suas audiências. Um rapaz diz que a sessão dele começará somente às 13h, mas preferiu chegar bem antes para tentar "descolar" uma senha.

Ao passar pelas grades, dois seguranças ficam ao lado de uma mesa e solicitam que todos permaneçam com as senhas em mãos. Seguimos então por um corredor, onde há um banco de espera à esquerda. Chegando ao entroncamento do corredor, há um detector de metais também monitorado por um segurança. Mais adiante, passamos por duas portas da promotoria logo à direita, até chegarmos a mais uma mesa. Outro funcionário confere e recolhe as senhas de permanência na sala do julgamento. Adiante, ainda no corredor, ao ultrapassar a porta do plenário, há duas outras grades, sendo proibida a passagem, já que os aposentos seguintes são para as testemunhas e os jurados, que devem permanecer incomunicáveis.

9H55
ABREM-SE AS PORTAS DO PLENÁRIO

Entrei com Podval e a família Oliveira: os avós de Isabella, Rosa e José, e os tios, Leonardo e Felipe. Permaneço sentada, refletindo. Nenhum argumento jurídico me convence sobre a questão de Ana Carolina estar apartada do julgamento dos acusados pela morte de sua filha. A vida real não é técnica, é mais do que isso. Chorar na primeira fila era um direito seu e ele não deve ser contraposto ao nosso direito de ouvi-la no júri. Fica assim: a acusação, ao arrolá-la, sabia do risco. Mas, se não a arrolasse, como ficaríamos a par de certos acontecimentos? Sim, porque ela não é apenas a mãe da vítima, ela também conhece profundamente os réus e suas famílias, sua dinâmica, suas brigas e desavenças. Ela pôde descrever um quadro completo sobre quem são os envolvidos e o que aconteceu na noite fatídica, pois foi testemunha ocular dos fatos desde sua chegada até o resgate da vítima. E que tipo de acareação se faria entre um réu, que tem o direito de mentir, e uma testemunha, que não presta compromisso? Que verdade traria? Talvez aquelas perguntas elencadas pela defesa na inquirição de Ana

Carolina Oliveira fossem questões a ser levantadas nessa acareação. Pensando assim, mesmo os dois confrontados, não prestando compromisso com a verdade, poderiam ser observados em suas atitudes, tanto pelos jurados quanto pelo juiz. De qualquer forma, ainda que o advogado achasse extremamente útil para a defesa de ambos os réus a acareação, penso que o expediente — no caso, deixar a mãe isolada do júri — não foi bom para ninguém. E é tão pouco provável que nessa acareação a mãe da menina se saísse mal que ficou bastante óbvio que o verdadeiro objetivo era mesmo evitar que os jurados se emocionassem ao assistir à dor da mãe durante todo o júri.

10H
RÉUS ENTRAM NO PLENÁRIO

As maquetes do prédio do casal Nardoni e do apartamento estão instaladas diante da sala e da primeira fila da plateia. São enormes, impressionantes, e com certeza vão colocar os jurados no local dos fatos, permitindo que percebam as proporções reais, as distâncias, sem depender da capacidade de orientação espacial "intuitiva" de cada um.

A maquete do apartamento é mais impactante, porque tem todas as paredes de vidro e as manchas de sangue. Vai facilitar muito o entendimento dos jurados sobre o que aconteceu no apartamento 62 do edifício London. Uma segurança do plenário comentou que a maquete, quando vista de perto, é impressionante, mas também muito triste de se olhar, já que o corpo da menina, representado por uma boneca, está estendido no chão.

Alexandre não contém a curiosidade e espia; está fascinado. Jatobá olha apenas para o chão, com as mãos entre as pernas. Está com os cabelos presos, nenhuma maquiagem no rosto. Fala, por um momento, bem baixinho com o marido, que assente com um movimento de cabeça.

A irmã de Alexandre senta-se na primeira fila e tenta a todo custo acenar para o irmão, sem conseguir a atenção dele. Ela chora muito. O pai de Alexandre fica em pé e consegue que o filho o encare. Alexandre esboça um singelo sorriso triste e abaixa a cabeça, enquanto Jatobá, ao perceber o olhar do sogro, olha para o lado oposto e começa a chorar.

Depois da entrada dos jurados e do promotor, todos de pé. Entra então o juiz, que logo passa a conversar discretamente com Podval.

10H07

O juiz retoma os trabalhos e chama a testemunha de acusação Renata Helena da Silva Pontes, delegada que conduziu o inquérito do caso Isabella. Ela entra um pouco nervosa, toda vestida de preto, como lhe é habitual. É lembrada de que presta compromisso, ou seja, se faltar com a verdade poderá ser processada por falso testemunho.

Jatobá começa a chorar.

O juiz lê a denúncia, como faz no início de cada depoimento, e pergunta: "O que sabe sobre estes fatos?".

Renata responde que, à época, estava de plantão na sala do 9º Distrito Policial quando dois policiais militares entraram e comunicaram a ocorrência: roubo a um apartamento. O ladrão teria arremessado uma criança do sexto andar do edifício. Segue contando como chegou ao prédio com um investigador e entrou no hall para ter uma visão do gramado. Um PM lhe indicou o local da queda. Subiu ao apartamento e logo na porta, onde estava outro policial preservando a cena do crime, foi avisada: "Cuidado, doutora, que tem algumas gotas de sangue". A observação foi feita para que ela tomasse cuidado ao pisar no chão.

Ela entrou com cautela, para fazer uma primeira observação do local, sem tocar em nada, como de praxe. Desceu para falar com alguns moradores informalmente, que lhe contaram ter ouvido o proprietário do apartamento 62 afirmando que houve um arrombamento. Falou com o síndico, que explicou não conhecer bem os novos vizinhos e quase nada sabia sobre eles, apenas que Jatobá ficou xingando muito e Alexandre gritava que um ladrão havia arrombado o apartamento. Renata não viu sinais de arrombamento.

A delegada então conta que chamou a primeira pessoa que teria ligado para o Centro de Operações da Polícia Militar (Copom), o sr. Antônio Lúcio Teixeira, e o porteiro, Valdomiro da Silva Veloso, para avisá-los que seriam ouvidos ainda naquela madrugada na delegacia. Naquele momento, o sr. Lúcio pediu para conversar com ela reservadamente e, muito constrangido, disse que precisava contar o que tinha ouvido e que estava lhe causando imenso desconforto: uma criança gritando "Papai, papai, papai!". Ele não acreditava na versão de que um ladrão entrara no edifício. Achava, na verdade, que o pai da menina era o responsável, mas não queria julgar de forma precipitada nem causar nenhuma injustiça. Só queria contar o que ouvira.

Essa declaração causa comoção no plenário e um desconforto no pai de Alexandre, que se segura firme na poltrona.

Renata prossegue seu relato. Enquanto realizava os procedimentos de praxe no local, Alexandre Nardoni a abordou, um tanto ríspido, sem cumprimentá-la, e logo perguntou: "Prenderam o ladrão? Prenderam o ladrão, pegaram as impressões digitais?". Foi avisado pela delegada de que teria que comparecer à delegacia, não necessariamente naquele momento, e forneceu seu número de celular, caso precisasse se comunicar com ela. Alexandre perguntou se podia subir ao apartamento. Não foi autorizado. Seguiu para a casa do pai, enquanto a dra. Renata requisitou perícia para o local do crime.

Enquanto a delegada fala, Alexandre sinaliza para que seu advogado se aproxime dele no banco dos réus e mais uma vez o dr. Marcelo fica ali, agachado, ouvindo.

Renata estava dizendo que se dirigiu ao hospital para onde a criança fora levada e então lhe informaram que Isabella já havia chegado sem vida.

Dirigiu-se à delegacia para ouvir primeiramente os depoimentos do porteiro, da pessoa que chamou o Copom (sr. Lúcio) e do pai da menina; depois disso, ouviria a mãe da vítima, mas Ana Carolina Oliveira já estava lá e, por uma questão de humanidade, resolveu ouvi-la de imediato. A história era confusa, a mãe e a madrasta da criança tinham o mesmo nome e ela não sabia quem era quem. Tudo foi explicado pela mãe da vítima em uma conversa breve mas esclarecedora. As roupas que a menina usava no momento da queda, que haviam sido entregues à mãe no hospital, foram repassadas para a delegada.

A dra. Renata conta que Alexandre chegou a telefonar para a delegacia, sugerindo que o porteiro poderia ter algum envolvimento com o acontecido. Teria dito a ela que "o porteiro havia entrado em contradição", quando falou sobre o sistema de alarme da cerca. Segundo a testemunha, quando ficou esclarecido que não ocorrera arrombamento, passou-se a falar sobre a possibilidade de as chaves do apartamento terem sido copiadas.

Alexandre e Jatobá foram ouvidos pela delegada, um de cada vez e depois juntos, para que ela entendesse o que havia acontecido e quem teria motivo para cometer o crime. Eles falavam sobre a possibilidade de alguém ter feito cópias da chave do apartamento, pois costumava ficar na portaria, e a delegada perguntava: "Mas por que uma pessoa entrou no seu apartamento para matar uma criança? Com certeza ninguém tem nada contra uma criança de 5 anos de idade a ponto de querer matá-la. Talvez seja uma vingança contra um de vocês dois. Vocês têm inimigos? Estão recebendo ameaça? Roubaram alguma coisa?". Todas as respostas foram negativas.

Renata explica que um crime tem que ter motivação e mostra o raciocínio da polícia: se tinha as chaves, tinha um objetivo e também um motivo. Não houve ameaça ou atividade ilícita; não houve roubo. O casal então passou a falar do zelador, que teria apresentado comportamento estranho ao perguntar de quem Isabella era filha, se só de Alexandre ou dele e de Jatobá. Renata explica que não viu nexo entre esse comportamento e o assassinato da menina; nada parecia tão suspeito assim.

Na sequência, o casal Nardoni falou sobre um gesseiro, mas a delegada também não conseguiu vislumbrar ali um motivo: "Ele pode até não gostar de você, mas não vai matar sua filha por isso".

O juiz pergunta se foram ouvidas mais pessoas. Renata responde que ouviu Antônio Lúcio, Alexandre, Jatobá e, por último, Valdomiro.

Jatobá chama agora seu advogado, que, como fez com Alexandre minutos antes, se agacha e ouve.

A delegada prossegue seu depoimento, explicando que, quando se deslocou para o Edifício London, achava que se tratasse de roubo de apartamento com uma criança arremessada. Conta que já atendeu mais de uma centena de locais de crime. Para ela, tudo era possível, por isso nunca vai com uma opinião já formada. A partir do que vê, aos poucos chega a uma conclusão. No local em questão, constatou que a queda não foi acidental. A tela da janela do apartamento estava cortada; não era um local desprotegido.

Renata continua seu relato ao juiz. Narra que no domingo, 30 de março, o médico-legista, dr. Laércio de Oliveira César, ligou e pediu para ir ao local da ocorrência, solicitando uma viatura. Ele foi acompanhado de um colega, pois achavam que a vítima que examinaram tinha poucas lesões exuberantes para uma queda do sexto andar, além de uma asfixia mecânica por esganadura. Eles estranhavam também a lesão na testa da criança, que não consideravam ser decorrente da queda. Segundo os médicos, provavelmente algo havia acontecido ainda no apartamento, alguma agressão. Isso fez a delegada pensar: nada fora subtraído, havia sinais de asfixia — tudo era estranho. Começou a raciocinar que não estava diante de um latrocínio e sim de um homicídio.

Sabendo então que a criança havia se ferido antes da queda e que ninguém havia lhe informado nada sobre uma terceira pessoa, nem a polícia, nem o pai, nem a madrasta, e que estes últimos eram os únicos adultos a ter contato com a vítima, passaram a constar como averiguados. Se houvesse dez pessoas nessa situação, todas seriam averiguadas.

O juiz Fossen pergunta à delegada se, após essa apuração inicial, suas suspeitas se concretizaram ou se atenuaram. Renata responde que não houve, para ela, um dia de retrocesso na investigação. Tudo dava embasamento à autoria dos réus. "Absolutamente todos os dias do meu trabalho, durante a investigação, quando todas as pessoas saíam da delegacia, por volta de 1h, 2h da manhã, eu relia tudo que tinha feito, todos os depoimentos, todos os relatórios de ordem de serviço, fazia as ponderações... para achar uma convicção de estar indo no caminho certo. E, enfim, no decorrer desse trabalho, veio a confirmação, eu tive 100% de certeza, convicção absoluta quanto à autoria dos dois nesse crime de homicídio e fraude processual."

O juiz questiona se ela teve contato com os advogados dos réus. A delegada responde que desde o domingo, dia posterior ao crime, o sr. Antônio Nardoni, pai de Alexandre, formalmente se apresentou como advogado, depois vieram outros profissionais. Por vários dias durante a semana que se seguiu, tiraram cópias do inquérito e acompanharam todas as diligências envolvendo os réus. Era constante a presença deles na delegacia, tanto que chegaram a almoçar lá.

Renata continua explicando seu trabalho de investigação: todos os dias e fatos foram relevantes, todas as informações que chegavam eram verificadas. Sua profissão foi descrita por ela mesma como incansável; seu objetivo era buscar a verdade e apresentar para a família da vítima a realidade do que havia acontecido. Sem assistir à televisão durante toda a investigação, sua única preocupação era com a vítima. "Quero dar o melhor de mim. Eu me coloco no lugar da pessoa. Então, o meu comprometimento era buscar a verdade para a família ter resposta do que aconteceu, o respeito àquela criança, como eu tenho respeito por qualquer outra vítima, e trabalhar sempre com senso de justiça. Todos os dias da investigação foram nesse sentido."

Até aqui, o depoimento da delegada Renata Pontes, responsável pela condução do inquérito policial nº 1985/2008, foi calmo e claro. Ela nos explicou a lógica do pensamento policial de forma encadeada e coerente.

O JUIZ PASSA A PALAVRA
PARA O MINISTÉRIO PÚBLICO

Cembranelli começa perguntando se algo na vítima chamou a atenção da delegada. Renata responde que sim: as lesões na testa e na perna. Descreve que Isabella tinha um semblante sereno, parecia um anjinho deitado no gramado. Considerando a queda de vinte metros, ela esperava ver uma criança bastante machucada, mas ela parecia estar dormindo, apesar do sutil tom azulado em sua pele.

Dona Rosa, avó materna de Isabella, cobre os olhos com as mãos e começa a chorar, sendo consolada pelo marido. As árvores que circundam as janelas do prédio passam a se agitar com uma ventania momentânea. É uma ocasião solene.

O promotor pergunta sobre quais foram os médicos que telefonaram para Renata. Ela responde ter recebido ligações do dr. Laércio de Oliveira César, que esteve no local com o dr. Paulo Sérgio Tieppo Alves. Naquele primeiro momento, os ferimentos não combinavam com o texto da ocorrência. Na segunda-feira à tarde, Renata ligou para o dr. Laércio, perguntando se ele confirmava a asfixia. Com base nessa informação, ela direcionaria melhor as investigações. Ele confirmou, esclarecendo ainda o que havia ocorrido antes do arremesso e completou afirmando que o ferimento na testa não se relacionava nem com a queda, nem com a esganadura. A delegada quis então marcar uma reunião na sexta-feira, 4 de abril, no Instituto Médico Legal, para mais esclarecimentos.

Cembranelli pede a Renata Pontes que fale sobre a preservação do local do crime. Ela repete o que já havia contado ao juiz, acrescentando que o único que lida com os elementos da cena de crimes é o perito; ela apenas tem uma visão geral.

O promotor segue seu rol de perguntas, agora questionando a delegada sobre Alexandre Nardoni ter mencionado como suspeitos do crime o porteiro, o zelador, o antenista etc. Ela teria ouvido formalmente estes suspeitos?

A delegada responde que o porteiro foi o primeiro a ver a criança caída, mas, como Alexandre o citou em especial, ela deixou para ouvi-lo por último. Inquiriu não apenas o porteiro, mas também o zelador e o gesseiro sobre a cópia da chave. "Vamos investigar quem tem, quem entrou. Tudo que falaram a gente foi atrás e investigou."

Cembranelli pergunta especificamente se o sr. Antônio Lúcio e o porteiro foram ouvidos. Ela explica que era condizente o relato deles dois porque, quando Isabella caiu, nenhum deles sabia quem era a menina. O sr. Antônio Lúcio ligou para o 190 e, no meio da conversa com a atendente do Copom, viu Alexandre Nardoni lá embaixo. Ele o associa ao rapaz do sexto andar e chega a perguntar para a atendente se pode ouvir Alexandre gritar.

Renata Pontes é perguntada sobre a investigação de denúncias anônimas. Ela enumera alguns exemplos, como o de um certo Paulo, denunciado como autor do crime. Foi levado à delegacia, fotografado e investigado. Nada foi apurado contra ele. Outro telefonema anônimo dava informações sobre um morador da rua Girassol. Renata foi pessoalmente até lá, com um investigador, para falar com o suspeito; levou mais de três horas para achar o local, mas tratava-se de um trote. Outro trote foi feito por uma pessoa que dizia estar ligando do prédio em frente ao edifício London, mas não havia nenhuma moradora com o nome que foi fornecido morando no edifício vizinho.

A delegada explica ainda que algumas ligações absurdas não foram averiguadas, mas que tudo que parecia plausível foi apurado. Esclarece que, quando uma investigação começa, ela não tem ainda um conceito formado. No próprio local já é possível eliminar algumas possibilidades e outras são levantadas — por exemplo, nesse caso, que não se tratava de queda acidental, mas de homicídio. A existência de uma terceira pessoa envolvida implicava sinais e motivação, mas nada disso foi confirmado. Dessa forma, o caminho da investigação vai se afunilando, o que só é possível diante de provas, que já existiam.

Cembranelli novamente pergunta à delegada quem foi ouvido no inquérito policial. (É evidente a preocupação do promotor em deixar claro para os jurados que a investigação não seguiu uma única linha, como tantas vezes a polícia e a perícia foram acusadas pelos réus e seus familiares, que não cansavam de dizer, em entrevistas, como Alexandre e Jatobá logo se tornaram suspeitos e que apenas essa possibilidade era investigada.) Renata serenamente responde que ouviu todas as pessoas envolvidas com a porta da frente dos apartamentos 62 e 63: quem as fabricou, quem as vendeu, quem era responsável pelas chaves (eram duas as fechaduras; a do apartamento 62 foi instalada e a do 63 foi entregue ao sr. Antônio Nardoni). Segundo ela, a questão da cópia das chaves da porta por uma terceira pessoa foi esgotada; chegaram inclusive a verificar se as chaves de um apartamento abriam o outro, algo comprovadamente impossível. Todos os citados, como os funcionários do edifício, o gesseiro e até mesmo o cunhado do gesseiro, foram ouvidos. Foram ouvidos ainda outros moradores do edifício e da rua de trás; o porteiro da guarita do prédio em frente ao edifício London; diversos moradores de prédios vizinhos; os policiais militares que chegaram primeiro ao local do crime e outros policiais do batalhão, esclarecendo divergências entre eles. Também foram ouvidos os pais dos dois acusados, a irmã de Alexandre, moradores do prédio em que os réus residiram antes de se mudarem para o edifício London e professoras de Isabella para saber o grau de participação do pai, da mãe e da madrasta na vida da menina. Os réus também fizeram uma lista com nomes de pessoas que poderiam ser suspeitas, mas, segundo a delegada, era uma lista bastante confusa. Ela chegou a pedir aos advogados para definirem uma ordem que estabelecesse quais daquelas pessoas seriam mais importantes, pois não se conhecia o histórico de cada uma e por que figuravam naquele rol. Dessa forma, não teria que escolher aleatoriamente quem ouvir e o que perguntar, mas foi isso que aconteceu, porque os advogados não a atenderam. Renata ouviu sete pessoas dessa lista — todos prestadores de serviços contratados por Antônio Nardoni em algum momento, conforme se verificou depois.

O promotor passou então para a questão da reprodução simulada, a que os réus não compareceram. A delegada respondeu que eles foram intimados e que ela mesma explicou para os advogados do casal que cada um daria sua versão dos fatos, sem que se utilizasse nessa perícia o inquérito policial. Eles responderam formalmente que Alexandre Nardoni e Anna Carolina Jatobá não iriam participar dos trabalhos periciais, pois não eram obrigados por lei a produzir provas contra si. Era seu direito constitucional. Os advogados contratados por eles também não compareceram. Cembranelli, depois de fazer um resumo de todas as pessoas ouvidas pela delegada, pergunta: "Os réus e seus advogados dizem que a senhora e sua equipe somente seguiram uma linha de investigação. Então, isso é mentira?". Renata responde sem titubear: "Isso é mentira!".

O promotor cita as fls. 11 do processo, com o telex que solicita a perícia, e lê a mensagem para os jurados. "*Objetivo: elemento desconhecido — tentativa de roubo...* O telex enviado era exatamente o da versão do acusado?" "Exatamente", responde a delegada.

O promotor prossegue. "Consta do interrogatório de ambos [os réus] que teriam sido pressionados pelos policiais, foram chamados de assassinos, e que ninguém acreditou na história deles. Então esse telex aqui não vai de encontro a essa história, já que o que consta aqui é a versão deles. É isso?" O juiz complementa, perguntando se os réus foram pressionados, e Renata responde: "Eles foram tratados com respeito, não houve..." (Alexandre meneia a cabeça discordando, ri, tira os óculos e o limpa). "O dr. Calixto chegou à delegacia", continua Renata. "Voltei ao apartamento para receber os legistas e também estavam presentes o delegado seccional da época, o dr. João Rosa. Outro que compareceu novamente foi o perito de local, que precisava tirar fotografias do lado de fora do edifício. Havia questionamentos sobre a versão apresentada pelo casal, e resolvemos chamar um deles para explicar. Foi quando trouxeram Anna Jatobá, e ela conferiu que nada foi subtraído dali, nem a máquina fotográfica digital."

O advogado Ricardo Martins, da equipe de defesa, conversa com os familiares de Alexandre e faz algumas anotações, entregando-as à dra. Roselle, também da defesa. O pai do réu faz uma cara de indignação e o advogado Rogério Neres meneia negativamente a cabeça.

Cembranelli pergunta à delegada se o casal estava acompanhado de seus advogados todo o tempo. Ela responde que sim, desde 30 de março de 2008, mas que também sempre esteve acompanhado de outras pessoas. Tiveram acesso a tudo; a defesa estava ciência de cada passo.

O promotor pergunta se é comum uma perícia externa ou se o procedimento ocorreu por conta da versão do casal. Renata responde que tal perícia fora requisitada apenas por causa da versão deles, para verificar, entre outras coisas, o muro do prédio. No entanto, absolutamente nada apontou para a possibilidade da ação de uma terceira pessoa.

Cembranelli reforça a questão da contratação dos advogados de defesa, citando a procuração dada a eles, às fls. 108-109 do processo, o que ocorreu no primeiro momento da investigação. Também pede confirmação sobre a presença dos advogados do casal durante seu interrogatório, e se leram os depoimentos dos réus antes que fossem assinados por todos. Renata responde: "Sim, linha por linha".

A pergunta relevante agora é sobre a averiguação da denúncia anônima de um certo Paulo após a prisão temporária do casal, o que provaria a dedicação da delegada à investigação, mesmo "supostamente" concluída. Afinal, com a prisão temporária já decretada, a polícia não precisava continuar a investigar mais nada.

Renata Pontes passa a relatar sua experiência profissional. Diz que passou pela Departamento de Homicídios e Proteção à Pessoa, onde dava pelo menos três plantões por mês (em um dos quais, inclusive, foi à mansão do casal Von Richthofen na ocasião do crime). Participou de outros casos sem repercussão, mas não menos complexos. Atendeu pelo menos 136 locais de crime de morte suspeita em sua carreira, de homicídio e suicídio.

Cembranelli pergunta sobre a experiência do dr. Calixto, e ela responde que ele é delegado de policia há vinte anos. A promotoria deixa claro que o delegado-geral reconheceu, em forma de elogio, o bom trabalho realizado por todos os policiais, legistas e peritos envolvidos. Tal reconhecimento permanece em suas folhas funcionais e nunca foi revogado.

O promotor então se levanta, pedindo que Renata o acompanhe até a maquete. Ela então o segue, sem olhar para o plenário, parecendo estar muito compenetrada nas perguntas que serão feitas.

Os jurados são convidados a se levantar para observar atentamente a demonstração. "Onde estava a gota de sangue que o policial avisou para a senhora não pisar?" Ela mostra uma, bem na entrada, sobre a qual foi alertada logo que saiu do elevador.

Renata Pontes explica para os jurados o caminho que percorreu dentro do apartamento do casal Nardoni, tudo o que viu e observou, o que era visível e o que não era. Podval se aproxima para acompanhar tudo. A delegada conta que o abajur do quarto de Isabella estava apagado e a luz do quarto dos meninos, acesa. Conta também que o sangue ao lado do sofá não era visível. Cembranelli pede que ela esmiúce essa informação. A delegada relata que, depois de falar com os legistas, ligou para o dr. José Antônio de Moraes, diretor do Núcleo de Perícias em Crimes Contra a Pessoa do Instituto de Criminalística de São Paulo. Ele teria dito que uma fralda colhida no apartamento estava em processo de lavagem e o gotejamento que havia no local encontrava-se em forma de trajetória, ou seja, a vítima já teria entrado ferida no apartamento. Ela então teria dito que precisava de uma perícia complementar, inclusive no hall, no elevador e no carro em que a vítima chegou. Relata que não era a primeira vez que usava como auxílio a perícia com reagentes químicos a fim de esclarecer certos pontos e que não havia acompanhado os trabalhos periciais, pois os peritos é que têm treinamento específico para utilizar esse tipo de produto. Eles contaram sobre as outras manchas que encontraram no chão, ao lado do sofá e no carro.

Renata volta a sentar-se na cadeira das testemunhas. Os jurados, Cembranelli e Podval voltam aos seus lugares. O promotor inquire a delegada sobre sua requisição, que pede o uso de um produto chamado Luminol. Ela responde que no último caso em que havia requisitado essa perícia complementar se usava o Luminol, mas que os peritos explicaram que agora utilizavam outro reagente, de nome Bluestar Forensic, mais avançado tecnicamente. Explica ainda que não basta ser perito para utilizar tal produto químico: é preciso ter uma especialização, para que seja possível interpretar se trata-se realmente de sangue, se é recente ou antigo, sua morfologia etc. Cembranelli pergunta se é um produto vendido em gôndolas de supermercado ou pela internet, se é acessível a qualquer um. Renata responde que, pelo que sabe, é um produto fabricado no principado de Mônaco e usado pelas forças policiais do mundo inteiro. Ela sabe que é um produto cancerígeno? Não, sabe apenas que é tóxico, porque requer o uso de máscara para manipulá-lo.

"A senhora em algum momento [do interrogatório dos réus] ouviu eles dizerem que costumam derrubar suco de cenoura, nabo, alho pela casa? Houve isso ou não? Em algum momento ouviu eles dizerem isso?", pergunta o promotor. "Foi questionada alguma coisa nesse sentido para eles ou não?", emenda o juiz. A delegada responde que não, mas que fizeram exame de corpo de delito nos réus para saber se havia algum ferimento que sangrava. "Nem banana, [porque] eles tinham bebê, e às vezes uma bananinha cai no carro?", insiste Cembranelli.

"Não", responde Renata. "Absolutamente nada."

Passa-se agora à apreensão de objetos. A delegada explica que, em um primeiro momento, foram apreendidos um conjunto de lençóis, a tela, uma tesoura, uma faca e a fralda. Depois Ana Carolina Oliveira trouxe a roupa da menina. Com o resultado da marca de solado descoberta em um lençol, posteriormente foram apreendidos os calçados. Como não se sabia que roupa os réus utilizavam dentro do apartamento, viram a gravação do supermercado Sam's Club, onde a família estivera antes de ir para casa, para ter certeza sobre as peças e notaram que Isabella usava blusa diferente.

Já eram 11h45 e o depoimento da dra. Renata continuava sem intervalo algum.

```
CEMBRANELLI: Foi somente após isso que
surgiu a perícia do chinelo, coincidente com
as marcas do solado nos lençóis, é isso?

RENATA PONTES: É, a perícia do calçado foi subsequente
à constatação do vestígio no lençol, houve essa
necessidade somente depois que havia a pegada, que
constataram a pegada, aí é que houve a necessidade de
fazer essa comparação para chegar a alguma conclusão.

CEMBRANELLI: E a camiseta? Foi da mesma forma, usaram
equipamentos, apanharam as marcas e aí fizeram?

RENATA PONTES: Correto.
```

O promotor faz a mesma pergunta acerca das marcas extraídas da tela de proteção da janela. Depois, questiona Renata sobre a faca e a tesoura, que ela afirma já estarem descritas no Boletim de Ocorrência. Inquirida sobre as fibras encontradas na tesoura, Renata explica o trabalho técnico feito pelo Núcleo de Física do Instituto de Criminalística com esses instrumentos, onde uma fibra foi encontrada, o que levou à conclusão de ser evidente que a tesoura foi usada para cortar a tela: "A pessoa voltou para deixar a tesoura lá [em cima da pia]. Estavam dispostos de forma que foi a última coisa utilizada ali, eles [sic] não estavam num canto, não estavam guardados, não estavam dentro da pia para lavar".

Cembranelli pergunta à delegada por que só a fralda, dentre todas as roupas espalhadas pelo apartamento, foi apreendida. Ela responde que a peça chamou a atenção dos peritos porque por todo o local havia roupas sujas, jogadas para serem lavadas, mas apenas a fralda estava em processo de lavagem. "Lavou só essa peça e as demais não? Era discrepante, chamou atenção da perícia."

O promotor pede que Renata o acompanhe novamente até a maquete principal. Pede que a testemunha aponte a localização do quartel e se os policiais foram a pé. Ela diz que sim, pois dois moradores ligaram 190 e 193 e um terceiro correu até a Corregedoria e os chamou. Renata continua explicando que o quarto andar do prédio do outro lado da rua está mais ou menos na altura do sexto andar do edifício London, onde aconteceu o crime, e uma testemunha dali também foi ouvida, dizendo que ouviu uma briga entre homem e mulher.

Alexandre está atento a todas as explicações que envolvem a maquete; Jatobá também, mas nem tanto.

Outras perguntas são feitas sobre alguns detalhes acerca do muro e da vizinhança, até Cembranelli questionar a testemunha sobre a acusação que lhe foi feita de chamar o ainda réu de assassino. Com calma, Renata explica que esse episódio teria acontecido dentro da delegacia, mas que não sabe precisar dia e hora. Outra delegada, de nome Maria José, é que teria chamado Alexandre de assassino. Posteriormente, ela fora convocada pela Corregedoria junto com o jornalista que teria ouvido a acusação. "E até hoje ouve os réus mencionando que foi a senhora?", continua Cembranelli. Ela responde: "Diretamente, nunca reclamaram; na fase de interrogatórios aproveitaram essas dúvidas e imputaram esse ato a mim".

A pergunta seguinte, como todos esperavam e nesse mesmo contexto, é se o dr. Calixto, para intimidar Alexandre, de fato chutou uma lixeira durante o depoimento de Alexandre, como se afirmava. A delegada esclarece que o delegado chegou à delegacia para acompanhar os trabalhos somente no domingo, não de madrugada, e que portanto os advogados dos réus já estavam presentes.

Já passava de meio-dia quando o promotor, finalizando, pediu que Renata Pontes explicasse seu relatório, o qual fora elaborado após a reprodução simulada, feita em um domingo. Ela explica que ficou confeccionando-o até a terça-feira seguinte, sem parar, e que contém 43 folhas, e ali tentou resumir tudo e justificar a prisão dos réus.

Questionada sobre seus contatos ou seu relacionamento com a mãe de Isabella, a delegada responde não conhecer qualquer pessoa da família e que os familiares da vítima apareceram espontaneamente na delegacia na noite do crime para tentar saber o que havia acontecido. Ela explicou a todos o que podia, mas ainda não sabia muita coisa e estava cautelosa em relação aos presentes. Renata pontua que os núcleos familiares são, muitas vezes, mais bem informados do que todos os outros e que, pela sua experiência após muitos crimes investigados, sempre deixa à disposição seu número de celular para qualquer informação, mesmo que pareça inútil. Afirma que nunca mais falou com Ana Carolina Oliveira depois da investigação; ela não ligou.

Depois de confirmar que Renata Pontes não recebeu nenhuma promoção ou benefício por conta do caso Isabella, o Ministério Público encerra, e o juiz passa a palavra para a assistente da acusação.

A dra. Cristina Christo se levanta com o processo nas mãos e pede para a delegada confirmar se os gritos de "Papai, papai, papai... para... para", ouvidos pelo sr. Antônio Lúcio, também foram ouvidos pela vizinha, dona Geralda. Renata confirma, mas ressalva que a idosa não queria se envolver nessa história, apesar dos apelos da delegada, que explicou a ela a importância do que tinha ouvido, fazendo-a finalmente ir à delegacia.

Cristina passa a perguntar sobre o depoimento de outra vizinha, Luciana, e lê parte do processo: "Em dado momento, não sabendo precisar o horário, estando ainda com o sono leve, [Luciana] passou a ouvir uma discussão, vozes de homem e mulher, pessoas adultas, porém informa que praticamente só a mulher falava, ouvindo a voz masculina bem ao fundo. Dava para ouvir que ela falava muitos palavrões, dentre eles 'puta que pariu' e 'caralho', esclarecendo que ela repetia muito essas palavras". Renata corrobora o relato, assim como outros semelhantes de vizinhos do antigo edifício em que moravam os réus.

Para encerrar, a dra. Cristina pergunta se, quando a testemunha chegou pela primeira vez ao apartamento dos réus no edifício London, o abajur do quarto de Isabella estava aceso ou apagado. Renata responde: "Estava apagado, certeza absoluta, quando eu entrei era por volta de 1h10 da manhã".

Meio-dia e meia, o juiz faz um intervalo de cinco minutos. Não me levanto. Não quero correr o risco de perder a inquirição da defesa, que começou às 12h35.

É Roberto Podval quem se levanta para fazer perguntas à delegada Renata Pontes. Ela não parece cansada, está serena e atenta. Ele segura um calhamaço de papel sulfite, com diversas anotações feitas à mão, outras coladas com post-its.

O primeiro assunto em discussão é a preservação do local, porque o advogado sugere que seis ou oito policiais poderiam ter entrado no apartamento antes da chegada da dra. Renata. Ela responde que pelo menos dois verificaram se havia de fato um ladrão, conforme informado pelo réu, mas que não sabia exatamente quantos, algo que o advogado teria que perguntar para a Polícia Militar. Podval cita uma resolução sobre locais de crime, em que se estabelece ser obrigatório anotar o nome do policial militar que faz a preservação e o que é relatado. Renata diz que conhece a resolução da Secretaria de Segurança, mas que segue as portarias da Delegacia-Geral de Polícia. Afirma que está anotado quem preservou o local, mas não quem entrou antes.

Agora Renata é questionada se, quando viu o corpo da vítima na Santa Casa, a menina estava despida. Responde que sim e confirma as lesões que já havia relatado.

Podval pergunta à delegada em que momento viu Alexandre Nardoni pela primeira vez. Foi depois que esteve na Santa Casa, durante a madrugada. Renata também confirma que ele ficou o dia inteiro na delegacia.

A defesa questiona por que foi pedido, já naquele momento, que o pai e a madrasta fossem ao IML e fizessem exame toxicológico e de DNA. "Como uma vítima vai à delegacia e é levada ao IML para fazer exame de DNA? A senhora, naquele momento, queria constatar se o sangue era dele, era essa a razão?" O juiz interrompe, dizendo: "O senhor mencionou a vítima, doutor. A vítima estava falecida". Podval se corrige: "Desculpa, todos são vítimas nessa fatídica história. Por que é que o Alexandre e a Anna Carolina foram encaminhados para fazer o exame de DNA?". Ao se deparar com um crime de autoria desconhecida, segundo Renata, pede-se exames de qualquer pessoa relacionada com a vítima, como também em crimes de arma de fogo pede-se, por exemplo, o exame residuográfico.

"Mas a senhora já tinha dúvidas naquele dia?", insiste Podval. Ela responde que pede os exames antes mesmo de saber se vai utilizá-los diante de novas informações. "Mas mesmo o de DNA?", questiona o advogado. "Todos os exames", responde a delegada.

Visivelmente insatisfeita com a resposta, a defesa muda de assunto. Pergunta se Renata conversou de maneira informal e em separado com os réus antes de formalizar a oitiva de seus depoimentos. Ela esclarece que conversou primeiro com Alexandre, pois Jatobá chegou depois, mas que o casal estava na sala. "Mas não falou com ele sozinho?" A delegada responde a Podval que não se lembra, mas tenta refazer seu cronograma de ações. "A gente estava tentando entender o que tinha acontecido." Ressalva que o pai de Alexandre esteve sempre presente.

Nesse momento, o pai de Alexandre ri de forma irônica e fala para sua filha entre cochichos: "Olha como ela mente!".

Podval quer saber agora se o sr. Antônio Nardoni não teria chamado os advogados porque ouvira gritos dentro da sala em que o filho estava. Renata responde que ele nunca falou isso.

O tema agora passa a ser a ida "informal" de Jatobá ao próprio apartamento, acompanhada de um investigador, onde se encontrou com Renata Pontes, que já estava lá. A resposta: "Diligências que a gente faz rotineiramente". Ela explica que não tem conhecimento da proibição de Jatobá ter contato com outros ou de ter sido levada coercitivamente para essa diligência.

> PODVAL: Quem estava no apartamento quando ela chegou?
> RENATA: O delegado seccional João Rosa,
> o dr. Calixto, eu mesma, o investigador que me
> levou até o local, dois legistas que já haviam
> saído, o perito Sérgio e uma fotógrafa.
> PODVAL: Algum advogado estava no apartamento?
> RENATA: Não.

A defesa faz as perguntas de forma quase teatral, sempre apontando com uma caneta. A inquirição continua; Jatobá teria ido de viatura até lá, mas a delegada não sabe se essa viatura era caracterizada ou não. Explica novamente as discrepâncias que os legistas encontraram entre corpo e texto, e por isso estavam ali. Podval pergunta então como se deu a liberação do apartamento. Sérgio, o perito, liberou o local no domingo pela manhã e as chaves foram entregues à família.

Antônio Nardoni teria telefonado para ela, mesmo com o apartamento já liberado, para informar que iria até lá buscar roupas? Renata responde que Antônio não falou com ela. O advogado também ressalta o fato de ele ter encontrado dois investigadores no apartamento. "Eu não requisitei a chave do apartamento de volta em momento algum!", rebate a delegada. Ela explica, ainda, que os advogados lhe entregaram a chave porque não podiam ficar acompanhando todos os trabalhos ali.

O júri é interrompido por um celular que toca na sala. O juiz fica muito irritado e fala que, da próxima vez que isso ocorrer, vai pedir para a pessoa ser retirada do plenário.

Ainda sobre as chaves, Podval pergunta se o reagente Bluestar foi usado nelas para saber se havia sangue. Renata alega que usar o reagente nas chaves não levaria à conclusão alguma na investigação, porque ficaram pelo apartamento e poderiam ter encostado em qualquer lugar; essa, portanto, não era uma informação útil. "Eu nem sei se me entregaram a chave original ou uma cópia dez dias depois."

No entanto, ela argumentou que a chave poderia ser o objeto que causou a lesão, segundo Podval. O resultado seria inconclusivo, explica Renata; dando positivo ou não, continuaria viva a possibilidade de ser a chave tal objeto. A defesa insiste no fato de não ter sido feito o exame na chave e o juiz interrompe, dizendo que a testemunha já respondera que a chave fora citada a título de exemplo. Renata então continua, dizendo que a chave era um objeto comum da residência; sendo assim, não seria estranho encontrar DNA. Podval pergunta se a quina da mesa passou pelo exame. Não, a delegada responde, a quina não era compatível com o ferimento. E o anel (referindo-se ao anel que Anna Carolina Jatobá usava naquele dia)? Não foi periciado. Renata volta a explicar que no Boletim de Ocorrência citou a quina da mesa genericamente porque não sabia o que havia causado o ferimento, mas o legista lhe explicaria que o ferimento era incompatível com um impacto sofrido contra a quina.

É interessante a maneira de Podval inquirir a testemunha. Isso lhe proporciona a oportunidade de falar muito; e, ainda, com tantas citações ao nome Ana Carolina, o dr. Cembranelli pede que se esclareça de qual das "Anas" ele está falando.

Agora estão falando de Jatobá e sobre sua ida ao apartamento, onde ela teria visto todos tomando café em sua sala. Renata explica que uma vizinha, esposa do subsíndico, fez café e serviu aos presentes em duas oportunidades, e que inclusive na reprodução simulada foi utilizada uma sala no térreo. Podval diz que é mentira, e Renata, irritada, diz que ninguém usou a cozinha. Cita então o nome da vizinha que teria servido o café. "Café tomado dentro do apartamento! Vocês estavam de pé, sentados...?", emenda a defesa. Renata responde que não se recorda e também emenda: "Ninguém viu TV no apartamento, a gente discutia os fatos".

A defesa pergunta se a perícia trabalhou posteriormente a esse domingo com o reagente no local. Renata diz que sim, mas que poderia ter ocorrido dez anos depois que o resultado seria o mesmo.

Podval pergunta se havia ovos de Páscoa no apartamento de Anna Jatobá e Alexandre. Ela responde que o dr. Ricardo abriu o armário para verificar o notebook e viu um ovo de Páscoa. Porém, antes mesmo de o advogado perguntar qualquer coisa, Renata já afirmou que sabia ter sido divulgado pela imprensa que teriam comido ovos de Páscoa nessa reunião. "Mas isso é ridículo, conversar e comer ovos de Páscoa... não vou mexer em casa de ninguém!"

Podval muda o discurso e o jeito de se dirigir à testemunha. Diz a Renata que não acompanhou a primeira fase da defesa dos réus e tem dificuldade de entender algumas coisas, eis o motivo para essas perguntas. A delegada teria visto a filmagem da família saindo da casa dos pais de Jatobá naquele sábado? Renata diz que não; o filme ficou com a perícia, mas tomou o depoimento do porteiro do edifício.

Outras explicações são dadas sobre os procedimentos adotados na delegacia, onde, segundo a testemunha, Alexandre e Jatobá, assim como seus acompanhantes, estavam livres para ir e vir e podiam conversar. Completa que, se algo aconteceu, não foi por determinação dela. Que, apesar do sigilo imposto ao inquérito pelo juiz, os advogados obtinham cópias dele.

Podval fala de uma testemunha que teria ouvido uma conversa telefônica entre Antônio Nardoni e a filha dele, Cristiane, testemunha esta ouvida no 8º DP. Renata explica que se tratava de um funcionário de bar e que achou o depoimento dele irrelevante para as investigações, quem nem sabe ao certo se a irmã de Alexandre estava nesse bar ou não.

A defesa passa a perguntar sobre a faca e a tesoura, se foram colhidas as impressões digitais e se foi usado o cianoacrilato para tanto. "O senhor tem que perguntar para a perícia", responde Renata Pontes. Sempre que é questionada sobre procedência da perícia, ela responde de forma incisiva, complementando com ironia que a pergunta teria que ser feita para quem elaborou o documento.

O pai do réu se mostrou apreensivo durante boa parte do depoimento. Ele coçou várias vezes a cabeça e balançou a perna freneticamente, enquanto conversava com a filha, que estava ao lado, dizendo: "Essa é terceira vez que ela o rebate, não tá certo!".

Às 13h30, o juiz interrompe, perguntando se todos ainda aguentam continuar. "Estou com fome, mas eu aguento!", responde a testemunha. Risadas gerais, o clima já está mais descontraído.

Podval pergunta a Renata sobre a morfologia das gotas de sangue estáticas, e ela responde, um pouco sarcástica, que não sabe olhar para uma gota de sangue e fazer exame de morfologia. Depois é inquirida sobre o possível vômito da criança. São elementos periciais que Renata Pontes utilizou em seu relatório final. Podval apanha um volume do processo e, usando um pouco de ironia, já que gotas estáticas e considerações sobre o vômito estão presentes naquilo que Renata escreveu, pergunta quantas reuniões ela teve com a perícia e o IML (antes de fazer o relatório, claro). Renata responde que se reuniu uma ou duas vezes, mas que não via problema nisso.

Seguindo a mesma linha, Podval cita a fralda, o exame de DNA, o sangue na cadeirinha de transporte do carro do casal, baseado no laudo de DNA — ele, aliás, diz "é bastante complicado para a minha inteligência", referindo-se ao laudo genético — e pergunta:

> **PODVAL:** Onde é que está constatado no exame de DNA que o sangue que estava lá era de Isabella? Eu confesso para a senhora que não achei.
>
> **RENATA (*após suspirar*):** Tá, então eu vou dar uma explicação para o senhor. Tanto o laudo necroscópico quanto o laudo de exame de DNA e alguns laudos do Núcleo de Física, infelizmente, eu não tenho capacidade técnica de dominar assuntos de genética, de física e de medicina legal. Talvez lendo os laudos sozinha a minha compreensão não seria tão clara. Baseada nos laudos, no que foi concluído pelos peritos e obtendo a informação deles de uma forma mais didática, me foi explicado pela equipe de perícia do Instituto de Criminalística que, na cadeirinha do bebê, o que foi coletado e foi levado para exame tinha material genético de Isabella. Porém, citaram, por exemplo, que poderia haver a saliva do bebê que estava na cadeirinha, do Cauã, havia uma mistura...
>
> **PODVAL (*interrompendo com cinismo*):** Está citado no laudo? Na conclusão do laudo apontam a existência? Eu confesso que não vi isso no laudo!

O juiz interrompe, alegando que isso é matéria que o advogado usará nos debates e que a delegada já explicou como chegou aos resultados.

O assunto agora são os sapatos de Jatobá, que balança a cabeça e sorri ao ouvir a delegada confirmando que viu os tamancos dela na cozinha, mas que não podia saber se depois ela usou outro sapato ou não. É com o recolhimento dos sapatos que a defesa tenta uma "pegadinha" com Renata; havia ali certa confusão quanto à data de apreensão e envio para o Instituto de Criminalística. Ou seja, a data do carimbo "encaminhado" é anterior à própria apreensão. Pensava-se ser um engano da delegada, mas ela responde que não encaminhou o documento e que a pergunta deveria ser dirigida a quem o fez.

Podval então questiona Renata se não lhe parece estranho que pai, mãe ou madrasta possa matar um filho ou enteado. Calmamente, a delegada responde que não, que para ela é comum; já havia trabalhado em um caso em que o pai pisoteou o filho até matá-lo, depois o esquartejou e jogou o corpo em um lixão. Sua fala causa um murmúrio de espanto na plateia, mas a testemunha continua, dizendo que estranha mais um assalto em que não há roubo do que um pai que mata uma filha.

Na sequência, o advogado faz algumas perguntas para esclarecer se havia constatação de violência do casal contra Isabella. A delegada responde que não, que apenas ouviu relatos de comportamentos destemperados. Aos poucos, Podval vai esclarecendo de quem Renata ouviu esses depoimentos, se havia alguma testemunha presencial desses "destemperos", até ouvir que eles foram relatados por dona Rosa, mas sem serem confirmados no depoimento de Cida: "A dona Cida é mãe do Alexandre, ela sempre defendeu o filho, inclusive no depoimento ela estava bastante abatida..." Ele a interrompe: "A pergunta é: ela confirmou essa declaração da dona Rosa?". "Não, ela não confirmou isso", responde Renata Pontes.

A defesa pergunta se ela ouviu Anna Jatobá na delegacia, em seu primeiro depoimento, e, enquanto a ré meneia negativamente a cabeça, a delegada explica como foram os trabalhos.

Podval volta à questão da fralda, perguntando à delegada por que o balde em que a fralda estava chamou sua atenção. Renata não explica outra vez; apenas sugere que ele pergunte aos peritos que recolheram a fralda.

O juiz chama atenção para o fato de o relógio já marcar 14h. Podval avisa que está acabando.

A novelista Gloria Perez chega discretamente ao plenário para acompanhar o julgamento. Os jornalistas ficaram atentos à porta esperando por sua entrada. O pai de Alexandre se mostra irritado quando a vê, com ar de reprovação estampado no rosto.

Os jurados parecem estar cansados e alguns até demonstram certa impaciência. A plateia também fica mais dispersa, distraindo-se em conversas paralelas sobre como o advogado está se portando mal e parecendo estar, por ora, sem saída. O estenotipista pede que o depoimento seja feito de forma mais ponderada, já que tem dificuldade para entender alguns termos técnicos.

Podval pega o primeiro volume, onde, às fls. 99, está o depoimento de uma vizinha de nome Rosemeire, moradora do décimo terceiro andar do edifício London. Ela contou aos policiais que ouviu um barulho de porta de incêndio batendo. Cembranelli interrompe, esclarecendo que o que ela disse é que ouviu uma batida seca, *como se fosse* uma porta de incêndio batendo.

Os assistentes da defesa que estão na plateia se movimentam, articulando perguntas em papéis e repassando ao dr. Marcelo. Ele nem lê o conteúdo, apenas se direciona até o centro do plenário e os entrega para Podval.

Podval segue questionando Renata se ela verificou a possibilidade de uma terceira pessoa ter fugido. A delegada, sarcasticamente, responde que ninguém fugiria subindo as escadas, pois não teria por onde sair. Para ela, Rosemeire estava interpretando o barulho da queda da menina, que teria ouvido. Renata pergunta a Podval: "O senhor conhece barulho de queda de criança do sexto andar? Eu não conheço como é, teria que explicar usando um exemplo como o que ela deu, que fala da batida da porta de incêndio, ou como o porteiro, que diz ter pensado que houve uma batida entre carros". Com ironia, a delegada ainda confronta o advogado, afirmando que ninguém diria em um depoimento "Aí ouvi um som de criança caindo" pelo fato de não reconhecer esse som e ter que interpretá-lo. Acabou por declarar que o local foi revistado por mais de trinta policiais e que nenhum vestígio de invasão foi encontrado. A defesa encerra.

O juiz, então, faz as perguntas dos jurados. "Pelo que foi apurado nas investigações periciais, foi encontrado algum vestígio de sangue na roupa da Anna Jatobá? Em alguma roupa da Anna Jatobá foi identificado sangue de Isabella? A senhora se recorda se as perícias falaram isso?" Renata responde: "Pelo que eu me recordo, não".

14H08
O JUIZ CONCEDE INTERVALO PARA O ALMOÇO. OS TRABALHOS ESTÃO SUSPENSOS POR UMA HORA

Há uma reunião, posteriormente, em uma sala reservada do Ministério Público, na outra extremidade do plenário. Passamos, a partir desse dia, a frequentar esse espaço, no qual almoçávamos e podíamos discutir sobre os últimos acontecimentos do julgamento.

Nessa pausa, a discussão foi o otimismo com relação ao depoimento de Renata, deixando todos mais confiantes no trabalho da perícia. Nesse tempo, acessamos a internet para saber como estavam sendo veiculadas as informações dos depoimentos. As manchetes diziam que a delegada afirmara com 100% de certeza que o casal matara Isabella.

Na sala de imprensa há uma discussão entre alguns jornalistas e a assessora de imprensa do tribunal por causa dos erros no rodízio de senhas. Esses profissionais passam informações aos seus chefes por telefone, falando sobre a dificuldade em relatar os acontecimentos, já que ficam pouco tempo na sala. Também explicam que o som é muito baixo e a visão do plenário é comprometida devido à maquete instalada bem no meio do local.

Na entrada do prédio, o número de manifestantes aumentou consideravelmente. Formou-se uma fila mais organizada para que os interessados pudessem acompanhar partes do julgamento. Eles próprios escrevem em papéis a ordem de chegada de cada um. Pessoas de várias partes de São Paulo, e também de outros estados, chegam e logo buscam informações com outros presentes.

Revoltada por Ana Carolina continuar arrolada pela defesa no fórum, dona Rosa fala com a imprensa que os assassinos de sua neta agora queriam matar sua filha. Ela posa para fotos mostrando a tatuagem que traz no braço com o nome de Isabella.

15H30
ENTRAM OS JURADOS

Alexandre já está sentado, Jatobá vem logo depois. Cembranelli e Podval vestem suas armaduras, as becas. A defesa coloca cadeiras diante de um telão montado pela promotoria. A maquete agora está em frente aos membros da imprensa, e o telão, em frente aos réus. Um jornalista pergunta a outro sobre as roupas que Alexandre e Anna Jatobá vestem, pois eles está com a visão encoberta.

No início da sessão, novamente o juiz alerta sobre o uso de celulares e similares, sob pena de o portador de tais objetos ser retirado do plenário.

É chamada outra testemunha, o médico-legista Paulo Sérgio Tieppo Alves. Depois da introdução de praxe, da advertência sobre falso testemunho e de ler a denúncia, o juiz pede que o médico descreva suas atividades profissionais.

Tieppo começa um dos depoimentos mais marcantes do júri. Não é nada fácil explicar para leigos todas as questões técnicas envolvidas. Ele se apresenta como médico-legista do Instituto Médico Legal de São Paulo e conta que foi chamado para examinar o corpo da vítima. Esteve no local do crime e reuniu-se com peritos para concluir seu laudo.

O juiz pergunta como foi seu primeiro contato com o caso. Ele responde que foi na recepção do necrotério. Um investigador de polícia queria conversar com ele e com o dr. Cuoco, também de plantão naquele dia, sobre um corpo que dera entrada. Desejava saber se o ferimento que a vítima apresentava poderia verter uma quantidade de sangue considerável. Os dois profissionais examinaram o ferimento, em região muito vascularizada, e responderam que sim.

Tieppo descreve a mensagem que recebeu pela intranet solicitando o exame: *"morte suspeita — queda do sexto andar"*. Já no primeiro contato com o cadáver, foram encontrados sinais evidentes de asfixia mecânica, o que causou discrepância entre esse histórico (o de queda) e os ferimentos examinados. Relata então que foram ao local do crime para obter mais dados e solucionar seu próprio entendimento do caso, isso por volta de meio-dia do domingo. O exame já havia sido iniciado, então trabalharam em três médicos, os que finalizavam o plantão e aquele que começava outro.

Para tornar sua explicação mais didática, Tieppo dividiu os ferimentos de Isabella em três grupos: os referentes à asfixia mecânica, os ligados à queda de vinte metros de altura e ainda um terceiro conjunto, referente ao que chamou de "queda-sentada".

A asfixia mecânica tinha sinais inequívocos, como a face congesta da menina, devido a uma maior quantidade de sangue nos vasos da face, e a coloração azulada, típica de quem sofre esse tipo de agressão. Além disso, a língua pendia para fora da boca (algo incomum em quedas), os leitos subungueais (embaixo das unhas) estavam arroxeados e havia manchas roxas na nuca da vítima. Internamente, Tieppo também descreveu para os jurados todos os sinais que encontrou para fazer esse diagnóstico, entre eles sangue na musculatura do pescoço anterior e lateral, petéquias (pequenas manchas espalhadas sobre o pulmão e o coração), e sangue, mais escuro e fluido. Também havia vômito nas narinas e no pulmão, resultado de broncoaspiração, que parecia ser a mesma substância encontrada na camiseta da vítima, alteração causada por uma constrição cervical (esganadura).

As lesões compatíveis com a queda do sexto andar eram diferentes. Na parte externa, praticamente não se encontrou nada, apenas na lateral direita do quadril (região lombar e costas). Porém, isso causou estranheza, porque esperavam-se mais ferimentos de queda daquela altura. Ao abrir o cadáver, foram encontradas lesões decorrentes da desaceleração, que acontece quando um corpo está em velocidade e sofre uma parada brusca: o arcabouço ósseo das costelas teria se chocado contra si mesmo. Como os órgãos têm pequena mobilidade e impactam-se contra as paredes, havia sangue se espalhando pela musculatura intercostal e nas laterais dos pulmões. Tais lesões, chamadas de lesões de contragolpe, se encontravam principalmente do lado esquerdo.

Um terceiro grupo de ferimentos não podia ter causa nem no processo de asfixia, nem no da queda do sexto andar. Eram quatro lesões encontradas em casos em que a vítima cai sentada: equimoses nas palmas das mãos com escoriações nos punhos, fratura impactada do rádio, lesões no períneo e fratura de ísquio, "aquele osso sobre o qual a gente senta", nas palavras do médico. "Quando a gente senta, a gente sente aquela protuberância óssea no local do assento; esse osso é o ísquio, onde ela tinha uma fratura linear incompleta." Tudo isso indicava, com a exceção dessa última fratura, uma queda-sentada de pouca altura, quando a criança tenta se proteger com os braços e espalma as mãos. É uma atitude consciente, de defesa.

O juiz pergunta se essa conclusão advém da experiência do médico. Ele responde que essa descrição consta em livros de literatura médica nacional e internacional, e que havia conversado com médicos do Hospital das Clínicas, especialistas em fraturas do ísquio, porque elas não costumam ocorrer em quedas da própria altura — era necessária mais energia para que acontecesse. A conclusão era de que se tratava de queda de uma altura maior e/ou com força adicional, como se um adulto projetasse a menina de encontro ao solo.

O juiz faz a pergunta que todos nós tínhamos na cabeça: por que a fratura do ísquio não poderia ter sido causada pela própria queda da janela? O médico responde que a dimensão da fratura é menor do que seria se a menina tivesse caído sentada do sexto andar. Mesmo com o amortecimento da vegetação do entorno e da grama molhada, se a vítima tivesse caído sentada, tais lesões seriam mais extensas, independente das condições do solo. Fraturas severas no antebraço e um deslocamento do fêmur até os ombros poderiam acontecer. Se a queda fosse de pé, este poderia ter se deslocado até o quadril. Para demonstrar o que está explicando, Tieppo puxa uma mesa e dá um tapa em sua superfície com a mão espalmada. Faz um barulhão, mas nenhum ferimento. Se ele utilizasse a mesma força para bater na mesa com a mão em posição vertical, ou seja, fazendo com que as pontas dos dedos sofressem o impacto primeiro, todos os dedos seriam severamente lesionados.

A pergunta seguinte, se Isabella estava consciente no momento da queda, faz com que o médico nos explique a diferença entre lesões vitais, pós-mortais ou perimortais. No cadáver examinado, os ferimentos decorrentes da asfixia e da queda-sentada eram considerados muito vitais; já aqueles causados pela desaceleração eram pouco vitais; e os próximos à hora da morte da menina, os chamados perimortais. Naquele instante, os parâmetros vitais já estavam comprometidos. "Um exemplo que eu acho bastante prático é o de uma mangueira. Uma mangueira conectada a uma torneira aberta, com aquele gatilho na ponta, por exemplo, sem estar vertendo água. Se a torneira está aberta e a gente faz um furo nessa mangueira, existe um jato de água que sai desse furo por conta da pressão dessa água da torneira aberta. Entretanto, se a torneira está fechada e não existe essa pressão, a gente faz um furo nessa mangueira e [...] a saída de água da mangueira é muito menor do que quando existe a pressão na água. Assim é com o vaso sanguíneo e com a pressão sanguínea. Quando existe pressão sanguínea normal produzida pela bomba cardíaca funcionando plenamente [...] há um tipo de sangramento, um sangramento mais evidente, porque esse sangue, propelido por essa pressão, permeia os tecidos próximos ao local de onde ele está saindo. Por outro lado, assim como a mangueira sem pressão, a torneira fechada, verte água, o que a gente chama na medicina de 'babando o sangue' — babando porque ele não tem nenhuma pressão impelindo esse sangue para fora dos vasos, ele escorre de dentro do vaso. O vaso rapidamente murcha pelo fato de o sangue sair de dentro dele, não existe a pressão [...] a vazão murcha e o sangramento para". No caso em questão, havia lesões vitais e perimortais e, por esse motivo, na queda do sexto andar, não foram produzidos ferimentos ditos exuberantes. Eram em pequena quantidade e de pouca expressão.

Um quarto grupo de ferimentos acabou sendo citado por não se encaixar em nenhuma etapa anterior: o que havia na testa da vítima e alguns na cavidade oral, que serão explicados oportunamente, pois pertencem a outro mecanismo de trauma.

Nesse momento, um jornalista da Rádio Capital que estava sentado ao meu lado, Rogério Gama, não se contém e comenta: "Alexandre Nardoni observa tudo como se fosse a história de outro".

O juiz pergunta se Tieppo identificou os momentos em que foram causados os ferimentos. Ele responde que sim, pois se as lesões de impacto no chão, causadas pela desaceleração, tinham pouca reação vital, e as referentes à asfixia e à queda-sentada tinham muita reação vital, estas últimas precederam a defenestração. O médico explica que trabalhou em conjunto com a perícia de local.

> **JUIZ:** No laudo necroscópico que foi apresentado ao final, então, foram definidos como causa da morte quais motivos?
>
> **TIEPPO:** A causa da morte foi asfixia mecânica e politraumatismo. A asfixia mecânica por constrição cervical, modalidade esganadura, e o politraumatismo pelo conjunto de lesões, a queda-sentada, da queda decorrente do sexto andar, que eram pequenas. (...) O que causou o óbito dessa vítima foi a associação desses dois conjuntos de lesão.

Tem a palavra o Ministério Público. Cembranelli pede a Tieppo para relatar seu currículo, e ele o faz, explicando também a diferença entre médico e médico-legista perito, que é especializado e tem por ofício realizar perícias que exijam conhecimentos médicos a fim de subsidiar órgãos judiciais, o Poder Judiciário, para compor a percepção da Justiça. Passa a discorrer sobre as atribuições do Instituto Médico Legal, que não faz perícias apenas em cadáveres. Fala também sobre o trabalho de identificação, como o que foi feito no caso do acidente aéreo do voo TAM 3054, em julho de 2007.

No caso Isabella, o laudo necroscópico foi assinado por três médicos-legistas: ele próprio, na profissão há dezessete anos; o dr. Carlos Penteado Cuoco, trabalhando há vinte anos; e o dr. Laércio de Oliveira César, o mais experiente, na ativa há 33 anos. Todos estavam de plantão naquele fim de semana.

O dr. Cembranelli levanta uma questão discutida na imprensa nos dias que antecederam o júri: o atestado de óbito diferia da certidão de óbito no que se referia à causa da morte da vítima. Há uma diferença entre atestado de óbito e certidão de óbito, como explica Tieppo. O primeiro é dado rapidamente à família e não tem finalidade jurídica, serve para que seja apresentado ao cartório e à funerária, permitindo que a vítima seja enterrada. Quando há exames pendentes no IML que podem esclarecer a causa da morte e se é necessário esperar ainda resultados que talvez demorem, no atestado a causa da morte aparece como "indeterminada" ou "ainda não determinada", dependendo da linguagem de cada médico que o expede. Já a certidão de óbito tem finalidade jurídica, extingue a personalidade jurídica do morto e pode ser emitida posteriormente. Tieppo declara que tal dúvida lhe causa estranheza, pois se trata de procedimento rotineiro. Se ainda pairasse alguma dúvida, era só ligar para o telefone do IML de São Paulo (3088-7559) e verificar as últimas trinta declarações — mais ou menos a metade seria assim. Cembranelli então menciona os números das folhas no processo que provavam a existência de exames complementares nesse caso (Setores de Anatomia Patológica, Toxicologia, Radiologia, Sexologia e Fotografia), justificando então a causa da morte no atestado como indeterminada.

Nesse momento, o jornalista Antonio Carlos Prado, da revista *IstoÉ*, está na plateia. Ele é o responsável, juntamente com Rachel Costa, pela matéria jornalística que tratou dessa questão como se tivesse sido um erro, com destaque: "Documentos inéditos: O Instituto Médico Legal terá que se explicar. A causa da morte de Isabella relatada na necropsia não é a mesma que consta da certidão de óbito que registra a causa 'indeterminada'".[1] Quando Tieppo dá o telefone do Instituto Médico Legal, o jornalista anota bem depressa em uma folha de papel, mas sua verificação será tardia. O médico acabara de explicar com a máxima clareza e em detalhes os procedimentos e diferenças que

---

1 PRADO, Antonio Carlos; COSTA, Rachel. O julgamento do caso Isabella. *IstoÉ*, São Paulo, n. 2105, 17 mar. 2010. Disponível em: <http://istoe.com.br/57068_O+JULGAMENTO+DO+CASO+ISABELLA+PARTE+I/>. Acesso em 18 nov. 2016.

facilmente enganariam o público leigo. (Posteriormente, verifiquei: o telefone dado é mesmo do IML.)

O promotor passa a falar sobre a asfixia, mencionando seus sinais gerais e específicos na modalidade esganadura, elencadas pelos mais renomados doutrinadores da medicina legal, e pede que Tieppo confirme se os sinais estavam presentes no corpo da vítima. São citados Hélio Gomes, Genival Veloso de França, Hygino Hércules, Flamínio Fávero, José Lopes Zarzuela, Odon Ramos Maranhão, Hilário Veiga de Carvalho, Afrânio Peixoto, Delton Croce e Delton Croce Júnior, Almeida Júnior e outros mais. O médico-legista explica que os sinais apresentados são clássicos na medicina legal.

Cembranelli pergunta se é possível fazer esse diagnóstico a distância, "por exemplo, por alguém de Maceió, a três mil quilômetros daqui", uma clara referência ao parecer apresentado pela defesa durante o processo, em que o coronel-médico da Reserva da Polícia Militar de Alagoas, dr. George Samuel Sanguinetti Fellows, afirma que não houve asfixia pela esganadura e sim pela queda. Tieppo responde que os pareceres indiretos perdem muito, porque não se examina o cadáver. O exame direto é, para ele, insubstituível.

O depoimento do dr. Tieppo é feito em tom extremamente seguro, como se a toda hora nos dissesse que tudo era básico, que nenhum médico se equivocaria em tais questões. Cada argumento médico-legal utilizado pela defesa nos dois últimos anos foi, na sequência de perguntas, sendo demolido pela inquirição do promotor ao médico-legista, que não titubeava em explicação alguma.

A respeito dos ferimentos na boca da menina, o médico apresenta uma longa explicação em resposta às perguntas sobre o laudo odontolegal anexado aos autos. Lá estavam descritos ferimentos na boca da vítima compatíveis aos encontrados na literatura médico-legal, como aqueles provenientes de situações de conflito, isto é, por compressão da cavidade oral — ou seja, a boca foi forçosamente tampada. "O odontolegista, ele descreve também um pequeno ferimento na região dos olhos da vítima, que seria em razão também de alguém colocar a mão para impedir que ela gritasse?", pergunta Cembranelli. Tieppo observou uma marca, quando o odontolegista ampliou as fotografias dos ferimentos da face, tecnicamente chamada de estigma ungueal, um pouco acima da pálpebra, à esquerda. "Dentro da dinâmica dos fatos, seria a unha do dedo da mão que comprimia a face da vítima, a boca, a face, enfim", conclui o médico. O promotor explica para o legista que a defesa, ao longo do processo, afirmou que esses ferimentos poderiam ter sido causados pelo atendimento do resgate e questiona se isso seria possível. Tieppo discorda, explicando que não são lesões comuns nos processos de reanimação, além de terem aspectos eminentemente vitais. "Essas lesões, sem dúvida nenhuma, não foram produzidas pelo atendimento."

Sobre o osso hioide não estar quebrado, o médico explica que em uma criança sua estrutura é cartilaginosa como uma orelha e que só se calcifica entre os 25 e 30 anos de idade. Da mesma forma que não se pode "fraturar a orelha", Tieppo — mexendo na própria orelha — explica que na idade da vítima esse osso é altamente flexível, sendo rara a fratura em vítimas de esganadura.

Sobre a afirmação "em documento chamado de parecer" de que Isabella teria caído "de ponta-cabeça", o que lhe teria causado asfixia, o médico-legista volta a explicar o impacto na vertical, como demonstrou anteriormente com o impacto da mão sobre uma mesa. Nesse caso, haveria esmagamento do crânio e fratura na coluna cervical, além de outras muito mais severas. O corpo de Isabella também não tinha nenhum sinal de hipertensão intracraniana.

O promotor, dirimindo qualquer dúvida sobre a causa da morte de Isabella, pergunta: "Doutor, eu gostaria que o senhor esclarecesse também, na medida do possível, de forma compreensível, uma questão trazida pela defesa, que Isabella teria morrido em razão de uma embolia gordurosa". Tieppo discorre sobre embolia gordurosa, embolia gordurosa maciça, síndrome da embolia gordurosa e suas diferenças, em um depoimento extremamente técnico, e, ao finalizar, o faz de forma a não ficar nenhuma dúvida de que, quando escreveu o laudo, tinha averiguado todas essas possibilidades. "Isso não aconteceria numa vítima morta [...] tampouco numa vítima com sinais comprometidos. A circulação sanguínea não teria condição de espalhar esse material gorduroso por todos esses tecidos." Até a defesa ouve atentamente as explicações de Tieppo, pois estamos assistindo a uma verdadeira aula de medicina legal.

FINALMENTE, ÀS 17H45 O JUIZ CONCEDE UM INTERVALO DE QUINZE MINUTOS

Ao reiniciar os trabalhos, o Ministério Público decide fazer uso do telão, apresentando algumas fotografias do laudo necroscópico para os jurados, ainda durante o depoimento do médico-legista. O promotor separou estrategicamente as fotografias por grupo de ferimentos: queda, asfixia e outros, de forma que os jurados acompanhem visualmente cada explicação do legista. Isso permitirá que as pessoas leigas possam visualizar tudo que foi descrito em plenário. Cada característica citada pelo profissional será exibida, como que a comprovar a veracidade de seu depoimento. A única preocupação é que tais fotografias nunca são fáceis de se ver, principalmente ampliadas, mas evitam que o processo, folha por folha, seja passado de jurado para jurado, em uma acrobacia bem pouco didática.

As primeiras duas fotografias, com e sem flash, mostram as manchas arroxeadas na nuca de Isabella, as equimoses e escoriações. Tieppo mostra inclusive os estigmas ungueais visíveis, ou seja, marcas de unha em forma de meia-lua deixadas no pescoço da menina. Também se veem marcas como as de dedos formando uma luva. "[...] Seria como se fosse uma luva, são abóbadas horizontais, são sinais sugestivos de compressão." O médico chama atenção para o fato de Isabella ter cabelos compridos, o que minimizou as lesões causadas em seu pescoço, pois os cabelos funcionaram como uma proteção à pele. Ninguém deixa de perceber a enorme pilha de livros de medicina legal esquecida sobre a mesa do promotor, que descrevem as características clássicas, gerais e específicas de asfixia e esganadura.

A segunda fotografia mostrada tira o ar de muita gente no plenário: é do rosto da menina. Tieppo, apontando com um laser, mostra como estava inchado, congesto e cianótico (arroxeado), principalmente as orelhas. Depois chama atenção para as narinas da vítima, onde havia uma substância amarelada e grossa, realmente parecida com vômito. E acrescenta que foi essa a substância encontrada na camiseta e nos pulmões dela. Também vemos com clareza o ferimento na testa e os documentos odontolegais.

A fotografia seguinte é das mãos de Isabella. Suas unhas pareciam pintadas com esmalte lilás. O médico explica que a coloração da pele que se vê através da unha aparecia dessa cor por conta da pouca oxigenação do sangue. Também vemos o que Tieppo chama de língua protusa, ou seja, para fora da boca, como nas pessoas que são asfixiadas.

As demais fotografias são mais técnicas, já com o corpo da vítima aberto, portanto mais impessoais, mas não menos impressionantes. Mostram a face interna do pescoço e seus infiltrados hemorrágicos, e um ferimento embaixo do queixo, por dentro, na chamada musculatura submentoniana. Tieppo mostra nele mesmo, levando as mãos à garganta, como uma esganadura machuca a pessoa exatamente naquele lugar, pois a vítima flexiona o pescoço para se defender. Também são mostradas as manchas de Tardieu nos pulmões e no coração, pequenas manchas arredondadas que se formam com o esforço de respirar.

O juiz interrompe e pergunta aos jurados se está tudo em ordem, se pode continuar. Todos fazem sinal de positivo com a cabeça.

Muitas outras fotografias são mostradas, sempre pertinentes ao que foi relatado pela testemunha. Durante todo o tempo dessa exposição, Alexandre e Jatobá estão alheios, não sei quanto de visão eles têm do telão onde as fotos estão sendo mostradas ou mesmo se conseguem enxergar alguma coisa.

Cembranelli encerra perguntando a Paulo Sérgio Tieppo Alves se obteve alguma promoção ou teve algum ganho depois desse caso. Ele responde que continua seu trabalho no mesmo lugar, no mesmo plantão — só ganhou um elogio.

São 18h30 e a palavra é passada para a defesa. Podval novamente vai fazer a inquirição.

> **PODVAL:** Só uns esclarecimentos, nós chegamos posteriormente, nós entramos na defesa posteriormente, então eu não acompanhei os laudos. (...) O senhor disse aqui, se eu entendi bem, que para o senhor ou para a equipe que fez o trabalho ficou muito evidente a asfixia. O senhor descarta a possibilidade, aí eu pergunto, descarta absolutamente a possibilidade de uma morte por embolia gordurosa?
>
> **TIEPPO:** Sim, descarto absolutamente. (Segue-se uma longa explicação, técnica e complexa.)
>
> **PODVAL:** Então, para entender, a embolia, essa maciça, impossível, a gente pode falar de muita pequena chance?
>
> **TIEPPO:** Não, seria muito evidente.

O advogado pergunta se o médico esteve no local e se presenciou a reunião no apartamento da ré. Ele responde que sim, que esteve, mas não se recorda de tê-la visto por lá. Viu Renata Pontes, o dr. Calixto e outro delegado.

"O senhor citou em seu depoimento, até me corrija se eu estiver enganado, com relação à constatação de vômito na blusa de Isabella, que isso teria sido constatado no laudo. Eu confesso ao senhor que nos autos [...] não vi a constatação no laudo de vômito", diz Podval. Ele pergunta então se o vômito aparece no laudo. Tieppo explica que viu as manchas na camiseta da vítima, que guardavam semelhança com a substância encontrada no nariz, além do fato de ter sido mencionado em reunião com peritos, mas não sabe se está no laudo pericial porque não o leu.

A defesa quer saber se Tieppo estava de plantão quando Alexandre e Anna Jatobá estiveram no Instituto Médico Legal para colher material para o exame toxicológico. Por coincidência estava, afirma Tieppo, mas não vira o casal na ocasião; trabalhava em outra área naquele momento.

Podval agora levanta a questão sobre as marcas de unha no pescoço de Isabella. Tieppo responde que foram feitas quando houve a compressão do pescoço. Por que não foi colhido o material sob as unhas de Alexandre e Jatobá naquele dia? O médico alega que tal exame não teria sido feito por ele, mas pelos médicos que atendem pessoas vivas. Ele dava plantão no necrotério. Podval insiste: "Hipoteticamente, era possível se fazer um exame na pessoa com esses sinais, era possível encontrar sinais na unha de uma pessoa com relação à esganadura? Isso é viável?". Tieppo explica que, em perícia, evita-se o "hipoteticamente" e lida-se apenas com casos concretos. No entanto, esclarece que quando as pessoas examinadas são do convívio da vítima não é muito significativo o resultado positivo desse exame, porque se conduz material genético para debaixo das unhas até ao se fazer cócegas em alguém.

Mais uma vez Podval tenta a análise hipotética: "É provável que se tivesse uma marca maior do que um carinho, isso é provável?". Tieppo responde: "Sim, em casos de agressão, a quantidade, em princípio, é maior. É como eu falei, a gente precisaria saber se...". Podval interrompe e pergunta ao médico se teria pedido o exame se fosse o responsável pela determinação de sua execução. O juiz interrompe: "Doutor, o senhor está entrando em uma questão que não compete a ele".

O advogado, um pouco frustrado, encerra.

O pai de Jatobá chega para acompanhar o júri. É cercado pela imprensa, mas se recusa a falar com os jornalistas e se dirige para o plenário.

O juiz propõe então que seja trocada a ordem das testemunhas e se ouça no mesmo dia o perito em manchas de sangue, o dr. Luiz Eduardo Carvalho Dorea, pois crê que seu relato será mais breve. Todos concordam e os trabalhos seguem adiante.

Luiz Eduardo Carvalho Dorea, testemunha arrolada pela assistente de acusação, dra. Cristina Christo Leite, é perito criminal do Departamento de Polícia Técnica da Bahia, renomado nacionalmente por seu conhecimento da morfologia e dinâmica de manchas de sangue, especializado em crimes contra a pessoa e autor de três livros técnicos. Seu conhecimento se traduz, na prática, para o esclarecimento sobre o que poderia ou não ter acontecido em locais de crime, como a tese mencionada pelos advogados de defesa na imprensa, meses antes, de que a morte da menina poderia ter sido acidental.

Nesse dia, sem saber ao certo de quem se tratava, a imprensa noticiou nos jornais que Dorea teria sido o primeiro policial militar a chegar ao local.

Seu depoimento versa sobre os diferentes tipos de manchas, que assumem formas específicas dependendo da altura, trajetória e velocidade da queda. Segundo o perito, pode-se saber se estamos diante de sangue arterial ou venoso e, com precisão quase exata, de que altura caiu a gota.

Dorea esclarece em seu depoimento que "as manchas de sangue são indícios que permitem reconstituir o acontecimento no local, essa dinâmica dos locais. As manchas podem ser analisadas de diversas maneiras [...] a partir da leitura dessa mancha, [podemos] estabelecer a dinâmica de um crime". Em seu livro *As Manchas de Sangue como Indício em Local de Crime*, na página 41, como explica aos jurados, ele aborda o tema:

```
GOTAS
Nestes casos o sangue se projeta sem
sofrer qualquer outro impulso, obedecendo
apenas à forma da gravidade, variando
a forma definitiva da mancha a depender
de uma relação direta entre a altura
do ponto de onde se precipitou o sangue
e o suporte sobre o qual repousou ao
final da queda. Considera-se nestes casos
ainda a circunstância de que a natureza
daquele mesmo suporte poderá dar origem
a algumas variações na forma final
```

> referida. Como consequência, as gotas de sangue originadas desta maneira apresentam-se, relativamente à altura de onde caíram, os seguintes caracteres:
> A) Forma circular, bordos regulares
>   — Pequena altura, entre cinco e dez centímetros;
> B) Forma estrelada, bordos irregulares
>   — Altura de quarenta centímetros aproximadamente. Um pequeno aumento desta altura além daquele limite determinará um correspondente alongamento daqueles bordos irregulares;
> C) Forma estrelada, bordos denteados, gotas satélites — Uma gota maior, cercada de outras menores, que lhe são satélites, indica uma queda superior a 125 centímetros.
> D) Gotículas — Se caem de uma altura considerável (dois, três metros ou mais), as gotas de sangue se desfazem em gotículas que podem levar a uma falsa conclusão, caso o exame do local onde se encontrem seja feito apressadamente, sem considerar a verdadeira origem daqueles indícios, que podem se apresentar minúsculos, a depender da altura de onde caíram.

Cembranelli pede então que examine as fotografias do laudo projetadas no telão e analise as gotas que está vendo quanto à altura de onde teriam caído, pois a perita Rosângela Monteiro, com base no trabalho de Dorea, estabeleceu uma altura de 1,25 m. Diante da fotografia da gota de sangue no lençol verde, na cama de um dos filhos do casal de réus, ele explica que está vendo uma gota maior, cercada de outras menores, chamadas de satélites, comprovando que caíram de uma altura de 1,25 m, "não menos do que isso". A mesma dinâmica é analisada na fotografia subsequente, que mostra outra gota em lençol cinza.

O promotor pede então que explique como a perita Delma Gama, contratada pela defesa, usou suas obras para elaborar um parecer. Dr. Dorea relata então que viu esse processo depois da audiência do caso Isabella, que se deu em Salvador, cidade em que mora, por meio do advogado da OAB Domingo Arjones Neto, presente à sessão e seu amigo, mas esclareceu que a perita distorcera seu trabalho. Delma utilizou-se do texto escrito por Luiz Eduardo Dorea como se fosse de sua autoria. Contatado pela assistente de acusação, Dorea aceitou comparecer sem hesitar para dar seu testemunho sobre a altura de onde teriam caído as gotas de sangue encontradas no apartamento do casal Nardoni.

O promotor pergunta ao perito se ele sabe que sua obra é utilizada como bibliografia de cursos em São Paulo, organizados pela Associação Paulista do Ministério Público, por sua vez coordenada pela dra. Roselle Adriane Soglio, advogada da defesa presente em plenário. Ele responde que não sabia, que o último curso que deu em São Paulo foi a convite da dra. Rosângela Monteiro em julho do ano anterior.

Cembranelli não deixa de comentar com os jurados que a perita Rosângela Monteiro utilizou o trabalho exatamente desse perito para fundamentar seu laudo, dessa vez dando-lhe o devido crédito.

Quando a palavra é passada para a defesa, quem se levanta para a inquirição de Dorea é a dra. Roselle Adriane Soglio. Ela parece emocionada pela presença de tão brilhante professor, cuja obra utiliza como bibliografia número um nos cursos que promove. Roselle faz um discurso de admiração e passa a desconsiderar totalmente o parecer contratado pela defesa anterior do casal Nardoni, feito por Delam Gama. "É uma honra muito grande pra mim, eu estou muito feliz com o fato de o senhor estar aqui, pra mim é uma aula sempre ter o senhor aqui!"

Começa perguntando se o piso em que está a mancha de sangue pode modificar a reação do reagente químico utilizado pela perícia. Dorea diz que os reagentes não estão em sua área de atuação, portanto não poderia responder à pergunta.

A dra. Roselle então lhe mostra fotografias do laudo, junto aos jurados, e lhe pede que analise uma mancha no corredor e outra no parapeito da janela. Diante da dificuldade de enxergar as manchas na fotografia e mostrar detalhes para os jurados, Dorea comenta que seria ótimo se tivesse ali uma lupa. O dr. Maurício, gentilmente, lhe empresta uma. O perito observa então que a mancha do corredor tem a mesma configuração das do colchão, formando o que ele chama de "bico de pato", e dá direção à gota; apenas estava sem as satélites pela exígua quantidade de sangue. Conclui-se que a menina já está sendo carregada. Sobre a mancha da janela, explica que essa gota caiu de uma altura menor, assumindo configuração que aparenta em função do rejunte do parapeito. Realmente, ao subir na cama, o parapeito está em altura menor em relação ao móvel do que o chão.

A defesa pergunta se o dr. Dorea ainda trabalha como perito criminal na Bahia; ele responde que não. Depois pergunta há quanto tempo ele se aposentou, mas Dorea esclarece que não está aposentado e sim "ocupado", de 2003 a 2007, com a Corregedoria Geral da Polícia Técnica, e agora voltou à sua antiga profissão de jornalista, lotado na assessoria de comunicação do gabinete do secretário de Segurança Pública da Bahia.

Quando indagado se veio a pedido da assistente da acusação, responde: "Em setembro, para minha surpresa, fui contatado pela dra. Cristina, creio que por causa de meu nome na bibliografia, e a gente está sempre disposto a trabalhar pela melhor aplicação da Justiça".

O juiz indaga se algum jurado tem perguntas para o perito. Alguém tinha uma questão. As manchas nos lençóis são em movimento ou estáticas? "Em movimento", responde Dorea, "eu acredito que ficou evidente isso, elas são quase uma cópia uma da outra; pela sua posição é como se fossem sequenciais."

Encerram-se os trabalhos, com a bancada da defesa satisfeita, acreditando que o depoimento do perito lhe era favorável. Não deu para acompanhar o raciocínio, porque entendo que Dorea confirmou tudo o que a perícia de São Paulo levantou, sendo o fato mais importante e relevante o de a menina ter sido carregada no colo apartamento adentro por um adulto, comprovada a altura das gotas de sangue, caídas a 1,25 m do chão e do lençol. Além disso, como explicou o promotor, Isabella tinha 1,10 m de altura e o colchão estava a 56 cm do chão, de forma que, quando caísse uma gota de sangue do ferimento em sua testa, seria de uma altura de pouco mais de 40 cm, desenhando-se no lençol um formato completamente diferente daquele encontrado.

02. Arquivos **Nardoni**

TERCEIRO DIA
24 DE MARÇO 2010

Terceiro dia de júri. O calor no começo da manhã já beira o insuportável. Há previsão de chuva, o que faz com que a imprensa tome algumas providências, como montar lonas e posicionar o pessoal de apoio técnico sobre a parte coberta do prédio, a fim de garantir as entradas ao vivo.

O sr. Antônio Nardoni, pai de Alexandre, chega ao fórum e é recebido com vaias pelos manifestantes. Em seguida, há certa confusão na chegada do advogado de defesa, o dr. Podval, que dirige poucas palavras a alguns jornalistas, dizendo que estuda a possibilidade de acareação entre Ana Carolina Oliveira e os acusados. Ele também é recebido com vaias e é até atingido por um chute. É um equívoco imperdoável entender que o advogado concorda com a prática de qualquer crime apenas por estar exercendo seu papel de representar a defesa do acusado, que tem essa garantia constitucional.

Entrar no tribunal é um trabalho hercúleo, sem dúvida. Estou no carro com Gloria Perez, novelista brasileira que viveu uma tragédia pessoal com o assassinato de sua filha e desde então apoia mães que passaram pela mesma situação. Pessoa simples e profunda; às vezes, esquecemos a celebridade que ela é, como no dia anterior, quando nós duas saímos do fórum caminhando e fomos atropeladas pela imprensa que aguardava do lado de fora, nos cegando com flashes e câmeras. Boa parte do público aplaude a novelista, em uma recepção calorosa para aquela que sempre luta por justiça, independentemente de quem seja a vítima. Ainda assim, não é nada fácil chegar ao estacionamento. Dessa vez, então, entramos pela garagem do tribunal, para não correr nenhum risco físico. Ledo engano de que seria tão simples. Recebemos com alegria a comemoração de sua presença, mas passar pela guarita foi uma situação inusitada para mim! Fomos cercadas imediatamente por dezenas de jornalistas que quase sobem no capô do carro, chegam a bater no vidro para tentar um melhor ângulo para fotos e insistem para que Gloria Perez abra a janela e fale um pouco com eles.

Que fique claro: ela deu seu apoio à família Oliveira logo nos primeiros dias, não acompanhou o caso apenas nos momentos finais. E comparece a outros júris, nem sempre noticiados. No caso Isabella, se manteve informada sobre os trabalhos da promotoria desde o início e colaborou com seu conhecimento e reflexões; nada mais justo que acompanhasse o desfecho. Até mesmo o advogado de acusação, dr. Roberto Podval, em entrevista para a Rede Globo, diante do fórum, declarou: "É um direito dela apoiar quem quiser. Mas sou um fã dela".

10H15 — TODOS DE PÉ

Entra para iniciar os trabalhos o juiz dr. Maurício Fossen. Os réus já estão em suas cadeiras, sempre vestidos no mesmo estilo, Anna Carolina Jatobá, como anteriormente, está de cabelos presos em um rabo de cavalo.

Entra em plenário a perita dra. Rosângela Monteiro, vestindo um elegante terno roxo, para um dos mais esperados depoimentos desse júri. Foi ela quem coordenou todos os trabalhos periciais.

Os avós maternos de Isabella se entreolham no plenário. Assistem a tudo de mãos dadas.

Após todo o repertório inicial de praxe, a dra. Rosângela diz ao juiz que não é testemunha; está ali por dever de ofício do Estado. E começa sua inquirição.

O juiz pede que explique como se desenvolveu seu trabalho. Rosângela esclarece que um perito só vai a um local de crime quando requisitado, o que aconteceu no caso em questão, e se dirigiu para lá o perito que estava de plantão naquela noite. Explica que ela é perita criminal assistente, dá suporte técnico, ficando sempre de prontidão para atender outros peritos quando estes sentem necessidade, como fez o perito Sérgio Vieira Ferreira ao solicitar seu auxílio.

Os assistentes da defesa fazem anotações frenéticas, depois consultam o laudo como que para conferir o que está sendo dito.

O juiz pergunta como havia chegado a ela o comunicado de solicitação de perícia. Rosângela esclarece que foi solicitada perícia para roubo seguido de morte — um indivíduo desconhecido teria entrado em um apartamento para roubar e jogou pela janela uma criança de 6 anos de idade. Depois dos exames iniciais executados pelo perito Sérgio, que "apaga o fogo", ou seja, dá apenas o primeiro atendimento, o suporte realizou exames complementares com reagentes, análise de manchas latentes e utilização de luzes forenses. O juiz pergunta o que o perito Sérgio relatou. A perita responde que "quando [ele] chegou, constatou os vestígios existentes e coletou provas". Explica que em perícias de crimes patrimoniais, como aquele descrito na solicitação, existe o cuidado de verificar os acessos ao apartamento e ao edifício, motivo pelo qual o perito retornou à luz do dia — para verificar, por exemplo, se havia sinal de escalada nos muros externos. Também conta que chamaram muita atenção as manchas de sangue logo na entrada do apartamento, no sentido de fora para dentro. "O perito queria confirmar isso comigo." Isso significava que a garota havia sido ferida em outro lugar, antes de chegar ao imóvel, mas, a olho nu, não se via mais manchas.

O juiz pede que ela explique melhor sua atuação nesse caso. Rosângela entrou em contato com a autoridade requerente sobre o uso de reagentes químicos, que precisam ser utilizados no escuro. Para tanto, marcou os exames complementares para o dia 2 de abril, após as 18h, em trabalho que perdurou por quase catorze horas. Esse tipo de perícia requer treinamento especializado e sofisticado.

Ao ser perguntada sobre o que teria sido identificado, ela explica que puderam observar manchas de sangue parcialmente removidas, visualmente interrompidas, indicando a tentativa de limpeza parcial da cena do crime. Em seguida, verificaram também as áreas comuns do edifício, desde a entrada do imóvel até a garagem, constatando-se sangue também dentro do veículo.

Podval acompanha atentamente e roda uma bolinha antiestresse entre os dedos.

O juiz questiona sobre a preservação do local antes da chegada dos peritos. Rosângela responde que esse foi um dos locais mais bem preservados em que já trabalharam. Graças a isso obtiveram sucesso em conseguir coletar todos os vestígios, como o sangue no piso e nos lençóis, a tela da janela, a fralda, o material no veículo dos réus.

A perita segue seu depoimento, explicando o que foi apurado nos exames com reagente químico. Entre as marcas Luminol ou Bluestar Forensic, optou pela segunda, por considerá-la mais eficiente. Esclarece que esses são exames de orientação e, onde encontrou sangue, utilizou outro produto complementar, de nome Hexagon Obti, para comprovar se de fato se tratava de sangue humano. São dois produtos utilizados em conjunto: o Bluestar detecta o sangue; o Hexagon permite saber se o sangue é humano ou não. Das manchas visíveis foi coletado material para envio ao laboratório, com o objetivo de extrair DNA, se possível. A primeira preocupação era saber se o sangue pertencia à vítima (com a investigação correndo em paralelo, ninguém sabia ao certo). Foi um trabalho difícil porque o material encontrado era exíguo e a utilização do reagente o diminui ainda mais.

A seguir, o juiz pede que esclareça o trabalho pericial executado na tela de proteção da janela por onde a menina foi defenestrada. Rosângela explica que foram coletadas faca e tesoura encontradas no local do crime e encaminhadas para o Núcleo de Física do Instituto de Criminalística. Lá se comprovou, inequivocamente, que a tesoura foi utilizada para cortar a tela, pois seu gume apresentava resíduos de filamento. A faca poderia não ter sido usada, mas estava no mesmo local. Também foram desenvolvidos trabalhos periciais de confronto entre marcas na camiseta do réu e a tela de proteção e levantadas as impressões digitopapilares, inclusive na faca e na tesoura, utilizando-se luzes forenses, mesmo método utilizado na janela, na porta de entrada e na maçaneta do apartamento.

O magistrado passa a palavra para o Ministério Público. Cembranelli se levanta e, de pronto, pede as credenciais da perita. Rosângela, formada em psicologia, descarrega um dos currículos mais completos já vistos, descrevendo inúmeras especializações, além de um mestrado e um doutorado, tudo ao longo de trinta anos de atuação como perita criminal, além de cargos como o de presidenta da Associação Brasileira de Criminalística. Atualmente, ocupa o posto de perita criminal assistente da diretoria. Ela termina de responder brincando: "Não sei se lembrei de tudo". O juiz sorri: "É o suficiente".

O promotor pergunta então à perita se é necessário treinamento para utilizar os reagentes químicos periciais e quantas pessoas teriam formação suficiente para isso. Rosângela responde ser a pessoa mais experiente a utilizar reagentes químicos, auxiliando até mesmo peritos de outros estados. Em São Paulo somente ela faz essa análise, porque, além de conhecer os reagentes, o perito deve também conhecer o local de crime, a dinâmica de manchas de sangue e as luzes forenses. Cembranelli insiste: "Não há necessidade de ser somente perito, precisa ser perito treinado para isso?". Ela responde: "Exatamente, não basta ser especialista criminal para utilizar esse tipo de recurso". Explica que muitos peritos não conseguem diferenciar se é sangue ou não e qual foi a dinâmica do local. Trata-se de conhecimento muito específico. Passa-se por treinamento, na própria indústria responsável pela representação do reagente, e vários profissionais (norte-americanos, no caso do Luminol, e europeus, no caso do Bluestar) ministram cursos.

Diante da informação anterior ao júri de que a advogada da defesa dra. Roselle tinha muitos conhecimentos periciais e que se pretendia ali mesmo no júri uma demonstração do uso do reagente, o promotor dispara:

> **CEMBRANELLI:** (...) Há alguém na tribuna da defesa que tenha conhecimento ou que tenha esse treinamento?
>
> **ROSÂNGELA:** Ninguém.
>
> **PODVAL:** Excelência, eu não entendi na verdade se eu tenho treinamento em alguma coisa ou se eu não tenho treinamento, já que ela não me conhece! Eu não conheço a testemunha.
>
> **JUIZ:** A senhora sabe informar se algum dos defensores tem conhecimento?
>
> **ROSÂNGELA:** Não, desconheço, nenhum deles, pois não são peritos criminais, não atuam.
>
> **JUIZ:** A senhora não sabe se tem ou não tem conhecimento se tem?
>
> **ROSÂNGELA:** (...) Não, não tem, não tem, porque o conhecimento na utilização, ele não requer só pegar o reagente e utilizar algumas vezes em algumas coisas, pegar uma gotinha de sangue, colocar aqui para ver se reage ou não, limpar para ver se reage ou não. (...) A maioria é treinada por mim, e para se obter um resultado fidedigno tem que ser perito criminal.

A perita diz que não vê na bancada da defesa nenhum perito criminal que já tivesse ido a um local de crime, o que só seria possível se o profissional fosse treinado pelo próprio representante do produto.

Cembranelli segue perguntando se esses reagentes podem ser comprados por qualquer pessoa em qualquer lugar, como na rua 25 de Março; se é possível sair testando por aí em manchas de sangue ou na cozinha, como brincadeira de criança. Rosângela responde que se trata de um produto altamente tóxico, cancerígeno, que requer uso de óculos protetores, máscara e luvas, além de não poder ser borrifado em qualquer lugar.

O promotor pede que a perita o acompanhe até a maquete, solicitando que ela demonstre aos jurados o que encontrou. Rosângela passa a descrever suas observações desde a entrada do apartamento, constituída por uma única porta. Havia sangue na soleira, uma quantidade maior perto do sofá da sala, da mesa de jantar e da tábua de passar roupas, que estava aberta. No corredor de distribuição dos dormitórios, foram localizadas duas ou três gotas e no primeiro quarto também mais algumas. Nos demais cômodos, não havia gotas de sangue visíveis. Ela observou que nas manchas visíveis não havia necessidade de utilização do reagente, feito para manchas latentes, que ela não vê. Como algumas delas estavam interrompidas, e a gota quando cai não o faz aos pedacinhos, ou existia um anteparo entre o sangramento e a gota, ou a gota havia sido removida. Na ausência de um anteparo, só se podia aceitar a segunda hipótese, que fundamentava a decisão pelo uso do Bluestar, juntamente com o Hexagon.

A perita é seguida pela assistente da defesa, dra. Roselle, que observa suas explicações atentamente, estuda a reação do plenário e dos jurados e faz algumas anotações.

Rosângela continua as explicações. Nos lençóis, as manchas eram visíveis e não foi necessário equipamento extra para observá-las. Fora do apartamento, não existia nem sombra de mancha de sangue, mas a gota da porta de entrada apontava para o fato de a menina ter entrado já ferida. O desenho do trajeto das gotas indicava a direção do indivíduo, pois eram em sequência. Por precaução, utilizaram o reagente em outros locais para saber se havia algum onde ela pudesse ter sido ferida, mas não encontraram nada. Decidiram, então, periciar o carro. A conclusão a que os peritos chegaram foi que as manchas de sangue haviam sido em parte removidas. Como o chão do apartamento era escuro e as manchas se confundiam facilmente com o desenho dos nós da madeira que o piso imitava, a pessoa com certeza havia achado que limpara tudo.

A perita confirma ao promotor que o sangue encontrado era humano. Seu colega que esteve inicialmente no local tomou o cuidado de coletar parte das gotas na entrada do apartamento e no corredor, mas não foi possível, com a quantidade existente, fazer o perfil de DNA do material. Começa então um pingue-pongue sobre os testes feitos no sangue. Cembranelli cita cada elemento em que algum vestígio foi encontrado e Monteiro vai respondendo. No lençol verde foram encontrados sangue humano (de outra pessoa) e o de Isabella; no lençol cinza, sangue humano e o de Isabella; na tela de proteção, sangue humano e o de Isabella. "E no carro?", pergunta o promotor. A perita explica que, no veículo, nada era visível a olho nu, porque a forração cinza e o carpete poderiam mascarar as gotas. Foi aplicado então o reagente e o Hexagon, inclusive nos bancos e no porta-malas. Três pequenas manchas de sangue foram encontradas — na parte posterior do banco do motorista, no chão e na cadeirinha para transporte de crianças, do lado esquerdo da alça. Nesta última amostra, posteriormente, foi identificado o perfil genético de Isabella e de seus irmãos.

O juiz interrompe a explicação por quatro vezes, pedindo para Cembranelli falar mais devagar, e chama a atenção da perita para que explique melhor essas considerações. Rosângela consulta seus laudos.

É perguntada então, pelo promotor, o que ela quis dizer às fls. 674 do processo, no item A do laudo no que se refere à descrição das gotas de sangue, quando utiliza a expressão "praticamente estático" sobre o ponto hemorrágico. É uma referência clara, para nós que estamos acompanhando os trabalhos em plenário, à dúvida levantada no dia anterior na inquirição do perito Luiz Eduardo Carvalho Dorea. Rosângela explicou: "É, é exatamente esse o sentido, 'praticamente estática'. Por quê? Essa mancha tem uma característica que nós chamamos de mancha passiva ou de baixa velocidade. Então ela não é absolutamente estática". Elucida que não é como um conta-gotas parado em um mesmo lugar pingando, mas como uma pessoa andando devagar e o sangue saindo de um ponto hemorrágico fixo, criando uma mancha "redondinha". "Quanto mais lento o caminhar", explica, "menos alongada fica a mancha, como a imagem de uma lágrima."

Passam então a falar sobre a altura da queda da gota de sangue com aquela configuração, que foi estabelecida como tendo caído a partir de 1,25 m. A perita fala sobre estudos nacionais e internacionais que tratam da dinâmica de uma gota de sangue para estabelecer de que altura ela caiu e como se comporta. Com base em estudos publicados em livros, no manual do FBI, em revistas forenses e outras publicações, ela fez o cálculo, mas esclarece que quando aparecem assim, como essas manchas, claras, isoladas e "bonitinhas" no aspecto técnico, é muito fácil aplicá-lo; mas, quando se trata de gotejamento sobreposto, o cálculo se torna bem mais difícil.

Cembranelli mostra então à testemunha a fotografia de uma gota de sangue às fls. 678 do processo (a mesma mostrada ao perito Luiz Eduardo de Carvalho Dorea). Ela responde que se trata de mancha encontrada no corredor, um pouco diferente das demais. Sua altura é a mesma das outras, como a dos lençóis, e explica o que ouvimos no dia anterior, sobre "gotas-satélites", que se formam a partir de 1,25 m: "Parece que estão orbitando a gota".

É mostrado então a ela o livro de Dorea e ela comenta que é referência nacional nessa área de estudo. "Nesse livro consta uma das primeiras experiências nacionais feitas pelo professor Lamartine [Lamartine Bizarro Mendes], que foi meu professor."

Há uma breve discussão entre defesa e acusação sobre a leitura da página 41 do livro, pois Podval alega que o que está ocorrendo na verdade é debate, não inquirição, uma vez que o promotor lê trechos do livro e o cita. Há interferência do juiz: "Ele está confirmando se ela levou como base para tirar uma conclusão. Ela tem que explicar como chegou à conclusão do que está no laudo".

O Ministério Público prossegue perguntando se Isabella estava sendo carregada dentro do apartamento, segundo a análise das manchas de sangue. Rosângela diz que se aquela mancha foi projetada em baixa velocidade com altura de 1,25 m, significa que a vítima teria que estar sendo carregada. Aventam a possibilidade de a menina estar caminhando, mas, se fosse assim, a gota cairia a menos de 1,10 m, a altura de Isabella. A perita demonstra, em pé, que seria inferior à altura da vítima, porque a pessoa, mesmo ereta, projeta a cabeça para baixo, já que o sangue está caindo no chão, não na roupa. No caso em tela, a configuração da mancha de sangue causada por gota caída a menos de 1,10 m de altura seria totalmente diferente.

Várias pessoas que passaram horas, ou até mesmo a noite, na fila, se acomodam na poltrona e dormem, algumas profundamente. Ao se dar conta disso, o segurança as alerta da proibição de dormir no plenário, falando entredentes: "Isso é falta de respeito".

Cembranelli pede que a perita o acompanhe até a maquete do edifício e é seguido também pela dra. Roselle. Ele questiona Monteiro sobre a verificação de todas as portas e entradas do prédio e sua vulnerabilidade, se foram consideradas no laudo ou não. Ela responde que estão todas consignadas no laudo; portanto, foram examinadas, citando inclusive o fato de os muros serem muito altos.

"E as impressões digitais foram verificadas?", pergunta o promotor. Rosângela Monteiro sorri de forma irônica. Explica que esse é o vestígio mais básico, um dos primeiros meios de identificação, que se vê nos filmes e na mídia. É bastante simples na ficção — sempre estão todos os dedos ali marcados, mas infelizmente não é assim na vida real. Demonstra em plenário como costumamos pegar as coisas com a ponta dos dedos e não apertando o objeto com a digital inteira. Se for feito ainda um movimento que "esfregue" a digital, ela está definitivamente estragada para a perícia. Impressão digital, apesar de simples, é uma questão bastante sutil, conclui. Constatam-se não apenas o contato com os dedos como também plantar ou palmar, o que também foi procurado. Rosângela está indignada com a mera suposição de que esse trabalho não tenha sido feito. Segundo ela, o levantamento de impressões digitopapilares, principalmente em locais de crimes patrimoniais, como especificava a requisição, é primordial. Tal levantamento não é necessário em todos os locais, mas onde provavelmente houve manipulação pelo criminoso — como no caso Isabella, em que a porta de entrada e a janela teriam sido abertas e/ou fechadas. Explica ainda que as luzes forenses, quando utilizadas por uma pessoa bem treinada, obtêm excelente resultado para esse tipo de busca, mas é necessário que se saiba o que se procura ou o que se encontra. Elas foram usadas também no balde onde estava a fralda de molho e na superfície da mesa, mas, como na maioria dos casos, encontraram-se apenas borrões e esfregaços. "Se alguma impressão digitopapilar inteira fosse encontrada, seria então utilizado o pó ou a fumigação por cianoacrilato, a supercola, como vemos nos filmes da série *CSI*, aquele com vapor", explica a perita.

Cembranelli levanta então o assunto da impressão infantil no lençol, e Rosângela explica que não havia condição de identificar alguém por meio dela. No laudo, ficou consignada a impressão da polpa de um dedo, mas ela não poderia assegurar, em termos brasileiros para identificação positiva, em que são necessários doze pontos de coincidência. Ainda no mesmo assunto, a testemunha é questionada sobre a marca das mãos no batente da porta de entrada do dormitório da vítima. Ela responde que, pelo tamanho da polpa, dimensão do conjunto e altura da marca, trata-se da mão de uma criança.

O próximo ponto a ser questionado mais uma vez, agora pela acusação e de forma mais detalhada, é a preservação do local do crime, uma vez que todos os exames aconteceram no dia 2 de abril, antes de o apartamento ser lacrado. A perita explica que a coleta efetiva de tudo o que era necessário em um primeiro momento foi feita com o local preservado pela Polícia Militar. Os tipos de exames que executa só podem ser realizados durante a noite e há casos de serem efetivos até dez anos após o crime, com o uso dos mesmos reagentes. A preservação, nesse caso, não interfere no resultado. As coletas de vestígio, portanto, foram feitas no dia 30 de março, duas vezes (noite e dia), e seu exame ocorreu no dia 2 de abril, além das complementações fotográficas, principalmente da área externa, e o levantamento topográfico, bem como a perícia no apartamento 63, em frente àquele onde os fatos ocorreram. Lá foi encontrada uma camiseta manchada de sangue, sobre a qual se preparou um laudo separadamente, para não confundir ninguém. Era um apartamento ainda em obras, em fase de acabamento; havia latas de tinta espalhadas e roupas evidentemente dos trabalhadores, pois estavam com manchas de argamassa. A camiseta, segundo a perita, de fato estava manchada de sangue, mas pela localização e morfologia parecia que a pessoa havia limpado o nariz na camiseta. Por cautela, um exame de DNA foi feito e se comprovou ser um perfil genético do sexo masculino, mas não compatível com o de Alexandre Nardoni.

O promotor questiona se poderia ter havido alteração do local pelos próprios policiais nos trabalhos preliminares, provocando modificações que prejudicariam o resultado do laudo. A testemunha explica que o policial que preservou a cena do crime ficou posicionado do lado de fora do imóvel, mas que muitas vezes acontece de, ao verificar o local, alguém pisar em alguma prova. "Quando constatamos que houve alteração no local [pela tentativa de limpeza]", diz Rosângela, "ela teria que ter sido feita antes da chegada da Polícia Militar, que não teria motivo para fazê-la."

O juiz interrompe, pedindo que Rosângela explique novamente a questão de o perito ter avaliado que aquele balde com uma fralda de molho estava fora de contexto. Ela discorre então sobre o que seria o contexto daquele local. Quando chegam para analisar cenas de "crimes patrimoniais", como dizia a requisição da autoridade policial, o local costuma estar revirado, com os móveis fora de lugar, porque, nesse caso, o interesse do criminoso é roubar. Dessa forma, são encontradas gavetas abertas, coisas assim. Na residência em questão, os móveis estavam alinhados, mas era notória a falta de cuidados com higiene, uma vez que encontraram roupas sujas misturadas com limpas em todo canto e não havia nada dentro da máquina de lavar roupa, apesar da quantidade de peças a ser lavadas. Apenas um balde jazia ali, com uma única fralda de molho — fora do contexto, ou seja, da rotina daquela casa.

Alexandre imediatamente chama o advogado, que o escuta. O promotor segue, agora pedindo que se explique como era a bagunça no apartamento, e a perita conta que chegaram a encontrar um absorvente usado em meio aos brinquedos. Jatobá cruza os braços e se mostra furiosa. Alexandre sinaliza mais uma vez, chamando o advogado, enquanto a esposa literalmente bufa. A essa altura, promotor e perita falam sobre as gotas de sangue encontradas na fralda, de tom castanho, em quantidade insuficiente para obter o perfil genético por DNA que comprovasse se tratar de sangue da vítima (apesar de o reagente Bluestar ter demonstrado a configuração das manchas e o Hexagon ter apontado para sangue humano). Pelo formato e pela morfologia das manchas, explica Rosângela, usou-se a fralda dobrada, a fim de tamponar o ferimento da vítima, pois elas constam dos quatro quadrantes do tecido, em cada um mais fraco que no anterior. A fotografia passa de jurado em jurado, para que constatem o que a perita está demonstrando.

Essa dobradinha Bluestar-Hexagon, segundo a perita, é necessária porque o primeiro reagente só constata se o material analisado é sangue, mas não diz se é ou não humano, resposta encontrada apenas com o uso do segundo reagente. "Atualmente, os kits já podem ser adquiridos com o reagente Bluestar mais o Hexagon. Veja bem, vêm as pastilhas do Hexagon, vêm as pastilhas do Bluestar e mais o kit de revelação do Hexagon. Ele foi desenvolvido especificamente para complementar o Bluestar." Enquanto o exame feito com o Bluestar é de orientação, o realizado com Hexagon é "exame de certeza". Pode acontecer um resultado chamado falso-positivo no caso do Bluestar, ou seja, há reação em contato com outras substâncias que não sangue, mas um perito experiente sabe a diferença. Substâncias como verniz e tinta, além de alguns alimentos, como a banana, reagem ao Bluestar, mas a reação é de cor branca, não azul. O perito que está manipulando o reagente tem que optar pelo local onde irá utilizá-lo, pois conhece seus limites. "Se houver vegetais, nem aplico", diz a perita. "Uma aplicação feita em local não apropriado em vez de ajudar o perito vai acabar desorientando-o." Mas como ela sabe se é sangue ou não? Depende da intensidade e da duração da luz no momento de reação. Quando é sangue, de acordo com a perita, essa intensidade é tão forte que as manchas acabam até parecendo maiores do que realmente são.

Cembranelli está cobrindo, com suas perguntas, todas as dúvidas que foram levantadas pela defesa e, algumas vezes, pela imprensa. Rosângela demonstra a tranquilidade de quem realmente domina o assunto abordado. Mais uma vez, nesse júri, estávamos tendo uma aula intensiva de criminalística. Para condenar ou absolver um réu é imprescindível que se entenda, além do raciocínio de quem investigou o crime em questão, também as provas ali produzidas e se são refutáveis ou não, seja pela eficiência de sua realização, seja pela interpretação dos resultados.

Os esclarecimentos agora são sobre a construção das maquetes, feitas em parceria com o Instituto de Criminalística. Por que necessitaram de alguém de fora? A perita explica que eles não têm verba para tanto, mas se a empresa fizesse essa miniatura arquitetônica sem a participação dos peritos do instituto não seria possível consigná-la

— não se poderia confiar de que teria sido construída com os dados oficiais levantados no local do crime.

Sobre a reprodução simulada, Rosângela explica que não é feita com base nos depoimentos, porque o enfoque não é pericial. O que se espera é que os acusados apresentem sua versão *in loco* para que seja confrontada com os laudos produzidos. Por esse motivo é tão importante que as partes participem. Nesse caso, os peritos não reproduziram a versão dos réus porque não compareceram aos trabalhos de reprodução simulada, apesar de terem sido esclarecidos de que aquela era a oportunidade para que sua versão fosse comprovada pela perícia. Apesar disso, a delegada requisitou a cronometragem das questões alegadas, o que foi feito.

Cembranelli pergunta para Monteiro sobre a utilização de uma boneca nos trabalhos da reprodução simulada e das críticas que sofreu por não tê-la arremessado pela janela. Ela responde que dispõe de vários manequins hospitalares — para simular idosos, crianças e adultos. Os "menquins" têm órgãos internos que facilitam o entendimento do que lhes ocorre em muitos casos. "Mas arremessar coisas nunca foi um procedimento científico ou pericial. O corpo é flexível, móvel, e todas as vezes que o corpo fosse arremessado cairia de forma diferente. Não existe esse procedimento", disse a perita.

Na pergunta seguinte, pôde esclarecer os trabalhos periciais referentes à tela de proteção da janela durante a reprodução simulada — também houve críticas de que o buraco reproduzido não era igual ao original. Rosângela explica que o objetivo da reprodução simulada é verificar verdades e mentiras da versão apresentada. A experimentação científica do corte na tela e das marcas na camiseta foi realizada com os materiais originais, no Instituto de Criminalística de São Paulo. Não seria, portanto, uma "reconstituição" dos fatos, mas sim uma "reprodução", porque nunca é igual. Nem mesmo o autor do crime, quando participa, consegue agir da mesma forma que na ocasião do delito, por conta da própria emoção que a situação real propicia. Nesse momento, uma fotografia da tela é projetada no telão, e Rosângela explica a todos que ao cortar o primeiro filamento da tela tensionada ela já se deforma, e exemplifica que, quando o crime é com arma de fogo, obviamente não se reproduz o tiro no local e sim nos laboratórios de balística.

Cembranelli continua a projetar imagens no telão, agora da experimentação científica referente à camiseta, realizada em laboratório, enquanto a perita esclarece como isso foi feito. Segundo ela, as marcas ali eram vistas a olho nu, mas não bastava como prova apenas o fato de combinarem com o desenho da tela. O trabalho pericial deve esgotar o assunto com a experiência, para mostrar como tais marcas foram deixadas ali. Rosângela explica os procedimentos do teste, como utilizar camiseta de mesmo tamanho, tipo de fibra, espessura, modelo, enfim, características semelhantes, além de pessoa de porte físico aproximado ao do réu. Ao realizar esses exames, a perícia poderia obter diferentes conclusões quanto ao desenrolar dos fatos. Todos os cuidados para a credibilidade científica do teste haviam sido tomados, tais como a altura com relação ao piso, a tensão da tela, a medida do vão da janela, a posição das camas. Havia a necessidade de olhar para baixo em movimento espontâneo, e assim foi feito, aplicando-se pó de grafite na tela para obter-se a impressão na camiseta nas várias formas possíveis de imprimir a marca. O que mais chamou atenção, segundo ela, foram as marcas da tela na face interna da manga da camiseta do réu, incomuns em uma aproximação normal à janela.

Alexandre observa atento a todas as respostas da perita, esticando-se para enxergar o telão, ajeitando-se na cadeira e finalmente apoiando o cotovelo nos joelhos e a mão no queixo.

A perita explica como utilizou um peso de 25 kg, que era quanto a vítima pesava. Comentou também a expressão, naquela posição, do perito utilizado para desempenhar o papel do réu nos testes; não era fácil segurar tal peso através daquele buraco. Foram repetidas várias posições, até se obter a mesma marca impressa na camiseta do réu, permitindo que se pudesse entender o que aconteceu, passo a passo. Existia uma diferença na coloração das marcas, mais forte em consequência do uso de pó de grafite, mas o desenho encontrado era exatamente o mesmo. "Não basta só encostar na tela, efetivamente tem que se jogar o peso do corpo contra ela. Isso só é possível segurando-se um peso de 25 kg. Não existe outra possibilidade", explica enfaticamente. Para finalizar a inquirição sobre os testes da camiseta, Cembranelli mostra aos jurados a fotografia das sujidades na parede externa da fachada do edifício a partir de onde a vítima foi defenestrada, que demonstram as marcas das mãos de Isabella se arrastando na vertical, sem poder se segurar em nada. É impressionante como tudo faz sentido!

A última pergunta do Ministério Público é sobre os resultados de DNA e as tabelas apresentadas nos laudos, de dificílimo entendimento para qualquer leigo. Já é quase uma hora da tarde; para ser sincera, estou exausta e me perguntando se esse depoimento já não está muito longo. Contudo, a promotoria tem que buscar o entendimento total do jurado quanto à prova. Portanto, só mais um pouquinho...

Rosângela afirma que ela não faz esse tipo de exame, de DNA, e sim a parte responsável pela biologia do instituto, mas que se dispõe a explicar. E o faz com maestria. Os jurados entendem que tudo faz sentido no conjunto, quando o material genético encontrado na cadeirinha do bebê aponta para oito casas de DNA coincidentes com o material genético de Isabella, enquanto o FBI necessita de apenas cinco casas para validar o exame de confronto positivo. "É o conjunto encontrado e não o resultado de cada exame em separado [que conta]", termina a perita.

O Ministério Público encerra da mesma maneira que fez anteriormente, esclarecendo que o diretor da Polícia Científica de São Paulo, Celso Periolli, foi condecorado nos Estados Unidos pelo FBI por seus trabalhos desenvolvidos no Brasil e como essa perícia foi referência em nosso país. Além disso, deixa bem claro que Rosângela Monteiro não obteve nenhuma promoção com o caso e continua a trabalhar da mesma maneira que fazia quando tudo começou. Era apenas mais um caso.

A dra. Roselle questiona Monteiro sobre testes técnicos de som que poderiam comprovar ser possível aos vizinhos ter escutado a briga do casal e a criança. A perita responde que não foi possível a comprovação técnica, mas pelas fotografias às fls. 2524, que demonstram a proximidade entre os edifícios, pode-se compreender que é perfeitamente possível.

Após um intervalo de quase uma hora e meia, a equipe que compunha a defesa do casal Nardoni inicia sua inquirição. Quem se levanta é a dra. Roselle, que homenageia o Instituto de Criminalística e a dra. Rosângela. Apesar desse início aparentemente cordial, a advogada logo muda de tom e passa a tratar Monteiro de forma ríspida, quase agressiva, ao levar o laudo até a testemunha e perguntar-lhe se reconhecia sua própria assinatura e se tinha alguma ressalva a fazer. O tipo de questionamento e a postura são como daqueles promotores dos seriados norte-americanos, que pedem ao juiz licença para tratar a testemunha como "hostil". Rosângela, meio sem entender o tom e erguendo ombros e sobrancelhas, responde com firmeza que ratificava seu trabalho.

A dra. Roselle pede que vá até a maquete do apartamento e descreva a dinâmica dos fatos, como foi feito no laudo. A perita explica que as conclusões sobre a dinâmica dos acontecimentos não foram feitas apenas com base no apartamento e, sim, com o exame das vestes, e a coleta de vestígios e sua interpretação, para oferecer à autoridade elementos que estabelecessem a autoria do crime. Para tanto, o trabalho foi conjunto, inclusive exame do carro, exames de laboratório, além de outros elementos.

O juiz pergunta a ela se, para fazer a animação gráfica, além dos dados periciais, também foi utilizado o inquérito. Rosângela Monteiro explica que a dinâmica não é a reprodução, ninguém tinha essa informação sobre quem fez o quê. "O que sabemos: a agressão poderia ter se iniciado no veículo, pois lá havia sangue humano e DNA da vítima. Entre o veículo e a porta de entrada do apartamento não foi encontrado vestígio algum relacionado ao caso. Por motivos escapes, a partir da entrada havia manchas de sangue que indicavam que o ferimento da vítima fora tamponado até ali." Rosângela complementa: "Não posso colocar o que gosto ou não gosto, penso ou não penso". Continuando seu resumo, explica que Isabella estava sendo transportada em baixa velocidade e que havia sangue junto ao sofá e nas vestes dela, onde morfologia específica estava presente. Pelas características da prova, a menina foi transportada, após algum tempo, da área do sofá para o quarto dos filhos do casal, e por um adulto. As manchas produzidas eram iguais às da porta de entrada, que "subiu" nas camas, onde existiam três marcas de solado, inclusive escorregando com o pé na primeira cama. O adulto pisou entre as duas camas ali existentes, onde deixou uma marca, e passou a vítima pelo buraco na tela de proteção. A perita chega a comentar sobre as sujidades encontradas na parede da fachada externa, o que comprova que a queda da vítima se deu por ali.

A dra. Roselle pergunta se foi encontrada impressão palmar na porta do quarto da menina. "Não, não", responde, "ali não foi encontrada uma impressão palmar. A impressão palmar foi encontrada no lençol verde. Foram encontradas manchas que poderiam ser de dedos, mas não pudemos chegar a essa conclusão, mesmo porque não conseguimos levantar os pontos".

A advogada questiona então como a perita encaixaria Isabella, incluindo-se essa impressão na porta, na dinâmica do crime. Rosângela responde que não se encaixava, que, para ela, um dos irmãos teve contato com o sangue de Isabella e fez a marca. "Sei que é dos irmãos porque não é da Isabella e não se encaixa na dinâmica." A perita explica que, para que essas manchas tivessem sido produzidas por Isabella, ela teria que estar ajoelhada ou agachada, porque se encontravam bem abaixo da maçaneta da porta. Também afirma que outras manchas de sangue teriam que ser encontradas, pois a menina estava ferida.

"Mas se as medidas dos irmãos não foram tomadas", questiona a defesa, "como pode afirmar isso?" A perita responde que não pode afirmar, mas que havia duas crianças além de Isabella no apartamento, da mesma família; pela altura da mancha da ponta dos dedos no batente da porta, tratava-se de uma delas e não de Isabella. "Essa é a conclusão da senhora?", insiste a defesa. Ela responde: "Sim, minha conclusão". A advogada continua pressionando sobre se houve exame de comparação sanguínea, ou seja, se o sangue na porta era de Isabella ou não. A perita responde que ninguém requisitou a comparação. Esclarece, no entanto, que mesmo que o sangue fosse da menina, isso não levaria a uma conclusão direta de que ela própria havia produzido aquela mancha. Isso levantava uma sutil hipótese de que um dos irmãos poderia ter tocado em Isabella e deixado ali as manchas das pequenas polpas dos dedos manchadas de sangue.

A testemunha volta a se sentar no lugar destinado a ela. O assunto agora é novamente quem foi o perito que atendeu o local e quando Rosângela Monteiro entrou no caso. Fossen indefere, dizendo que tudo isso já foi falado. A defesa prossegue questionando o fato de o laudo conter poucas fotografias do local e se isso é padrão. O juiz ainda reforça a pergunta, querendo saber por quê. Rosângela responde que o perito não faz fotografias, e sim uma fotógrafa. Costuma-se solicitar uma fotografia geral e outras mais de cada detalhe considerado relevante. Complementa sua explanação esclarecendo que, quando esse fato ocorreu, o Instituto de Criminalística estava em fase de transição dos equipamentos utilizados em locais de crime, empregando máquinas fotográficas analógicas e digitais. Naquele plantão, a máquina ainda era analógica, não possibilitando ao perito o controle das imagens captadas pela fotógrafa, o que seria possível só após a revelação das fotos. Por esse motivo, no caso, algumas fotografias saíram desfocadas ou veladas e não foram, obviamente, colocadas no laudo por não terem relevância alguma.

A dra. Roselle continua, levantando dúvidas sobre quanto tempo o perito teria ficado no local do crime e se há uma regra para isso, um tempo mínimo recomendado. Rosângela responde que não há uma regra; cada caso é um caso e a decisão é apenas do perito e de acordo com o próprio entendimento deste, ou seja, ele pode achar suficiente permanecer no local por dez minutos ou por dez horas. Novamente, a perita é questionada sobre as várias vezes em que a perícia esteve no apartamento e responde com coerência, de acordo com o que já dissera. Também lhe é perguntado se foram examinadas as chaves do carro, se o veículo estava preservado, em que dia foi utilizado o reagente Bluestar. Na sequência, a advogada quer saber qual era o conteúdo do balde e se haviam coletado o produto que estava misturado à água para saber se ele reagiria ao produto químico para constatação de sangue. Rosângela responde que só havia uma fralda, que exalava forte odor de amaciante, não de cloro. ("Aquele que é azulzinho, não precisa ser perito para saber isso!") Também esclarece que não adiantava coletar amostra do líquido, pois o Instituto de Criminalística não possui os padrões comparativos de amaciante, detergente ou similares para confronto. A dra. Roselle pergunta se isso não está tecnicamente errado. A perita responde que não.

> **ROSELLE:** Usou o Bluestar na fralda depois de a peça voltar do laboratório?
> **ROSÂNGELA:** Sim, porque não queria comprometer a prova.

E a perita passa a explicar que, apesar de o laboratório não conseguir resultados pelos exames tradicionais, ela conseguiu, com a utilização do Bluestar, comprovar que havia sangue na fralda e, com o Hexagon, determinar que se tratava de sangue humano. A advogada pergunta por que ela não se satisfez com a resposta negativa do laboratório. Rosângela ergue as sobrancelhas e responde: "Se eu tenho outro reagente, por que não usar? Não é questão de satisfação. O reagente revelou o que outros não enxergaram. Não estou entendendo o objetivo da pergunta". A dra. Roselle, se impondo, responde: "A senhora apenas responda objetivamente aquilo que eu lhe perguntar". Rosângela, sem se intimidar, declara: "Eu estou respondendo, mas, para isso, eu preciso entender". O juiz modera a discussão. "Ela está respondendo, doutora." Rosângela explica para o juiz que não está conseguindo entender o objetivo da pergunta. Então, ele pede à advogada: "Seja mais específica na pergunta, doutora. Da forma que a senhora pergunta, a senhora quer que ela contrarie uma coisa que ela já disse. Ela está insistindo no que ela já disse, então seja mais específica". A dra. Roselle diz que não está querendo induzir resposta ou algo do gênero e pergunta à perita por que, em toda aquela desordem, o perito de local percebeu e coletou apenas aquela fralda. Rosângela afirma que só a experiência de quem entende de locais de crime pode explicar isso e conta que Sérgio, o perito responsável, trabalha há dezessete anos e sua decisão foi subjetiva, como um *feeling*. "Somos seres humanos, deveríamos ser só técnicos, mas somos humanos", diz a perita, dando a entender que a intuição advinda da experiência pode fazer diferença em um trabalho pericial, como no caso daquela fralda ali em um canto, quase despercebida.

A advogada questiona como as manchas de sangue teriam sido removidas, se procuraram algum pano que teria sido utilizado. A perita responde que isso não tem relevância, pois poderia ter sido utilizado papel higiênico ou papel toalha, depois dispensado no vaso sanitário. E que, pelas características morfológicas apontadas pelo Bluestar, não parecia ter sido a fralda utilizada para esse fim.

A defesa volta então a perguntar sobre as datas dos procedimentos relacionados ao apartamento do edifício London e o que foi feito em cada dia. Depois pergunta especificamente sobre a confiabilidade da apreensão das roupas do casal, levadas pelos advogados deles. A perita responde que se as roupas foram entregues pelos advogados do casal não havia motivo algum para questionamentos.

Na sequência, Rosângela é perguntada sobre o provável horário em que teria acontecido a limpeza do local, se antes ou depois da queda. Não poderia precisar, responde, mas a reprodução simulada indicou que a ré teria ficado ainda no apartamento, após a queda, por cerca de um minuto, e, segundo a perita, mulheres fazem duas ou três coisas ao mesmo tempo com um telefone móvel nas mãos. Logo, deduziu-se que Jatobá poderia com facilidade limpar as manchas enquanto ligava para os pais.

Outras perguntas versam sobre a liberação do local, como as chaves foram entregues à delegada, o uso de gaze na perícia, o que teria provocado o ferimento na testa de Isabella e a falta de fotografias do local no gramado em que a menina caiu.

Volta, então, ao assunto da falta de higiene no apartamento e a perita de novo responde que se baseou no aspecto bagunçado, mas não revirado do local. Segundo ela, gavetas e móveis estavam alinhados, mas havia uma espessa camada de gordura, por exemplo, na cozinha.

Roselle questiona Rosângela pelo fato de não constar, no laudo, o uso do reagente Hexagon, apenas do Bluestar. Rosângela responde que para eles, os peritos, o Hexagon faz parte do Bluestar e seu uso é rotineiro. Quando questionada sobre o motivo de o Hexagon não constar na lista de compras do Instituto de Criminalística de São

Paulo, Rosângela responde que quem tem o produto é ela; para não ficar dependendo do instituto em suas perícias, faz suas compras por licitação e há muita burocracia; recebe-os diretamente da Safetec, representante no Brasil desses reagentes.

A advogada então pergunta: "Se já sabia pelo exame com Hexagon que era sangue humano, por que mandou a fralda novamente ao laboratório para verificar a mesma coisa?". "Eu não mandei, a senhora está enganada", responde a perita. E passa a discorrer sobre o teste Kastel-Meyer, ironicamente provocando a dra. Roselle quanto ao fato de ela mesma ter frequentado curso ministrado pela perita e que teria ganhado, de brinde, um kit Bluestar. A advogada nega que tenha recebido o kit, mas Rosângela diz que ela no mínimo presenciou outras pessoas recebendo, e que era composto de Bluestar e Hexagon.

O interrogatório da perita Rosângela Monteiro está bastante repetitivo. Algumas questões foram levantadas pelo juiz, pelo promotor e agora também pela defesa, tornando os trabalhos extremamente cansativos. As explicações são agora muito técnicas. Roselle e Rosângela discordam sobre a morfologia específica de manchas de sangue nas roupas de Isabella; a advogada afirma se tratar de apenas uma mancha, a perita insiste que eram duas sobrepostas. Elas seriam provenientes de duas fontes: do ferimento na testa e de outro na virilha. O primeiro teria gotejado por algum tempo no mesmo lugar, o que levou à conclusão de que a menina teria ficado na mesma posição, desacordada e sangrando. No avesso da calça, estaria a segunda mancha, sobreposta à primeira, mas em forma de esfregaço. Tendo completo domínio do assunto, Rosângela dá uma aula sobre gotas de sangue, explicando, com o auxílio de um quadro e de uma caneta, o que acontece quando o ponto hemorrágico permanece na mesma posição durante um tempo e como isso se deu no caso em questão, bem como a inclinação em que estava a menina e a direção da gota, que provava a posição fletida das pernas da vítima. A defesa pergunta se Isabella estava consciente quando suas pernas estavam fletidas. A perita responde que apenas sabe que as pernas da menina estavam fletidas enquanto sangrava, provavelmente ainda viva, porque o sangue gotejava. Todavia, apesar de ser difícil assegurar as condições da criança ferida, diria que provavelmente ela estava inconsciente ou imobilizada, porque permaneceu na mesma posição. A resposta não é boa para os réus e, durante a fala de Rosângela, a advogada começa a fazer sinal com as mãos para que ela pare de responder, que já é suficiente.

Pararam brevemente de falar sobre o sangue e a perita passa a ser questionada sobre certo bilhete cuja autoria foi atribuída à ré sem que um exame grafotécnico fosse realizado. A perita responde que nada foi "atribuído". Esse assunto havia sido esclarecido nas respostas aos quesitos da defesa pelo instituto — foi encontrado um fragmento de papel escrito, com características de um bloco, no dormitório do casal, no qual havia, na contracapa, o nome da ré.

Roselle pede que Rosângela explique quantas vezes encontrou-se com o legista, sugerindo, com malícia, pelas datas dos laudos, que foi necessário o trabalho de um para que se executasse o trabalho de outro, apesar da resposta da perita de que os trabalhos foram feitos em paralelo. Depois falam sobre o teste das marcas na camiseta. A principal argumentação da defesa é sobre o controle das variáveis do experimento feito em laboratório, onde em vez de em um colchão, o indivíduo subiu em uma mesa e que a altura poderia não ser a mesma.

Passam a discutir uma questão semântica do laudo, mas a dra. Roselle não encontra no documento as palavras que alegava terem sido ditas pela perita. Acaba desistindo de encontrá-las, diz que tudo bem, mas o juiz tem na face a expressão de que se ela tivesse encontrado as palavras no laudo seria importante para corroborar sua afirmação anterior. Cembranelli limita-se a sorrir.

ÀS 16H07
A PALAVRA É PASSADA A PODVAL

Ele imediatamente chama Rosângela para junto da maquete do apartamento e pergunta a ela por que as marcas de sangue das mãos da criança não estão demarcadas ali. A perita responde que está consignado no laudo; talvez fosse difícil colocá-las no acrílico (que foi o material utilizado). Podval argumenta que nessa dinâmica não aparece, que o assunto foi ignorado pela perícia. Rosângela responde que não podem ter sido causadas com a criança caminhando, porque as gotas no chão provam que estava sendo carregada. O juiz interrompe, alertando o advogado que ainda não estão na fase dos debates. "Como ela chegou à conclusão, ela já explicou", encerra. Podval responde que só estranhou o fato de não ter sido constatado ali na maquete e sugere que o sangue poderia não ser da vítima. Rosângela, um pouco irritada, responde que não tem dúvida de que todo o sangue ali demonstrado está relacionado com Isabella, é de Isabella, mas que a ciência tem seus limites.

O advogado pergunta à perita quantas pessoas entraram no apartamento depois de o imóvel ter sido liberado. A perita responde que a delegacia informou que apenas a família, para pegar roupas, e que no tempo decorrido entre a execução do crime e a chegada do primeiro policial seria imponderável. Quando o local foi lacrado? Ela não sabe, acha que foi no dia 7 de abril. É a polícia que lacra, não ela.

Podval, sarcástico, pergunta a Rosângela se foi consignado em laudo que mulheres ao telefone também podem limpar manchas. Ela responde que se trata de percepção sua, como pessoa, mulher e mãe.

O assunto passa a ser o material genético encontrado na cadeirinha que estava no carro. "É possível afirmar que era sangue de Isabella?", pergunta Podval. Rosângela responde que sim, juntamente com outros materiais. Explica que se constatou o perfil em oito *loci*,[1] mas como não chegou a quinze, padrão dos laboratórios no Brasil, falou-se em mistura. Mas, pelas tabelas norte-americanas, a resposta teria sido positiva. Podval questiona essas nomenclaturas, perguntando se é perfil genético ou sangue. Ela responde que o laboratório de DNA não trabalha só com sangue e sempre fala em perfil genético, que inclui sêmen, saliva e outros.

Novamente, a defesa volta a questionar as diferenças de corte entre a tela original e a da reprodução simulada. A resposta é a mesma, não tem valor probante técnico, serve apenas para registro. Podval insiste em questionar a realização dos exames que comprovariam a marca da tela na camiseta de Alexandre. A resposta é, mais uma vez, a mesma: o exame se iniciou no local quando ela ainda estava fixa e as medidas foram verificadas, inclusive o buraco. "O trabalho é comparado com as marcas, elas são de fato, estão lá", diz a perita. Mas quais são as probabilidades de acerto e erro nesses experimentos? Ela responde que o erro sempre existe, que toda experiência científica tem sua margem, mas nada que comprometesse a conclusão do laudo.

Os resultados de quedas obtidos com bonecas seriam diferentes? Não poderiam ser também diferentes os resultados com outros indivíduos segurando o peso no teste da camiseta? A perita responde que

---

[1] Plural da palavra latina *locus*, ou seja, "lugar". Em genética, é usada para indicar o local fixo em um cromossomo onde se localiza determinado gene ou marcador genético.

o buraco era pequeno e foi escolhido um modelo para realizar o teste, com as características do agressor, o réu. E completa: "Agora que estou observando o réu assim, de perto, ele se parece bastante mesmo com o modelo [utilizado para fazer o teste]". Risos gerais da plateia.

O questionamento passa a ser sobre as marcas de solado encontradas nos lençóis. Poderiam ser marcas de pés de diferentes pessoas? "Ali são encontradas três marcas do mesmo solado", responde Rosângela. Mas são posteriores ou anteriores à queda? "São anteriores", responde. Ela explica que a marca por si indica se tratar da sandália de Alexandre Nardoni e que isso, com os demais vestígios encontrados, resulta em outra configuração. "Mas os sinais seriam diferentes se a pessoa tivesse subido na cama sem [estar carregando algum] peso?", pergunta o advogado. "Sim", responde a perita, "e também depende da sujidade do solado da sandália." Segundo ela, as marcas ali deixadas lhe dizem como caminhou sobre a cama e que no momento da defenestração ele obrigatoriamente estava de joelhos, que só deixariam suas marcas se estivessem sujos também.

Podval pergunta a Rosângela se sua dinâmica incluiu os outros filhos do casal. Ela responde que não no laudo inicial, mas na reprodução simulada. As crianças estavam lá, ela só não poderia precisar onde, e ninguém reportou ter ouvido alguma delas gritar.

A última pergunta é do juiz, que ainda pede esclarecimentos sobre a coleta de sangue dos réus para exame de DNA. A defesa aproveitou para também perguntar se o termo de coleta tinha sido assinado posteriormente. A perita responde que esses exames foram realizados pelo Instituto Médico Legal e que não participou de procedimento algum de coleta. Afirma que houve a comparação para verificar se o sangue, custodiado no Instituto de Criminalística, era dos réus. O resultado foi positivo e lá permaneceu. A defesa encerra.

O dr. Fossen questiona se algum jurado tem perguntas. Sim. A primeira refere-se à data de entrega da camiseta de Alexandre aos advogados, quando chegou à delegacia, e se ele teria usado a camiseta novamente antes disso. A perita responde, consultando documentos, que foi entregue em 9 de abril de 2008, mas não sabe em que dia chegou à delegacia. Trata-se, pelas imagens da imprensa, da mesma camiseta que o réu vestia na data dos fatos.

São 16h40. Depois de cinco horas de depoimento técnico, estão todos exaustos. Porém, pelas perguntas dos jurados, percebemos que eles acompanharam detalhadamente tudo o que foi explicado. De fato, Rosângela Monteiro deu a mais importante aula de sua vida ali, defendendo seu laudo e seu instituto com dignidade. Nenhuma pergunta ficou sem resposta, mesmo aquelas que demonstraram falhas eventuais e cotidianas de todos os institutos de criminalística, mas que não comprometem os resultados dos laudos oficiais. As provas colhidas e analisadas pelos peritos de São Paulo são abundantes e complexas. Resta saber se foi possível traduzi-las para a linguagem popular.

No retorno aos trabalhos do júri, ficamos sabendo que a delegada Renata Pontes fora dispensada (ela também havia ficado disponível para a Justiça desde seu depoimento, como a mãe de Isabella). A defesa desistiu também de várias testemunhas; foram dispensados todos os outros três peritos criminais, dois legistas da 9ª Delegacia de Polícia, os dois investigadores do caso (um foi mantido), o chefe deles, o delegado e ainda dois escrivães, Rogério Neres de Souza, ex-advogado do casal, uma vizinha do prédio em frente ao edifício London e o famoso pedreiro Gabriel, aquele que poderia ter adiado o júri caso não tivesse comparecido. Perez comenta que a defesa deve ter feito as contas e chegado à conclusão de que, se todos fossem ouvidos, o júri seria estendido e terminaria exatamente na data em que a morte de Isabella completaria dois anos, 29 de março. Macabra coincidência.

O testemunho de Rogério Pagnam, jornalista da *Folha de S. Paulo*, testemunha arrolada pela defesa, foi mantido e ele entra no plenário. Um colega de Pagnam, sentado ao meu lado, comenta aos risos que ele mereceu ter recebido o "castigo" de perder os trabalhos do júri. Todos em volta caíram na risada também. Perguntei, de brincadeira, se eram amigos ou inimigos do jornalista e me explicaram que ele é uma figura, que gostam dele, sim, mas que a situação do colega era, no mínimo, irônica: Rogério Pagnam foi o único jornalista no Brasil que fez parte do caso desde o início, mas que, justamente por esse motivo, perdeu o desfecho.

Pagnam explica ao juiz que fazia a cobertura do caso e realizou uma série de reportagens sobre o assunto. Durante os dias posteriores ao crime, soube que um pedreiro, chamado Gabriel, que trabalhava em uma obra nos fundos do edifício London, encontrou o portão da construção arrombado. Ele então achou que entrevistá-lo poderia ajudar na investigação policial. Com gravador, bloco e crachá da imprensa para se identificar, Pagnam entrou na construção para entrevistar Gabriel. Confirma que o pedreiro afirmara que o portão estava arrombado, mas, por ter deposto em juízo antes da entrevista, cuja gravação se encontra apreendida pela Justiça, achar melhor usar seu depoimento anterior, porque sua memória já não está tão fresca e não quer se enganar. É visível o nervosismo do jornalista, que provavelmente nunca esteve em tal situação.

Pela defesa, que agora é a primeira a fazer perguntas, uma vez que as testemunhas são suas, levanta-se o advogado Marcelo Gaspar Gomes Raffain. Pede que Pagnam o acompanhe até a maquete do edifício e mostre aos jurados onde fica a obra alegadamente invadida. (Ele começa a explicar e estende o dedo para mostrar um ponto vulnerável, mas acaba transformando sua narrativa em realidade quando quebra a chaminé da maquete para a qual estava apontando — agora sim o tal ponto ficou totalmente vulnerável. Risadas gerais ecoam por causa do constrangimento que se abateu sobre ele.) O jornalista conta que entrevistou também uma vizinha de nome Cristiane, que tinha ouvido um barulho, mas não havia visto ninguém. A entrevista teria sido feita em 9 de abril e publicada no dia seguinte.

Depois de explicar ao juiz que Gabriel não havia dormido na obra no dia do crime, a defesa continua, esclarecendo com suas perguntas que a entrevista ocorrera, que a obra era cercada de tapumes e, por fim, que o jornal em que Pagnam trabalha já havia sido processado por outras matérias jornalísticas, por tratar-se de arma de intimidação utilizada a fim de impedir outras opiniões de serem divulgadas.

Cembranelli interrompe, perguntando à testemunha se ele foi processado por aquela reportagem especificamente. Pagnam responde que não tem conhecimento.

Após apenas vinte minutos de inquirição, a defesa encerra, passando a palavra para a promotoria.

Cembranelli começa em tom bem-humorado, explicando ao jornalista que iria inquiri-lo, apesar de ele ter "quebrado a nossa maquete". (Risadas no plenário; o clima é descontraído.) O promotor pede que Pagnam explique se a matéria foi uma tentativa de investigação por conta própria. O jornalista responde que não; que os jornais só apresentavam duas versões, a da defesa e a da acusação, e ninguém apurava de outro modo. Cembranelli esclarece que sua denúncia foi em data posterior à reportagem, portanto o Ministério Público ainda não tinha uma "versão" dos fatos. Pagnam sai pela tangente, dizendo que não dá "para se pegar" em datas, que ele não lembra. O promotor pergunta se ele chegou a ingressar no edifício London e obtém a negativa da testemunha.

A promotoria começa a inquirir Rogério Pagnam de forma a demonstrar que Gabriel não estava na obra durante a noite dos fatos e que ali nada havia sido mexido, até o "rádio de pilha [do pedreiro] estava no mesmo lugar". Deixa claro que o jornalista não entrevistou, mesmo para sua conferência, nenhum outro vizinho, apenas aquele que corroborou sua tese de arrombamento da obra, evitando outros que foram ouvidos pela polícia. A defesa tenta interromper, mas Cembranelli, com ironia, pergunta se eles estão temendo alguma coisa e que o deixem fazer as perguntas. Enumera e lê alguns depoimentos de vizinhos, que falam sobre a ação do que parecia ser de policiais da Rota, os quais, na verdade, investigavam o local justamente à procura do ladrão que teria invadido o apartamento do casal Nardoni. O jornalista dá alguns motivos para não ter colocado essa versão em sua reportagem: diz que só ouviu as pessoas que dela constam e não outras, e que não verificou os depoimentos porque o processo estava em segredo de Justiça.

Cembranelli arranca mais risadas no plenário ao dizer que pretende que Rogério Pagnam lhe mostre se o ponto que achou vulnerável é o mesmo que ele próprio destruiu com o dedo, e que seria melhor manter o jornalista longe da maquete. Dessa vez, Pagnam não faz estragos. Antes de encerrar, ainda com ironia, o promotor pergunta à testemunha se foi ele que processou o jornalista e acrescenta: "Antes que digam isso!". Pagnam confirma que não. Rindo, Cembranelli diz: "Eu agradeço, apesar de tudo".

Alguns minutos após a saída do jornalista, uma nova testemunha entra no plenário.

Investigador da 9ª Delegacia de Polícia que participou dos trabalhos no caso Isabella, Jair Stirbulov é um homem grande, grisalho, já de certa idade. Ao dizer seu nome, mostra ser dono de uma voz grave, que ecoa pelo recinto.

Jatobá fulmina o policial enquanto ele fala.

Depois das questões de praxe ditas pelo juiz, Stirbulov explica para a defesa, que passou a inquiri-lo, que, como não estava de plantão na noite do crime, chegou ao local apenas no domingo, no fim da manhã. Tinha sido chamado para uma ocorrência de roubo seguido de morte e coube a ele conversar com vários vizinhos nos dias subsequentes, "sobre o que ocorreu e o que não ocorreu".

Podval pergunta se algum vizinho ouviu algum barulho. Stirbulov responde que não se lembra. O advogado então pede que a testemunha explique se Renata Pontes, a delegada, esteve no apartamento de Jatobá e se teria pedido a ele que levasse a ré até lá. Ele responde que a delegada havia pedido, sim, para que Jatobá fosse levada ao local, a fim de verificar se faltava alguma coisa, porque, até aquele momento, a moça ainda era vítima. Lá já estavam algumas pessoas, como o perito, o fotógrafo e alguns delegados.

O investigador segue esclarecendo o episódio, sempre com o cuidado de deixar claro que Jatobá foi bem tratada como vítima que era naquele momento. A história da testemunha era bem simples: a ré estava na delegacia, acompanhada do marido, do sogro e dos advogados, quando a delegada ligou pedindo que ela fosse levada até o apartamento para verificar se algo havia sido roubado. O chefe de investigações — Spindola —, que atendeu ao telefonema, determinou que Stirbulov a conduzisse.

Jatobá está visivelmente inquieta, demonstrando com suas feições que nada do que o investigador está dizendo é verdade.

Ainda segundo Stirbulov, no caminho para o apartamento, Jatobá dissera ter esquecido o celular na delegacia, que o assédio da imprensa incomodava bastante e que depois ela encontrou o celular no próprio bolso.

Podval, apontando para a ré, faz uma pergunta delicada para o policial: "Vocês comeram no apartamento dela?". Stirbulov faz um discurso. Diz que não faria isso, mesmo porque havia acabado de tomar café na ocasião. Ninguém comera nada, nem consumira café, água, nada, nem Coca-Cola, muito menos ovo de Páscoa. Conta a Podval que chamou o advogado de sua associação para processar quem mentiu a esse respeito. Esclarece que tem quarenta anos de serviço e ficou bastante indignado com o que saiu nos jornais. Não havia motivo para não tratar bem Jatobá.

A defesa prossegue:

> **PODVAL:** Quem acompanhou os réus ao IML para exames?
>
> **STIRBULOV:** Não sei informar ao senhor, por que tinha muita gente, estavam todos os investigadores da delegacia, todo mundo foi convocado devido à repercussão do fato, todo mundo foi convocado na delegacia para auxiliar nas investigações.
>
> **PODVAL:** Essa investigação foi como as outras, normal, rotineira, teve alguma coisa de diferente nesse caso (em relação aos) outros?
>
> **STIRBULOV:** Para mim foi uma investigação normal.
>
> **PODVAL:** A dra. Renata tinha uma foto da menina Isabella na mesa dela, na sala dela, isso é fato?
>
> **STIRBULOV:** Não sei, não me recordo, doutor.

PODVAL: O senhor sabe me dizer se foi coincidência ou se teve alguma razão para o interrogatório deles (do casal Nardoni), na polícia, ter sido marcado na data de aniversário de Isabella? Sabe se isso foi feito intencionalmente ou por acaso?

STIRBULOV: Eu não entendi a pergunta do senhor.

PODVAL: O senhor sabe quando foi o interrogatório deles na polícia?

STIRBULOV: Não, não participei.

PODVAL: O senhor sabe que o interrogatório foi marcado na data de aniversário de Isabella?

STIRBULOV: Não, os interrogatórios são feitos no dia em que a autoridade marca, então a pessoa se apresenta e ouve naquele dia e, na data em que está, que ouve, não tem por que ouvir um dia depois ou no dia anterior.

A defesa do casal Nardoni encerra. O Ministério Público não tem mais perguntas. A testemunha é dispensada.

Na sequência, às 18h30, começa uma discussão em plenário, de cunho jurídico, sobre a possível acareação, que devia ser autorizada ou não pelo dr. Fossen. Todos estavam nervosos. O juiz explica a Podval, que insistia no confronto entre Ana Carolina Oliveira, Alexandre Nardoni e Anna Carolina Jatobá, que a primeira era testemunha, mas não prestava compromisso, ou seja, não era obrigada a falar a verdade, portanto não deveria ser acareada com os réus, que também não prestam compromisso. Podval mantém o pedido, dizendo ao juiz que ele negasse, se quisesse. Fossen responde que o advogado deveria argumentar para convencê-lo. Começa um bate-boca entre promotoria e defesa. O juiz dá uma bronca nos envolvidos, interrompendo a querela, e avisa que os debates ainda não haviam começado. Podval reitera que existem contradições que precisam ser esclarecidas. Todos deliberam a questão.

Ouço a explicação de que o Código de Processo Penal prevê acareação, inclusive com o réu. Negá-la poderia acarretar em futura alegação de nulidade do júri pela defesa. Cembranelli passa a conversar com o juiz, com um exemplar do Código Penal nas mãos. Também ele não pretende que alguma nulidade seja cometida. Podval anda pela sala, inquieto.

Eu fico aqui ouvindo os argumentos e pensando novamente: será que a defesa tomou a decisão certa? Qual a chance de essa acareação dar certo? Será que Jatobá vai se controlar? Ana Carolina Oliveira vai chorar e gritar? Alexandre vai reagir, coisa que parece impossível diante de sua passividade frente a tudo? Vamos assistir a uma briga aqui mesmo, ao vivo e em cores? Acareação é uma coisa que a gente sabe onde começa, mas não sabe onde termina.

Os réus aguardam a decisão com grande expectativa. Ele sempre mais calmo que ela. Se Ana Carolina Oliveira for liberada, o júri vai ser anulado? Podval vai abandonar o plenário? O juiz Maurício Fossen se retira da sala. Quase meia hora depois, nada acontece. Jatobá chora encolhida em seu canto.

Cembranelli, Podval, Cristina Christo, Marcelo Raffain e, timidamente, Roselle Soglio estão reunidos, de costas para o plenário. Vejo Podval balançar a cabeça e as orelhas de Cembranelli ficarem vermelhas.

Às 19h07, o juiz senta-se à sua mesa e passa a dar longa explicação jurídica para o impasse.

Em um primeiro entendimento, só deixaria acontecer uma acareação entre duas testemunhas e não entre testemunha e réu. A nova lei do júri alterou exatamente esse artigo, estabelecendo novo procedimento — 11.689/2008. Fossen explica que se sentou para fundamentar seu despacho e, durante sua execução, voltou ao seu gabinete para consultar os direitos constitucionais sobre acareação. O princípio constitucional, continua o juiz, está acima do Código Penal, que rege a amplitude da defesa. Assim, seria uma incongruência que, exatamente no plenário, onde essa amplitude deve ser maior ainda, não se pudesse fazer a acareação. Pode ser realizada na instrução; portanto, em juízo, no júri, onde o direito de defesa é total, também deve ser permitida. Sendo assim, o magistrado defere o pedido da defesa e autoriza a acareação para o dia seguinte, quando os trabalhos recomeçariam às 9h da manhã.

QUARTO DIA
25 DE MARÇO 2010

Hoje o dia está tenso. Vai começar o interrogatório dos réus. Eu e Gloria Perez também estamos sofrendo uma pressão constante dos seguranças, que recebem a toda hora reclamações da família dos réus. A Polícia Judiciária, seguidamente, vem nos trazer as queixas e ficam constrangidos com o conteúdo: o fato de eu estar sentada "muito de lado"; ou por dar bom-dia a algum jornalista conhecido na fila de entrada do plenário; ou que estamos na sala do Ministério Público, ou na sala do cartório. Achamos que talvez queiram causar algum tumulto e tentamos manter a paciência para que nada atrapalhe os trabalhos em desenvolvimento. Flávia, a cunhada de Cembranelli, me olha nos olhos e diz: "Quem tem luz própria não enfrenta as trevas". E tem toda razão.

Sem que eu perceba, a mãe de Alexandre Nardoni, dona Cida, acompanhada de sua filha Cristiane, chega e para ao lado de minha cadeira no plenário. As duas estão soluçando, fazem um sinal de amor para o réu e jogam beijos. Jatobá nem se mexe, enquanto Alexandre retribui os gestos. Gloria Perez comenta que é preferível ser mãe de vítima do que de assassino.

Os réus se vestem no estilo de todos os dias até aqui. Alexandre sempre de óculos; Jatobá com os cabelos presos e as unhas feitas; não havia percebido antes.

Pouco antes das 11h, Podval se agacha ao lado de seus clientes para conversar com eles. Quando se afasta, Alexandre suspira como quem vai fazer um arremesso livre no basquete, concentração total. Jatobá chora, sempre limpando o rosto com as mãos. O advogado alisa a própria testa. O clima é de intensa expectativa.

O dr. Ricardo Martins, antigo advogado do casal, está sentado na bancada da defesa, procurando informações e fazendo suas anotações para auxiliar Podval.

O juiz Maurício Fossen entra e todos ficam de pé no plenário. Podval logo pede que a ordem de interrogatório dos réus seja invertida: primeiro quer ouvir Alexandre e depois Jatobá. Cembranelli concorda. Jatobá é retirada do plenário.

Com o réu já acomodado diante do juiz, Fossen explica que Alexandre não tem obrigação de responder, é seu direito constitucional de silêncio. Porém, salienta que o momento, cara a cara com o júri, é a oportunidade para dar a sua versão dos fatos, pela última vez. Passa então a ler a denúncia, como fez tantas vezes antes, mas onde está escrito Alexandre Alves Nardoni passa a falar "o senhor". "O senhor subiu nas camas ali existentes, introduziu Isabella pela abertura da rede e a soltou." Ficou tão pessoal! Alexandre, ao final, se manifesta: "É falsa essa afirmação, completamente mentirosa, não existe".

O juiz pede então que relate a sua versão dos fatos. Alexandre o faz da mesma maneira que em todas as vezes anteriores, com parcos acréscimos, como dizer que Isabella tinha muito orgulho dos irmãos e era louca por eles.

Os jurados estão bastante atentos, mas a voz de Alexandre, embargada em alguns momentos, não parece estar convencendo. Ninguém se emociona com ele e os jurados mais novos estão com os cotovelos sobre a mesa, observando-o fixamente.

Alexandre começa a contar, como já havia feito em juízo, uma sequência de fatos que aprendemos a conhecer.

Sábado, 29 de março de 2008. Às 9h, ele saiu de casa para colocar o GPS em seu Ford Ka. Deixou as crianças dormindo com a esposa. O carro estava na seguradora Porto Seguro e ele foi caminhando até a casa do pai para tomar café da manhã. O pai o deixou de volta para pegar o carro, comentando que passaria em uma loja de acessórios para veículos. Passa novamente ali para dar "oi" ao pai. Quando chegou em casa, desceu com os filhos para andar com motocicletas de brinquedo no térreo do prédio. Resolveram ir para a piscina porque Isabella queria.

Alexandre conta alguns detalhes que não haviam sido comentados antes, como o fato de Isabella ter ensinado Pietro a mergulhar naquele dia: "Ela tinha muito orgulho de ensinar os irmãos... Era louca por eles".

Ainda ficou brincando com os filhos mais velhos enquanto Jatobá subiu para preparar o almoço e dar banho no filho menor. Depois do banho das crianças, almoçaram e saíram. Pararam para tomar sorvete no McDonald's, em Guarulhos. Foram então fazer compras no Sam's Club e preencher formulários para adquirir o cartão da loja. Em seguida, passaram na casa do sogro, onde estava o irmão de Jatobá, Vítor, de 14 anos. Brincaram, dançaram, os sogros chegaram, jantaram. Desceram todos juntos na hora de ir embora. Saiu da casa do sogro entre 22h40 e 22h50. O GPS acusa que desligou o carro, em sua vaga na garagem, exatamente às 23h36m11s.

Alexandre conta agora que o irmão de Jatobá estava com medo de ficar sozinho em casa e pediu ao casal que permanecesse até os pais chegarem. Acrescenta que, ao irem embora, Isabella já estava com sono e teria descido do elevador já no colo de Alexandre. Explicou ao juiz como se sentaram dentro do carro, ressaltou que não houve discussão alguma, fez o caminho de volta brincando com a esposa e os pequenos dormiram quase imediatamente. A certa altura, Isabella teria perguntado: "Tia Carol, posso dormir também?".

Na sequência, o réu explica ao juiz que perguntou para a esposa qual filho deveria levar primeiro para cima. Isabella foi a escolhida, porque estava posicionada ao lado de Jatobá, atrás do banco do motorista. O juiz pergunta onde ficaram Jatobá e os outros filhos. Alexandre responde: "Ficaram no carro, não tinha como subir com todos de uma vez, estavam os três dormindo. [...] Subimos para o apartamento... não, eu subi com a Isabella, cheguei na porta do apartamento, abri a porta, entrei no apartamento, fechei a porta, e a Isabella no colo, entrei no apartamento, acendi a luz do corredor, coloquei Isabella na cama, ela estava dormindo, puxei o edredom em cima dela, puxei o sapatinho dela, coloquei no chão, cobri a Isabella, acendi o abajur dela porque ela não gostava de ficar no escuro e, em seguida, fui para o quarto dos meninos, dos meus dois filhos. Eu entrei, tirei os brinquedos que estavam em cima da cama, tinha um monte de brinquedos que estava na cama, eu recolhi, coloquei numa caixinha, num suporte onde normalmente ficam, deixei a cama arrumada, pra gente colocar eles quando subisse, saí do apartamento, abri a porta, fechei a porta e desci".

Não pude deixar de notar o "ato falho" que comete nesse relato, quando conjuga o verbo subir na primeira pessoa do plural — "Subimos para o apartamento" — e imediatamente se corrige — "Subi com a Isabella". A pessoa se entrega na linguagem, mostra quem ela é num lapso, nos deixa vislumbrar verdades escondidas. Será? Era uma hipótese para a qual talvez jamais tenhamos resposta.

O juiz pergunta a Alexandre se a janela do quarto dos meninos, naquele momento, estava aberta ou fechada. Estava "um pouquinho" aberta, responde, e ele a fechou e travou, porque estava frio. Confirma que fechou a porta ao sair do apartamento. Faltava uma tampinha do acabamento da porta, explica Alexandre, onde estava a fechadura do tipo tetra,[1] mas, como as chaves haviam ficado na portaria por quatro meses e ia trocá-la para ter tranquilidade, deixou assim mesmo.

O réu prossegue: "Voltei para o carro e a minha esposa falou: 'Espera um pouquinho pra gente descer porque acabou de entrar um carro com o som alto, senão as crianças vão acordar'. Eu esperei um pouco, peguei o Pietro, minha esposa pegou o Cauã. [...] Nós subimos de novo, eu abri a porta, entrei, minha esposa entrou com o Cauã, eu fechei a porta, aí a minha esposa já entrou na cozinha, colocou o tamanco dela na cozinha, nós entramos no corredor [e] a luz do quarto da Isabella estava acesa, aí eu já perguntei: 'Será que a Isabella caiu da cama?'. A hora que eu fui olhar [...] a Isabella não estava no quarto, nem na cama nem no quarto, e a minha esposa foi logo em seguida e olhou, e eu falei: 'Será que a Isabella foi para o quarto das crianças?'. Porque sempre que ela acordava antes dos irmãos ela ia para o quarto com os irmãos. Quando eu olhei, a janela estava toda aberta e a tela, a tela já estava furada e nisso eu já fui correndo para a janela para ver o que tinha acontecido. Eu estava com Pietro no colo ainda, para ver o que tinha acontecido, e aí eu vi que a Isabella estava lá embaixo. Nessa hora eu entrei em choque, até comecei a gritar dentro do apartamento, acordei o Pietro e o Cauã, e quando eu vi toda aquela cena eu já falei para a minha esposa: 'Liga para o meu pai, para o seu pai'. E enquanto ela foi ligando eu apertei o botão do elevador e [...] nós descemos junto com as crianças".

Alexandre foi ver Isabella no gramado, enquanto a esposa e os filhos ficaram no hall de entrada do prédio.

Durante o processo, desde a investigação policial até o júri, nas várias vezes em que conta a sequência dos fatos, Alexandre enriquece bastante sua versão, muda muitas coisas, ajeita, acrescenta algumas e omite outras do depoimento anterior.

Em alguns depoimentos, esclarece que estava sozinho com Isabella no elevador quando subiram, que a chave estava em seu bolso direito, e acrescenta que trancou o apartamento novamente antes de levar a filha para o quarto. Em outro depoimento, lembra-se de dizer que tirou o sapatinho (não mais sandália ou tamanquinho) da filha antes de cobri-la, não depois, como dissera antes. Já sabendo que a conta do tempo estava difícil de fechar, ele diz ter colocado os brinquedos espalhados

---

[1] É uma chave com quatro lados, cada um com segredo de quatro a oito pinos, utilizada em fechaduras de portas externas, acionadas através de um mecanismo de cilindro.

pelo quarto dos meninos dentro de uma caixa, que deixou na prateleira do quarto, e que retirou o abajur de dentro do armário. Não tinha falado mais em ter esticado o edredom dos filhos, porque nas fotos do local ele está todo desarrumado, mas agora voltou a dizer isso. Também já havia acrescentado que subiu na cama dos meninos para fechar a janela aberta; uma vez usava chinelos; na outra estava de joelhos. É já como suspeito que surge a versão do carro preto com som alto na garagem. Antes não havia feito nenhuma referencia a isso. Na hora de entrar no apartamento, algumas vezes ele relata ter entrado antes da esposa, não o contrário, como afirmara anteriormente. Fica mais detalhado também o trecho da busca por Isabella pelo chão e no quarto do casal.

A história dos telefonemas está também mais detalhada do que quando falou em audiência, mas ele afirma que primeiro Jatobá ligou para o pai dele e depois para o dela, o que é desmentido pelas contas telefônicas. Como a promotoria desconfia que a essa altura dos acontecimentos Alexandre já havia descido e Jatobá estava ainda no apartamento, é bem provável que ele não soubesse mesmo a ordem das coisas. Como os réus afirmam que desceram juntos, mas as testemunhas viram Alexandre Nardoni sozinho ao chegar no térreo, em próximo depoimento ele coloca a esposa e os filhos atrás do vidro do hall.

No plenário, também ouvi pela primeira vez que Isabella, quando acordava na casa do pai, ia para o quarto dos irmãos. É assim que justifica por que teria ido procurá-la no outro quarto quando não a encontrou na cama da menina.

Ao encontrá-la, verificou que o coração de Isabella batia acelerado e falou: "Ô filha, calma, calma".

Foi quando o porteiro, suado, se aproximou correndo, vindo do fundo do prédio, e Alexandre reclamou: "Mas cadê você?". O porteiro teria respondido: "Não, eu fui ali". Alexandre questionou: "Mas ali onde? Mas como você foi ali? Você saiu da portaria e deixou a portaria sozinha?".

Também o sr. Lúcio (vizinho) estava na sacada e não deixou que ele mexesse em Isabella. Rapidamente chegaram os policiais. Nesse ponto, Alexandre aproveita para fazer uma modificação importante em seu relato: a porta do apartamento teria ficado aberta. A imprensa, segundo ele, mentiu ao dizer que estava trancada e a Polícia Militar, por conta da ausência da tampinha metálica do acabamento da fechadura, deve ter achado que se tratava de arrombamento. O juiz pergunta novamente se ele não falou que alguém entrou no apartamento. O réu responde: "Não, em momento algum eu falei isso para os policiais. Quando nós descemos para pegar a minha filha, a porta ficou aberta com chave e tudo lá".

Alexandre não se emociona nesse trecho do depoimento, justamente a parte em que a mãe de Isabella, Ana Carolina Oliveira, mais se descontrolou e fez chorar os presentes. O réu conta os fatos sempre tendo em foco sua defesa, argumentando racionalmente. O texto que está reproduzindo não combina com seu tom de voz, monocórdio, que deveria ser trágico. O juiz ainda pergunta se nesse momento toda a família já estava no gramado e ele nega com veemência, dizendo que ainda estavam no hall.

O réu também conta que não entrou para acompanhar a filha na ambulância porque só uma pessoa podia entrar. Está tão sem emoção que um jurado esconde, com esforço, um bocejo — e faz menos de meia hora que o réu está depondo.

Ao relatar como recebeu a notícia da morte da filha, pela médica, inseriu frases de efeito, como "Foi o pior dia da minha vida" ou ainda "Eu não tô acreditando no que a senhora tá falando". Outras observações surgiram, feitas com voz embargada, de quem chora, "Nós passamos um dia tão bom, brincamos o dia todo... De repente vejo minha filha na maca, parecia adormecida", mas as lágrimas não rolam; ele não enxuga os olhos porque, até então, estão secos. Funga sem parar. É a vez de mais um jurado conter seu bocejo.

Alexandre retoma uma questão já levantada por Podval — a intenção de Ana Carolina Oliveira de fazer um aborto ao descobrir que estava grávida. Só que ele não está respondendo ao juiz Fossen, ele está afirmando que ela pretendia abortar Isabella, pois Ana Carolina não aceitava a gravidez. "Era minha princesinha, eu lutei por ela desde o começo."

Segue contando que falou para o pai "perdi tudo o que tinha de mais precioso" e que ao receber o par de brincos da filha no hospital entregou um deles para Ana Carolina e ficou com o outro.

Fico ouvindo Alexandre Nardoni falar, como quem chora, mas me intriga que ao fazê-lo seus óculos não embaçam como os meus quando choro. Você já chorou de óculos? Não dá para enxergar nada, a gente tem que tirá-los. Estamos aguardando para ver se isso vai acontecer. Muitos no plenário estão comentando que não cai uma lágrima sequer.

Alexandre segue sua história, confirmando que, já no térreo, quando Pietro se aproximou e ficou perto do corpo de Isabella, Leonardo, irmão de Ana Carolina Oliveira, que já havia chegado ao local, o pegou no colo. É quando o juiz pergunta em que momento Jatobá saiu do hall para o gramado. Ele responde que somente quando a chamou para que telefonasse para a mãe de Isabella: "Eu estava em foco na Isabella, não sei onde ela estava". Lembra que a esposa também colocou o ouvido no peito da menina e falou que estava batendo muito rápido e ia desacelerando, avisando-o que não podia socorrê-la. E lembra também que Ana Carolina Oliveira lhe perguntou: "O que aconteceu, Alexandre?". E ele respondeu: "Eu não sei o que aconteceu!".

O dr. Maurício Fossen pergunta quando viu novamente Ana Carolina Oliveira e Alexandre explica que foi no necrotério. "Foi a pior coisa entrar e ver o que vi. Não desejo para o meu pior inimigo." Ainda tentando explicar por que nunca falou com a mãe da menina depois do ocorrido, disse que foi preso logo em seguida.

É incrível como o réu só se refere ao seu próprio sofrimento, ao seu próprio choque, a como ficou "sem cabeça". Em nenhum momento falou, por exemplo: "Coitada da minha filha, tão machucada, terá sentindo dor? Terá sentido medo?".

Relata ao juiz que, quando chegou do necrotério ao edifício London, encontrou Renata Pontes e imediatamente lhe cobrou se havia "pegado" alguém ou a digital de alguém. Também alegou que houve discussão, entre as forças policiais que atenderam o local, sobre fazer ou não varredura.

Sobre a 9ª Delegacia de Polícia, seu relato foi mais longo. Contou que foi separado da esposa pela delegada logo que chegaram: "Jogaram um em cada sala". Denuncia uso de força excessiva. Disse que depois foi levado para uma sala, no primeiro andar, e que ficou sozinho, sempre sozinho; não teriam permitido que o pai o visse. "Colocaram eu [sic] numa cadeira como estou agora, com delegado e todos em volta. Começou a sessão de xingamentos de baixo calão... Calixto me xingou com palavras de baixo calão." Descreve como o delegado bateu na mesa, chutou a lixeira em cima do réu, jogou copo e garrafa nele. Também falou que a delegada Renata ameaçou algemá-lo e que alguns delegados quiseram "vir pra cima de mim pra me bater", durante o longo tempo em que ficou dentro daquela sala. Também menciona que o delegado Calixto chegou a comprar um terno novo para dar entrevistas à imprensa e que teria ouvido o delegado falar: "Chama a imprensa, a gente precisa da imprensa em cima desse caso".

É interessante imaginar a cena que Alexandre está descrevendo. Sentado no meio de uma roda, com os delegados chutando e gritando:

"Vamos te moer na pancada aqui" e ele respondendo: "Eu sou apenas um pai, se encostar a mão ni mim [sic] vai ter que responder, só quero saber o que aconteceu com a minha filha!". Mais estranho ainda é o fato de o pai, Antônio Nardoni, ser advogado e, independente da hora em que chegaram oficialmente os outros advogados, Rogério Neres e Ricardo Martins, não ter feito nada para interromper tal assédio, já que estava presente. O fato é que agora sim vemos sentimento em seu relato, ele está revoltado. A repórter Tahiane Stochero, do *Diário de S. Paulo*, observa: "Me parece que, para um pai que perdeu a filha, Alexandre não tem raiva ou revolta contra quem matou a criança... não parece estranho? A revolta dele é contra a maneira que a polícia o tratou".

Sobre o Instituto Médico Legal, Alexandre afirma que não colheram seu sangue porque era domingo e não tinham as chaves do armário de seringas. Recebeu apenas um pote para encher com sua urina.

O juiz pinça agora algumas perguntas finais. O réu afirma que não há como ficar de pé em cima da cama dos filhos por causa da altura do teto, teve que ficar envergado e de joelhos para olhar lá embaixo. Ao explicar como olhou pelo buraco da tela de proteção, Alexandre alega que era tão pequeno que sua cabeça não passava ali. Todos no plenário devem ter pensado: "Passa uma criança e não passa uma cabeça?". O juiz prossegue perguntando sobre o relacionamento de Alexandre com a esposa e a ex-esposa. Ele explica que nunca teve problemas com a mãe de Isabella e que suas brigas com Anna Jatobá são como as de um casal normal. O juiz pede que defina o que é uma briga normal. Ele responde: "Pode até ser que ela já tenha me xingado, mas eu nunca xinguei ela".

Para finalizar, o dr. Fossen pergunta sobre quais foram os "problemas" que teve com os funcionários do prédio. Mais uma vez, as respostas chegam a ser infantis, sem relevância, como o fato de o zelador ter perguntado duas vezes a ele e duas a Anna Jatobá se Isabella era filha só dele, o que Alexandre teria achado muito estranho.

A mãe de Jatobá está acompanhando o interrogatório. Ela está sentada ao lado do marido, mas parece muito distante dele. Tem uma expressão carregada, triste, e olha constantemente para os jurados. A irmã de Alexandre, Cristiane, segura com firmeza a fotografia de um santinho com a imagem de São Francisco de Assis e na outra mão acompanha as orações com um terço, chorando muito.

12H
A ACUSAÇÃO TEM A PALAVRA

Cembranelli pergunta ao réu, de supetão, o nome da pediatra de Isabella. Ele não se recorda. "E o nome da professora?" "Fernanda", responde ele. O promotor rebate: "Quando o senhor foi ouvido, dezoito dias após o crime, o senhor não se lembrava". Alexandre tenta explicar, alegando que o interrogatório mencionado foi marcado no dia do aniversário da filha, com a fotografia dela em cima da mesa e o álbum do necrotério com fotos de Isabella morta. "Nós somos inocentes, não tô entendendo por que está me mostrando isso", teria dito ele na ocasião.

Alexandre então conta uma novidade: teria recebido na delegacia uma proposta de acordo em que "assinaria" um homicídio culposo e Jatobá ficaria livre. O juiz interrompe e pede ao promotor que repita a pergunta: "Eu perguntei só o nome da professora", diz Cembranelli. Alexandre nem ouve e prossegue: "Me deixaram indignado. Não queriam saber a verdade".

O juiz pede que ele responda a pergunta feita pelo promotor, mas emenda: "Os advogados do senhor não se manifestaram?". O réu responde que Calixto pediu que os advogados lhe explicassem a diferença entre homicídio doloso e culposo. Cembranelli, irônico, pergunta: "E eu e o dr. Ricardo participamos dessa negociação? O dr. Levorin, o dr. Rogério...". Alexandre rebate: "O senhor está colocando palavras na minha boca!", e responde que todos estavam presentes na sala, inclusive o promotor. Cembranelli pede que ele se acalme e oferece um copo d'água.

É no calor dessa discussão que os jornalistas têm que "trocar o turno" com outro grupo e ficam furiosos com a situação de não poder acompanhar o desfecho. Quem saiu ficou sem o fim da história, quem entrou não tinha noção do que se passava.

Cembranelli segue citando o depoimento de Alexandre às fls. 1351, onde ele declara ter feito o exame de sangue no IML. O réu está agressivo, irritado. O promotor pergunta por que motivo, nessa ocasião, não esclareceu tais fatos. Alexandre diz apenas que não "cogitou".

A acusação continua, agora perguntando sobre relatos e interrogatórios anteriores, em que Jatobá declarou que sua televisão no apartamento havia custado 10 mil reais, além de outros equipamentos de altíssimo valor. Era verdade? Sim, responde o réu, citando os três aparelhos de DVD ainda na caixa; não sabe o preço da televisão, mas era de

50 polegadas. O promotor também pergunta sobre os laptops da marca Sony Vaio e a máquina fotográfica digital, além das correntes de ouro caríssimas e os relógios de marca. Orgulhoso de seu status, Alexandre confirma tudo. Podval interrompe, questionando os números das páginas do processo onde isso está escrito. Cembranelli procura — fls. 1464/1465 do volume 7, mas faz cara de quem acha que o advogado deveria procurar sozinho. Podval responde que só quer seguir a lei. O interrogatório continua: "Quanto o senhor pagava mesmo de pensão para Isabella?". Alexandre responde que pagava trezentos reais, mas o promotor o corrige: "Ou 135 reais?". Alexandre diz que a pensão foi estabelecida pelo juiz, o próprio dr. Maurício Fossen, e que não lembrava se era em espécie ou não, mas o valor era de 325 reais. "Mas, se dividia tudo, por que a mãe de sua filha teve que acioná-lo judicialmente?" O réu responde que também ficou surpreso. Ainda pressionado sobre o fato de o acordo ter sido feito em juízo, Alexandre tenta se explicar, dizendo que dava tudo "por fora" para a filha, além do combinado. Cembranelli cita uma frase de Ana Carolina Oliveira ("Se ele dava tudo ficava na casa dele, não entrava na minha"), emendando que esperava que, dessa vez, a defesa soubesse onde estava essa declaração porque não ia procurar. Alexandre explica que isso só aconteceu depois que se mudou para o edifício London, onde montou o quarto de Isabella. O promotor, franzindo o cenho, diz ter sido informado de que a mãe do réu foi que montou o quarto. Foram "todos juntos", responde. Então, pergunta Cembranelli, "quando Ana Carolina Oliveira disse essa frase, ela estava mentindo?". O réu não responde, é evasivo. Resolve explicar a questão do ovo de Páscoa que Isabella ganhou mas não levou, afirmando que a menina disse a ele: "Olha, pai, eu não quero levar os ovos agora, deixa lá em casa que eu vou repartir com meus irmãos, eu quero comer meu ovo junto com meus irmãos, leva junto com você de volta".

As perguntas prosseguem, com o promotor demonstrando aos jurados que Alexandre Nardoni não tem nenhum bem material. Tudo o que diz possuir, na verdade, pertence a Antônio Nardoni, que lhe permite usufruir dos bens mencionados, como os carros e o apartamento. Cembranelli pergunta, item por item, o que lhe pertence e o que pertence ao pai. Tendo que responder que cada um está no nome do pai, Alexandre vai se irritando cada vez mais e chega ao ponto de dizer que quer "indeferir" as perguntas, pois não entende qual a relevância delas. O juiz, educadamente, mas com firmeza, lembra ao réu que quando achar a pergunta irrelevante ele mesmo a indeferirá.

O clima no plenário começa a esquentar. O promotor afirma que, em seu depoimento, Alexandre disse não ter falado nada sobre arrombamento da porta, mas 37 policiais militares o desmentem. Podval então pede novamente o número das folhas onde estão essas afirmações. A acusação diz que esperava que a defesa tivesse estudado o processo. Podval fica indignado com a provocação, dizendo que está bem preparado e que tem o direito de saber as folhas, não vai admitir ser maltratado. O promotor responde: "Que ele estude e venha preparado. Eu tenho uma linha de raciocínio e estou sendo interrompido a todo momento". O juiz interfere: "Ele tem o direito de perguntar de onde o senhor tirou essa informação". Cembranelli procura, a contragosto, os números das folhas e não responde mais. Essa me parece ser uma estratégia usada pela defesa com o objetivo de truncar o depoimento de Alexandre. Toda vez que a acusação encadeia uma sequência perigosa para o réu, é interrompida. Se não fosse o número das folhas, provavelmente seria outro o artifício legal utilizado.

Cita as próximas folhas que vai utilizar, referentes ao depoimento do sr. Lúcio e do Copom, relatando que Alexandre disse a todos que seu apartamento fora arrombado.

>
> RÉU: Em momento algum eu falei isso.
>
> CEMBRANELLI (apertando): Então Valdomiro (o porteiro) e Lúcio são mentirosos?
>
> RÉU: Não sei, mas Valdomiro não estava na portaria.
>
> CEMBRANELLI: Mas como então o sr. Lúcio ficou sabendo de tudo? Foi ele quem ligou para o Copom!
>
> RÉU: Foi depois que Valdomiro chegou.
>
> CEMBRANELLI: Quando o senhor chegou ao térreo não tinha Antônio Lúcio em sacada nem nada?
>
> RÉU: Eu não vi ninguém.

Novamente o promotor, em um misto de ironia e irritação, procura o número da folha que vai citar.

>
> CEMBRANELLI: O senhor disse que Valdomiro apareceu depois, suado?
>
> RÉU: Sim. Eu até me lembro de que achei estranho porque estava frio naquele dia.

CEMBRANELLI: No interrogatório policial, a corré diz que ficaram dez minutos na garagem esperando o barulho do som de um carro (...) cessar, foi isso?
ALEXANDRE: Não lembro.

Cembranelli o confronta com as fls. 615 do processo, quando Jatobá respondeu sobre o assunto. Ele retruca: "Eu não tava marcando [o tempo]". Também o questiona sobre o fato de Isabella ter sono pesado e a história, relatada por ele, segundo a qual a menina, quando acordava, ia para o quarto dos irmãos. (Há uma curiosidade aqui: Isabella quase não fora àquele apartamento dormir, uma vez que tinham se mudado pouco tempo antes; e, no outro apartamento, ela dormia no mesmo quarto com os irmãos. Alexandre acaba confirmando que o sono da menina era pesado.)

Novamente, Cembranelli cita o interrogatório de Jatobá. Segundo a acusada, enquanto Isabella estava caída no gramado, Alexandre mandou que ela subisse ao apartamento para acompanhar a polícia e "ver se está faltando alguma coisa". O réu respondeu: "Não lembro, porque todo instante eu tentava socorrer a minha filha. Não estava nem vendo quem estava ao meu lado".

A pergunta seguinte é disparada antes de qualquer interrupção: "Ninguém falou com Ana Carolina Oliveira? Ela entregou a filha viva e a recebeu morta e o senhor nunca falou com ela o porquê?". Alexandre se mexe na cadeira, desconfortável, e inicia uma explicação confusa: "não deu tempo" porque foi preso na quinta-feira. O promotor pressiona: "Mas não teve tempo no domingo, na segunda, na terça e na quarta?". O réu continua dando desculpas esfarrapadas para justificar sua atitude enquanto o promotor o cerca de argumentos por todos os lados. É mesmo difícil explicar o inexplicável.

A seguir, o assunto passa a ser a contratação dos advogados para defender o réu nas primeiras horas após o crime e a procuração que Alexandre Nardoni assinou ainda naquele dia, dando poderes a esses profissionais para defendê-lo no inquérito policial e na eventual ação penal. "O senhor já estava preocupado? Qual a razão?" O réu se enrola para responder, explicando que o pai teria tomado essa atitude depois de ter sido "colocado em um canto", quando foi separado da esposa, na delegacia. Ao ser confrontado por Cembranelli com o fato de que nunca foi tomada providência alguma sobre esses abusos que ele afirma ter sofrido por policiais, Alexandre responde que nunca procuraram a Corregedoria por ele acreditar que "delegado não investiga delegado".

O interrogatório segue agora em outro rumo:

> **PROMOTOR:** No depoimento do médico-
> -legista, ele nos explicou sobre o vômito.
> Em que momento Isabella vomitou?
>
> **ADVOGADO:** Excelência, da camiseta eu questionei
> e ele falou que não foi feito em laboratório,
> ele viu a olho nu e tinha uma mancha, mas
> que ele não poderia dizer que foi vômito.
>
> **PROMOTOR:** São manchas amareladas na parte frontal.
>
> **RÉU:** Como já foi perguntado, não vi
> nada disso em momento algum.
>
> **PROMOTOR:** Isabella nunca mais se
> mexeu? Do jeito que caiu, ficou?
>
> **RÉU:** Não sei, o senhor que está falando.
>
> **PROMOTOR:** Como o senhor não sabe?
> O senhor estava lá ou não estava?
>
> **RÉU:** Eu cheguei lá e vi Isabella no chão. (...)
> Não tinha (marca de vômito nas narinas), ela
> estava com um cortezinho na testa só.
>
> **PROMOTOR:** No depoimento da corré, ela diz que
> "quebrava o pau" todos os dias com o marido...

Imediatamente, o advogado interrompe, pedindo o número das folhas. O interrogatório é suspenso mais uma vez antes que Alexandre responda. Cembranelli procura e informa (fls. 607), mas diz ao juiz: "Quero que fique consignado que o advogado está fazendo isso para dar tempo ao réu de pensar na resposta".

Sobre "quebrar o pau", Alexandre, com certa arrogância, se manifesta: "O senhor vai ter que perguntar pra ela". Cembranelli continua, explorando a diferença entre "ter uma discussão" e "quebrar o pau", explicando os relatos dos antigos vizinhos do edifício Vila Real, que se referiam a brigas tão violentas que os pais do casal eram chamados para apartá-los. "É verdade?", pergunta. Podval novamente pede o número das folhas desses depoimentos. Enquanto procura, Cembranelli olha para o réu e diz: "Vá pensando...". Podval devolve a ironia, falando ao juiz: "Desculpa, Excelência, primeiro cite a folha e depois faça a pergunta, não faça teatro aqui". O promotor detalha então o depoimento feito no dia 31 de março de 2008 pelo vizinho Alexandre de

Lucca: "As brigas entre o casal eram constantes e coincidentemente ocorriam às sextas, sábados e domingos, quando a filha de Alexandre, Isabella, estava na companhia do casal; que, nestas discussões, por algumas vezes eram acionados ao local os pais dele, às vezes, os pais de Anna Carolina e, às vezes, os pais de ambos". Nesse depoimento, o vizinho também conta sobre uma briga tão violenta que os vidros da lavanderia foram quebrados, cortando os braços de Jatobá. Nesse dia, segundo Alexandre de Lucca, os pais apareceram e Jatobá desceu com o braço enfaixado a caminho de socorro. O réu responde que "não tem conhecimento" do que foi relatado e que o acontecido não havia sido do jeito que o promotor informa: ela teria apenas encostado no vidro, que "estourou" sozinho. Pelo que lembrava, não havia chamado os pais.

Alexandre Nardoni está irritado e Cembranelli continua fazendo perguntas difíceis de responder, porque escapam à lógica — como o fato de o réu nunca ter contado ao juiz sobre os graves episódios que afirma terem ocorrido na delegacia; e como, sendo seu pai advogado, nenhuma providência fora tomada, nem mesmo pelos advogados anteriores. Ríspido, Alexandre responde que Cembranelli vai ter que perguntar a eles.

O assunto passa a ser seu depoimento à delegada Renata Pontes. Teria ela ouvido as pessoas citadas pelo réu — o zelador, o porteiro, o antenista, além de outros? O réu achava que ela havia ignorado o que ele falara ou deixado de "ir atrás"? Secamente, Alexandre respondeu: "Não me recordo".

Com uma falsa ingenuidade, como quem fala com uma criança que falta com a verdade, Cembranelli olha para o réu e pergunta: "O senhor nunca doou sangue no IML?". "Sangue nenhum, a única coisa que foi coletada foi urina", responde Alexandre. "O senhor sabe explicar como o laboratório de DNA do Instituto de Criminalística da Polícia Científica de São Paulo conseguiu amostra de sangue, provando que Isabella era sua filha? Sabe explicar como?" Talvez pela urina, responde, e, antes que o promotor continue, do alto de sua arrogância, questiona o Ministério Público: "Em que ponto o senhor quer chegar? Qual a finalidade da pergunta?". Pelo menos ele ainda chamava o promotor de senhor! Cembranelli sorri e prossegue: "Por que nos laudos do Instituto de Criminalística constariam que foi a partir do sangue se não fosse? [...] O senhor sabe explicar por que seus advogados anteriores, em várias manifestações [...] anexadas ao processo, inclusive algumas endereçadas ao Tribunal de Justiça de São Paulo, razões de recurso, manifestações várias, colocaram expressamente, para justificar a sua soltura, que o senhor tinha colaborado com as investigações, fazendo tantas e tantas coisas, inclusive permitindo a coleta de sangue? O senhor sabe por que os seus advogados fizeram constar isso? Quem mente, o senhor ou os seus advogados?". O juiz pergunta se Alexandre sabe se constou essa declaração de seus advogados. Alexandre responde: "Não sei, teria que perguntar para os advogados".

O promotor passa a perguntar agora, bastante provocativamente, sobre a declaração de Alexandre acerca do tamanho do buraco na tela de proteção.

> **CEMBRANELLI:** O senhor falou que sua cabeça não passava pelo buraco da tela de proteção, que tinha 47 cm. Confirma?
>
> **ALEXANDRE:** Não sei se era porque Pietro estava no meu colo... Não passava.
>
> **CEMBRANELLI:** Qual o tamanho do buraco, então?
>
> **ALEXANDRE:** Pergunta pros peritos!
>
> **CEMBRANELLI:** Sua cabeça tem mais de meio metro? (...) Está constando, eu posso indicar as folhas, antes que alguém pergunte! Ninguém pediu, mas eu vou mostrar...
>
> **PODVAL:** Faça sua obrigação, não seja bobo!
>
> **FOSSEN:** Ironia não, doutor.

Contudo, o estrago já está feito e as risadas no plenário seguem como uma onda. Que tamanho tem sua cabeça? Realmente, a pergunta fica com duplo sentido quando assim colocada, quase uma metáfora da causa dos acontecimentos.

O promotor continua com as perguntas, para as quais, aliás, conhece as respostas, e por isso mesmo as faz, como o conhecimento do réu sobre o fato de o zelador — aquele que faz perguntas estranhas — estar até o presente momento trabalhando no edifício London. Alexandre rebate, zangado: "Não sei, porque até hoje estou preso". "E o senhor tem conhecimento que Vando [o gesseiro] também continua trabalhando lá?", o promotor vai em frente. O réu encolhe os ombros, respondendo da mesma maneira.

As perguntas feitas ao réu nesse momento estão desnudando contradições importantes, que colocam em xeque muitas de suas declarações. Isso faz com que os ânimos fiquem mais acirrados e Alexandre já não consegue manter a atitude de moço educado e controlado, e distribui respostas ríspidas, curtas e inacreditavelmente prepotentes para alguém na situação dele, de uma ousadia poucas vezes vista por parte de réus em plenário. É o que acontece quando Cembranelli pergunta se ele teria declarado, em determinadas folhas do processo, que a esposa era "madura, feliz e satisfeita". "Sim, mas pergunta pra ela", responde o réu. O juiz o disciplina: "Responda direito, é para o senhor a pergunta". Ele acaba falando sobre os antidepressivos receitados para Anna Jatobá. Em seguida, quando o promotor pergunta a que horas saíram de Guarulhos, ele responde que não sabe, mas o juiz emenda: "Por volta das 22, 23h?". Alexandre enfrenta o juiz: por que é ele que está perguntando e não o promotor? Claramente demonstra não ter gostado da interferência do magistrado. Fossen deixa passar porque Cembranelli seguiu adiante, afirmando que o GPS indica que saíram exatamente às 22h40. Alexandre se exaspera, respondendo sem responder que foi ele que falara do GPS para a delegada, mas não sabia se constava essa informação, sugerindo que o dado não foi fruto da eficiência da investigação policial, mas consequência da sua própria colaboração com a polícia.

Cembranelli pressiona, agora fazendo referência aos tempos citados nas declarações de Alexandre à polícia — isso dava a entender que permaneceu com o carro ligado e parado na garagem durante seis minutos inteiros (o GPS marca o horário em que o carro é desligado) — e ao tempo que estimara ter levado a sequência de fatos que ele mesmo relatara. Já não se recordava, respondeu; foi estimando, aproximadamente, não estava marcando o horário enquanto fazia as coisas para depois responder em interrogatório. Sarcástico, o promotor pergunta: "Foi no dia em que todos nós queríamos fazer um acordo ou no primeiro depoimento?".

O relógio já marca mais de 13h e as contradições são demonstradas umas após as outras. "O senhor declarou [dá o número das folhas] que depois da queda de sua filha, para descer ao térreo, teve que chamar o elevador. Verdade?" O réu confirma, mas não sabe responder, ao ser perguntado, se o elevador demorou muito. Qualquer um de nós teria achado que demorou uma eternidade, pois sua filha estava caída lá embaixo. Ou teria descido pelas escadas, em vez de correr o risco de aguardar o pior.

Alexandre é confrontado com sua própria afirmação de que a única pessoa que poderia ter limpado o sangue de Isabella seria aquela que a atirara pela janela. "Afirma o interrogado que uma terceira pessoa — é o senhor quem está afirmando", diz o promotor, "entrou em seu apartamento, sem arrombar a porta, utilizando-se de uma cópia da chave; essa mesma pessoa feriu a sua filha na testa, provocou asfixia, cortou a tela de proteção, antes mesmo de abrir a janela do quarto, limpou o sangue de Isabella, recolheu os instrumentos utilizados para cortar a tela, saiu do apartamento, trancando a porta, e tudo dentro do tempo [no qual] o senhor esteve ausente. É isso mesmo?" Alexandre responde com uma pergunta: "Isso fui eu que falei? Falei que deixei a porta destrancada...". "Em seu depoimento, o senhor fala que trancou a porta", diz o promotor. "Nunca falei que tranquei", rebate o réu. "Falou no seu depoimento e às fls. 603; todos assinam isso, inclusive seus advogados, que estavam presentes!"

Outras questões são colocadas em plenário pelo promotor, como a de que a terceira pessoa teria entrado no apartamento, asfixiado Isabella, carregado a menina pelo corredor, limpado o sangue, pego a tesoura e a faca, cortado a tela, carregado Isabella e calçado o chinelo do réu para subir na cama e jogá-la, pois o solado marcado no lençol era idêntico ao dele.

A voz do promotor é calma, mas vai endurecendo aos poucos ao questionar Alexandre sobre sua declaração de que os policiais o impediram de mexer em Isabella já caída, mas que, quando ele chegou ao térreo, afirmara não haver mais ninguém lá.

> **CEMBRANELLI:** Por que então não a pegou naquele momento, quando ninguém podia impedi-lo?

Alexandre responde que só verificou se ela estava viva. O tom de voz de Cembranelli sobe.

> **CEMBRANELLI:** Por que não a socorreu?
> **ALEXANDRE:** Logo em seguida veio o porteiro.
> **CEMBRANELLI:** O porteiro o impediu?

Alexandre hesita, meio surpreso com o raciocínio. O promotor, muito bravo e contundente, pergunta bem alto:

> **CEMBRANELLI:** POR QUE NÃO A SOCORREU?
> **ALEXANDRE:** Porque eu estava olhando para ela, para ver se ela estava viva.
> **CEMBRANELLI** (*olhando firmemente para o réu, afirmando em alto e bom som*): ELA ESTAVA VIVA!
> **ALEXANDRE:** Eu estava em choque!

O promotor não perdoa:

> **CEMBRANELLI:** Pergunto: POR QUE O SENHOR NÃO A SOCORREU? Pergunta objetiva...

O réu, tentando sair da situação constrangedora, argumenta:

> **ALEXANDRE:** Fiquei em choque, quando caí em si (sic)...

No mesmo tom, bravíssimo, Cembranelli pergunta por que Alexandre jamais falou ao juiz sobre o acordo proposto a ele, o de assumir a culpa para livrar Anna Jatobá, mas o réu responde que também não se recorda. "Falou com seu pai? Ele fez algo?", pergunta Cembranelli. "Não sei", responde mais uma vez o réu. E completa com ironia: "Que eu me lembre [...] acho que não foi relatado, mas, como o promotor estava lá, como ele é fiscal da lei...".

Já em outro tom de voz, o promotor pega um dos volumes do processo e procura as páginas que vai utilizar. Interroga Alexandre a respeito das declarações do subsíndico e da síndica do edifício Vila Real sobre as "brigas normais" — corrigidas pelo réu para "discussões" — do casal a ponto de ter sido advertido várias vezes pelo barulho e desconforto causados aos outros. Alexandre diz que nunca foi abordado por eles. Cembranelli corta: "É mentira deles?". O réu continua afirmando que nunca recebeu reclamações, mesmo depois de o promotor ter lido vários trechos dos depoimentos que mostram o contrário.

Depois, Cembranelli pergunta se Alexandre acha que a polícia nunca investigou outra linha de suspeitos. O réu, novamente de forma arrogante, responde: "Pelo que consta... Alguém foi investigado?". O juiz interfere, dizendo ao réu que a pergunta é para ele. Prosseguem, no entanto, agora falando sobre o fato de o réu não ter autorização para pegar Isabella na escola (que ele, na verdade, nunca pediu) e sobre a data em que seu relacionamento com Ana Carolina Oliveira acabou. Alexandre responde que não se recorda. Cembranelli o ajuda: "Foi quando Isabella tinha 11 meses, março de 2003. Mas em depoimento consta que 'ficou' pela primeira vez com Anna Jatobá no final do ano de 2002. Então o senhor traía Ana Carolina Oliveira?". "Não traí", responde o réu, contra toda matemática possível.

Fechando o processo, Cembranelli agora olha diretamente para o réu e faz uma última série de perguntas que fizeram o plenário vir abaixo:

> **CEMBRANELLI:** O senhor apareceu hoje de óculos aqui, uma novidade! Teve algum problema nesses dois anos, problema de visão?
> **ALEXANDRE:** Sempre usei óculos...
> **CEMBRANELLI:** Eu nunca vi.
> **ALEXANDRE:** É que o senhor não acompanha minha vida.
> **CEMBRANELLI:** O senhor tem problema nos olhos? Miopia, estrabismo?
> **ALEXANDRE:** De enxergar de longe, eu não consigo muito, e os meus olhos andam muito irritados.
> **CEMBRANELLI:** A ponto de não saírem lágrimas quando o senhor chora?
> **FOSSEN:** PROMOTOR! PROMOTOR! INDEFERIDA A SUA PERGUNTA!

Suspensa a sessão para o almoço...

A dra. Cristina Christo Leite, assistente da acusação, inicia sua série de perguntas para o réu Alexandre Nardoni. Ela começa querendo saber se, ao encontrarem o buraco na tela de proteção, Anna Jatobá também olhou por ele. O réu responde que não prestou atenção nisso, mas acha que sim.

O assunto passa a ser a pensão alimentícia de Isabella. "Quais os últimos valores?", pergunta a advogada. Alexandre, petulante, responde que esse acordo foi feito pela própria dra. Cristina, como advogada de Ana Carolina Oliveira; ela parecia estar querendo uma informação para si mesma, não para esclarecer os jurados sobre o assunto. Ela responde, ríspida, que não foi advogada do caso. O juiz interrompe e orienta o réu a se ater à pergunta. Ele responde que pagava 250 reais, parte em depósito bancário, parte em seguro-saúde. Questionado por que houve redução do valor, Alexandre esclarece que sempre teve um bom relacionamento com Ana Carolina Oliveira e que, ao incluir Isabella no seguro-saúde pago pelo seu empregador, aceitou a redução.

A dra. Cristina afirma que na qualificação de Alexandre consta "consultor" e pergunta qual de fato é a formação do réu. Bacharel em Direito, ele responde. Em seguida, a assistente diz a ele que até o sr. Antônio

Nardoni reconhece o ciúme da ré em relação à sua pessoa. "Confirma?" Ele dá de ombros, respondendo: "Pergunta pra ele". Ela continua: "Mas o senhor reconhece que ela é ciumenta?", continua Cristina. Alexandre responde que tanto a esposa atual como a anterior têm ciúmes e que ele também — porque quem gosta tem ciúme.

O interrogatório da acusação prossegue e pede-se que o réu diga se é verdade que Jatobá fala muito alto, com vocabulário repleto de palavrões porque o marido não dá atenção a ela. Ele, calmamente e contra todos os depoimentos do processo, inclusive o da própria mulher, responde que nunca presenciou a esposa xingando "desse jeito" ou gritando. Ela não falava palavrões em sua presença, completa. Ela replica que em juízo constam essas informações, mas ele mantém o que disse: "Como eu já falei pra senhora...".

O assunto passa para a alegação do réu de ter recebido proposta, na delegacia, para um acordo, e a dra. Cristina pergunta se Alexandre sabe a diferença entre homicídio doloso e culposo. Ele dá um meio sorriso, dizendo que é formado em Direito. Por considerar que o réu afirma ter sido ouvido várias vezes até que se colocasse tudo no papel, na delegacia.

> **CRISTINA:** Seu advogado leu, pediu modificações?
> **ALEXANDRE:** Não me recordo, mas se está a minha assinatura...
> **CRISTINA:** Mas ele disse se podia assinar ou não? Autorizou?
> **ALEXANDRE:** Sim.
> **CRISTINA:** O senhor assinou alguma declaração ou depoimento quando seus advogados não estavam presentes?
> **ALEXANDRE:** Não.

A assistente, por meio de perguntas, informa aos jurados que de fato Isabella só havia estado no edifício London em um dia de semana e dois fins de semana, sendo infelizmente o último incompleto, porque moravam no endereço havia apenas um mês. Portanto, ficou mesmo esquisita a informação anterior de que Isabella tinha o costume de, quando acordava no meio da noite, ir ao "quarto dos irmãos": tudo era novidade, ainda não estava estabelecido um padrão de comportamento. Além disso, a mãe afirmou que a menina não acordava no meio da noite porque tinha sono pesado.

Para finalizar, a dra. Cristina Christo questiona Alexandre sobre o que Jatobá teria dito no telefonema aos pais de ambos enquanto ele aguardava a chegada do elevador. Ele disse que estava no hall e não ouviu coisa alguma, algo difícil de imaginar quando se observa a maquete, porque o apartamento é bem pequeno. A assistente continua: "Quando Jatobá desceu, o senhor pediu que ela ligasse para Ana Carolina Oliveira?". Ele confirma. "Então o senhor pediu para que ela ligasse para os seus pais, para o pai dela, para Ana Carolina Oliveira e em nenhum momento pediu para que chamasse o resgate?", pressiona. Ele, mais uma vez, responde que só pensou nos pais, que tem esse hábito. Quando questionado se viu um ladrão pelas costas no apartamento, disse que não, mesmo confrontado com os depoimentos de três policiais que ouviram isso dele. "Nunca vi, se tivesse visto..."

A assistência da acusação encerra às 15h30.

A defesa passa a interrogar seu cliente. Podval se levanta, cheio de papéis de diversos tamanhos nas mãos e uma caneta, que utiliza para rabiscar as perguntas já feitas e, às vezes, algumas que desiste de fazer. O advogado coloca-se entre o réu e os jurados, que o observam com atenção. Ele vai tentar esclarecer todos os buracos abertos pela acusação, um a um.

De saída, tenta deixar claro que Alexandre, em muitas ocasiões, não era informado e nem mesmo envolvido em questões relacionadas à filha, como o fato de Jatobá ter sido avisada, por telefone, apenas vinte dias antes da morte de Isabella, que a menina estava sendo levada pela mãe para fazer acompanhamento psicológico. Nunca pediram que ele fosse junto.

Podval passa para o dia do crime, refazendo o caminho de Alexandre no apartamento até a descoberta do buraco na tela de proteção, perguntando ao réu se estava com Pietro no colo e se subiu carregando-o para olhar para baixo. O réu confirma. Isso explicaria a afirmação dos peritos de que Alexandre, para marcar a camiseta daquela maneira, precisaria estar com um peso nos braços. Mas não podemos deixar de raciocinar que se estivesse de fato com o filho no colo na hora em que supostamente "descobriu" que a menina havia morrido, sua camiseta teria sido marcada pelo padrão axadrezado da tela apenas de um dos lados, pois a criança impediria as marcas do outro lado.

O advogado também pergunta sobre os horários informados pelo réu, suas estimativas de tempo. "Você tinha como precisar? Cada minuto de cada andamento ali, fracionado?" "Não", responde o réu, "porque não fico marcando o tempo, foi uma aproximação."

Ao ser perguntado se chegou a avistar alguma gota de sangue, Alexandre explica que viu uma no colchão de Pietro e outra na tela. Sobre o fato de testemunhas terem dito que ele gritava "Ladrão! Ladrão!", imaginava que alguém estivesse dentro do prédio, mas o juiz interrompe, explicando ao advogado que tudo isso já foi mencionado anteriormente.

Podval prossegue perguntando se ele e a esposa desceram juntos no elevador ou se ele não tem certeza a respeito disso. O réu confirma: "Sim, juntos". Podval insiste: "Foi informado do conflito de horário por seus advogados?". Alexandre responde que sim, mas que sempre falou a verdade. O advogado prossegue, lembrando a todos que Alexandre, sentado ao lado da filha caída, gritou que tinha gente no prédio, que jogaram a menina. O réu confirma que pediu socorro assim, que poderia ter alguém dentro do prédio.

Algumas perguntas rápidas são feitas pelo advogado sobre a relação familiar com Isabella. O réu responde que a filha adorava ir à sua casa e pedia à mãe que deixasse, porque, quando a menina estava com eles, tudo era feito pensando ela, inclusive os passeios escolhidos para os fins de semana.

Podval passou a interrogar seu cliente sobre as questões envolvendo policiais, como a alegação do réu de que na delegacia havia sido informado que Jatobá já confessara o crime. Alexandre explica que diziam: "Pode falar que a sua esposa já falou tudo lá". Conta como os policiais batiam na mesa, gritando: "Assassino, filho da puta, seu vagabundo, vou te arrebentar!". O advogado pergunta se, sobre a mesa da delegada, havia uma fotografia de sua filha. Alexandre responde que sim, era uma foto do dia 18 de abril de 2008, aniversário de Isabella, dia em que foi realizado o interrogatório. "Perguntei quem autorizou e por quê, mas ela [a delegada] não falou!"

Podval quer saber se Ana Carolina Oliveira alguma vez reclamou de maus-tratos à menina por parte deles. "Não", responde, "ela falava que Isabella adorava estar em casa."

O assunto muda para os exames executados no IML. "No dia em que foi ao IML, o senhor já disse que não chegou a tirar sangue. Chegaram a fazer algum exame na sua unha, para saber se tinha algum sinal de pelo, alguma coisa?", pergunta o advogado. "Não, doutor, nunca encostaram em mim, nem para me medir nem para fazer exame nenhum!"

A defesa pede que Alexandre se levante e verifique a maquete. Ele olha tudo e comenta que o portão da entrada de serviço está errado — na verdade, é embaixo da guarita, onde fica o porteiro, que pode abri-lo com chave ou acionando um botão. Sentam-se novamente e o advogado pede que Alexandre verifique a veracidade da animação gráfica feita pelo Instituto de Criminalística para os jurados. Durante a exibição no telão, o réu responde e comenta sobre a posição da família no carro, o machucado na testa de Isabella (que só percebeu quando ela estava caída), sobre as chaves do apartamento terem sido entregues para a polícia. "O senhor entregou a chave do apartamento, da porta do seu apartamento, na delegacia, ou seu pai, ou alguém, entregou para a delegada?", pergunta Podval. "Doutor, quando nós saímos, saímos correndo para ver a Isabella lá embaixo, nós não subimos mais, e a porta ficou aberta, do apartamento, junto com a chave lá, então não foi entregue, não fui eu que entreguei a chave para a delegada", comenta. Quando perguntado se fizeram algum exame na chave, o réu responde que não, pois parece que permaneceu na gaveta da delegada. De forma bem leve e educada, Podval vai perguntando a Alexandre o que é verdade e o que é mentira naquela animação. Porém, as respostas não têm emoção alguma e todos nós vamos ficando com sono. O juiz logo percebe a situação e diz que sabe como depois do almoço é difícil manter-se alerta. Ele pede a um jurado específico para se sentar de forma ereta, para se concentrar. O recado serviu para toda a plateia.

 Advogado e réu prosseguem, com o último contestando o modo de carregar Isabella no colo que aparece na animação, que tinha subido com a família toda para o apartamento, que nunca entrou na cozinha para ver faca e tesoura, a queda-sentada e a esganadura. "Jamais, completamente mentiroso!" Surge no telão a fotografia de Isabella morta, mas o pai não demonstra nenhum sobressalto, desconforto ou alteração de comportamento. É uma análise bem fria do vídeo, muitos não seriam capazes de fazê-la. Os trabalhos prosseguem. Diz que, se ficar em pé sobre a cama dos filhos, como demonstrado, bate a cabeça no teto e que Pietro estava do lado esquerdo de seu colo quando olhou pelo rasgo da tela. Algumas pessoas da plateia cobrem a boca com a mão, tentando suprimir um sorriso sobre o fato de ele não ter como ficar em pé na cama.

 Alexandre aproveita para esclarecer que foi ele mesmo quem avisou à delegada que tinha GPS no carro, liberando-a para quebrar o sigilo. Ao ver a parte que mostra sua própria camiseta, confirma que era igual à sua e que foi entregue, no dia seguinte aos fatos, aos seus advogados, sem ter sido lavada. Como não se lembra da data em que a camiseta havia sido entregue, tenta uma data aproximada, mas Podval o interrompe, dizendo: "Se o senhor não souber ou não se lembrar, o senhor fala só o que o senhor sabe, não quero nada que o senhor não saiba".

Podval pede que o réu mostre, na maquete, de onde veio o porteiro. Refere-se à animação, dizendo: "Esta dinâmica está um pouco confusa para mim, talvez para o senhor também. Como é que foi isso, Alexandre? [...] você me diz: 'Eu vi o porteiro vir correndo'. Como é que foi isso? O porteiro, o sr. Lúcio, que avisou, o senhor sabe me dizer exatamente como aconteceu, qual a ordem das coisas?". O juiz indefere a pergunta, explicando: "Doutor, desculpa, essa foi a pergunta do promotor, quem ele viu primeiro, por duas vezes, primeiro o porteiro apareceu do fundo, depois o sr. Lúcio falou com ele pela sacada. Ele já mencionou isso, doutor". Podval encolhe os ombros e pede que se acenda a luz. Acabou a análise da animação gráfica.

Podval enfatiza que a delegada, em seu depoimento, disse que o réu mencionou várias pessoas para serem investigadas em seu depoimento. Havia razão para isso? O réu responde: "Nunca apontei ninguém, ela foi perguntando e eu respondendo". O advogado questiona quem poderia ser o autor. Alexandre responde: "Não sei, gostaria de saber". Não foi você?", pergunta. "Jamais", responde o réu. "A coisa mais valiosa da minha vida foi tirada." Mas a forma como negou a autoria do crime em plenário foi impassível.

Podval passa a descrever como Alexandre, em tempos idos, quando frequentava a faculdade, levava a filha consigo, como Jatobá a tratava como uma terceira filha, indo buscá-la na escola... Então por que Alexandre foi citado como um pai ausente? O réu completa o relato: certa vez, um menino beliscou Isabella, e ele foi à escola conversar com a professora da filha a respeito; também havia comparecido à festa de formatura, à troca de faixa do judô — filmava tudo. Conta, ainda, sobre uma festa que Ana Carolina Oliveira deu para a filha; mas a menina, por conta de uma conjuntivite, não pôde ir à festa que ele lhe preparou.

O advogado diz que vai entrar em uma "parte chata" e pede que Alexandre Nardoni conte como soube que haviam decretado sua prisão temporária. Pela imprensa, acredita ele, e então se apresentou no fórum. Podval também faz uma pergunta citando o depoimento de um policial de nome Válter, que não teria verificado a sacada do apartamento. Nunca, no prédio em que morava anteriormente, responde Alexandre, recebeu alguma notificação ou multa por distúrbios alegadamente causados.

Sobre a atitude da polícia para com os réus, Podval volta a falar do tal "acordo" que teria sido proposto — ele "assinaria" um homicídio culposo e Anna Jatobá ficaria livre. Pede para o réu esclarecer por que não deram queixa, se tiveram medo, tanto eles como seus advogados.

"O senhor chegou num ponto que eu ia falar com Vossa Excelência, com o juiz depois", diz Alexandre, "que [...] houve até fatos de explodirem a caixa de correio do dr. Ricardo [seu advogado], ameaça de morte por policiais, e até hoje o meu pai é seguido e ameaçado de morte, e nós descobrimos [...] O meu pai comentou comigo [...] que estava sendo seguido por policiais [...] que é seguido por policiais do 9º Distrito". O juiz questiona o réu se a alegada bomba colocada para atingir o dr. Ricardo teria sido plantada por policiais. Alexandre responde que sim: "Gostaria de deixar consignado que tenho medo de retaliações, tanto eu como a minha esposa, os meus filhos e a minha família". O juiz salienta que isso é feito por procuração e que depois ele deveria pedi-la aos seus advogados.

Podval, assim como Cembranelli o fez, reconstrói a sequência da denúncia. "Diante da afirmação, quando o senhor sentou aqui, foi lida a denúncia e [...] consta que você teria chegado, que teria pegado a sua filha, levado-a; subiram todos juntos, foram para o apartamento, no apartamento a Anna teria asfixiado a Isabella, depois você a teria jogado no chão, depois teriam ido até a janela e depois teriam cortado a janela e [a] arremessado pela janela. Essa é a acusação. Quando você foi ouvido, foi você que descreveu que não teria asfixiado, você sabia da asfixia, você sabia desse relato ou lhe passaram esse relato e você disse 'eu não fiz'?" Alexandre responde: "Não sabia de nada do que estava acontecendo, que foi passado isso, até falei 'Nossa, que história mirabolante que criaram!'. Depois fizeram esse filminho, que é completamente mentiroso, não sei de onde criaram essas histórias".

Podval passa então a perguntar sobre a procuração, assinada no dia 30 de março de 2008, nomeando seus advogados. Alexandre alega que não sabe, não se recorda nem como recebeu a tal procuração. E a dra. Renata, nas reportagens na TV e nas revistas, o réu teria visto? Ele responde que viu, nas revistas *Veja* e *Época*, a dra. Renata vestida de preto, mas que não se recorda quando foi.

Quando perguntado pelo episódio relatado por Ana Carolina Oliveira, em que teria agredido Pietro, jogando-o no chão, Alexandre, bravo, nega: "Jamais, nunca existiu isso". Podval pergunta sobre os filhos de Alexandre e como é sua vida hoje. Ele responde: "É, isso acabou da noite para o dia, foi destruída a minha família completamente, eu fui preso, minha esposa foi presa, os meus filhos ficaram com os meus pais, com meu sogro e com a minha sogra, e eles têm visitado a gente no fim de semana nos presídios".

A última pergunta da defesa: "Você sabe me explicar o que aconteceu naquele dia? você sabe me explicar por que alguém teria feito aquilo? Você tem alguma explicação lógica, coerente, para aquilo tudo?". Alexandre, de cabeça erguida, responde: "Não, eu não consigo explicar, não sei explicar".

Uma hora e dez minutos depois de ter começado o interrogatório, a defesa encerra.

Alguns jurados fazem perguntas, sobre como o réu sustentava Isabella antes da pensão oficial e se ele se lembrava das marcas da tela estarem na camisa antes de entregá-la aos advogados. Ele responde que no começo fazia as compras solicitadas e deixava na casa da menina. Quanto à camiseta, não lembra se viu ou não, só que a tirou para entregá-la aos advogados ainda quando a vestia, pelo que podia recordar. Uma terceira pergunta de um dos jurados foi negada pelo magistrado, que a considerou de ordem pessoal.

Alexandre ainda pede novamente que o juiz registre a ameaça que recebeu da polícia. O juiz responde que verá depois.

Sem parar para intervalo, o dr. Fossen inicia o interrogatório da corré, Anna Carolina Jatobá. Alexandre é autorizado a ficar em plenário.

A mãe da ré está sentada no mesmo lugar e escreve algumas passagens do interrogatório em um bloco de anotações. A família Nardoni se movimenta constantemente e Antônio conversa bastante com o repórter César Tralli, da Rede Globo.

A denúncia é lida da mesma forma que aconteceu com Alexandre: "A senhora apertou o pescoço da vítima com as mãos, praticando uma esganadura que ocasionou asfixia mecânica [...] A senhora praticou esses atos?" "Não", responde a ré, "é totalmente falsa a acusação." O juiz pede que conte a sua versão dos fatos.

Anna Jatobá chora, fala muito rápido. O estenotipista tem dificuldade para acompanhar seu interrogatório. Ela também gagueja um pouco. "Isabella pediu com jeito carinhoso... [chora]", e vai contando, e chorando, mas, em certo momento da história, para totalmente de chorar e prossegue. Conta sobre os dias anteriores ao crime, sua ida à loja da avó Rosa, como deixou Pietro com Ana Carolina Oliveira, da "palhaçada" que a escola tinha feito com a questão da excursão. Fala que, na sexta-feira, Ana Carolina Oliveira teria ligado para ela dizendo que Isabella queria ficar com a madrasta, e como ficou feliz com isso, mas teve dificuldades de achar o endereço a partir da escola, porque sempre ia de casa. Ela fala muito, dando mínimos detalhes; são tantos que o juiz faz um pedido: "A senhora poderia narrar só os fatos mais relevantes?".

Jatobá repete, emocionada, a história do banho, que já havia contado para a imprensa: "Nós duas tomávamos banho juntas e todas as vezes, quando embaçava o vidro, ela fazia o coração dela e o meu coração, ela falava que era o amor que sentia por mim".

A sequência de fatos que Anna Carolina Jatobá conta não é muito diferente das versões anteriores, ressaltando que, tanto na sexta quanto no sábado, o zelador perguntou a ela e a Alexandre se Isabella era filha apenas do marido.

As diferenças dessa primeira parte é que Jatobá acrescenta ter lavado as roupas escuras na máquina de lavar antes de sair de casa no sábado e as estendido no varal; que seus pais não estavam em casa porque tinham um problema a resolver; que foi até a casa dos pais porque seu irmão, "Vitinho", estava com febre e dor de cabeça. Além disso, em plenário, afirmou ter caído Coca-Cola na roupa de Isabella (em vez de sorvete); o refrigerante foi dado pelo pai em um copo de vidro. Ela teria então trocado a camiseta da menina por outra, emprestada pela mãe e que pertencia ao irmão.

O relato continua. Voltaram para casa. Na altura do Buffet Mediterrâneo (rua Ataliba Leonel), seu celular vibrou e ao olhar para o aparelho constatou que eram 23h29 ou 23h30. Estava a minutos de casa. A ré pensou que fosse a mãe de Isabella, porque estranhava o fato de ela ainda não ter telefonado para saber da filha.

Também explica que no carro não tinha nenhuma fralda; a que estava no balde era a usada pela manhã, quando deu mamadeira ao filho. Como se tivesse pressa em esclarecer um ponto ao qual ainda não havia chegado em seu relato, conta que Alexandre, ao descer para a garagem, depois de colocar Isabella na cama, não tinha mancha alguma de vômito em sua camiseta. "Era uma família normal, sem briga, sem nada."

Agora fala sobre a caminhonete preta, sobre como ela e o marido esperaram que o barulho do som alto que vinha do carro cessasse. Alexandre estava do lado de fora do carro, "normal": "Porque a dra. Renata Pontes informou que a camiseta dele estava com aquelas marcas, mas não estava, ele estava com a camiseta seca, normal, ele ficou bem na minha frente, eu pude observar, nós ficamos conversando". Quando subiram, cada um com um filho nos braços, Anna Jatobá conta que o apartamento estava trancado. Alexandre teria tirado a chave do bolso e destrancado a porta. Eles entraram. A ré relata que estranhou a luz da cozinha estar acesa, mas não falou nada. Tirou o tamanco ali e largou a bolsa sobre a mesa da sala de jantar, enquanto Alexandre seguia pelo corredor, estranhando as "luzes", que "estavam diferentes" do que havia deixado. O juiz questiona se ele comentou com ela sobre as luzes nessa hora. "Das luzes, ele falou alguma coisa das luzes ou a senhora é que acha que as luzes estavam diferentes de como ele tinha deixado?" Ela se atrapalha um pouco, porque não poderia saber como Alexandre havia deixado as luzes se ele havia subido sozinho, e acaba enrolando com o famoso "Que eu me recorde, não, eu não lembro de ele ter falado".

Conta como, sem entrar no quarto, perceberam que Isabella não estava na cama. Anna Carolina Jatobá foi até seu quarto imaginando que a menina podia estar lá. Foram então olhar no quarto de Pietro e ela imediatamente notou a gota de sangue no lençol da cama do filho. Estranho não ter notado as manchas de sangue no batente da porta, aquela tão discutida por estar faltando na maquete. (Faltava também no relato do casal.) Jatobá continua, explicando como Alexandre foi até a janela, colocou a cabeça para fora, se virou para ela e, com o rosto branco, disse: "Anna Carolina, a Isabella está lá embaixo". Ela teria respondido "Não, é mentira!", e começou a gritar desesperadamente, indo conferir, sem colocar a cabeça no buraco para olhar, se era verdade ou não. Nesse momento, o marido lhe pediu para ligar para o sogro dela e depois, por conta própria, ele mesmo ligou. Eles permaneceram cada um com um dos filhos no colo e Anna Jatobá foi telefonar do aparelho sem fio enquanto Alexandre chamava o elevador. O juiz pergunta: "Deu tempo de fazer essas duas ligações enquanto esperavam o elevador?". Ela disse que sim.

Jatobá conta como ficou no hall esperando com os filhos enquanto Alexandre ia ver Isabella, porque não queria que os pequenos vissem a cena. Avistou o porteiro vindo dos fundos, gritou com ele e o xingou, mas, na confusão, não viu Pietro sair ao encontro do pai.

Dessa vez não relata, como antes, que Pietro teria lhe perguntado por que Isabella pulou da janela dele. É muito confuso o relato de Jatobá. As palavras saem aos borbotões, sem uma ordem cronológica dos fatos, enquanto dois dos jurados anotam o que é falado. (Minha caneta tenta também alcançar a velocidade de sua fala.)

Foi a ré quem ligou para a mãe de Isabella. Ao chegar ao edifício London, Ana Carolina teria entrado gritando "Cadê a minha filha, cadê a minha filha?", subindo as escadas desesperadamente, acompanhada do irmão, Leonardo, de uma amiga e do namorado dela. Seu sogro, Antônio Nardoni, teria chegado no mesmo momento. Conta também que se negou a subir ao apartamento com a polícia para ver se faltava alguma coisa, como o marido ordenara.

Alexandre, do banco dos réus, balança a cabeça, demonstrando que não está gostando do que a esposa está dizendo. Não era para menos, pois apenas ele pensou nos bens materiais enquanto a filha estava caída no chão.

Anna Jatobá continua sua versão, explicando que andava de um lado para o outro, gritando muito. Em certo momento, Ana Carolina Oliveira e ela discutiram. "A Carol gritou comigo, falou um monte para mim, ela mandou eu calar a boca, mandou eu ficar quieta, eu falei que estava preocupada com a filha dela, gritei bastante com ela também, aí chegou o resgate." Também declara que não sabia onde estavam os filhos, talvez Cauã estivesse no colo de um vizinho, mas depois seus pais chegaram e ficaram com as crianças.

Quando os policiais evacuaram o prédio, ela ainda estava gritando, descalça no meio da rua. A cunhada Cristiane ligou em seu celular e chegou acompanhada do namorado logo depois. Quando Isabella seguiu com o resgate, Jatobá foi para a casa dos pais, saiu antes do desfecho da história e recebeu a notícia da morte de Isabella por meio de um telefonema de Alexandre. Ele também falou que precisavam ir até a delegacia, então foram para a casa dos pais dele tomar banho e se arrumar. "Eu cheguei lá e ele estava chorando, não conseguia falar direito, eu abracei ele, comecei a chorar com ele, [...] meu pai conversou com ele [e] nós chegamos a conversar."

Foi para a delegacia acompanhada do marido, do pai, do sogro, da cunhada e do namorado dela. A dra. Renata chamou Alexandre em sua sala e esperou por um bom tempo. O juiz pergunta o que é um "bom tempo". Ela não sabe precisar, mas diz que foi longo. Ela foi levada depois para uma sala e esperou por pouco mais de uma hora. Então lhe pediram que desenhasse o local dos fatos. Falou então com a dra. Renata e foi encaminhada, na companhia do pai, que também se chama Alexandre, para o Instituto Médico Legal, mas antes passaram na padaria para comer alguma coisa. Segundo soube, o marido já estava no IML. Foi submetida a um exame de corpo de delito, mostrou as cicatrizes que já tinha e coletou urina. Quando voltou para a delegacia, Alexandre Nardoni também já estava de volta.

Após algum tempo, dois policiais, Jair e Valdir, pediram que ela "descesse" e a avisaram: "Fica quietinha aí que você vai fazer uma diligência comigo". Quando avisou que antes iria pegar seu celular, ele a segurou pelos dois braços e de maneira grosseira e estúpida falou: "Você não vai pegar nada, mocinha".

Ao chegar ao edifício London, os policiais pediram que ela se abaixasse para não ser vista pela imprensa. Já no seu apartamento, encontrou muitos investigadores e peritos. Um deles estava vestindo jaleco e luvas, coletando sangue com uma gaze. Os policiais pediram que ela refizesse todos os passos desde que tinha entrado no apartamento, como em uma reconstituição. Ela notou a pia cheia de louça do almoço de sábado, que não tinha sido lavada ainda, mas a cozinha estava revirada, mais bagunçada do que havia deixado. No quarto, quando a dra. Renata pediu que mostrasse como trancava a janela, ela disse: "Mas doutora, vai ficar a minha digital na janela". A delegada teria respondido que as digitais já haviam sido coletadas. (De qualquer maneira, antes ou depois, as digitais de Jatobá estariam por todo o apartamento, porque morava lá. Não seria relevante para a polícia qualquer impressão digitopapilar encontrada que combinasse com a dos moradores daquele apartamento; não teriam nenhum significado para a investigação.)

Na sala, de acordo com Jatobá, a delegada se sentou no suporte da televisão e os demais investigadores se acomodaram no sofá. Foi então que a pressionaram a falar que o autor do crime era Alexandre. A dra. Renata dizia o tempo todo que ele era um psicopata, que tinha cara de psicopata. A ré também conta que um investigador, chamado Téo, verificou as ligações do celular dela. (Achei estranho, não entendi; afinal, ela não dissera que a impediram de levar o celular?) Também argumentaram que Alexandre tinha curso superior e ela não; que nem imaginava o que era uma cadeia. A delegada ainda teria avisado que pediria a prisão temporária do casal. Jatobá teria respondido, o tempo todo: "Eu não posso falar uma coisa que eu não presenciei".

Nesse interrogatório, a ré dá a entender que toda a bagunça fartamente documentada nos laudos em sua casa teria sido feita pelos próprios peritos; um deles até chegou a ver seu tamanco no armário do filho Pietro. Também descreve como, na cozinha, um investigador pegou uma tesoura com papel filme e perguntou a ela: "O que é isso, mocinha?". "É a tesoura de cortar frango que uso para cortar carne." Não mostrou nenhuma faca a ela, apenas entregou a tesoura para o perito, que a colocou em um saquinho e o lacrou. A ré também se refere a um pano de chão encontrado em sua casa, manchado com gotas de sangue. Ela disse que era um pano de chão novo, que dera a Pietro e Isabella para brincarem de limpar o suporte de TV da sala no sábado.

O relato de Jatobá é repleto de detalhes, tanto que o juiz, mais uma vez, pede que ela se restrinja ao essencial, "ou não vai ter fim o interrogatório da senhora". Ela segue adiante, calculando que teria permanecido em casa por volta de uma hora. Verificou que nenhum objeto ou equipamento de valor estava faltando, pegou algumas roupas para seus filhos e voltou à delegacia às 15h ou 16h. Também achou estranho o fato de a delegada a ameaçar de prisão temporária, mas com Alexandre a conversa era sobre prisão preventiva. Então, assustada, telefonou para o sr. Antônio Nardoni, dizendo que achava melhor ele chamar um advogado. Como tiraram seu celular depois, ela conseguiu convencer o investigador Spindola, posteriormente, a ligar para sua mãe, pois queria saber dos filhos, mas acabou utilizando esse telefonema para avisar ao pai que precisava de um advogado.

O relato de Jatobá é contraditório por si só. Ora o celular está com ela, ora não está — e são momentos intercalados e não consecutivos; ora Alexandre Jatobá estava na delegacia, ora não estava — para depois aparecer na história de novo. O sogro estava na delegacia com eles, mas ela telefonou para que chamasse um advogado. Suas explicações são muito confusas. (Também chama bastante atenção ela se lembrar dos nomes de todos os investigadores que cita.) Só deu suas declarações formais quando estava acompanhada pelo dr. Ricardo Martins, às 21h, sem que a dra. Renata estivesse presente na sala.

O juiz passa a fazer perguntas sobre o velório e o enterro de Isabella; quer saber se Jatobá teve contato com Ana Oliveira. Ela responde que abraçou a mãe da vítima e não soube o que dizer, que reação "tomar", e acabou falando: "Nossa, Carol, ontem você nem ligou para ela". A mãe da menina teria dito: "Mas eu liguei..." E chorou. Jatobá teria respondido, também chorando: "Você não ligou, Carol". Depois não se encontraram mais.

Ao ser perguntada sobre seu relacionamento com o marido, Jatobá explica que está com ele há sete anos e que brigavam bastante antes de o primeiro filho nascer. O juiz pede que explique o que é "brigar bastante". Ela diz que não era todo dia, mas brigava por tudo e o xingava muito.

Sobre seu relacionamento com Ana Carolina Oliveira, conta que entre os anos de 2003 e 2004 se falavam todos os dias pelo MSN (um antigo programa de mensagens instantâneas na Web) e também pelo celular. O juiz a questiona sobre a briga relatada entre as duas. A ré explica que Alexandre quis colocá-las frente a frente e conta um episódio que envolveu a sogra, chamada ou não de fofoqueira na ocasião, mas completou: "Meu marido não me segurou pelo passante [da calça] porque eu não ia voar para cima dela, nunca tentei bater em ninguém, eu apenas estava falando verbalmente".

O juiz enfim pergunta como era o relacionamento com Isabella. Jatobá ameaça chorar e fala pouco. Diz que a menina era como uma filha. Ela nem queria mais ir para a casa da avó nas férias e sim ficar com a madrasta. Também se refere ao relacionamento de Isabella com o pai como "maravilhoso".

Por fim, o juiz pergunta se ela subiu nas camas com Cauã no colo para ver Isabella caída no térreo, e se o fez de joelhos. Ela responde: "Eu apoiei". Fossen não entende e pergunta: "A senhora foi andando de joelhos sobre as camas?". Ela responde: "Fui". (Fiquei tentando refazer a cena: o marido lhe contando que a filha estava caída lá embaixo, arremessada pela janela; ela começa a gritar, em desespero. Mas, sem pressa, resolve "andar de joelhos" até a janela para conferir, um método mais demorado de alcançar seu objetivo, mas certamente "mais higiênico".)

São quase 18h. O dr. Maurício Fossen interrompe a sessão para um pequeno intervalo, antes que o Ministério Público inicie sua inquirição.

18H30
O PROMOTOR FRANCISCO CEMBRANELLI SE LEVANTA PARA COMEÇAR A INTERROGAR ANNA CAROLINA JATOBÁ

Depois de um curto e seco "boa tarde", confronta a ré sobre o fato de já ter sido ouvida em quatro ocasiões anteriores e não ter mencionado que perdeu as chaves do apartamento. Enumera quando foram seus depoimentos — 30 de março de 2008, 18 de abril de 2008, 28 de maio de 2008 e hoje. "Em apenas um deles mencionou as chaves e não mencionou a perda hoje. Por quê?"

Jatobá fica meio atrapalhada; justifica-se dizendo que acabou esquecendo e passa a contar uma história iniciada em fevereiro de 2008. Cembranelli ainda pergunta se não falou porque não foi perguntada. Não lhe perguntaram; é muita coisa para a sua cabeça, defende-se. O promotor prossegue, citando que em suas declarações de 30 de março de 2008, quando chega a mencionar que as chaves ficaram na portaria somente enquanto o apartamento estava em reforma, que quatro chaves foram devolvidas e que ninguém mais tinha as chaves, exceto ela e o marido. "Quando declarou tudo isso sobre as chaves", emenda Cembranelli, "esqueceu-se de falar da perda delas em fevereiro?" "Minha cabeça tava a mil, eu realmente não lembrei. [...] Lembrei quem teve contato conosco [...] nos últimos dias...", responde.

Cembranelli muda de assunto, perguntando à ré o que quis dizer quando declarou que Alexandre "arrumou o edredom" — qual o significado desse termo? "Porque estava cheia de carrinhos, arrumar é esticar e abrir, como se a criança fosse deitar, [ele] deixou a cama arrumada para as crianças", respondeu.

Sobre a caminhonete, que teria entrado na garagem com o som muito alto, "Quanto tempo ficaram na garagem aguardando cessar o barulho?", pergunta Cembranelli. "Esqueci", responde Jatobá. "Esqueceu?", provoca o promotor. "Em seu depoimento, afirma que foram dez minutos." Jatobá, irritada, responde: "Foi o tempo do ba-ru-lho! Hoje não lembro, aproximadamente dez minutos". "Ah, então podem ser onze minutos, oito minutos...", diz o promotor. E emenda outra pergunta tão desconfortável quanto as anteriores, sobre o tempo que ficou aguardando o elevador junto com o marido. "Quanto tempo esperou?" Ela responde que não sabe estipular, não teria sido um tempo nem longo, nem curto. "Então seria médio? Se não é longo nem curto...", rebate Cembranelli, com certa ironia.

Nesse mesmo tom, com calma, falando baixo, mas pressionando sem parar, Cembranelli continua. "A história do porteiro correndo e molhado de suor só apareceu quando falou em juízo [final de maio]. Antes não mencionou, quando ainda estava tudo fresco na cabeça!" Jatobá se justifica: "Fico nervosa e quero falar muitas coisas e esqueço de falar, como o senhor pode notar". Ele muda de assunto e pergunta para a ré se ela considerava que falava muitos ou poucos palavrões quando brigava com o marido. Na defensiva, Jatobá responde que não eram muitos, nem dirigidos a muitas pessoas. O promotor contra-argumenta — os vizinhos declararam que o prédio todo ouvia. Jatobá justifica novamente, explicando que a sala de jantar era próxima à porta de entrada do apartamento e que ela costuma falar alto, mas que "não gritava como louca". Ao ser perguntada sobre as reclamações de vizinhos no edifício Vila Real, responde que, para ela e Alexandre, nunca reclamaram.

O promotor cita o número das páginas do depoimento da ré ao declarar que Ana Carolina Oliveira "não estava nem aí para a filha". Quando começou a namorar Alexandre, justifica-se a ré, era o que ouvia da família dele. Cembranelli pergunta a Jatobá se ela considerava justo o valor estabelecido para a pensão alimentícia de Isabella. Ela sai pela tangente — nunca quis saber das coisas relacionadas a essa pensão. Todos ficaram chateados quando o oficial de Justiça apareceu na casa deles, mas que ela nunca quis saber de nada. Cembranelli abre então o processo às fls. 1445. Em depoimento da própria Anna Jatobá, de acordo com o documento, ela explica ao juiz como, na época da pensão, falava pelo MSN com Ana Oliveira e lhe dizia não estar mais com Alexandre, só para colher informações para o sogro que beneficiassem a família Nardoni na ação de alimentos movida por Ana Carolina Oliveira, chegando até a gravar mensagens para uso futuro, caso necessário. "Assim a senhora não prejudicava a Isabella?" Jatobá não responde. Cembranelli pergunta novamente se ela confirma o que disse antes. Sim, mas a conversa não era sobre a pensão e ela de fato ficara três dias brigada com Alexandre. O juiz olha para ela e também pergunta: "Salvava essas conversas?". Ela se justifica respondendo que seu computador salvava automaticamente. O promotor pressiona mais: "Sem Ana Carolina Oliveira saber?". "Sem ela saber", responde a ré. "Isso explica a animosidade entre vocês", comenta o promotor. "Não", diz a ré, "isso foi depois que eu fui na porta da casa dela."

Cembranelli volta a falar sobre um período de brigas frequentes entre Jatobá e Alexandre, ainda no tempo do edifício Vila Real. Ela não lembra. O promotor a "ajuda", pedindo que esclareça se as brigas constantes aconteceram até o nascimento de Pietro, como afirmou em interrogatório, em juízo, dizendo: "Brigo por tudo".

Podval novamente pede o número das folhas do processo, mas dessa vez Cembranelli ergue as sobrancelhas e declara: "Não, até porque, doutor, eu só aceitei por uma delicadeza, não há nada na lei que me obrigue a fazer isso, indicar as folhas". Podval responde: "Eu não pedi, foi determinado. Só quero acompanhar". Cembranelli dá o número.

Jatobá apresenta um cronograma muito confuso do tempo em que morou no edifício Vila Real. Sua vida com o marido é cheia de idas e vindas, separações e reconciliações. O apartamento teria ficado pronto em 13 de agosto de 2004, mas só teria ido morar ali nos finais de semana. Cembranelli diz que a conta é imprecisa. Ela segue explicando que antes do nascimento de Pietro morou com a mãe. O promotor insiste que a conta não fecha. Jatobá está confusa e afirma que depois da briga que teve com Ana Carolina Oliveira em frente à residência dela apenas não a cumprimentava mais. Cembranelli se refere às fls. 23; suas declarações de que tinha desentendimentos constantes com Ana Carolina Oliveira por ciúme do marido, até que Pietro começou a frequentar a escola de Isabella. Ela explica que os desentendimentos eram em relação a pegar ou levar Isabella, ou as roupas da criança, mas que nos últimos dois anos não discutiram mais.

O promotor se refere à afirmação de que seu depoimento na delegacia não foi colhido pela dra. Renata Pontes. Ela confirma, diz que foi ouvida por dois investigadores e um escrivão. O promotor insiste: "Mas por que foi assinado pela dra. Renata?". "[...] se eu me lembro bem, ela não estava na sala", responde Jatobá. Cembranelli rapidamente confronta: "E mesmo ela ausente, mesmo o depoimento tendo sido tomado por investigador, [ou] escrivão de polícia, mesmo assim a senhora saberia explicar por que seu advogado assinou o depoimento, em que consta o nome da dra. Renata, no qual ela não teve participação nenhuma? A senhora saberia explicar? Porque consta a assinatura dele aqui e a assinatura dela em cima". Anna Jatobá responde: "Tenho quase certeza de que ela não estava". "A senhora se lembra de ela assinar ou não?", pergunta o promotor. "Não lembro", responde Jatobá, rendida. Mas Cembranelli continua implacável: "Às fls. 1445, a senhora declarou que, enquanto moravam na rua Paulo César (edifício Vila Real), 'a gente brigava bastante' e que no apartamento novo pararam as brigas". Ele prossegue contrapondo as datas e declarações, pois Jatobá também disse que havia amadurecido depois do nascimento de Pietro e parado de brigar tanto. No mesmo depoimento, ela admitiu que "quebravam o pau todos os dias" no apartamento da rua Paulo César. Mas morou lá apenas até um mês antes do crime e Pietro nasceu em fevereiro de 2005. "Uma operação aritmética simples: ou as brigas pararam em 2005 ou em 2008", diz o promotor.

Podval interrompe a enxurrada, com o Código de Processo Penal nas mãos, trazido por uma advogada assistente, dizendo que, segundo o artigo 480, o promotor é, sim, obrigado por lei a referir os números de páginas que está utilizando. Cembranelli, irritado, responde que ele não leu direito, que o artigo se refere à hora dos debates e, até onde ele sabia, ainda não chegaram lá. O juiz pede ao promotor que seja gentil e continue a indicar os números das páginas.

O promotor prossegue, impassível. "Dia 20 de janeiro há registro de uma briga que a senhora teve com o acusado, Alexandre [...] a senhora esmurrou uma vidraça [e] teria se cortado toda, um mês antes de mudar-se para o edifício London, portanto. A pergunta é: essa é uma briga normal?" Jatobá, nervosa, tenta explicar que não esmurrou a vidraça nem estava discutindo, apenas Alexandre não lhe dava atenção. Ela então teria ido para a lavanderia e quebrou o vidro ao se encostar. "Não foi com a intenção de quebrar o vidro, tenho pavor de sangue!" (Mas não pude deixar de me lembrar que no interrogatório da própria Jatobá, em juízo, quando se cortou com o vidro da lavanderia, Alexandre teria dito para ela: "Enquanto você não faz alguma besteira você não aprende, não é?". Essa frase explicava muita coisa...)

Cembranelli pergunta: "A senhora é uma pessoa nervosa?". "Não", responde ela, "tenho gênio forte." O promotor a confronta, dizendo que seu pai, Alexandre Jatobá, disse em depoimento que ela estava muito nervosa com a casa e os filhos para cuidar, e precisava tomar um calmante. Jatobá explica que depois do nascimento de Cauã chorava muito e o pai queria levá-la ao médico. Isso se dava porque tinha a casa para cuidar e a criança chorava demais, e ela também, chegando a passar as tardes na casa da mãe. O promotor novamente a coloca em situação difícil, quando diz que às fls. 606 ela declara como era madura, feliz e satisfeita com a vida, mas que havia se consultado com um médico porque não parava de chorar. De forma confusa, a ré se defende, dizendo que a médica lhe fez várias perguntas, como se fosse uma psicóloga, mas que ela, Anna, não tinha problema com nada, só que mesmo assim de vez em quando entrava em desespero. A médica prescreveu dois remédios, mas um era muito caro e o outro Anna só tomou uma ou duas vezes. Cembranelli pergunta se a médica os indicou para curar uma depressão. Ela diz que não se lembra nem do nome dos medicamentos.

Agora o assunto volta a ser a polícia. Jatobá teria relatado as pressões que sofreu para seus advogados? Respondeu que sim. "Eles denunciaram para a corregedoria ou para o juiz?" Ela respondeu que não. Refere-se à novidade relatada por Alexandre, sobre certo acordo na polícia para assumir homicídio culposo. Teriam oferecido para ela também? "Para mim, não", responde a ré. Só teriam induzido Alexandre a falar e eles só se viram ao sair da delegacia. Ficou sabendo apenas quando o marido comentou com Antônio Nardoni, muito indignado.

Assim como fez com Alexandre, o promotor lista os objetos caros relatados por ela em depoimento e pergunta se Jatobá sabe o valor da pensão que o marido pagava para a filha. Ela responde que não sabe. "Em seu primeiro depoimento, a senhora não menciona preocupação com o atraso do resgate. Por quê?", pergunta o promotor. Jatobá responde: "Não sei se não falei. Não recordo". Cembranelli pega o processo e diz que se a corré não se lembra, ele vai ler as fls. 1480, em que está relatada a chegada de um policial ao local onde Isabella estava caída, viva, e Alexandre pedindo para que alguém subisse e verificasse se faltava alguma coisa.

CEMBRANELLI: Isabella estava lá no chão?

JATOBÁ: Estava.

CEMBRANELLI: Necessitando de urgente socorro?

JATOBÁ: Estava.

CEMBRANELLI: E seu marido falou pra senhora "Vai você, amor!". Isabella continuava lá, caída?

JATOBÁ: Sim.

CEMBRANELLI: Necessitando de urgente socorro?

JATOBÁ: (Balança a cabeça afirmativamente.)

CEMBRANELLI: Diz em seu depoimento que falou: "É ladrão, alguém entrou lá dentro!" E Isabella continuava caída lá, NECESSITANDO DE URGENTE SOCORRO?

JATOBÁ: Não lembro de ter falado isso daí, o que eu lembro é que o policial desceu, falou para evacuar o prédio, eu não lembro se eu falei desse jeito, mas ele falou "Sobe lá você", ele estava nervoso, desesperado, e eu falei pra ele "Não vou subir", aí ele disse "Vai lá sim!", aí eu fui.

CEMBRANELLI: Esse é o seu depoimento, a senhora falou isso, "(...) é ladrão, alguém entrou lá dentro". ISABELLA CONTINUAVA CAÍDA ALI?

JATOBÁ: Eu não recordo.

JUIZ FOSSEN: Durante essa conversa que era para alguém subir, a Isabella estava caída ainda?

JATOBÁ: Sim, o Alexandre que falou pra mim (*sic*) subir.

CEMBRANELLI: O policial falou "A porta está arrombada" e a senhora falou "Não está arrombada". ISABELLA CONTINUAVA CAÍDA?

PODVAL: Excelência, ele vai continuar repetindo que a Isabella continuava caída...

FOSSEN (interrompendo): Durante esse tempo em que vocês foram até o apartamento a pedido do policial e voltaram, a Isabella continuava caída e precisava de socorro ainda?

JATOBÁ: Estava(m) o Alexandre e a Carol do lado do corpinho dela e o pessoal no gramado.

JUIZ (para Cembranelli): Esses diálogos, doutor, qual o propósito? Eu também não estou entendendo.

(Mas todos estavam. Toda essa conversa se dava, com direito a "Amor, vai lá", enquanto a menina estava quase morrendo, caída na grama. Era impensável!)

> CEMBRANELLI: Eu estou lendo o depoimento dela, se eu puder continuar eu chego na pergunta. Eu estava perguntando se a Isabella estava lá caída, a pergunta é objetiva. A senhora disse: "Não tinha o miolo da chave, só o buraquinho de pôr a chave, não tínhamos terminado de reformar o negócio da porta". Isabella continuava caída?
>
> PODVAL: Doutor, eu quero ter o mesmo direito que ele nas minhas perguntas!
>
> JUIZ (para Podval): Doutor, o senhor exibiu os filmes para o réu, é a mesma coisa.
>
> PODVAL: "Isabella continuava caída", é isso que ele está perguntando?
>
> JUIZ: Pode continuar, doutor. O Ministério Público ainda tem a palavra.
>
> CEMBRANELLI: Retomando, eu não consigo terminar a frase.
>
> JUIZ: Prossiga, doutor.
>
> PODVAL: Faz direito!
>
> CEMBRANELLI: Eu vou pedir um pouco de respeito à defesa, Excelência. Retomando, (...) ISABELLA CONTINUAVA CAÍDA?
>
> FOSSEN: Durante esse diálogo que a senhora teve, esse diálogo sobre a porta, a fechadura, esse tempo todo, a menina não tinha sido socorrida?

Jatobá, perdida, continua tentando dizer que achava — não lembrava — já ter sido socorrida a menina, mas Cembranelli a pressiona, porque sabe que não. O juiz pergunta se Isabella já havia sido socorrida. Ela responde que não lembra e repete a frase em tom diferente que aquele imitado pelo promotor, corrigindo-o, mas mantém o fato de Alexandre ter se dirigido a ela não pelo nome, mas chamando-a de "amor".

CEMBRANELLI: E a Isabella nesse momento, estava onde?

(*E, sem que o promotor diga nada, ouvimos o eco "Isabella estava lá, caída?".*)

JATOBÁ: Acho que estava lá.

CEMBRANELLI (*em tom de voz mais elevado, mostrando sua indignação*): Lá onde, na grama?

JATOBÁ (*em um fiapo de voz*): Na grama, se não me falha a memória...

CEMBRANELLI: Foi nesse momento que a senhora deu falta de uma máquina digital?

Todos falam ao mesmo tempo; algo ininteligível para quem está no plenário. Foi muito forte, deixando claro que essa conversa, ocorrida enquanto Isabella estava estirada no chão, com a vida se esvaindo, foi inadequada e fora de lugar.

O interrogatório de Anna Carolina Jatobá continua. Cembranelli passa a perguntar sobre os Boletins de Ocorrência que ela fez contra o próprio pai, descrevendo a violência doméstica, e pede confirmação. Jatobá responde que inventou muitas coisas e aumentou outras. Não tinha marcas no corpo, mas o pai batia nela eventualmente.

Cembranelli agora pergunta à ré se Jatobá tinha sempre muitas fraldas para lavar. Ela responde: "Muitas!". O promotor então a questiona sobre o fato de, em meio a tantas roupas sujas, ter lavado somente aquela que estava no balde. Jatobá responde que as manchas na fralda eram de Nescau e que não havia amaciante no balde. Que a fralda foi usada dobrada para limpar o achocolatado da boca do filho.

Todos nós nos lembramos da explicação da perita, sobre as manchas acastanhadas de sangue na fralda, que teria sido utilizada dobrada para talvez tamponar o ferimento na testa de Isabella. De sangue para achocolatado teria sido uma confusão e tanto! A ré continua a responder e diz que nunca deixou tantas roupas para lavar nem o apartamento do jeito que foi mostrado na televisão. Acusa a perícia de ter feito aquilo e que o lixo estava revirado por eles, segundo o próprio investigador que foi ao apartamento com ela. Cembranelli repete o que ela mesma disse em depoimento — que não tinha empregada e que o apartamento "vivia de pernas para o ar". Jatobá explica que se referia às coisas das crianças, jamais àquela bagunça mostrada nas fotografias dos laudos. Repete que o investigador a informou que quem havia feito aquilo tinha sido a perícia. O promotor ainda pergunta se naquele sábado não estava assim e a ré afirma ter lavado as roupas escuras.

O assunto passa a ser o fato de a ré ter afirmado em depoimento que o resgate havia chegado "muito tempo depois" e é perguntado a Jatobá se poderia precisar o que é "muito tempo". Ela responde, nervosa, que não pode; talvez vinte minutos ou meia hora. O promotor lembra o fato de que havia no local mais de trinta policiais, que pediram a todos que saíssem do prédio. Teria permanecido no meio da rua gritando? Ela confirma. Alexandre a teria chamado para se pendurar no carro do resgate? Ela responde que sim: em cima do para-choque, olhando pela janelinha.

Jatobá fala tão rápido que a toda hora o estenotipista perde algo e o juiz a interrompe solicitando que repita. Está sendo perguntada agora sobre sua atitude de não ir à reprodução simulada dos fatos, marcada pela perícia. Ela responde que explicaram que não era obrigada a produzir provas contra si mesma e não deveria ir. "Por que motivo?", pergunta o promotor. "Só os advogados podem responder", diz a ré. "A senhora falou que queria ir?" "Não me lembro", responde. O juiz pergunta: "Discutiu com seus advogados que tinha interesse em ir?". "Não lembro", diz novamente.

Cembranelli muda radicalmente a direção do interrogatório: "A senhora corta carne com tesoura?" "Corto, sempre cortei", responde Jatobá. "Minhas facas eram ruins e eu não conseguia cortar com a faca." Um jurado sutilmente ameaça um sorriso. Na plateia, também nos entreolhamos. Cortar bife com a tesoura não é crime, mas que é estranho isso é!

O promotor agora pergunta sobre o afastamento de Jatobá em relação aos amigos, ao que ela responde que prefere ficar com a família. Cembranelli vai demonstrando que, a cada briga do casal, a ré voltava para a casa dos pais. Ela disse que não sabia cuidar direito das crianças e por isso pedia a ajuda da mãe.

A última pergunta de Cembranelli é se ela ratifica a afirmação de que havia descido no elevador junto com Alexandre. Jatobá ratifica.

O Ministério Público encerra e a palavra é passada para a assistência da acusação.

A dra. Cristina Christo começa perguntando para Anna Carolina Jatobá quando iniciou seu relacionamento com Alexandre Nardoni, deixando clara a contradição que já havia aparecido no depoimento da corré, segundo a qual teriam "ficado" juntos antes de ele se separar de Ana Carolina Oliveira. A ré a corrige: "É que, na verdade, eu comecei a namorar com ele no dia 22 de março de 2003 [...] Foi em março, eu errei; em novembro nós ficamos amigos, muito amigos, de andar juntos para todos os lados". Jatobá afirma que não sabe quem tomou a decisão sobre a separação, nunca perguntou nem quis saber.

Acerca das idas e vindas da casa dos pais para a do marido, a ré conta novamente a confusa história do casal, mas a assistente aponta algumas contradições, contrapondo os relatos sobre o relacionamento que foram feitos na delegacia e em juízo. De qualquer maneira, percebe-se o quanto é instável o relacionamento de Alexandre Nardoni e Anna Carolina Jatobá. "Deixa ver se eu entendi: quando brigava com Alexandre ia para a casa de seus pais, quando brigava com seus pais ia para a casa de Alexandre?", pergunta a assistente. Ela responde: "Isso. Com os meus pais não, com o meu pai".

O próximo assunto abordado é sobre os Boletins de Ocorrência, feitos por Jatobá em janeiro de 2004 e novembro de 2005, sobre os quais ela teria dito, em juízo, que havia divergências entre a realidade e o que relatou. A ré apressadamente diz que não lembra. A assistente responde, impaciente: "É exatamente por isso que vou ler".

> 1º B.O.: "Comparece a vítima nesta Distrital informando que, quando digitava em seu computador, por questões de somenos importância, veio a ser ofendida moralmente, agredida a socos, tapas e pontapés pelo seu genitor, o qual passou a xingá-la de vários palavrões (vagabunda, filha da puta, cadela, putinha) e ainda a ameaçou de morte dizendo: 'Eu ainda dou um tiro na cara dessa menina' (sic), esclarecendo a vítima que isso já ocorreu outras vezes."
>
> 2º B.O.: "(...) que reside com seus pais e nesta data estava digitando no computador, momento em que seu genitor mandou que a declarante pegasse seu filho, o qual estava chorando, momento em que a declarante disse que não iria pegar naquele momento pois ele não parava de chorar nem nos seus braços, então iniciou-se uma discussão entre as partes e quanto ao autor chamou a declarante de 'filha da puta' a qual respondeu então o autor partiu para cima da vítima cuspindo no seu rosto, com tapas, empurrões e pontapés, momento em que a declarante trancou-se no quarto e quanto ao autor ficou chutando a porta e dizia 'eu vou te matar sua vagabunda'. Assim que a declarante teve oportunidade, saiu de casa e quando aguardava o elevador o autor arremessou um vaso contra a mesma, a qual estava com seu filho de nove meses nos braços."

A seguir, Cristina fala para a ré que, em seu depoimento para a dra. Renata Pontes, contou essa história de forma diferente, mais suave, e, enquanto a assistente lê, Jatobá vai balançando a cabeça afirmativamente. São brigas impressionantes de serem ouvidas assim, relatadas em linguagem de Boletim de Ocorrência, em que a violência não precisa ser adjetivada — está lá, nua e crua.

Cristina pergunta: "O que aponta como divergência? A senhora imputou ao seu pai coisas graves que têm consequências. Qual [dos relatos] é verídico?".

Jatobá responde que vai tentar lembrar. A assistente a ajuda: "Jogou objetos?". Jatobá assente. "Fez ofensas e ameaças?" Jatobá alega que não recorda. "Essas brigas eram comuns?" Jatobá responde que não. Ela tenta contar a história, explica que nunca beijou ninguém diante do pai, pois ele era ciumento, e diz que se dava melhor com a mãe. "Mas hoje me arrependo completamente porque [...] sempre foram os dois, o meu pai e a minha mãe, que sempre estiveram presentes em todos os momentos da minha vida." Ela se emociona.

Os jurados observam atentamente as reações de Jatobá. Antônio Nardoni fica indignado com as declarações e reclama a todo instante com um advogado da equipe de defesa, que está sentado logo à sua frente, e com Cristiane, que está ao seu lado. O advogado Ricardo Martins, de seu lugar na bancada, olha sempre para a plateia, tentando estudar suas reações.

Cristina vai adiante, citando as páginas do processo em que existe o relatório de um delegado da Polícia Federal, relacionado com um inquérito policial por estelionato, por emissão de cheques sem fundo. A assistente pede que explique o que aconteceu. A ré responde: "É coisa do meu pai, foi coisa que meu pai fez e foi com o meu nome, mas ele tinha boas condições de vida". "E mesmo assim envolveu a senhora?", pergunta a assistente. "Não sei, não tenho nada a ver com isso, é o meu pai e eu não posso te responder isso", argumenta Jatobá, em um misto de constrangimento e raiva.

Agora a pergunta é sobre o fato de Anna Carolina Jatobá ter o mesmo nome da ex-mulher de Alexandre, se isso a incomodava. Ela explica que só no começo e chegou a perguntar ao marido se ele a namorava para esquecer a "primeira" Ana Carolina. "Incomodava ou não?" Não, não incomodava. Ana Carolina Oliveira era uma sombra em seu relacionamento, alguém de quem nunca conseguiria se desvencilhar? Jatobá olha espantada e responde que não entendeu a pergunta. Cristina explica que quer saber se o fato de a ex-mulher de Alexandre ter um eterno vínculo com ele por meio da filha Isabella, algo de que jamais se "livraria", a incomodava. "Não, acabei de explicar", responde a ré com certa exasperação. A assistente não desiste: "Isabella se parecia muito com a mãe?". Jatobá responde: "Com o pai também".

A ré passa a ser questionada sobre o fato de a mãe de Isabella nunca conseguir falar com Alexandre, apesar da afirmação de que podia ligar a qualquer hora. Era ela quem ficava com o telefone, diz Anna Jatobá, e que só tinha ciúme do marido no início do relacionamento, por conta da fama de mulherengo de Alexandre.

As perguntas seguintes versam sobre o sustento de Jatobá; quem paga suas contas (pai, mãe, avó ou marido?), como havia repetido o quarto ano da faculdade e, ao longo do tempo, fora se afastando de seu círculo social, se isolando. "Depois que começou a namorar com ele, a senhora se desligou de todo mundo? Por qual motivo?", pergunta Cristina. Jatobá responde: "Sei lá, porque [éramos] só nós dois na faculdade, [...] nós dois sentávamos juntos, eu ia no banheiro, ele ia atrás, onde eu ia, ele ia junto, eu ia atrás dele em todos os lugares também, [éramos] só eu e ele, só nós dois sempre".

Depois de passar rapidamente sobre a forma como educava o filho quando ele agredia a irmã, Cristina envereda para perguntas sobre o dia do crime. Primeiro questiona como teriam se acomodado para almoçar no sábado, obviamente se referindo ao fato de a mesa da sala estar repleta de objetos. Depois pede confirmação sobre os telefonemas que Jatobá deu, após a queda de Isabella, para os pais, os sogros e Ana Carolina Oliveira. Em algum momento a ré pensou em chamar o resgate, mesmo após esses telefonemas? "Então ia esperar seus pais chegarem para depois pedir socorro para Isabella?" Jatobá responde: "Não da maneira que a senhora está falando. Na hora do desespero, a única coisa que a gente pensou foi nos nossos pais". Jatobá ainda afirma, diante da insistência de Cristina, que outras pessoas já haviam chamado o resgate. A assistente pergunta se, quando se feriu com o vidro da lavanderia em briga com o marido, a iniciativa de levá-la ao hospital foi dele ou dos pais. Ela responde que foi de Alexandre. "E com Isabella não?", dispara. "Ele foi impedido", responde a ré.

Cristina levanta outros fatos, como a vergonha que Alexandre sentia da mulher por ela gritar muito e exagerar nos palavrões. Lembra também que os desentendimentos de Anna Jatobá com Ana Carolina Oliveira se encerraram depois que Pietro começou a frequentar a mesma escola de Isabella, aproximadamente um mês antes do crime. A ré foi questionada sobre não ter devolvido para Ana Carolina a mochila da menina, mas Jatobá responde que não sabia, não tinha entrado no apartamento depois daquele dia.

Por fim, pressionada a explicar o motivo que a teria levado a não falar com a mãe de Isabella após o crime, Jatobá, de modo confuso, explica que, na cabeça de Ana Carolina, ela é que havia tirado a vida da menina. "Ela disse isso pra senhora?", pergunta a assistente. "Não", responde Jatobá, "mas todos os canais que a senhora liga, era isso." Confrontada com o fato de que Ana Carolina Oliveira só se manifestou depois da denúncia, em maio, e que nunca dera sua opinião antes, com que base Jatobá afirmava não ter telefonado para a mãe de Isabella porque esta achava que era ela? Jatobá responde novamente que ouviu na televisão e que não sabe da família dela. "Estou presa, senhora!"

20H
É A VEZ DE A DEFESA INTERROGAR ANNA CAROLINA JATOBÁ

Ela relaxa, sabe que agora é a sua vez de falar sem ser pressionada, de dar a sua versão dos fatos nos pontos que julgaram ser importantes para o esclarecimento dos jurados.

Podval fala: "Anna, faça-me um favor, fale bem calmamente, bem devagar, respire fundo, beba água devagar. Tudo muito devagar. Você está muito nervosa, falando rápido demais, eu quero que você respire e se acalme, tudo bem? Combinados?"

A primeira pergunta de Podval, no entanto, é forte: "Você mataria Isabella para se livrar da Ana Carolina? Você matou Isabella?". "Não, nunca, jamais", responde Jatobá. "Sempre a tratei com muito amor e carinho." Batia ou castigava a menina? Não, responde Jatobá, tratava a menina tão bem que Isabella só queria passar as férias com ela.

A defesa quer saber se ela tem conhecimento de que a tesoura — alegadamente utilizada para "cortar carne" — periciada não apresentou nenhum sinal de sangue. Ela responde que soube pelos advogados, mas que deveria ter pelo menos suas digitais, porque naquele dia, como era seu hábito, cortou bifes em tirinhas para as crianças.

O advogado continua, perguntando se a ré participava da própria defesa com a equipe anterior, se opinava sobre o quê e como deveria ser feito. Ela responde: "Algumas vezes dei [minha opinião], sim"; mas não lembrava quando, nem como, nem em qual assunto.

Jatobá continua a falar muito rápido. Está sentada de frente para os jurados e seu advogado, apoiado na bancada que passou a dividir com eles. Podval vai como que orquestrando com as mãos a fala da ré, para que explique mais devagar e todos possam entender com clareza suas respostas.

O calor na sala é intenso; parece que o ar-condicionado não está funcionando. Algumas pessoas dormem descaradamente no plenário, inclusive encostando a cabeça no ombro de alguém conhecido ao lado.

O advogado agora pergunta sobre a história que relatou à delegada, da caminhonete que teria entrado na garagem fazendo muito barulho. Ela confirma, dizendo que sabe que o tal vizinho proprietário do veículo teria confirmado sua declaração.

(Um jurado olha discretamente para o relógio que fica na parede ao fundo do plenário e mostra sinal de impaciência.)

Podval pede que esclareça por que estava descalça na rua, no dia dos fatos. Jatobá responde que tinha tirado o tamanco logo que entrou em casa e, na confusão, desceu sem eles. Foi para a casa da mãe, onde acabou por calçar tênis velhos, pois não tinha outra alternativa. Os tênis acabaram sendo apreendidos e, posteriormente, a dra. Renata Pontes chegou a afirmar que havia sangue no solado do calçado, o que seria impossível, segundo Jatobá, porque os usava havia anos e não entrou em casa com eles. "Fiquei indignada." Disse que, no mesmo interrogatório, a delegada também afirmou que na camiseta de Alexandre havia uma mancha do vômito de Isabella e ela teria respondido "Só se ele for mágico para descer com a camiseta seca".

Novamente, as medidas de tempo entram em questão, quando Podval pergunta à ré se ela sabe quanto tempo leva para o elevador de seu prédio chegar ao andar em que morava. Jatobá responde que nunca parou para marcar.

O advogado pede que Jatobá o acompanhe até a maquete e mostre aos jurados onde fica o hall onde permaneceu com os filhos enquanto Alexandre ia ver Isabella. Ela vai apontar e exclama: "Ai, eu quase quebrei". Todos riram quando Podval soltou um "Pelo amor de Deus". Quando mostrou o hall, Podval argumenta que nem o sr. Lúcio, que estava na sacada do primeiro andar, poderia vê-la nem ela o enxergava. "Só via Alexandre", respondeu a ré.

Podval pergunta então sobre a entrega das roupas que os réus usavam naquele dia. Jatobá explica que não foram pedidas de imediato e, portanto, foram parar no cesto de roupas sujas. Ao serem entregues, por fim, ainda não tinham sido lavadas.

O advogado tenta esclarecer então a afirmação que havia feito Ana Carolina Oliveira sobre a ré ter dito, diante do corpo da filha caída, que aquela situação só estava acontecendo por causa da menina. "Não", responde Jatobá, "eu disse que estava preocupada com a vida da filha dela!"

Ao olhar para o quarto de Isabella reproduzido na maquete e descrevê-lo a pedido de seu advogado, Jatobá se emociona, mesmo que rapidamente, antes de contar como, juntamente com Alexandre, dona Cida e sr. Antônio, levou a menina para escolher tudo o que estava ali. "Esse apartamento novo, essa mudança para o novo apartamento, a Isa estava incluída em tudo isso, ela fazia parte dessa vida nova que era o sonho de vocês?", pergunta Podval. "Sim, foi tudo planejado com muito amor e carinho, eu e o Alexandre escolhemos nosso quarto, a cozinha, tudo do jeito que a gente queria", diz Jatobá. A ré chora mais uma vez, ao relembrar o último almoço em família, naquele sábado fatídico. Fez macarrão ao alho e óleo, que Isabella gostava, mas jogou a comida no lixo porque ficou salgada demais, e acabou servindo para as crianças arroz com bife em tirinhas.

"Vou falar agora de uma coisa chata", disse Podval. "Foi citado aqui que seu apartamento era um nojo e havia absorvente íntimo jogado em meio aos brinquedos." O juiz o interrompe imediatamente. "Nojo ninguém falou, doutor. Falou-se em bagunça, desorganização!" Jatobá passa a explicar como procede ao descartar um absorvente usado, enrolando-o várias e várias vezes em papel higiênico, e emenda: "Ontem a perita falou como se eu fosse porca". Novamente o juiz chama a atenção, dizendo que essa é uma interpretação da ré para as declarações da perita.

Alguns outros questionamentos foram feitos, como o carro que utilizaram (o Ford Ka, não o Vectra); se estava tudo normal naquele dia (nada fora do normal); onde se apresentou quando foi decretada a prisão; se tinha autorização para buscar Isabella na escola (em 2008, pela agenda da menina).

Podval volta para o assunto da perícia médico-legal, perguntando a Jatobá se foi colhido material de suas unhas, uma vez que era acusada de ter esganado Isabella. Ela responde que não fizeram coleta alguma e até perguntou para a delegada a respeito, mas lhe disseram que não seria feito. Nem sua aliança foi para a perícia. E as chaves do apartamento, segundo ela, ficaram na gaveta da delegada.

Jatobá passa então a descrever o que Isabella ensinava a Pietro — coisas como mergulhar, o abecedário, algumas músicas — e se emociona durante o relato.

Podval passa a perguntar sobre o depoimento da decoradora Márcia Regina Alves Ferreira, que confirmava a história da perda das chaves e afirmava que por várias vezes entrou no edifício London sem ser anunciada, atravessando um portão que, não raras vezes, ficava aberto, sem controle algum. Jatobá explica que, de fato, o portão ficava aberto e que ela não morava lá ainda.

Sobre o tempo que passou na garagem sozinha (aproximadamente dez minutos), Jatobá explica que Alexandre estava com ela, esperando o som da caminhonete cessar. "A senhora olhou no relógio?", pergunta o advogado. "Infelizmente, não", responde a ré. Juiz e advogado pedem que ela dê uma ideia de tempo aproximada. Para avaliar se sua medida aproximada é boa, Podval pergunta se Jatobá sabe há quanto tempo ele está ali lhe fazendo perguntas. São 20h25. Ela responde que não sabe.

A defesa agora pergunta se Jatobá ficou feliz com o nascimento dos filhos, para que se apague a ideia de que não eram desejados. Ela conta sobre o nascimento de Cauã. Ela era feliz, mesmo tendo muito trabalho com a criança? Sim, responde Jatobá. Ela fala do cansaço, de como não dormia à noite, de como o peito sangrava das rachaduras provocadas pela amamentação. Podval pergunta à queima-roupa: "Já teve vontade de matar seu filho?". Jatobá, surpresa, reage: "O quê?". O advogado repete a pergunta, quer saber se já bateu nos filhos, se já os machucou por estar tão cansada e estressada. Ela diz que isso nunca aconteceu.

A defesa dá então a oportunidade de Jatobá explicar a situação financeira de seu pai, que ainda deve dinheiro à faculdade que ela frequentou, mas cujo curso não terminou, de como tinham um ótimo padrão de vida até que seu pai perdeu tudo. Depois passa a falar novamente sobre a história dos ovos de Páscoa e repete a mesma versão de Alexandre, que a menina teria deixado o chocolate com eles para depois dividir com os irmãos. Conta como a família do marido sempre dava mais atenção a Isabella, que sua mãe e a avó a questionavam por isso. Podval pergunta se Ana Carolina Oliveira tinha ciúme de Jatobá e vice-versa, se disputavam Alexandre. Ela diz que no começo tinha sim, ambas tinham, mas depois isso passou.

Com delicadeza, Podval pede que Jatobá descreva o cenário da noite dos acontecimentos. "Sei que é difícil... quando você desceu e encontrou Isabella caída, como era o cenário?" Ela responde: "Tava todo mundo muito nervoso, falando ao mesmo tempo, gritando e desesperado, pessoas entrando e saindo, uma bagunça". O juiz pede que não se use adjetivos. Podval lê então parte do depoimento do policial militar Jonaldo Ramos de Almeida, que corrobora exatamente o que Jatobá está falando, sobre a confusão do local de atendimento, relatando que "pessoas queriam tentar se aproximar do corpo e a preocupação do depoente era afastar as pessoas do local, determinando que esperassem a chegada da Unidade de Resgate que já havia sido acionada para o local". Jatobá emenda que muitos falaram para não mexer na criança. Podval segue lendo o depoimento de outro policial militar, Josenilson Pereira Nascimento, no qual há o mesmo relato sobre não deixarem que ninguém se aproximasse de Isabella, o que é feito. Jatobá confirma, descrevendo o desespero de Alexandre, que pedia socorro e falava com o porteiro para fechar o local.

A defesa faz a pergunta que não quer calar: "Você sabe o que aconteceu naquele apartamento, naquele dia?". "É um mistério para o mundo inteiro e para mim também é um mistério", responde Jatobá. "Eu me pergunto todos os dias o que foi que aconteceu."

Jatobá é levada pelo advogado até a maquete e refaz todos os seus passos desde que entrou no apartamento com o marido: "[...] Peguei e vim na porta do quarto dela, olhei e estava tudo revirado, o lençol, e eu falei [para Alexandre] 'Calma, que ela deve estar no nosso quarto'. Aí eu virei e falei — fui bem na porta do meu quarto, eu não entrei [...] — 'Acho que está no quarto do Pietro'. Nós dois viramos na mesma hora juntos, viramos e aí eu vi a tela. Aí a luz [do quarto do Pietro] estava apagada [...], eu lembro perfeitamente que estava apagada, achei estranho que a janela estava aberta; assim que acendi a luz, o Alexandre foi para a tela, estava arrancada e eu vi o sangue no chão, o Alexandre viu a tela, subiu em cima da cama, de joelhos, olhou, colocou a cabeça no buraco e eu olhei, foi aqui [em frente à cama, do lado da porta, conforme indica na maquete], nesse exato momento, com o Cauã no colo, que vi o sangue. Aí eu comecei a gritar, foi nessa hora que o Alexandre olhou e falou que a Isabella estava lá embaixo".

O assunto do interrogatório passa a ser os filhos da ré. Ela conta que seus pais têm a guarda das crianças e que as vê uma vez por mês. Prossegue explicando que Pietro chora sem parar, por sentir falta da mãe, do pai e de Isabella. Pietro e Cauã tiveram que mudar de escola, por conta da repercussão, e mudaram de nome. A ré chora ao dizer que seus filhos não poderão carregar os sobrenomes Jatobá e Nardoni.

De fato, as crianças estão marcadas por esta infeliz história e terão dificuldade para lidar com o estigma, tanto no mundo externo como no seu mundinho interno, mesmo com toda a ajuda terapêutica que consigam obter.

A defesa encerra suas perguntas. O juiz quer saber dos jurados se eles têm perguntas, que logo chegam por escrito em suas mãos.

A primeira foi realmente esquecida nesse interrogatório: "Não foi feito mesmo, em momento algum, exame de sangue?". Jatobá reafirma que em momento algum foi feito e estava indignada com tal informação, pois não fizeram a coleta. Explica que na penitenciária só autorizaram a coleta de mechas de cabelo para provar que o sangue que estava lá não era deles. Mesmo assim foi confirmado de quem era, sem que em momento algum tenham "tirado sangue".

Segunda pergunta: o jurado pede que descreva o tamanho do buraco na tela de proteção. Ela responde: "A cabeça passava inteira, [...] até achei engraçado porque era do tamanho de uma cabeça, eu lembro perfeitamente, ainda falei até que achei estranho o tamanho do buraco [mostra com as mãos], estava esgarçada como se a pessoa tivesse feito 'assim' [mostra o movimento de puxar]".

Terceira pergunta: "Enquanto esperavam cessar o barulho do carro que entrou na garagem, pessoas passaram por vocês? Viram alguém?". Jatobá responde que não viu nada, apenas ouviu o barulho.

A última pergunta é sobre a tesoura usada para cortar carne naquele dia. Jatobá explica que não lavou a louça e que tudo estava dentro da pia — pratos, talheres e outras coisas que não sabia especificar —, inclusive a tesoura que usou. A faca grande, continua Anna Jatobá, a que aparece nos laudos, não foi usada porque "não corta" (estava guardada na gaveta) e por esse motivo usou a tesoura.

O dr. Maurício Fossen passa então a explicar a todos que, durante os trabalhos do dia, um oficial de Justiça o procurou para dar notícia sobre o estado de saúde da testemunha Ana Carolina Oliveira. O juiz, em face da informação, solicitou que um psiquiatra fizesse uma avaliação técnica, uma consulta médica autorizada e acompanhada por oficial de Justiça, e ao término da qual apresentou um laudo. Consta que a testemunha está em situação psíquica abalada e preocupante, sendo contraindicada uma acareação.

Reuniram-se juiz, Ministério Público e defesa. Depois de rápidas palavras, Podval foi falar com seus clientes e acabou dispensando Ana Carolina Oliveira.

Às 21h53, o juiz encerra a fase de instrução. No dia seguinte, o último capítulo desta história de júri será escrito, por acusação e defesa, nos debates.

A "última hora" vai começar. Agora terá início o embate entre promotor e defensor, e poderemos assistir ao confronto final — cada qual desfilando, com suas habilidades, a versão dos fatos para o convencimento dos jurados.

O alentado processo, de quase 6 mil páginas, jaz espalhado sobre as mesas. Os olhos de todos se concentram em Francisco Cembranelli e Roberto Podval, como se um holofote lhes dirigisse exclusivamente um facho de luz. Qual tipo de discurso eles devem apresentar? Quais provas serão selecionadas como as mais importantes, tanto para serem expostas como refutadas? De que maneira cada lado vai contar a história do caso Isabella? Quais serão os argumentos fundamentais?

Na entrada do fórum, segundo estimativas dos seguranças, há mais de cem pessoas lutando por uma senha para acompanhar o último dia. Alcançar o plenário mais uma vez não é fácil. Os seguranças estão para que todos apresentem suas senhas. Não será permitido ultrapassar as grades que separam o hall dos elevadores e o plenário sem esse documento. A atmosfera está bastante carregada.

Os pais de Ana Carolina Oliveira confiam na condenação do casal Nardoni. Ana Lúcia, mãe de Anna Jatobá, e uma parente, muito parecida com a ré, estão na sala, mas os réus ainda não haviam chegado. Antônio Nardoni, pai de Alexandre, conversando com alguém da família, declarou: "Eles pensaram que iam nos massacrar, mas nós temos o melhor advogado".

Já passa das 10h. Os réus chegam ao plenário. Nesse momento, em uma atitude suspeita, um senhor na plateia se levanta para tentar ver melhor a chegada do casal. É advertido severamente pelo segurança, que ameaça expulsá-lo.

Alexandre entra primeiro, seguido por Anna. Ele recebe algumas instruções do funcionário do fórum, que colhe a assinatura de ambos. O réu está vestindo calça jeans e camiseta preta. Ao sentar-se, coloca as mãos nos joelhos e observa de relance os presentes. A irmã, Cristiane Nardoni, vai até o lado direito do plenário e acena para o irmão. Ela coloca a mão no peito e desenha um coração no ar, mandando vários beijos, sempre chorando muito. Jatobá observa essa cena e se esconde entre o telão e a pilastra. Dois policiais ladeiam cada réu.

Os advogados de defesa se reúnem em sua bancada. A dra. Roselle Soglio manuseia os documentos dos interrogatórios do dia anterior. A mesa agora é composta por mais uma jovem advogada, que anteriormente acompanhava os trabalhos da plateia.

Roberto Podval vai até o casal e conversa demoradamente com os réus, alongando-se mais com Anna Jatobá. Ele tenta passar confiança e aperta os ombros de Alexandre, que lhe retribui com um sorriso. Ele balança a cabeça, parece concordar com o que o advogado fala, e logo depois limpa as mãos, como se estivessem suadas.

Francisco Cembranelli entra logo a seguir. Vai até sua mesa, folheia alguns volumes do processo e se senta.

Olho ao redor e vejo que a segurança é diferente; está mais densa, como requer uma situação extrema. Está disposta de forma a ter olhos por todo o lugar: há dois policiais ladeando os jurados; um terceiro está ao lado da bancada da defesa; mais dois fazem ronda da direita para a esquerda, e vice-versa; há outro parado, observando o plenário. A porta de entrada é controlada do lado de dentro e de fora.

A maquete do apartamento está mais perto da bancada dos jurados. A do edifício foi mais afastada do centro, possibilitando uma melhor visibilidade do telão. Entram os jurados. Alguns parecem cansados; um deles, logo ao se sentar, já está bocejando.

Todos de pé. Maurício Fossen, o juiz, acaba de entrar. Os réus, com as mãos para trás, observam a mesa do juiz. O magistrado explica todos os horários detalhadamente. Cada parte terá duas horas e meia para expor seus argumentos, com direito à réplica do promotor. Tal réplica é optativa. No entanto, se ocorrer, dá direito a uma tréplica da defesa — ambas, réplica e tréplica, terão duração de duas horas cada uma. Os jurados não podem fazer gestos nem perguntas, nem mesmo demonstrar reações, ou se comunicar entre eles, ou com terceiros. Os apartes serão permitidos conforme a nova lei do júri.

A ACUSAÇÃO

Francisco José Taddei Cembranelli se levanta. Impecável, por trás da beca se vê uma gravata listrada em tons de vermelho, cor da promotoria, que só usa quando vai pedir condenação. Seu discurso é sempre didático e lógico, como pudemos presenciar nos quatro dias anteriores. Quando o ouvimos falar, cada argumento nos parece uma verdade irrefutável; seu encadeamento de perguntas às testemunhas e aos réus nos leva sempre à conclusão almejada por ele. É o discurso lógico, no qual a exposição de argumentos e provas que foram ali, em plenário, discutidas cientificamente, leva à conclusão de que "não pode" deixar de ser certa. Sóbrio, seguro do conhecimento sobre o processo em suas mínimas linhas, o promotor tempera sua lógica implacável com a sensibilidade que apresenta todo o tempo em relação às pessoas envolvidas no processo, seja qual for a verdade em que acreditam. Mesmo ao inquirir as testemunhas da defesa ou os réus, a soma de talento e sabedoria envolveu a todos, pois seu afiado sarcasmo e sua ironia mordaz são utilizados de forma bastante refinada. Essa característica o diferencia e o faz mais forte, porque nunca humilha o réu, apenas destrói a prova ou a falta dela.

Cembranelli abre os debates e, apesar de não falar ao microfone, sua voz tem um timbre incisivo. O que parecia importar para ele, naquele momento, era que os jurados o ouvissem. O som chega muito baixo para a plateia e os jornalistas começam a reclamar, sinalizando que não conseguiam ouvir nada.

Suas primeiras palavras são de saudação ao juiz, à defesa, aos funcionários do júri, à Polícia Militar, à assistência da acusação. E completa: "Hoje espero que a justiça seja feita". Também saúda o público e o conselho de sentença, dizendo que, se estão presentes, é porque a Constituição coloca nas mãos do cidadão o julgamento. "É preciso dar resposta à altura dos atos praticados. Os olhos do Brasil estão voltados para esta sala, o que onera o peso da responsabilidade." Diz que vai procurar fazer o que faz já há 22 anos — pedir apenas justiça. "A prova é arrasadora para as pretensões da defesa. Pessoas do mais alto gabarito vieram aqui para esclarecer. Assim, o jurado, quando decidir a sorte dos acusados, o fará com segurança."

Cembranelli prossegue, posicionando-se de frente para os jurados a fim de contar a história do processo, o rumoroso caso Isabella Nardoni, para que eles possam comparar com o que já ouviram. "Espero que, com a proteção de Deus, eu corresponda à expectativa. As pessoas não querem vingança, jurados — querem justiça."

"Jurados", diz o promotor, ficando alguns segundos em silêncio enquanto se aproxima deles, "a promotoria sustenta uma versão que foi alvo de críticas de pessoas que não conhecem o caso Isabella. Meu trabalho não é arbitrário; passa pelo crivo do Judiciário." Explica os recursos impetrados pela defesa até os tribunais da capital federal, que ocorreram quase que semanalmente — "Para não dizer pior", completa. Fala sobre a prisão decretada em maio de 2008. "Os argumentos enviados ao juiz até aqui [pela defesa], no dia dos debates, não provocaram qualquer abalo; a denúncia está totalmente intacta." A prisão provisória, segundo Cembranelli, foi mantida por todas as instâncias, apesar das críticas de quem chamou de "juristas de plantão".

Prossegue, esclarecendo que com convicção e conhecimento apurado do processo valora o conjunto probatório. "Não acuso sistematicamente os réus que aqui aparecem. Nos filmes americanos o promotor acusa mesmo ciente da inocência. Eu sou um promotor de Justiça, não estou em busca da fama. Estou no meu milésimo septuagésimo oitavo júri. Não preciso disso. Nunca abandonarei o júri; não quero promoções, que poderia ter tido há um ano. Talvez me aposente aqui mesmo no tribunal do júri!" O promotor chama atenção para o fato de que, na maioria das vezes em que trabalha em plenário, não está presente nem um único espectador. Mas ele usa a mesma veemência, pois a perda de alguém amado é igual para todos. "Nunca precisei de aparecimento na mídia. Trocaria tudo para devolver Isabella a Ana Carolina."

Explica aos jurados como todos aqueles que trabalharam no caso, mais de quarenta profissionais, foram alvo de muitas críticas. "A delegada Renata Pontes apenas respeitou a lei. Cumpriu rigorosamente tudo o que a lei prescreve." Conta como a delegada foi acusada de tantas mentiras, de coagir os réus, como se houvesse por parte da promotoria ou da polícia a preocupação em eleger culpados à sua escolha. Afirma que seria mais fácil se o assassino fosse uma terceira pessoa, pois que defesa um assaltante teria! "Possivelmente meu estagiário faria esse júri."

Cembranelli ressalta que fez questão de ouvir Renata Pontes em plenário, para que contasse passo a passo o que aconteceu e os jurados pudessem entender o raciocínio policial, como chegaram à autoria do crime. "Nos primeiros dias do caso, era incompreensível até mesmo para mim. Eu também não sabia, jurado. Respeitaria o prazo de trinta dias. Aguardei pacientemente e sem interferir, e parece que advogados também não interferiram, mas estavam antes, atuando por procuração, desde o dia 30 de março, para atuar em futura ação penal."

O promotor continua, explicando agora como fez questão de apresentar um dos médicos-legistas que estavam de plantão quando o cadáver da menina de 5 anos chegou ao Instituto Médico Legal. "Vocês viram a exposição do dr. Paulo, como é a precisão de um legista. Iremos sempre atrás da perícia, não precisando incriminar um inocente. Com isso, a prova foi produzida, evitando que campanha difamatória se alastrasse. O caso Isabella foi uma pista de pouso para projetos pessoais de vários profissionais contratados pela defesa." Também comenta que apresentou ali em plenário a perita Rosângela Monteiro, para falar das provas de maneira científica. "Não vou discutir conjecturas, hipóteses e crenças, mas sim fatos. Fatos não podem ser discutidos. Pular sete ondas na virada do ano em busca de sorte é uma crença, cientificamente ninguém prova. Estes profissionais tiveram suas honras arrasadas, seus nomes enlameados, mas continuaram seu trabalho. Rosângela Monteiro não precisa da incriminação de inocentes para aparecer. Essa é a grande verdade, todos que trabalharam foram difamados, até por profissionais contratados, verdadeiros oportunistas, com projetos eleitorais pessoais que apresentaram trabalhos hoje descartados pela defesa."

Cembranelli chama Delma Gama e George Sanguinetti, peritos contratados pela defesa e agora desprezados, de "perita trapalhona" e "aquele médico". "Será que quando viu um cadáver ele dormiu à noite?" Explica aos jurados como tentaram, apenas olhando fotografias do cadáver, desmoralizar os três legistas que examinaram o corpo de Isabella. Além disso, tentaram desqualificar os peritos oficiais elaborando pareceres regiamente remunerados, com conclusões pífias, que nem sequer seriam utilizados pela defesa no júri.

Ao falar sobre o depoimento do legista, lembra a todos a discutida questão da esganadura. "Quantas e quantas páginas a imprensa gastou!" Descreve como todos nós parecíamos alunos em uma sala de aula, ouvindo a descrição pormenorizada sobre o que Isabella passou naquela noite. "Acredito que a defesa nem ousará discutir isso... Não sei, não sei." Cembranelli apresenta as características da esganadura presentes nos ferimentos do pescoço que destruíram a tese ventilada pela defesa sobre queda acidental "A asfixia aniquilaria, liquidaria essa ideia! Só faltava a culpa ser da própria menina", disse o promotor, "numa 'peraltice' à noite: seria a proposta defendida por charlatão em busca de fama imerecida, sem conhecimento algum de medicina legal."

"Outra prova trazida pela promotoria para reduzir a escombros a tese da defesa de queda acidental é o testemunho do perito Luiz Eduardo Carvalho Dorea", declara o promotor.

Ele explica como a delegada Renata Pontes passou a ouvir todas as pessoas citadas no decorrer do inquérito, não descartando possibilidade alguma, mencionando Mizael, um pedreiro, Vando, o gesseiro; investigou todos os funcionários envolvidos com a porta de entrada do apartamento, desde o vendedor e entregador até o instalador de portas; ouviu todos sobre as chaves e a possibilidade de terem sido feitas cópias delas. Ouviu cada uma dessas pessoas para comparação com a versão dos acusados.

Pede aos jurados que descartem o que ouviram na mídia por pessoas que não conheciam o caso Isabella. Lembra que a dra. Renata Pontes investigou denúncias anônimas, mesmo depois de a prisão ter sido decretada; mesmo com os réus já presos, continuou seu trabalho, indo atrás de denúncia anônima de certo Paulo, em Guarulhos. "Mais uma denúncia anônima infundada! Descarto que a polícia verificou apenas uma versão! Os advogados estiveram presentes o tempo todo lá e em nenhum momento os policiais direcionaram essa investigação. Reputo essa crítica como injusta!"

"E temos mais", diz o promotor. Cembranelli coloca no telão instalado em plenário um cronograma dos fatos daquela noite.

```
23:30:00 — CELULAR DA RÉ VIBROU
23:36:11 — FORD KA É DESLIGADO
```

As informações entram na tela uma de cada vez, linha a linha, orquestradas com a fala do promotor, que veementemente declara: "Contra esses fatos inexistem argumentos!". O desligamento da ignição na garagem, horário marcado pelo GPS — 23h36m11s — e horário definido por satélite. "Por mais que a defesa argumente, esse fato é incontestável!"

Não há como todas as pessoas da plateia visualizarem o telão. Os jornalistas ficam desesperados, pedindo aos que estão na extrema esquerda da fileira que escrevam em papel a ordem dos horários e passem para eles. Alguns se recusam a fazê-lo e continuam com suas anotações.

Mais uma linha:

```
23:49:00 — QUEDA (DENÚNCIA)
```

Aparece no slide o horário da queda de Isabella, acompanhado do som surdo de uma batida seca, feita pelo promotor, que golpeou fortemente a mesa, assustando algumas pessoas do plenário.

Outro horário entra na tela, agora aquele da ligação do vizinho Antônio Lúcio para o Centro de Operações da Polícia Militar (Copom): 23h49h59s. O promotor explica que isso nos dá o horário da queda, pois o telefonema, é óbvio, ocorreu posteriormente. Como os fatos aconteceram? Conta para os jurados como o porteiro Valdomiro, ao ouvir um forte estrondo e achando que se tratava de colisão de automóveis, imediatamente abriu a janela da guarita e se deparou com o corpo de Isabella caído na grama. Assustado, nas palavras dele mesmo, ligou para Antônio Lúcio. "Valdomiro não sabia de que apartamento era a menina, de que andar caiu", explica o promotor. Disse para Antônio Lúcio que 'caiu uma menina aqui'".

Cembranelli continua narrando os fatos e todos parecemos crianças, ouvindo histórias de terror e suspense, porque ele encena o que está falando, dá as pausas certas, olha no olho de cada jurado. Ao ouvir suas palavras, é como se assistíssemos a um filme. Ele dramatiza ironicamente a postura de alguém aflito, em pé, diante do elevador, apertando um botão imaginário e batendo a ponta do pé no chão enquanto "impacientemente" aguarda, seus sapatos fazendo um barulho que ecoa no plenário cada vez que bate o pé no chão e ainda imagina uma fala do réu: "O elevador não chega". Conclui seu raciocínio: "Antônio Lúcio saiu na sacada e olhou para baixo. Viu uma menina. Ele também não sabia de que andar havia caído. Fez o que qualquer pessoa pensaria em fazer, menos o réu: ligou para o Copom! É por isso que o telefone de lá é extremamente fácil, 190, para usar em emergência". O promotor, exaltado, brada: "Eu pularia da janela do sexto andar atrás do meu filho, eu desceria pelas escadas, não ficaria apertando o botão e esperando o elevador chegar!".

Podval, jocoso, ri e tenta brincar, dizendo que, se o promotor se jogasse atrás do filho, não haveria quem socorresse a criança. E completa: "Eu ligaria para os meus pais".

Cembranelli faz que não ouve e prossegue, não dando muita importância ao comentário do colega, logo contando que o sr. Antônio Lúcio, que pediu socorro, tem uma neta da mesma idade e com o mesmo nome da vítima. O telefonema é encerrado às 23h51m20s. Esclarece aos jurados que a hora oficial desses órgãos é alinhada com a do Brasil, determinada por satélite. "[...] Antes que a defesa venha dizer que o horário marcado pelo relógio pode ser diferente do dos jurados, mas entre os órgãos oficiais, não!"

Enquanto Cembranelli vai apresentando sua linha do tempo, a assistente da defesa corre para o lado dos jurados e passa a anotar todos os horários do telão. Era a primeira vez, desde o início do processo, que a cronometria dos fatos servia como argumento. Podval se mostra apreensivo. O pai de Antônio Nardoni suspira longamente e aperta a mão da filha Cristiane, que encosta a cabeça em seu ombro.

O promotor prossegue e mostra que às 23h50m1s mais um vizinho, agora o sr. José Carlos, do terceiro andar, chama o socorro dos bombeiros pelo telefone de emergência 193.

```
23:30:00 — CELULAR DA RÉ VIBROU
23:36:11 — FORD KA É DESLIGADO
23:49:00 — QUEDA (DENÚNCIA)
23:49:59 — COPOM RECEBE LIGAÇÃO
           A. LÚCIO (fim — 23:51:20)
23:50:01 — BOMBEIROS RECEBEM LIGAÇÃO
           J.C. (fim — 23:51:41)
```

Portanto, o momento em que o réu aparece no térreo é definido pelos vizinhos do primeiro andar e do terceiro, e por Valdomiro, o porteiro. Há, ainda, o registro do Copom.

Cembranelli passa a ler em voz alta a degravação do COPOM, fazendo vozes diferentes para o sr. Antônio Lúcio e a atendente, de forma contundente e emocionante, conseguindo prender a atenção de todos ali:

ATENDENTE: Polícia Militar, emergência.

ANTÔNIO LÚCIO: Pelo amor de Deus, filha, rua Santa Leocádia um, três, oito, tem ladrão no prédio, jogaram uma criança de lá de cima, pelo amor de Deus!

ATENDENTE: Leocádia número...?

ANTÔNIO LÚCIO: Um, três, oito.

ATENDENTE: Um, três, oito, eles jogaram de que endereço, de que altura?

ANTÔNIO LÚCIO: Do sexto andar, pelo amor de Deus, jogaram uma criança de lá de cima, tem ladrão dentro do prédio!

A conversa é lida e ouvimos a única conclusão possível, de que as informações somente foram passadas para o Copom porque ele viu e ouviu o réu, uma vez que Antônio Lúcio não sabia a qual andar se referir antes disso. Ao reproduzir o diálogo, Cembranelli aponta para o fato de que, com a velocidade da fala supostamente utilizada, teríamos por volta de quinze segundos entre o recebimento da ligação pela atendente, quando o sr. Antônio Lúcio ainda não sabia quem era a vítima nem de que andar teria caído, até que a informação de que a criança havia caído do sexto andar e que existe um ladrão no prédio, conforme a versão que Alexandre Nardoni daria ao chegar ao local onde estava a filha.

Na tela, os fatos aparecem em ordem cronológica:

```
23:30:00 — CELULAR DA RÉ VIBROU
23:36:11 — FORD KA É DESLIGADO
23:49:00 — QUEDA (DENÚNCIA)
23:49:59 — COPOM RECEBE LIGAÇÃO
           A. LÚCIO (fim — 23:51:20)
23:50:01 — BOMBEIROS RECEBEM LIGAÇÃO
           J.C. (fim — 23:51:41)
23:50:32 — RÉ LIGA P/ O PAI DO APTO 62
           (fim — 23:50:56)
23:51:09 — RÉ LIGA P/ O SOGRO DO APTO 62
           (fim — 23:51:41)
23:52:13 — COPOM RECEBE LIGAÇÃO
           DE J.C. (fim — 23:53:58)
```

Cembranelli volta no tempo com Alexandre, refazendo o trajeto invertido desde o local da queda, quando Antônio Lúcio o vê, até o apartamento, de onde Isabella caiu. Com clareza, nos faz acompanhar seu raciocínio, pois o sr. Lúcio só concluiu que a criança caiu do sexto andar e que se tratava da filha de Alexandre ao vê-lo chegar junto ao corpo da menina. Dessa forma, ao ler a degravação da conversa do ex-síndico com o Copom, é possível estabelecer o exato momento em que Alexandre Nardoni chegou ao térreo. A partir daí, explica o promotor, se usássemos as estimativas de Valdomiro e Antônio Lúcio para os peritos, de que desde o barulho da queda até a chegada de Alexandre o lapso é de cerca de um minuto, e contrapondo esse fato à soma do tempo de descida pelo elevador medido pela perícia (52 segundos) com o tempo que se leva para atravessar o hall, teremos pouco mais de um minuto também. "Fica demonstrado que não existe nenhuma outra possibilidade", diz em tom veemente. "No momento em que Isabella foi defenestrada, eles estavam dentro do apartamento!"

Aponta o quadro, chamando atenção para os horários das ligações de Anna Carolina Jatobá para os pais. "Desceram juntos? Como é possível, jurados? O telefone fixo estava sendo usado no apartamento quando a ligação para o Copom já havia terminado!"

O promotor conta para os jurados que o vizinho que ligou para os bombeiros e para o Copom estava tão agoniado e assustado que ficou atrás da porta segurando um espeto de churrasco até a polícia chegar.

A seguir, Cembranelli descreve como teria sido a ação policial na obra vizinha, enquanto o pedreiro Gabriel se divertia em um forró qualquer no município de Diadema. Ironiza sobre como seria uma ação "delicada" a de procurar um suposto bandido nas imediações de onde a vítima foi morta em assalto. "Vão sair de lá e deixar tudo do jeito que encontraram? Vão arrumar o local? E lá vem, na segunda-feira, o pedreiro Gabriel... não sabe de nada... entraram aqui! Não houve nenhum arrombamento, jurados! Houve uma investigação feita pelos policiais da Rota! O pedreiro Gabriel falou a verdade para o repórter Rogério Pagnan, ele é que falha na retransmissão dessas informações."

Mais linhas do tempo entram no telão:

```
23:52:22 — SOLICITAÇÃO COPOM
          P/ BOMBEIROS (23:53:38)
23:52:50 — RÉ LIGA P/ A. NARDONI (CEL RÉU)
23:54:04 — SOLICITAÇÃO COPOM P/ BOMBEIROS
23:55:09 — SOLICITAÇÃO COPOM P/ BOMBEIROS
23:55:10 — RÉ LIGA P/ ANA OLIVEIRA
```

Cembranelli passa a explicar o depoimento de um casal de vizinhos, Luciana e Waldir Ferrari, que moram no prédio ao lado, no quarto andar, alinhado em altura com o sexto andar do edifício London. Eles ouviram uma discussão entre um homem e uma mulher, em tom acalorado. Declararam à polícia que se ouvia principalmente a voz da mulher, que gritava muitos palavrões. Depois de um período de silêncio, começaram a ouvir gritos vindos do prédio vizinho e olharam para baixo, observando uma moça que fazia ligações na lateral do prédio e falava muito alto, com um vocabulário repleto de palavrões e andando de um lado para o outro. Como se pode ver pelos registros telefônicos, realmente Jatobá deu esses telefonemas para o sogro e para a mãe de Isabella, indo até a lateral do prédio para fazer as ligações. Foi nesse momento que os vizinhos reconheceram ser a mesma voz que ouviram na discussão minutos antes com um homem e que se elevava de tom no térreo do edifício de onde fora defenestrada uma menina. "Em nenhum momento os réus disseram que discutiram dez minutos antes de Isabella cair, sempre omitiram isso. A história deles não prevê discussão. Que razão teriam Luciana e Waldir para mentir? Que razão teriam para incriminar duas pessoas inocentes?", completa Cembranelli, que mostrou todo o desenrolar da cena se utilizando da maquete.

A família de Alexandre discute os horários e faz algumas anotações rápidas, que depois são entregues ao assistente da banca da defesa. Ele lista várias perguntas a Cristiane, que escreve velozmente em um pequeno caderno. Falam muito baixo. A expressão de ambos não deixa dúvidas quanto ao que sentem.

Todo esse alinhamento dos horários é argumentação nova e inesperada, principalmente para a defesa, que agora tem que correr atrás de respostas para os jurados. Alguns advogados entram e saem do plenário, mostrando apreensão e pressa.

Novas linhas de tempo entram no slide:

```
23:56:46 — LIGAÇÃO WALDIR P/ BOMBEIROS
23:58:26 — A. NARDONI LIGA P/ CRISTIANE
23:59:00 — CHEGADA 1ª VIATURA POLICIAL
23:59:16 — CRISTIANE LIGA P/ PAI CEL
00:00:10 — CRISTIANE LIGA P/ RÉU
00:05:00 — CHEGADA 1ª VIATURA BOMBEIROS
00:07:09 — CRISTIANE LIGA P/ PAI
00:08:00 — CHEGADA 2ª VIATURA BOMBEIROS
00:18:47 — CRISTIANE LIGA P/ PAI
00:35:00 — CHEGADA VIATURA UNIDADE DE
          SUPORTE AVANÇADO (USA)/RESGATE
```

Cembranelli continua, implacável, rebatendo cada um dos argumentos da defesa, demonstrando a fragilidade da versão dos réus. A cada passo vai ficando inequívoco o fato de que a história contada por Alexandre e Anna Jatobá não resiste à realidade das provas. O próximo ponto versa sobre o fato de a Corregedoria da Polícia Militar localizar-se ao lado do endereço da ocorrência. Um vizinho mais desesperado foi até lá, bateu na porta e pediu socorro. O soldado Róbson chega na primeira viatura policial. A queda ocorrera dez minutos antes.

O primeiro a dar pronto atendimento à menina foi o soldado da Polícia Militar Maurício, que aparece no local com a primeira viatura dos bombeiros, pouco depois da chegada de Ana Carolina Oliveira. Ele já não sentia os batimentos cardíacos da vítima ao apalpar as carótidas dela. Não havia sinais de respiração e ele constatou parada cardiorrespiratória. "Tudo o que se fez a partir daí não teve efeito. Ela já havia morrido. Do jeito que caiu, ficou!"

O promotor explica a sequência de atendimentos de socorro, que termina com a chegada da médica, dra. Rosângela. Com equipamentos modernos, ela monitorou Isabella e também constatou que não havia sinais de batimentos cardíacos. A medicação intravenosa que foi aplicada não "corria" no cateter, mais um sinal de que não havia circulação. "O coração de Isabella para de bater entre a chegada de Ana Carolina Oliveira e o primeiro resgate. Apesar das tentativas e manobras de ressuscitação, Isabella é declarada morta."

Cembranelli prossegue, afirmando que a camiseta de Isabella tinha uma secreção amarelada, compatível com a das narinas da vítima. Podval faz um aparte, dizendo que não foi comprovado pelos peritos que se tratava de vômito. Cembranelli continua explicando como a menina aspirou o próprio vômito porque foi asfixiada, já não tinha mais controle e que a secreção das narinas era compatível com a encontrada no aparelho respiratório, comprovando que, sim, ela vomitou.

A mãe de Jatobá sai da sala acompanhada de Cristiane Nardoni, que continua chorando sem parar.

O promotor volta para a prova mais contundente, refazendo inversamente o caminho de Alexandre, comprovando mais uma vez o que já estava claro, andando no plenário de costas, em uma espécie de *moonwalk*, sempre repetindo que aqueles dois minutos que decorreram entre a queda de Isabella e o aparecimento de Alexandre no térreo é exatamente o tempo que levou para jogá-la e descer, comprovado pelo cronômetro da perita na reprodução simulada. A cada passo que dá para trás, Cembranelli repete que "aqueles dois minutos continuam contando" e ergue a voz e exclama: "Eu posso afirmar taxativamente que, no momento da queda de Isabella, o casal estava no apartamento! Isso é prova científica, não admite contestação!"

A linha do tempo agora está completa, e à vista:

```
23:30:00 — CELULAR DA RÉ VIBROU
23:36:11 — FORD KA É DESLIGADO
23:49:00 — QUEDA (DENÚNCIA)
```

```
23:49:59 — COPOM RECEBE LIGAÇÃO
           A. LÚCIO (fim — 23:51:20)
23:50:01 — BOMBEIROS RECEBEM LIGAÇÃO
           J. C. (fim — 23:51:41)
23:50:32 — RÉ LIGA P/ O PAI DO APTO 62
           (fim — 23:50:56)
23:51:09 — RÉ LIGA P/ O SOGRO DO APTO 62
           (fim — 23:51:41)
23:52:13 — COPOM RECEBE LIGAÇÃO
           DE J. C. (fim — 23:53:58)
23:52:22 — SOLICITAÇÃO COPOM
           P/BOMBEIROS (23:53:38)
23:52:50 — RÉ LIGA P/ A. NARDONI (CEL RÉU)
23:54:04 — SOLICITAÇÃO COPOM P/BOMBEIROS
23:55:09 — SOLICITAÇÃO COPOM P/ BOMBEIROS
23:55:10 — RÉ LIGA P/ ANA DE OLIVEIRA
23:56:46 — LIGAÇÃO WALDIR P/ BOMBEIROS
23:58:26 — A. NARDONI LIGA P/ CRISTIANE
23:59:00 — CHEGADA 1ª VIATURA POLICIAL
23:59:16 — CRISTIANE LIGA P/ PAI CEL
00:00:10 — CRISTIANE LIGA P/ RÉU
00:05:00 — CHEGADA 1ª VIATURA BOMBEIROS
00:07:09 — CRISTIANE LIGA P/ PAI
00:08:00 — CHEGADA 2ª VIATURA BOMBEIROS
00:18:47 — CRISTIANE LIGA P/ PAI
00:35:00 — CHEGADA VIATURA USA/RESGATE
00:42:00 — CHEGADA SANTA CASA
```

A acusação continua sua exposição de argumentos, agora explicando aos jurados sobre o teste da camiseta, e diz que afirmar que Alexandre não subiu na cama é tentar desmoralizar a dra. Rosângela Monteiro. "Se esse teste da camiseta fosse visto em um episódio da série *CSI*, seria aplaudido, maravilhoso! Se é aqui, tenta-se desmoralizar, tirar o investimento na polícia científica, desmoralizar a perita."

Começa uma intensa troca de farpas entre promotor e advogado, quando ironicamente Podval se refere à dra. Rosângela Monteiro como "a perita das ossadas". Cembranelli, furioso, esclarece que a "perita das ossadas" que ele tenta desmoralizar é a dra. Norma Bonaccorso, a que manipulou a saliva e o cabelo dos réus para DNA, e brada: "Mentirosos, colheram sangue, sim! Depois o dr. Podval fica bravo quando eu digo que ele não estuda o processo!" Podval, irritadíssimo e usando de ironia, responde: "É, doutor, hoje eu vou falar com o senhor de improviso". Cembranelli então não deixa passar: "A defesa tenta desmoralizar o profissional para desqualificar o trabalho dele. Como não podemos contrariar a perícia, vamos acabar com a perita!" Muito irritado, continua, dizendo que entende o papel do advogado, mas que anunciaram um "tsunami" contra a acusação, afirmando que iriam desmantelar a perícia, mas o que veio foi uma "marola". "Entrei apenas com quatro testemunhas enquanto a defesa arrolou vinte! Trouxe a dra. Renata Pontes para falar da investigação, o dr. Paulo Tieppo para falar dos ferimentos, a dra. Rosângela Monteiro para falar das provas científicas e Ana Carolina Oliveira, que conhece muito bem o histórico de vida dessas pessoas." Cembranelli passa a comentar que a defesa, primeiramente, dispensou dez de suas testemunhas, depois mais cinco, até que restaram apenas duas. "Um repórter que não acrescentou nada e sempre será lembrado por ter vindo aqui e quebrado um pedaço da maquete, e um investigador que apenas fazia o trabalho dele. Esse é o tsunami que a defesa iria trazer."

O promotor continua a discorrer sobre a construção sólida da acusação para manter a integridade da denúncia, contando aos jurados que a defesa teve incontáveis *habeas corpus* e recursos negados, todos por votação unânime. "Quando os senhores votarem, lembrem-se de que a Justiça caminha em um sentido e a defesa pede que os senhores votem na contramão!"

Podval pede um aparte e Cembranelli pergunta se ele vai demorar muito. O advogado responde que, por lei, tem direito a três minutos, mas se o promotor quer que ele diminua... Rindo, Cembranelli diz que vai se sentar. Na verdade, o outro está escolhendo como vai ser o júri, pois se a promotoria for muito aparteada poderá fazer a mesma coisa durante a manifestação da defesa.

Podval acusa a perícia de ter feito um trabalho que atendia à promotoria, e foi interrompido por Cembranelli, que argumentou: "A perícia é do juízo, é órgão oficial do Estado, não trabalha para a acusação. Pode ser inclusive contra a acusação!"

O promotor passa a discorrer sobre o tão discutido reagente químico Bluestar Forensic. Explica que é usado em noventa países, até cinco ou seis anos depois dos fatos em locais de crime e com eficiência. "Nos Estados Unidos, que é um sistema legal garantista, essa prova condena à pena de morte. Se não fosse segura, não seria usada, pois incriminaria, quem sabe, uma cozinheira descuidada que derrubasse suco de cenoura no chão."

Cembranelli também completa sua explicação dizendo aos jurados que as gotas de sangue visíveis foram parcialmente removidas e as manchas não visíveis compunham um trajeto — não eram isoladas, estavam dentro de um contexto.

A perícia pode ser — e foi — confrontada, mas, quando a defesa percebeu que Sanguinetti estava só tentando se autopromover, foi afastado. "Alguém viu ele aqui depondo?" E continuou lembrando a todos que tudo foi levado para o laboratório, e que os testes foram positivos para sangue; que Isabella entrou no apartamento sangrando e as manchas estavam lá para comprovar e demonstrar toda a trajetória da vítima. "Teste positivo para sangue, teste positivo para sangue humano, teste positivo para DNA, nem os réus negam que viram sangue ao lado da cama. A defesa quer que acreditemos que o sangue apresentado era suco de alho!"

Relembrou o que explicara o perito Luiz Eduardo Carvalho Dorea, referência no assunto "manchas de sangue", sobre a determinação da altura de onde a gota de sangue caiu, prova indiscutível de que a vítima fora carregada dentro do apartamento. "No mínimo 1,25 m de altura e Isabella não tinha esse tamanho; se ela vivesse certamente um dia poderia ter."

Cembranelli também se preocupa em explicar aos jurados o que era um resultado "falso positivo" e a exata importância do reagente Hexagon nos testes efetuados. "Isso existe e é válido quando é feito na Scotland Yard e no FBI, [mas] quando utilizam em São Paulo os doutores vêm aqui dizer que a perita é um lixo!"

Depois, se referindo à advogada que inquiriu a perícia, perguntou qual a credibilidade de alguém que tinha adquirido um kit do reagente em um congresso, material que necessitava de especialização para ser usado, e vinha ali no júri para pingar algumas gotas em bananas? Podval, insatisfeito com o rumo do discurso da promotoria, retruca: "Vou lhe mostrar o que é uma banana!". Mas parece não ter sido ouvido, pois quem conhece Cembranelli sabe que esse comentário não passaria em branco. O promotor continua a ironizar, exemplificando que, para fazer uma cirurgia cerebral, não basta apenas comprar um bisturi, e que um promotor não deve fazer cálculos para a construção de um viaduto, e que, se o fizer, ninguém deve passar embaixo dele, assim como um médico não pode lavrar uma sentença judicial.

Cembranelli procura, no volume do processo que está em suas mãos, a reprodução simulada dos tempos encontrados pela perícia, e passa a nos contar como isso foi feito. Primeiro a perita trabalhou com Valdomiro, o porteiro, cronometrando, a partir do barulho da queda, quanto tempo ele levou para cada ação que havia relatado em seu depoimento. Fez o mesmo com o sr. Antônio Lúcio, desde o momento em que atendeu o porteiro até sua ligação para o Copom. Anotou o tempo que o elevador leva entre o térreo e o sexto andar, além daquele necessário para atravessar o hall. Ao verificar a versão de Alexandre e Jatobá, a conta não fechava, pois chegariam ao térreo depois da meia-noite. "Eles não podem ter chegado depois de Ana Carolina Oliveira lá embaixo."

"Eles tentaram passar a imagem de um casal normal, com brigas normais, do tipo: 'Amor, vai sair hoje? Não vai jogar bola?'", disse Cembranelli. Nas constantes brigas, às vezes, os pais dela eram chamados; às vezes, os pais dele; às vezes, todos, para apartá-los. Os depoimentos de vários vizinhos foram lidos, em contraposição às declarações dos réus, como quando diziam que o relacionamento com a mãe de Isabella era amistoso, mas o vizinho Paulo César Colombo declarou que só se referiam a ela, durante as brigas, como "vagabunda". Também chama atenção para a briga em que Alexandre está fazendo uma lista de compras enquanto Jatobá discute com ele, e, como ele não responde, ela arranca o papel em que está escrevendo e o rasga. Ele calmamente levanta e pega novo papel, ignorando-a, completamente indiferente, e começa novamente a lista. Ela, descontrolada, vai até a lavanderia e esmurra o vidro, ferindo o braço gravemente. "Todas as discussões eram pelo mesmo motivo, o ciúme que a madrasta de Isabella tinha da mãe da menina!" O promotor continua a ler vários depoimentos de vizinhos do prédio antigo, sobre como as brigas eram constantes e aconteciam principalmente nos finais de semana, quando a vítima estava com o casal, que agora comparecia ao júri com essa versão de vida harmoniosa. "Não me venham com essa balela de que eles viviam bem. Isso é um desafio à nossa inteligência!" Completa dizendo que Jatobá disse que em 2005, quando nasceu o filho, ficou mais madura e feliz, mas que os relatos dos vizinhos eram do ano de 2008.

Cembranelli também lê para os jurados partes dos depoimentos de um taxista e de uma antiga vizinha dos Nardoni, Benícia. O primeiro relatou em juízo que Jatobá foi passageira em seu táxi no mês de fevereiro de 2008, quando, em conversa informal sobre crises conjugais, contou a ele que a enteada transformava sua vida em um verdadeiro inferno, que, quando estava em sua casa, o marido não dava nenhuma atenção aos próprios filhos nem para ela, mas que iria resolver aquela situação. Já Benícia, ouvida na cidade de Franca, no interior de São Paulo, disse ter presenciado uma briga entre o jovem casal acusado por causa de Ana Carolina Oliveira, quando Jatobá arremessara uma ferramenta em direção à cabeça de Alexandre, que desviou. Ele levou a esposa para dentro, onde ela teria tido um verdadeiro ataque histérico, e vários vizinhos saíram à rua para ouvir. A mãe de Alexandre era sua amiga e lhe confidenciava várias brigas exageradas do casal, o que levou Benícia a comentar com Cida que tinha medo de que Jatobá jogasse Isabella "lá de cima" do apartamento. Foi essa vizinha que contou sobre o cuidado da família Nardoni de sempre mandar Cristiane, irmã de Alexandre, ir dormir na casa do casal quando a menina estava presente, a fim de protegê-la. Benícia também relatou ter presenciado cenas entre Jatobá e Alexandre nas quais a moça disputava a atenção do marido com a enteada, a ponto de tirar a filha do colo do pai para sentar-se, causando crises de choro na criança.

"Agora não vamos mostrar aqui uma pessoa que não existe", disse o promotor. E fez a aritmética simples, como chamou antes, a conta segundo a qual, se Jatobá "ficou" com Alexandre no final de 2002 e ele só se separou da mãe da filha em março de 2003, Alexandre havia, sim, traído Ana Carolina Oliveira. "Agora vem aqui tentar enganar todos nós..."

Cembranelli faz um resumo do perfil do casal de réus, principalmente de Jatobá. Ela já apresentava um histórico de violência familiar e xingamentos, inclusive registrando Boletins de Ocorrência contra o próprio pai, Alexandre Jatobá. Durante os dois anos e meio em que moraram no edifício Vila Real, antes da mudança para o edifício London, brigavam sem parar, segundo o depoimento da própria Jatobá. "Nós quebrávamos o pau todos os dias", é a frase sintomática que utiliza. "Jatobá passou a ser dependente da família Nardoni desde a marca do papel higiênico que usavam até a comida que comiam", explicou, além do fato de Alexandre ser proibido de falar diretamente com a mãe de sua filha, sob o risco de causar grande tumulto cada vez que isso acontecia. Contou-se no processo até uma história em que, descontrolada, durante uma dessas brigas, jogou seu bebê contra o berço. Foi acalmada por Isabella. O promotor também conta aos jurados sobre o bilhete de autoria da ré que, encontrado na lixeira e remontado pela perícia, mostrou ter conteúdo extremamente depressivo, dando a entender que ela levava uma vida infeliz — mulher sempre esgotada, sem empregada, sem dinheiro e com dois filhos para criar. A prova disso está na receita de dois remédios, um tranquilizante e outro antidepressivo, para uso dela, mas que não foram adquiridos. "Ela é extrema! Quando ri, ri mesmo e, quando xinga, xinga mesmo, quando chora, chora mesmo, quando agride, agride mesmo. Não me venha aqui se apresentar como um ser equilibrado!"

Depois de relembrar aos jurados, em um pequeno resumo, sobre as questões da esganadura e dos ferimentos apontados pelo odontolegista e explicados pelo dr. Tieppo, não deixando dúvida alguma de que ali nada havia de acidental, Cembranelli passa a falar sobre a possibilidade de o assassinato de Isabella ter sido cometido por uma terceira pessoa. Com um sarcasmo impressionante, o promotor descreve como teria ocorrido essa ação ímpar: a pessoa teria que entrar com as chaves, sem arrombar a porta. No intervalo de tempo em que Alexandre desceu para pegar os outros filhos, Isabella acordaria e reconheceria o indivíduo, que, para escapar, teria que eliminá-la. Sendo assim, ele não a deixaria morta na cama, como se estivesse dormindo, e então fugiria, de forma que talvez seu crime fosse descoberto apenas no dia seguinte. Em vez disso, prefere esganá-la, correr até a cozinha, pegar faca e tesoura, cortar a tela e arremessá-la para cair ao lado da Corregedoria da Polícia Militar, chamando bastante atenção para sua fuga. Além disso, tiraria os sapatos para agir, porque as únicas marcas de solado encontradas eram as do pai da menina. Depois, em um gesto de solidariedade, uma vez que o apartamento estava "de pernas para o ar", resolveria limpar o sangue. Ainda com a mesma generosidade, apesar de milhares de roupas espalhadas pela casa, escolheria uma única fralda para colocar de molho em um balde. De maneira educada, sairia trancando a porta, e, ainda gentil, apagaria as luzes.

Podval, percebendo o discurso do impossível, interrompe o relato escarnecedor do promotor, aparteando-o para dizer que a perícia consegue provar a esganadura, mas não a autoria. "Não há prova técnica que aponte a autoria! Quem asfixiou?" Cembranelli, impassível, fala das marcas de unha no pescoço da menina e acusa: "Ahhhhhh... mas a asfixia está provada; então, se não foi ela, foi ele? Porque só estavam os dois dentro do apartamento! Olha o tamanho dele! Se fosse ele teria matado Isabella instantaneamente!"

O promotor argumenta que usou essa versão "fictícia" para mostrar que, na versão dos réus, contraposta à linha do tempo real, eles teriam chegado ao térreo depois da meia-noite. Lembrou a todos que um inocente deve se portar como um inocente e comparecer à reprodução simulada para esclarecer o que aconteceu, não recusar-se, como um culpado faria, alegando o princípio de ter o direito de não produzir provas contra si mesmo. Não compareceram porque teriam que explicar o inexplicável. Justamente a cronometragem mostrava que os réus contavam uma versão impossível. As provas das pegadas sobre a cama e dos registros do Copom eram incontestáveis. "Vai xingar a dra. Rosângela [Monteiro]? Vai xingar a dra. Norma [Bonaccorso]? Mas não pode xingar o Copom porque o registro telefônico indica exatamente o horário em que a ligação foi feita de dentro do apartamento! Me mostre um recurso da defesa que argumente a linha do tempo! Nunca abordaram esse assunto!"

Cembranelli explica aos jurados que esse júri é um divisor de águas. Será referência em todos os julgamentos desse momento em diante e cada vez mais serão exigidas provas científicas, produzidas com alta tecnologia, não vereditos apoiados em testemunhas que podem não enxergar tão bem. "Não vamos andar para trás!", diz o promotor. "O dr. Podval está aqui para dizer que a perícia é um lixo, mas até agora não conseguiram contestar as provas científicas." Ele prossegue, fazendo um resumo rápido das provas: registros telefônicos e do Copom, testemunhos do mau relacionamento do casal, histórico da vida pregressa, marcas da tela na camiseta do réu e do solado da sandália dele no lençol. Segue enumerando o que havia sido dito durante as últimas duas horas e meia.

Por fim, Cembranelli diz que o Ministério Público nunca tem a obrigação de acusar. Nesse caso, sem conhecer ninguém da família e não sabendo nada sobre os fatos, acompanhou as investigações e, quando teve a convicção de que estavam envolvidos no crime, ofereceu denúncia: "Hoje, minha obrigação como representante da sociedade é colocar a família Oliveira sob minha proteção e fazer com que a justiça se cumpra."

Cita a opção que Ana Carolina Oliveira tinha de não acreditar que eles seriam capazes de fazer o que fizeram, mas, como é profunda conhecedora dessas pessoas, optou por estar ao lado da promotoria, trazendo a dra. Cristina Christo para acompanhar o caso porque quer justiça para sua filha.

Nos minutos finais, Cembranelli ainda relembra a ridícula pensão paga para manter a vítima e ainda se refere à duvidosa competência de Sanguinetti como médico-legista: "Esse cidadão de Maceió recebeu o que Isabella levaria pelo menos quinze anos para receber de pensão".

Fecha seu discurso da mesma forma que o abriu, dizendo: "O Brasil que está lá fora olha para esta sala e espera que vocês, jurados, juízes constitucionais, façam justiça!"

A DEFESA

É a vez e a hora de Roberto Podval. Simpático e de fala sempre elegante e dócil, dá aos oponentes a sensação de que eles estão em vantagem, mas que vai contestar cada uma de suas teses sem trégua. Suas perguntas, por vezes, parecem simples e sem importância, mas logo adiante são usadas para embaralhar as ideias previamente expostas. Parece dispersivo, sempre tem papéis nas mãos, rabiscando freneticamente aquilo que já usou ou que desistiu de usar, recebendo bilhetes sem mudar o tom de voz, andando pelo plenário meio sem rumo. Não parece nada ameaçador e seduz, com sua simplicidade de ação e aparente falta de conhecimento sobre questões técnicas, o grande público, que se identifica com ele. Desde o início, disse que entrou em um caso perdido, que o casal havia entrado no tribunal do júri condenado, mas seu olhar o trai quando lampeja a esperança de ainda absolvê-los. Seu discurso é mais dialético, como quem investiga uma hipótese, não precisa provar a inocência, basta criar dúvidas que abalem a tese da acusação. Utiliza um raciocínio transversal, repleto de idas e vindas, buscando encontrar erros nas provas apresentadas.

Levanta-se, ajeitando a beca, e agradece ao juiz pela forma tranquila com a qual os trabalhos se desenvolvem ali e o tratamento respeitoso às sofridas famílias. Olha para Cembranelli e diz: "O senhor me intimida, tem mais de mil júris". Conta que viu pela televisão como a construção do júri se realizou, que respeita o papel de cada um e percebe que a acusação não foi produzida levianamente e sim porque o profissional ali presente acredita nela e a realiza bem. Podval deixa claro qual é o papel do promotor em um caso e quais são suas obrigações, e mostra a todos que não há lugar para questões pessoais. "Vi como este júri foi construído a cada pontinho. Para mim foi um grande aprendizado."

O advogado segue agradecendo aos funcionários pela forma como foi acolhido e relembra: "Quis o destino que os dois maiores júris que fiz fossem aqui". (Estava se referindo ao caso do dr. Farah Jorge Farah, a quem defendera.) Fala sobre a dificuldade de estudar os autos do caso Isabella. "Um caso triste, feio, que machuca", explicando que a cada frase, não importa quem tenha feito o quê, lembra-se de que a vítima é a menina. Comenta como a multidão que estava do lado de fora do tribunal queria linchá-lo, mas os funcionários daquela casa o protegeram, ajudaram e acolheram. "Não sou de brigas e disputas, vou tentar fazer meu trabalho."

Podval, então, se movimenta mais no plenário, passando a mão pelo rosto, tirando os óculos algumas vezes, gesticulando. Agradece aos membros da Ordem dos Advogados do Brasil que acompanharam os trabalhos, emprestando "um ombro amigo", e também aqueles das filas que vieram "aprender com o Cembranelli". Fala sobre sua gratidão para com os membros da imprensa, dentre eles alguns amigos pessoais, desenvolvendo um trabalho também difícil, dia e noite, talvez tão árduo quanto o da própria defesa. "Trabalho honesto, aberto, mas há que se fazer uma reflexão: não chegaria aonde chegou, porque isso se transformou no que se transformou e pode impedir alguém de ser honestamente defendido."

Ao agradecer a sua equipe, chora. Diz que, sem eles, seria impossível; todos estão há cinco dias sem dormir e se dedicaram plena e integralmente. Aos jurados, apoiado na bancada deles, explica como tinham uma missão das mais difíceis já presenciadas por ele em toda a sua vida: "Eu vim para este julgamento certo de que minha grande necessidade era implorar para que vocês me ouvissem, só me ouvissem. Com a dimensão que o caso alcançou, eu não acreditava que vocês fossem me ouvir".

Sublinha como a sociedade foi massacrada com informações tendenciosas durante dois anos, mas ressalta que não fala isso em tom de crítica. "A gente sabe o que aconteceu. Eu não tinha nenhuma esperança... Bem, talvez um pouquinho assim", aproxima o indicador do polegar, brinca com a veracidade de suas próprias declarações.

Declara sua descrença em que alguém da sociedade se sentasse ali durante "o grande caso Isabella Nardoni" sem ter seu voto pronto. "Eu vim aqui para a etapa final deste processo. Durante estes cinco dias o que vi foi a esperança que cada um de vocês me deu de pelo menos me ouvir. É mais do que eu podia esperar."

Podval passa a explicar a desistência das testemunhas, apontando para Cembranelli, que acompanhava o caso desde a delegacia, e repetindo as palavras do promotor de que ele não conhecia o processo: "Chega um pai desesperado, com um processo como este, leio em cima da hora... Eu nem sabia quem era testemunha, arrolo todos e depois vejo o que eu faço". O advogado diz que não vai criticar a equipe de defesa que saiu, mas não poderia negar ajuda a um pai desesperado, apesar de ter dimensionado as enormes dificuldades que teria que transpor. "Qual sua defesa? Você vai lá falar o quê, na grande hora final, o que você vai dizer? Como vai defender?", argumenta, como se estivesse falando consigo mesmo. Explica como acabou poupando a mãe de Isabella e, dessa forma, a si mesmo, mas questiona que mágica poderia fazer em plenário, que coelho tiraria da cartola para mudar o rumo das coisas, e explica o que disse aos réus: "A única forma é ser honesto. Falem o que for bom ou ruim, são vocês, falem aquilo que não puderam falar em dois anos".

Sempre em tom de interrogação, prossegue dizendo que o casal Nardoni é o cotidiano do Brasil, gente que se casa, se separa, que se casa jovem, entra em uma rotina, briga as brigas comuns dos casais... Nada diferente do dia a dia de todos nós. "Só passa a ser diferente quando acontece uma tragédia na vida deles. Aí chamam o rapaz e perguntam: 'Qual é o nome da professora de sua filha?' E ele não sabe! E ele é mau pai! O que vemos aqui? Monstros?"

Podval faz referência também aos vizinhos, que nunca tiveram o menor relacionamento com os réus, nunca lhes disseram uma palavra, e aí, quando tudo acontece, vão todos à delegacia falar do que viram no elevador, que Alexandre era mal-encarado... "Mas daí a fazer isso com uma criança? Pelo amor de Deus! Mas como vou defendê-los? O que eu faço?"

Começa a descrever a situação em que ficou diante de Ana Carolina Oliveira, mãe de Isabella, por ela ser vítima e também assistente da acusação, além de testemunha e de seu estado psicológico, o fato de estar machucada e ferida, de precisar fechar essa história, mas desiste. "Vou pular a mãe."

Passa a falar da delegada Renata Pontes, criticando o fato de ela ter ido a plenário testemunhar vestida de preto, como se estivesse enlutada. Em tom suavemente irônico, questiona que motivo ela teria para chegar ali, no prédio, e incriminar o casal. "Óbvio que não aconteceu. Diz que foi chamada, que história estranha, e é mesmo! Então, se não foram vocês, quem foi?" Descreve também como a delegada conversa com eles e investiga todo mundo, mas não encontra nada relevante. Relembra como ela explicou que, em um primeiro momento, só queria saber o que estava acontecendo, mas que deixa o casal esperando durante horas na delegacia, antes de ouvi-los formalmente. "Ela diz que só queria entender a história, mas manda os dois para o IML colher sangue? Buscavam que informações? Naquele dia ela já tinha isso na cabeça."

O próximo ponto debatido é o testemunho do médico-legista, de como deu uma aula no plenário, desconstruindo a tese do acidente. Explica sobre o indivíduo que foi ao seu escritório e queria ser testemunha de que um acidente era possível. "Aí vem um médico, correto, digno, conta a investigação sobre asfixia, a queda, a janela, explica como Isabella foi jogada no chão. Vou tomar como verdade porque é ele quem diz. Eu não sei, mas também não sou tão burro. Aí quando ele diz que tem uma marca na nuca da Isabella..." Podval levanta a questão de não ter sido feita a coleta de material sob as unhas dos réus e um exame que comprovasse que não havia pele de Isabella. Continua falando sobre o médico-legista, que teria justificado não ser de sua responsabilidade constatar isso. Imitando o jeito do médico, diz: "Não, doutor, sabe o que é, não cabe a mim, mas como eram pais, coceguinha também deixaria material genético...". Levantando a voz e de maneira mais agressiva, o advogado brada: "Não faça isso com o senhor mesmo! Um homem sério! Então tivesse feito o exame e os [liberasse]! Não fizeram! Tem um vazio aí!"

Podval cita novamente o testemunho da dra. Renata, dizendo como era interessante vê-la a toda hora apontar para o próprio relatório, que continha conclusões técnicas, mas quando ele pedia para que explicasse essas mesmas conclusões, utilizadas para pedir a prisão dos réus, ela respondia ser necessário que se perguntasse aos técnicos e informava que tivera uma reunião informal com eles. "O quê? Quer fazer reunião faz ata, chama, marca com a participação da defesa. Ela aqui, tudo me indicava que este era um grande caso. Ela diz que é mais um caso. Ela ficou com eles mais de doze horas na delegacia..."

O advogado volta a se referir ao dia em que Jatobá foi levada pelo investigador até a própria casa, ironizando o que foi chamado de convite e imitando o jeito que a testemunha contou sobre essa visita. "Anna é convidada a ir à casa dela por aquele sujeito que estava aqui... Por favor..." Ele emite um "por favor" excessivamente delicado, como se fosse possível aquele policial ter usado um tom assim.

Depois, nos relembra o interrogatório de Jatobá e todo seu jeito de falar: "Nós vimos aqui uma menina cuspindo as palavras, está há dois anos sem falar, porque a ordem era para não falar. Eu falo 'conta, conta'!".

Podval descreve a cena que a ré contou, ironizando o que foi descrito como "exames como aqueles feitos pelo FBI, científicos", mas que havia ali um homem de jaleco colhendo sangue enquanto todo mundo estava sentado na sala de visitas tomando café. "Olha que falta de tato, de respeito!" Passa a imitar o policial que disse não ter tomado café e completa: "Mas a delegada disse que sim! Os policiais estavam na casa dessa mulher ali, chamando-a de porca, que ela era suja!". Depois passa a fazer voz de mulher, como se fosse a delegada, dizendo: "'Olha, menina, você vai ser presa, conta que foi ele, fala, diz.' Ela, tida como louca, briga, xinga, responde: 'Eu não vi, não posso falar o que não vi'!".

Pede aos jurados que se coloquem na situação da ré e se perguntem se não se renderiam, e chama atenção para a honestidade de Jatobá, que falou bem de um policial e até o elogiou. Descreve como Antônio Nardoni ouve gritos e chutes e que chama "dois meninos", referindo-se aos advogados Rogério Neres e Ricardo Martins, que talvez não estivessem preparados para aquele turbilhão. Volta a criticar o discurso contraditório da delegada, que afirmou ser um caso comum, que não fez nada de mais, mas que marcou o interrogatório policial dos réus no dia do aniversário da menina. "Não havia a menor sensibilidade! Este caso é normal? Igual a todos? Em cima da mesa dela, a foto da menina?"

Cembranelli interrompe o debate, dizendo se sentir ofendido com as insinuações do advogado, porque participou do ato. "Não foi preparado e foi coincidência. Os advogados poderiam ter remarcado." Podval responde que jamais imaginaria que Cembranelli fizesse uma coisa dessas, mas a autoridade policial, sim. "Foi estranho!"

O assunto passa a ser a perita Rosângela Monteiro; o tema é novamente abordado de forma jocosa pelo advogado. "Aí a gente ouve a pessoa mais esperada, mais culta, a única perita no Brasil que tem conhecimento para fazer os testes com Bluestar. Pela arrogância que tem, como se coloca, é uma sábia! Ela olhou para mim e disse 'Eles não sabem'! Não me conhece e me desautoriza!"

Podval prossegue, falando sobre o reagente comprado por sua equipe. "Eu comprei o produto e, como um bobo, fiz o teste, como o promotor falou. Furei o dedinho deles [aponta para os assistentes] e fiz. Apaga a luz e brilha azul." Imitando Rosângela, prossegue: "'Eu, a única do país, sou capaz de olhar e ver que, para sangue, o brilho é diferente dos outros! É sangue!'"

Podval afirma acreditar que o primeiro perito no local do crime teria feito algumas "lambanças" e que Rosângela, ao voltar de viagem, foi lá para "ajeitar" as coisas. Também questiona o fato de a investigação ter ficado na 9ª Delegacia de Polícia, em vez de ser encaminhada para o Departamento de Homicídios e Proteção à Pessoa (DHPP). "Chamam-na pra ver se fecham o caso. O caso é estranho. Precisamos fechar. Ela vem e diz que passando o produto consegue ver três gotas na entrada, mais no lençol, na grade. Eles foram honestos. Onde não viam? Onde não dava pra ver. Lembram quantas pessoas entraram? Constam de seis a oito, mas sabe-se lá? Tinham que subir na cama…"

Cembranelli interrompe: "Os policiais foram ouvidos em juízo e nunca disseram que subiram na cama".

Podval responde que agora era a sua vez de falar e que, mesmo que eles tivessem declarado isso, questionava a veracidade. "O que acham que aconteceu?", pergunta e descreve como seria a entrada da Polícia Militar no apartamento, sem saber se um suspeito ainda estava presente. "Em cima do que está, essas pessoas, esse movimento de pessoas, pode ter alterado as coisas?"

Depois de gerar dúvida se o local foi preservado ou não, ele começa a falar novamente sobre a perita, de como chegou às manchas de sangue e que, depois de explicar a dinâmica dos acontecimentos e confrontada com a falta, na maquete, da representação das manchas de sangue das mãos de criança no batente da porta, se perde na explicação. "Minhas perguntas são simples, quase bobas, porque sou leigo. Mostro as manchas de dedos na porta de Isabella, olhei onde ela apontou e disse 'Aqui não tem', porque não está. Vocês se lembram do que ela respondeu? Porque é acrílico e ia estragar a maquete, ou não dava para colocar por causa do tipo de material." Podval diz ao plenário que examinou novamente a maquete e percebeu que no mesmo material, acrílico, foi, sim, colocada uma sujidade. "Então podia pôr no acrílico? Então por que não está aqui? Nos Estados Unidos ia responder processo! Olha que perigo!" O advogado continua falando sobre a ausência da mancha na maquete, mostrando a fotografia dessas manchas para os jurados, tentando tirar a credibilidade da dinâmica reconstruída pela perita, mas correu o risco de os jurados se lembrarem de que Monteiro atribuiu essa suposta "falha" ao fato de essas manchas de sangue em particular não fazerem parte, em sua opinião, da dinâmica do crime. Aventou a possibilidade de tais marcas serem de Pietro, que poderia estar perambulando pelo apartamento.

Podval prossegue sem trégua, dando a entender que mudaram o cenário para que tudo se encaixasse. "Posso dizer que isso se compara com o trabalho nos Estados Unidos? Duas pessoas são acusadas e correm o risco de passar a vida presas e eu não posso falar do trabalho dela? Eu não tenho o que falar para vocês, vamos trabalhar com o que a acusação traz!"

A defesa continua questionando ponto a ponto a prova pericial, como o fato de não haver sangue nem em uma boa parte do corredor, nem no trajeto do carro até o apartamento. "Eu juro que fiquei meio confuso, eles disseram que começou no veículo, então não tem uma única gota de sangue [no caminho]!" E passa a atacar o resultado do exame da cadeirinha de bebê instalada no carro do casal, onde seriam necessários quinze pontos de ligação (*locci*) para que se comprovasse o perfil genético e só foram encontrados oito. "Eu pergunto: tem quinze? Não, tem oito, mas nos Estados Unidos entendem que isso é suficiente. Na verdade, poderia ser de qualquer um da família. Ela [a perita] é muito detalhista e você acompanha tudo, mas menos em certa hora..." Podval, então, passa a levantar dúvidas sobre as manchas na fralda, dizendo que poderiam ser sangue de carne ou frango, e que questionou a perita sobre como sabia se tratar de sangue humano, e imita a sua resposta: "'É que eu usei um produto que vem junto com o Bluestar'". Explica para os jurados que foi procurar o produto na relação de compras do Instituto de Criminalística e nos laudos, mas não encontrou. "O estado não compra, ela compra do bolso dela!"

Cembranelli interrompe novamente, esclarecendo que Rosângela Monteiro explicou tudo isso em seu depoimento em Juízo, um mês e meio depois, na frente de três advogados de defesa. Podval dá de ombros e diz: "Então vamos considerar que ela usou".

A argumentação passa agora a ser quanto à animação gráfica da dinâmica feita pela perícia, afirmando que ali está claro que a vítima é ferida na testa com uma chave. O promotor aparteia mais uma vez, para explicar que não falam em chave, mas em instrumento romboide, que pode até ser um anel, mas Podval ignora e prossegue: "Aí a chave estava com a delegada. Havia a possibilidade, poderia ter sido. Eu digo: olha, se você pega a chave e leva na perícia e sabe se tem sangue, pele, chegaria nos dois. Mas por que não foi feito o exame da unha, da chave...? E a gente pergunta para a perita, que fala que pode fazer dez anos depois... Então até hoje pode fazer o exame na chave. Isso poderia excluí-los e não foi feito".

Podval passa a falar da chave perdida por Jatobá e comprova a veracidade do ocorrido lendo o depoimento da decoradora Márcia Regina Alves Ferreira, confirmando a história. "Ela mentiu? Tava aqui! Era verdade mesmo. A delegada viu que a chave havia sido perdida!" Cembranelli argumenta: "Nos primeiros dois depoimentos [da ré], ela não falou da chave, e eu fiz essa pergunta, e só aí surge essa decoradora. A delegada não pode ser criticada por não investigar o que não sabia, o que a ré não contou". Podval, alterado, responde: "Pagaram a mulher, é isso que está falando? Mas ela foi à polícia e confirmou! Ela [aponta para Jatobá] ficou aqui ontem respondendo durante seis horas, vocês viram como ela estava? Se eu perguntar se ela esqueceu algo ela vai dizer que sim, porque estava muito aflita". O advogado reafirma a ideia de que, para a delegada, não tinha significado investigar qualquer outra coisa, porque já sabia quem eram os autores.

Podval passa a contar para os jurados que quando entrou no caso foi até o Instituto de Criminalística para averiguar todas as apreensões. De forma irônica, diz que a perita o fez ficar a um metro e meio de distância da mesa, a fim de que não contaminasse nada. Os lacres foram retirados um a um. Segundo o advogado, a confusão era total — "Quebra o lacre, abre o saco, fotografa" —, enquanto alguém anotava os números de cada um dos lacres. Quando foi pegar essa lista para fazer uma retrospectiva, percebeu que os números não tinham nenhuma sequência, que era tudo uma bagunça. "Num dos sacos onde estava a tela de proteção foi encontrado um fio de cabelo. A tendência é pegar esse fio, que pode ser dela ou dele [de Alexandre ou de Anna Jatobá], ou de alguém que não é da família, e examinar. Ninguém se preocupou se era de um desconhecido. Já pensou que loucura? Não foi feito! E aí eu sou o maluco, porque estou questionando a 'gênia', que é a única que faz exame com Bluestar. Olha o perigo!" Podval passa a ironizar o fato de que, mesmo depois de constatar o sangue humano com Hexagon, Rosângela ainda o enviava para os testes de rotina do laboratório, que por diversas vezes não pôde confirmar o mesmo resultado pelo fato de o reagente ser mais eficiente. "Eu só não sei se nos Estados Unidos poderiam ter as conclusões desse caso, porque, certeza, aqui não tem!"

Podval agora passa a rebater a linha do tempo apresentada pelo promotor. Sugere interromper o julgamento e ir até o edifício conferir a cronometragem do tempo do elevador. "Eu aposto que não vai bater com o que está marcado. Gente, isso não é filme. Mentaliza, gente. Sabe-se lá como pegaram aqueles tempos. Dá pra achar que isso é preciso? O dr. Cembranelli diz: 'Vamos falar dos fatos'. Eu só falei dos fatos que tirei das testemunhas dele." O advogado explica que só há dois fatos na linha do tempo: o horário da chegada, porque há o rastreador no carro, e a hora da queda, porque o sr. Lúcio reconhece o morador do sexto andar. Para ele, é o único espaço real, a parada do carro e a queda. "A Anna, no depoimento da polícia, dá uma informação que ninguém tem, a picape; surge uma informação que ninguém tinha, nem Alexandre. Anna descreve dois barulhos [carro chegando e saindo]." Podval passa a ler o depoimento de Rogério Stanco, dono do automóvel, em que declara que realmente entrou com a sua caminhonete, como faz sempre; sua esposa desceu do carro, ele retirou seu Fiat Uno da vaga que ocupava, parou a caminhonete e levou o outro carro para estacionar na rua. "Provavelmente foi nesse intervalo que Alexandre chega e sobe. Aí está a maior prova que ela estava lá embaixo!"

Cembranelli sorri e confronta Podval: "Nessa hora o doutor quer bater o tempo, mas nem assim bate! O cara entrou às 23h30 e o Alexandre nem tinha chegado ainda! O rastreador marca a chegada dele em 23h36, uma diferença de seis minutos".

Podval parece ter se confundido a respeito da diferença de tempo, mas prossegue argumentando: "Mas como chegaram nele? Porque ela fala. Quando apertaram, ela ficou lá pensando até se lembrar e provou que ele estava lá".

O advogado fica de pé, conjecturando se seria possível o casal fazer o que disse ter feito nesses treze minutos. Acha que ele próprio conseguiria. Também diz que é possível ter sido uma pessoa de dentro do prédio ou de fora, não pode afirmar que essa pessoa existe, nem que não existe. "Aí vem a vizinha, não me parece que está mentindo", diz, referindo-se a Geralda Fernandes, citada pela dra. Renata Pontes e que teria escutado a voz de uma criança falando "Para, pai", com interpretação diferente dos outros. "Dois outros vizinhos ouviram o pedido para o pai parar... Pode ser que ouviu depois? É, acho que ela não teria inventado, não tem por quê. Antônio Lúcio ouviu o 'Para, pai'. A impressão que dava é que a criança estava pedindo para o pai parar. A outra vizinha acha que chamava o pai. Eu não tenho como saber, porque Isabella estava asfixiada, então quem gritou?" A conclusão é que só poderia ter sido o irmão, Pietro. "Imagino meu filho de quatro anos vendo isso. Não tem sentido, porque, se a história fosse essa, ele falaria, é possível imaginar que ele não falaria?"

Nessa hora senti uma grande tristeza, porque é, sim, possível imaginar que não falaria, ou que, ao falar, tenha sido "calado". Não pude deixar de me lembrar que, no início do processo, muito se discutiu sobre ouvir o menino em juízo ou não. Cembranelli optou por não fazê-lo passar por isso. Achava que tinha provas suficientes para condenar o casal, sem criar um trauma ainda maior na criança, se é que era possível. Mesmo com as mais avançadas técnicas desenvolvidas atualmente para ouvir o testemunho de crianças — como o chamado "depoimento sem dano", por exemplo —, ainda se discute o efeito dessa conduta. Além do mais, caso a criança relatasse algo que havia presenciado e isso resultasse em condenação, teria que conviver o restante da vida com o sentimento de culpa de ter condenado os próprios pais, apesar de ainda não entender as consequências de seus atos. E pude imaginar mais um motivo para Pietro não contar nada: o medo de acontecer com ele mesmo o que aconteceu com a irmã, mesmo que em sua fantasia.

Podval prossegue seu debate, nos lembrando agora o depoimento da vizinha que escutou o barulho da porta de incêndio batendo. Lê o depoimento para os jurados, e emenda: "Esse é o panorama, não consigo afirmar nada de ninguém. Há quem não ouviu isso ou aquilo. Dá para afirmar? Afirmar isso ou aquilo?". Cembranelli interrompe. "O senhor está sugerindo que o barulho da porta é do 'terceiro' fugindo do décimo andar? Para o térreo não foi; então subiu?" O advogado responde com várias possibilidades, como sempre. "Pode ser que a porta tenha batido, pode ser que alguém tenha fugido, pode ser que alguém tenha ido jogar o lixo; o que realmente foi, eu não sei." E deixa no ar a questão da incerteza quanto aos fatos.

Podval argumenta que tem uma história estranha, que não fecha, mas que a do promotor também não fecha. Questiona qual teria sido a motivação do crime. "Por vingança, por dinheiro, por drogas, por conta da relação familiar conturbada com fatos que não valem a pena serem trazidos. Alguém mata alguém com razão, que razão? Ciúme! Ela morria de ciúme!", diz sarcasticamente. E passa a se referir ao depoimento de Ana Carolina Oliveira, quando respondeu para Jatobá que não ficava com Alexandre porque não queria, e que tinha esperado no carro, em vigília, para saber se estava sendo traída. "Só ela tinha ciúme?", disse, apontando para a ré. "Mas a mãe soube que um dia ela jogou o bebê na cama. Como soube? A dona Cida falou para a mãe dela, que falou para ela. Dá para afirmar?" A defesa reclama dos depoimentos indiretos, nos quais as interpretações são subjetivas, as palavras podem ser tiradas do contexto, plantando desconfiança no "diz que diz".

Podval começa a descrever a sorte de Jatobá naquele júri, em que foi chamada de porca depois que a perícia revirou o lixo da casa dela. "Aí fala que é deprimida. É verdade? Que não consegue dormir porque o filho chorava muito. Daí a asfixiar a menina? O que fizeram com ela ontem foi maldade, crueldade. Trouxeram um discurso, ações de outra vara, para dizer que ela é a megera, uma louca ciumenta? E ele é um crápula, esse casal é de crápulas, de assassinos? E eu sou bobo, não estudei nada, e eu digo: A PERÍCIA NÃO CHEGOU NA AUTORIA, PRESUME QUE FOI ELA! Por que foi ela e não ele? Pode ser uma terceira pessoa? Pode o fio de cabelo? Tem sentido? Tem sentido serem eles? NÃO TEM! Como não sabem o que é, é isso! Pobre da nossa sociedade!", exclamou Podval com tom de voz contundente.

O advogado passa a contar aos jurados o caso ocorrido em Portugal em 2007, quando uma criança de nome Madeleine McCann desapareceu de um quarto de hotel enquanto os pais jantavam no restaurante.

Faz um paralelo, porque os pais foram acusados em Portugal, mas a polícia da Inglaterra, país de residência do casal, não acatou a tese por não haver provas suficientes. Diz que nós, brasileiros, permitimos que sejam acusadas pessoas sem provas suficientes. Aponta para os réus e diz: "Hoje é com eles, amanhã seremos nós".

Podval diz que não pode encerrar o debate sem fazer uma referência ao penúltimo dia de vida da vítima, e que vai fazê-lo usando o depoimento da própria mãe de Isabella. Explica a incoerência de se afirmar que Jatobá não se relaciona bem com Ana Carolina, mas que nesse dia vai lá buscar as crianças e todos brincam juntos. Passa a descrever Jatobá como uma boa moça, que fazia de tudo para agradar Isabella, levou-a para a piscina, foi buscar sua amiguinha, levou as duas para conhecer a escola da enteada. "Com a filha da outra, que vem aqui acusá-la de assassina! Foi isso que a gente viu aqui? Eu li os autos, doutor", diz a Cembranelli, "eu estudei." Continua descrevendo o dia do casal com Isabella, todos os momentos bons que passaram juntos. "No dia seguinte, essa barbárie. Isso fecha para alguém? E o pai é o grande vilão?" Diz que a imprensa destruiu a vida de todos eles e que não faria referência às brigas familiares porque respeitava todos, mas achava que "colocaram um anjinho no meio de três famílias e ela tocou cada um. Talvez ela mude a vida de todos eles... E eles são monstros? Fez uma conta que não fecha o tempo? Mentirosos?".

O advogado de defesa informa que havia arrolado como testemunhas os advogados contratados anteriormente pelo casal, mas eles corriam tantos riscos pelas ameaças que estavam recebendo que Podval desistiu. Fazendo referência ao mundo perigoso em que vivemos, acrescentou: "E o [edifício] London é seguro? Pelo amor de Deus!".

Cembranelli interrompe e diz: "Todos os vizinhos afirmam que o portão estava fechado. Seria um absurdo se fosse diferente. Não é verdade". Podval devolve. "Sou mentiroso!" Ele então pega o volume do processo onde consta o depoimento da decoradora, que disse entrar no edifício sem ser anunciada, para ser lido em plenário. O promotor pede que ele fale quem é o advogado que acompanha a decoradora. "O dr. Ricardo!", responde. Cembranelli fala em tom cortante: "Advogado dos Nardoni! Levaram ele lá para falarem o que queriam, e a dra. Rosângela é que não presta!".

Podval passa a ler o depoimento sobre a fragilidade da segurança do edifício para barrar a entrada de estranhos no local. Depois fala do depoimento de Rogério Pagnan, que entrevista o pedreiro Gabriel e publica uma matéria em que afirma que uma obra ao lado do local foi arrombada. "É possível? Não tem prova. Dá pra saber quem fez, quem não fez? Os profissionais que estiveram aqui não fizeram o trabalho como deveriam. Agora, com o histórico deles [dos réus], eu vou presumir? Com isso não dá! É uma decisão difícil. Eles entraram aqui condenados. Dá pra mudar? Não tenho nada, nenhuma novidade. Dá pra mudar em cinco dias de júri?"

O advogado lê a reportagem de Pagnan para a *Folha de S. Paulo* e o relato da Polícia Militar afirmando que ele não havia entrado naquela obra. "Eu não tenho como presumir e colocar esse casal na cadeia por mais de trinta anos. Sugeriram acordos para ele", disse, apontando para Alexandre. "Ele falou 'não'!"

Cembranelli lança um olhar fulminante; a temperatura em plenário começa a subir. "Eu estava lá, não falei nada, mas participei? Isso é uma canalhice!", gritou o promotor, indignado e exasperado. "Os advogados sabem que isso não aconteceu! O réu é bacharel e não sabe que delegado não tipifica? Não participei, nem por omissão!" Podval pede que se leia o depoimento de Alexandre do dia anterior, em que ele não acusou o promotor, mas Cembranelli continua: "Reafirmo o que disse, uma canalhice sem precedentes! Aí vem o réu, que não presta compromisso com coisa alguma... CANALHICE!". O juiz coloca um ponto final na fala do promotor. "Já falou, doutor!"

Podval, meio desolado, diz que não tem muito mais o que falar e o que esperar, a não ser aguardar que façam justiça da maneira mais correta e apropriada. Termina a explanação com a frase de Chico Xavier: "Ninguém pode voltar atrás para um novo começo, mas podemos fazer um novo fim".

Muito emocionado, olha para os jurados e diz: "Eu saio daqui mais leve e vocês também, qualquer que seja a decisão".

RÉPLICA

Já quase às seis da tarde, Francisco Cembranelli começa a fazer a sua réplica. E é exatamente o que vai continuar fazendo nas próximas duas horas: replicar e rebater cada argumento da defesa do caso Isabella.

Os debates, no júri, são o ponto alto, e réplica e tréplica funcionam não apenas como contra-argumentação, mas também como um fechamento de ideias. O discurso pode ser perfeito, mas resumi-lo para que o jurado fique com os argumentos na memória é fundamental e imprescindível. É o que ficará para a decisão de cada um daqueles que foram convocados pelo Estado para compor o conselho de sentença.

É a hora da derradeira manifestação da acusação; por último fala a defesa. É necessário que cada um reforce seus argumentos, que devem ser convincentes, contundentes, decisores.

As pessoas da plateia se ajeitam nas cadeiras. O último round vai começar. Imagino o estado emocional dos protagonistas que vão se enfrentar. A acusação leva o peso de tornar real um resultado anunciado. Precisa dar ao jurado consistência para um voto com isenção. Nesse rumoroso caso, em que tantas vezes foi dito que "o voto já estava pronto", a responsabilidade do promotor é a de colocar prova sobre prova, para que não haja dúvida sobre o resultado final do trabalho.

Cembranelli se levanta. Sua expressão é de pura concentração. Sabe que nesse momento não se pode errar; o que é dito fica dito. O jurado está atento não só às palavras, mas também à linguagem corporal, à movimentação em plenário, aos olhares, às farpas trocadas. Está no chamado "estado de júri". Apoiado na bancada dos jurados e olhando em seus olhos, Cembranelli inicia quase se desculpando: "É uma ousadia extrema pedir um pouco mais de paciência aos senhores, depois de cinco dias". Explica, no entanto, que fatos muito importantes ainda não foram apresentados.

Seu tom de voz agora é mais alto e agressivo. Exclama que Podval já achou os culpados pela situação que se apresenta ali e aponta para as duas primeiras fileiras da plateia, onde estão sentados os jornalistas. "A imprensa é a culpada! Ninguém inventou provas, os jornalistas apenas reproduziram as provas. É nos tratar como limitados psicologicamente, como se as pessoas não tivessem discernimento e a mídia o fizesse à revelia do processo."

Cembranelli então questiona se também haviam tirado o discernimento dos tribunais, recheados com *habeas corpus* impetrados pela defesa, onde mérito e provas foram examinados. "Como se nós tivéssemos criado a prisão preventiva do nada! Teríamos que acreditar que a sociedade foi enganada pela mídia, e os tribunais, também. O único detentor da verdade é o dr. Podval." Ele ainda cita Rui Barbosa — "Um dia, um homem de bem, de tanto ver a injustiça triunfar, vai ter vergonha de ser de bem" — e afirma que a acusação de que teria arrastado ao tribunal dois inocentes é extremamente ofensiva. Ser o alvo principal naqueles dois anos de processo é estafante, desabafa o promotor, e ali, no último ato, houve a sugestão de que teria participado de um acordo para a confissão do réu nas dependências policiais. Explica a todos que qualquer estudante de Direito sabe que não é o delegado quem classifica a infração penal e desafia os advogados anteriores do casal, dizendo que deveriam ter a coragem de desmentir em plenário tal afirmação. Se tivessem presenciado o que o réu havia contado, continua, teriam denunciado imediatamente para toda a imprensa que acompanhava o caso. "Então, há dois anos, em 18 de abril de 2008, este promotor estava participando de uma negociação escusa. Eu fui alvo de calúnias, assim como os policiais o foram e os peritos também."

Cembranelli fala sobre a asfixia da vítima. Relembra quantas vezes ouviu-se sobre a asfixia mecânica. "Como se os legistas, bisonhamente, tivessem se equivocado. Agora, até o advogado, com seus quinze colegas de tribuna, admite a asfixia." Indignado, o promotor diz ser muito fácil ridicularizar o dr. Tieppo em plenário pelo exame das unhas, mas pondera que Isabella tinha cabelos longos, o que suavizou as marcas em seu pescoço, dificultando o diagnóstico dos médicos-legistas sobre a exatidão da ocorrência de esganadura. Quando da conclusão, três semanas depois, já não era possível colher material. "Quando faz é criticado e quando não faz também. Os advogados deveriam orientar o IML."

Sobre os aspectos que faltavam nos laudos, o promotor, com desdém, faz referência à ausência da "manchinha do acrílico" da maquete. "Tem importância? O dr. Podval quer desmoralizar porque não tem a manchinha de sangue no acrílico? Está tudo fotografado, apenas não faz parte da dinâmica." Passa então a explicar novamente a questão do pedreiro Gabriel, que não estava na obra no dia dos fatos e da ação dos policiais nos fundos do edifício, o que só provava que procuraram, sim, um terceiro suspeito.

Depois, o promotor passou a comentar sobre o "barulho da porta de incêndio" que teria batido no décimo primeiro andar do edifício

London. "Essa sugestão é terrível! Chovia e ventava naquele dia. Esse vento poderia ter batido qualquer porta! Mas o defensor insiste! O ladrão teria fugido para cima!"

Rebate, então, a questão do fio de cabelo, parecido com o de Isabella. "Poderia vir voando, esse exame não levaria à consequência alguma, não provaria nada. A defesa deveria ter feito requerimento, se achasse relevante. Calou-se, e hoje traz isso [o fio de cabelo], que fica boiando no plenário, para que os senhores pensem que este caso de 32 volumes e mais de 5.770 páginas poderia ser resolvido com um fio de cabelo!"

Mais uma argumentação da defesa está para ser derrubada, a que se refere à picape barulhenta que fez o casal ficar esperando na garagem. "Vejam como ela está falando a verdade!", bradou o promotor. "Podem ter entrado na garagem juntos, isso não importa, não prova nada", e explica detalhadamente o depoimento do proprietário do veículo, que diz ter feito manobra rápida e rotineira, sem barulho algum.

A seguir, Cembranelli explica a preservação do local, rebatendo o argumento da defesa de que oito policiais teriam entrado no apartamento, prejudicando as provas. "A defesa sugere que pisaram em tudo, mas não existe nenhuma mancha pisada." Faz referência ao depoimento do perito Luiz Eduardo Carvalho Dorea sobre a configuração das manchas de sangue e completa que a afirmação "entrou um batalhão" é "estapafúrdia", não existe no processo. "Nós não temos a gravação da cena, não temos testemunha do crime. A lei no Brasil não exige que o perito descreva milimetricamente o local."

Cembranelli passa rapidamente por outros pontos, como a falta de relevância em saber se a menina foi machucada com chave ou anel, uma vez que se sabia ser objeto romboide, e o depoimento da sra. Geralda Fernandes, que interpreta a frase "Para, papai". "Nem vou perder tempo lendo isso. Ela acaba imaginando coisas."

O promotor explica aos jurados como a defesa vai trabalhar, sugerindo coisas e incutindo dúvidas, pois, se assim for, os réus serão absolvidos em cinco dias, ignorando o conjunto probatório apresentado.

O telão se acende e é mostrada uma fotografia do quarto dos filhos do casal. Sarcasticamente, repete a versão dada por Alexandre e Jatobá, que teriam entrado no quarto, retirado os brinquedos de cima da cama, guardado tudo na caixa, colocado um abajur sobre a cômoda... "Mas está todo bagunçado. Vejam como o edredom foi esticado. A perícia fotografou [o quarto] exatamente como [o] encontrou." Realmente, existem muitos objetos em cima da primeira cama e o edredom está completamente embolado ao pé da segunda.

Agora entra na tela a projeção de uma das provas mais importantes da acusação: a fotografia do quarto de Isabella tal qual foi encontrado no dia do crime, que fala por si só. Ela destrói a versão dos fatos que o pai da vítima apresentou, desnudando uma das primeiras mentiras do processo. "Vejam se isso é cama em que se coloque uma menina para dormir!" A janela está aberta; no entanto, Alexandre afirmou tê-la fechado. Mas Isabella não foi atirada dali; portanto, quem teria aberto a janela e com que objetivo? O travesseiro está fora da cama, em cima de um baú, enquanto em seu lugar há um rolo decorativo. Há uma boneca na parte superior da cama, outra nos pés. O mais impressionante: uma folha de papel desenhada aberta no meio do móvel, sobre a colcha completamente esticada. A impressão nítida é que a menina teria desenhado sábado à tarde e deixado ali sua arte. "Onde está o que o réu disse que fez? Essa cama nunca foi utilizada naquele dia!" Uma imagem pode valer mais do que mil palavras. O promotor segue contrapondo a versão do réu ao que se vê ali, mostrando que a dinâmica apresentada não poderia acontecer. Se a menina estivesse na cama e acordasse de repente, não teria por onde sair sem derrubar uma boneca, e do outro lado estava a parede: "Isso prova que ela não foi colocada na cama! Ainda que fosse um pai ausente, veria a situação do quarto!"

As fotografias seguintes mostram aos jurados como foi encontrado o apartamento naquele dia. "Cama do casal revirada! Banheiro com lixo revirado! O quarto das crianças usado da noite anterior! Na sala, vários objetos, até mesa de passar roupa! A cozinha revirada e com gordura. A lavanderia em completa desordem! Ela mesma disse que não havia arrumado a casa! Ela confirma! As camas ficaram do jeito que deixaram!"

O que a perita fez, segundo a acusação, foi uma análise de comportamento a partir da cena do crime para compará-la à versão dos suspeitos e verificar se era possível ser inserida a dinâmica apresentada. "Se o *Criminal Minds* [seriado de TV norte-americano] faz, é sensacional; se a nossa perita faz, é ridicularizada!"

Cembranelli prossegue, explicando aos jurados que nunca disse que o crime foi premeditado e que 75% dos crimes não o são. Em geral, os que ocupam a cadeira dos réus saem para beber e cometem delitos ocasionais, não são bandidos, mas sob pressão podem praticar crimes — são "criminosos fortuitos". Exemplifica, dizendo que Jatobá nunca planejou jogar o bebê no berço por causa de um telefonema da mãe de Isabella ou ter brigas de grandes proporções. "Ela não planejou se autoferir [sic]. Estava em meio a um desentendimento e não freou o comportamento." E continua, descrevendo o instável relacionamento do casal, dizendo que Jatobá sabia da semelhança de Isabella com a "rival", que as diversas brigas estão no processo e que Ana Carolina Oliveira era quem mais conhecia essas pessoas, pois as avós mantinham relacionamento estreito. "A análise do comportamento emocional de um e de outro explica. São 'criminosos ocasionais'!" O promotor cita Pimenta Neves[1] como criminoso ocasional. Também fornece a estatística norte-americana segundo a qual mais de 90% das agressões contra crianças são de autoria de pessoas da família.

Cembranelli faz referência ao depoimento do vizinho Paulo César Colombo, que ouvia, de sua casa, Jatobá sempre chamar Ana Carolina Oliveira de "vagabunda" e outros xingamentos. "Fica fácil vir aqui e desenhar coraçãozinho na parede do box."

O promotor passa a descrever o perfil de Anna Carolina Jatobá, alvo de violência desde a adolescência, chegando ao ponto de registrar dois Boletins de Ocorrência contra o pai, uma escrava em casa que, sem empregada, lavava, passava, arrumava e cozinhava, tudo sozinha, além de cuidar de duas crianças. Fala também do estresse diário ao qual a ré era submetida e como estava deprimida após o nascimento do segundo filho. "Ela era um barril de pólvora que vivia explodindo. Poderia tranquilamente explodir contra Isabella." Em contraponto, descreve o perfil de Ana Carolina Oliveira, refazendo a vida, com independência financeira e emocional, tendo Isabella como um anjo, amada pela família. "Isabella era a cópia em miniatura de Carol Oliveira."

"Não me venha com essa história de feliz e madura depois de Pietro nascer", continua Cembranelli. "Em um mês que morava no [edifício] London, todos já conheciam sua voz! As brigas de fim de semana tinham um único motivo: o ciúme doentio que tinha da mãe de Isabella jogou sua fúria sobre a menina! Aí fica simples criticar a imprensa... Os senhores seriam o braço forte da vingança. Esse processo foi milimetricamente construído..."

Podval interrompe, dizendo que, ao falar isso, se referiu ao trabalho de Cembranelli, que segue sem responder: "Eu estava pronto para fazer este julgamento no final de 2008. Se algum dos inúmeros *habeas corpus* fosse acolhido e os réus fossem soltos, este julgamento

---

[1] Antônio Marcos Pimenta Neves, jornalista e ex-diretor de redação do jornal *O Estado de S. Paulo*, em agosto de 2000, matou, com dois tiros pelas costas, sua ex-namorada, a também jornalista Sandra Gomide. Primeiramente, Pimenta Neves foi condenado por júri popular a dezenove anos e dois meses de reclusão em primeira instância, mas a pena foi reduzida para dezoito anos pelo Tribunal de Justiça de São Paulo. Atualmente, o jornalista cumpre pena em liberdade.

aconteceria no final de 2016! Para cair no esquecimento! Foram recursos e mais recursos, todos negados por unanimidade". Novamente, o promotor analisa o perfil psicológico de Jatobá, descrevendo-a como alguém que jogava o bebê na cama e quebrava vidraças. Ironiza também a declaração feita pelo advogado de que a ré levava a menina para tomar sorvete com a amiga, alegando que Isabella representava a própria Ana Carolina Oliveira. Refere-se ao laudo pericial, observando que a prova construída no processo atualmente é referência para todos os institutos de criminalística do Brasil, apesar de a defesa ter "importado" profissionais para desqualificar os peritos e legistas. "Aqui pode desconstruir as provas, mas mostrar as agressões não pode? O contrário não pode. Desqualificar o dr. Calixto, a delegada, o promotor. Ainda tive que ouvir isso hoje." E volta a reafirmar que a motivação do crime, para Jatobá, seria o ciúme, usando o depoimento do mesmo vizinho de parede para mostrar que Isabella já tinha sua própria personalidade, como quando confundiram Jatobá com sua mãe e a menina respondeu "Ela não é minha mãe!".

"Não vamos negar o óbvio, jurados! Uma menina de 5 anos de idade que ouve a mãe ser chamada de vagabunda todo dia? Não me venha a defesa aqui mostrar que são pessoas simplórias! A ré era estressada, um barril de pólvora!"

Cembranelli começa a mostrar, com rapidez e precisão, tudo aquilo que considera "as mentiras dos réus". Começa pela tentativa de incriminar Valdomiro, porteiro negro e pobre. Passa para a tese impossível, a do acidente. Quem teria posto a tesoura em cima da pia de novo? Isabella não tinha a altura necessária para cortar a tela da maneira como foi encontrada. Fala ainda das gotas de sangue e da altura de que caíram; sobre o vômito na camiseta da menina, provocado por asfixia; o fato de a menina não estar onde o pai disse que estava; também destrói a possibilidade de o autor do crime ser uma terceira pessoa — elenca tantas coisas que é quase impossível anotar tudo, mas a sensação de que as incongruências entre a versão dos réus e a realidade jamais terminarão permanece forte, implacável. Diz que teria mais oito ou dez páginas de contradições para comentar, mas o tempo é insuficiente para tantas mentiras. "A dinâmica [de violência] do Brasil, para a defesa, é mais plausível que a do Instituto de Criminalística de São Paulo."

A acusação não deixa de colocar para os jurados: "Não existe possibilidade de absolver um e condenar o outro. É uma única interpretação do conjunto de provas para os dois. Ou ela vale para ambos os réus, ou não vale para nenhum deles! Não existe meia prova válida para condenar um e meia prova inválida para absolver o outro acusado. São dois condenados ou dois absolvidos. Não existe uma terceira possibilidade".

Aparece então no telão uma nova linha do tempo, dessa vez mais enxuta. A cada horário e ação descrita, Cembranelli repete "Fato! Fato! Fato!" em alto e bom som. A defesa parece rir dessa demonstração, como se soubesse algo novo, mas logo se aquieta quando aparece o último horário, o da morte da menina, que aguardou a mãe chegar ao seu lado para dar o último suspiro, apesar de tão ferida. Abaixo dele, uma singela foto da mãe e da filha num gesto de amor, dando um beijo de um último adeus. A fotografia fica ali, pairando sobre a consciência de todos, enquanto o promotor explica rapidamente os quesitos para os jurados. É encerrada a réplica de forma dramática. E triste.

```
23:30:00 — CELULAR DA RÉ VIBROU
23:36:11 — FORD KA É DESLIGADO
--:--:-- — ... PAPAI, PARA, PARA
23:49:00 — QUEDA (DENÚNCIA)
23:49:59 — COPOM RECEBE LIGAÇÃO
           A. LÚCIO (fim — 23:51:20)
23:50:01 — BOMBEIROS RECEBEM LIGAÇÃO
           J. C. (fim — 23:51:41)
23:50:32 — RÉ LIGA P/ O PAI DO APTO 62
           (fim — 23:50:56)
23:51:09 — RÉ LIGA P/ O SOGRO DO APTO 62
           (fim — 23:51:41)
23:52:13 — COPOM RECEBE LIGAÇÃO
           DE J.C. (fim — 23:53:58)
23:52:50 — RÉ LIGA P/ A. NARDONI (CEL RÉU)
23:55:10 — RÉ LIGA P/ ANA DE OLIVEIRA
23:56:46 — LIGAÇÃO WALDIR P/ BOMBEIROS
23:59:00 — CHEGADA 1ª VIATURA POLICIAL
00:00:00 — CHEGADA DE ANA
           CAROLINA OLIVEIRA
```

```
FOTO DE ISABELLA
E ANA CAROLINA
  DE OLIVEIRA
```

`00:05:00 — CHEGADA 1ª VIATURA BOMBEIROS`

TRÉPLICA

São mais de 20h. Todos exaustos, tantos argumentos expostos. O advogado Roberto Podval tem a responsabilidade de finalizar os trabalhos, de reverter o que ele mesmo dizia ser um resultado anunciado: a condenação do casal Nardoni pelo assassinato de Isabella. Exigiria um dom "além da imaginação" recriar o fato e certamente seria improdutivo escolher agora um discurso lógico para contrapor cada prova. O que ele tinha em mãos eram as dúvidas que poderia levantar, uma vez que um advogado criminalista não tem como ônus a prova da inocência. Cabe a ele esclarecer aos jurados que não se pode condenar sem certeza absoluta da culpa. O direito constitucional da presunção de inocência é um baluarte da democracia e o conceito *in dubio pro reo*, ou seja, na dúvida deve-se beneficiar o réu, seria o grande argumento, afinal. Como disse Voltaire: "É melhor correr o risco de salvar um homem culpado a condenar um inocente".

Podval assumiu o caso em abril de 2009, mais de um ano após o crime. Causa impopular, considerada "já resolvida" pela "grande massa", ele seguiu as sábias palavras de Waldir Troncoso Peres: "O advogado deve acreditar no que faz e ir para o júri com a convicção de que o homem necessita de defesa, porque o valor supremo, do qual todos os outros dependem, é a liberdade". Durante os trabalhos em plenário, chegou a se referir sobre como foi procurado por um pai desesperado, que havia contatado vários advogados sem sucesso. Nenhum aceitou defender a causa de seu filho e de sua nora por razões variadas e que não foram expostas.

Levanta-se para fazer a sua tréplica como quem carrega o mundo nas costas. A plateia percebeu, durante todo o júri, que Roberto Podval realmente tinha dúvidas, acreditava em seus clientes, balançava a cabeça constantemente, como se nenhuma resposta lhe desse a certeza absoluta de que os réus não mereciam o benefício da dúvida. Trouxe dignidade a uma defesa anteriormente tantas vezes criticada e ridicularizada, procurou esclarecimentos, lutou bravamente sem julgar o crime, pelo direito ao direito de defesa.

Podval inicia questionando se a avaliação psicológica que foi feita do casal durante os debates seria a prova de que são culpados, de que Jatobá esganou Isabella, asfixiando-a, e Alexandre a atirou pela janela. Contrariando o que disse o promotor, afirma não ter ridicularizado ou maltratado ninguém, mas que não acredita nessa prova. Lê para os jurados o parecer médico-legal 053/2008, elaborado pelos três médicos-legistas do IML, em que explicam a evolução gradual da violência. "A criança que chega a óbito ou é vítima de uma lesão muito grave decorrente de práticas de maus-tratos dentro do ambiente doméstico, quase sem exceção, já vinha sofrendo agressões anteriores de porte mais leve, que, entretanto, foram evoluindo para uma intensidade mais severa." E esclarece que esse é um histórico de pai e madrasta que batiam na criança e um dia a mataram, questionando: "Aqui não havia nenhum histórico de violência. Ela brigava, xingava, dizia que 'para incomodar ele eu grito'!". Informa que vários familiares e conhecidos foram trazidos em juízo para falar sobre o bom histórico dos dois e passa a citar uma lista de vizinhos que nunca viram qualquer atitude violenta do casal em relação aos filhos, como o do próprio Paulo César Colombo, quando disse que "Isabella costumava passar os finais de semana na casa do pai Alexandre, com a madrasta Anna Carolina e os dois meios-irmãos; que nunca viu Alexandre maltratar Isabella; que nunca viu Anna [Jatobá] maltratar Isabella; que nunca presenciou o casal Alexandre e Anna [Jatobá] bater nos filhos". Também cita o depoimento do vizinho Alexandre de Lucca, segundo o qual "nunca presenciou agressões de Anna [Jatobá] para com os filhos e nem mesmo para com a menina e nem mesmo gritos desta com as crianças", e outros com o mesmo teor.

Em seguida, descreve a situação caótica no térreo do edifício London, na hora da queda, por meio do depoimento do policial militar Jovenaldo, que descreveu em seu depoimento: "Havia várias pessoas transtornadas e desesperadas no local" e que "pessoas queriam tentar aproximar-se do corpo e a preocupação do depoente era afastar as pessoas do local, determinando que esperassem a chegada da Unidade de Resgate". "Qual a situação? Ela disse que nem conseguia se lembrar o telefone do pai para avisar!" E questiona o depoimento da perita Rosângela Monteiro, sobre Jatobá ter falado ao telefone sem fio ao mesmo tempo que limpava as manchas de sangue. "Eu não ouvi falar das duas crianças! A mãe ao telefone, limpando o chão, e as crianças? Elas não aparecem durante a animação gráfica porque eles não sabem onde elas estavam!"

Podval argumenta que a agressividade relatada nas brigas de casal ou com as crianças não tem registro em lugar algum, apenas são contados por Ana Carolina Oliveira, que ouviu de Rosa, que ouviu de Cida... "Nenhum vizinho falou isso, não há nos autos nenhuma afirmação de agressão."

Depois, chama atenção para a frase imputada a Alexandre, que ensinaria a filha a beliscar de volta quando fosse beliscada, mas ressalta: "Não é assim que se educa, mas daí a 'tirar' que a mataram?". Destaca ainda o depoimento da vizinha do apartamento 71, um andar acima do local e do lado oposto, que diz "que naquela noite não ouviu choro ou gritos de criança, nem discussões".

Podval passa então a falar novamente sobre a inexistência do exame de material genético de Isabella sob as unhas dos réus. "Isso desmoraliza toda a perícia? Não, isso absolveria um, ou outro, ou os dois! O exame não foi feito — erraram! Foi uma loucura esse caso se transformar em um monstro, o grande caso Isabella! Aí chega aqui, faz uma análise comportamental, daí ela matou uma criança e ele jogou pela janela? Este é o julgamento do século? A prova é essa? Acho muito perigoso! Gente, pelo amor de Deus, olhem para sua família, alguém pode te pôr na cadeia porque seu comportamento é mais ou menos agressivo? O que vimos aqui? Monstros? Não. Vimos o cotidiano do Brasil: uma família que briga, grita, fala alto, nada de diferente do dia a dia de todos nós. A vida tão conturbada quanto a de tantos e tantos brasileiros..."

A defesa passa a explicar suas dúvidas quanto aos testes efetuados com a tela de proteção, colocando em xeque a declaração da perita segundo a qual, caso a boneca fosse jogada por quinze vezes na reprodução simulada, haveria quinze resultados diferentes de queda. Coloca também em dúvida o tamanho do buraco na tela e as marcas da camiseta, alegando que nunca tiraram as medidas de Alexandre para que o exame fosse feito; usaram proporção aleatória. "E esse vai ser o exame responsável por levar alguém para a prisão sabe-se lá por quanto tempo? Aí ela olha e diz 'Nunca vi ele [Alexandre Nardoni], mas olhando agora...' Isso não é sério! Me assusta! Vai comparar com os Estados Unidos! Um teste feito em cima de uma mesa, quando lá era cama, o colchão é mole, como eu vou saber? Nem mediram [o réu], ela [o] olhou aqui. Vamos condenar as pessoas assim? Não me sinto confortável."

Podval critica também o "segredo" que se teria feito sobre a intimação de Luiz Eduardo Carvalho Dorea, perito em manchas de sangue. "Eles trouxeram o professor que parece ser o mais ilustre sobre gotas de sangue. Fizeram maldade!" Refere-se ao fato de o nome da testemunha aparecer apenas como Luiz E. Carvalho e que, se soubesse de quem se tratava, teria lido seu livro. "Minha sorte é que a dra. Roselle [Soglio] conhecia!" Passa então a discorrer sobre o depoimento do perito, quando foi perguntado sobre a altura da gota de sangue encontrada no parapeito da janela de onde Isabella foi jogada. Essa mancha é diferente das outras porque a menina está sendo segurada a uma distância menor do parapeito do que aquela anterior, que era em relação ao chão. Quando Podval recorre à resposta do professor no depoimento, que seria sobre a velocidade do movimento pelo qual teria sido produzida, fica confuso entender o que queria demonstrar. Não fica dúvida sobre o conhecimento do perito, ou a validade da perícia paulista, e sim sobre o que a defesa acreditava ter sido algum possível erro.

A próxima dúvida é lançada ainda sobre as manchas de sangue. "Causou-me estranheza. Com todo esse sangue encontrado no apartamento, Alexandre foi mostrado carregando Isabella, ela tinha sangue na mão. A pergunta do jurado para a perita foi: 'Encontraram algum sangue na roupa dele ou dela?'. E a resposta foi: 'Não'. Não pingou nada. Que estranho, tinha sangue no apartamento inteiro e não pingou neles? Não tinha nada de sangue, o único local era no sapato de Anna Jatobá, que nem estava lá, desceu descalça! Estranho imaginar o que possa ter acontecido..."

Podval lê o depoimento de Roberto Denis Saugo, vizinho do apartamento 113, no qual afirmou ter visto a ré descalça no dia e no local dos fatos. "A roupa dele não tinha que ter alguma coisa, um pingo, uma gota de sangue? Ele não merece a dúvida da inocência?"

Por fim, constatando que todos ali estavam bastante cansados, faz um questionamento geral: "Nosso sistema brasileiro é isso? Não posso condenar pessoas pelo comportamento delas, mas as pessoas lá fora clamam". O advogado passa a criticar a imprensa e sua forma de conduzir o caso, criando uma verdadeira armadilha para os réus e para os próprios jurados, pressionados pela população. "A gente nunca saberá o que realmente aconteceu, este caso é isso. Não posso condenar se o comportamento não é bom, isso [isto é, absolver] é justiça, isso é segurança para todos nós! Veja como as coisas não são necessariamente como parecem ser..."

Nesse momento, Podval e sua equipe viram para os jurados o painel já escrito, também com uma linha do tempo, contendo alguns horários diferentes de ligações para o Copom feitas pelo sr. Antônio Lúcio, como o das fls. 204 que marcaria 23h52 e o das fls. 321, marcando 23h49m59s, podendo-se constatar uma diferença de "três" minutos (na verdade dois) entre elas. "Vale a primeira ou a segunda?", pergunta o advogado. Cembranelli, sentado, apenas levanta os olhos e esclarece: "É a degravação que está com horário alinhado com o satélite. Vale a degravação (23h49m59s)". Podval continua a marcar números de folhas e horários diferentes para as ligações, questionando se era possível dizer que os relógios eram iguais. Cembranelli, em atitude bastante tranquila, mostrando a todos que aquilo não tinha nenhuma importância, comenta, a respeito da diferença entre as marcações de tempo, que por vezes chegavam a quatro minutos. "Ouviram o barulho, olharam pela janela e então deixaram passar quatro minutos? O senhor está tentando confundir os jurados." Podval estava colocando no quadro os horários da degravação misturados àqueles de retransmissão pelo próprio Copom. "Dá pra colocá-los na cena do crime com essas diferenças? O que aconteceu nesse caso, e agora vai acabar, foi muito bem demonstrado no filme *A Onda*, em que as pessoas compraram uma ideia e foram passando de uma para a outra, em um crescente!" Podval se refere a um filme alemão sobre uma história real norte-americana em que um professor, ao fazer uma "experiência autocrática" com seus alunos, perde o controle da situação pela amplitude que o jogo alcança, resultando em uma tragédia. "Por que o caso Isabella virou um caso diferente? Por quê, do cotidiano, virou uma onda? O que aconteceu aqui? Cesare Lombroso[2] diz que ela tem jeito de assassina? Não há prova! Vocês condenarão sem prova? Eles não merecem a dúvida da inocência? Peço a absolvição dos réus por absoluta falta de provas!"

Podval prossegue: "Eu não menosprezo, não sou insensível com cada um dos profissionais que [trabalharam] neste caso, ninguém queria prejudicá-los, ninguém é louco. O negócio sai de volume, perdeu a medida! Só a dra. Rosângela [Monteiro]; arrogante ela é, vai!", diz em tom de brincadeira. "Mas ninguém fez de propósito. É natural, é assim que as pessoas são. Seria sensato duvidar de [Paulo] Tieppo? Não tenho capacidade de discutir. Não fez de propósito, mas errou, esqueceu. Alguém é culpado, há organização para te machucar? Não!"

O advogado agora para diante do promotor e lhe diz: "Dr. Cembranelli, me sinto incomodado com a citação que fiz contra o senhor. Nem me caberia ter trazido. Tenho o maior respeito e admiração pelo senhor e pela sua postura, sua crença na culpa deles; ainda que equivocada, o senhor acredita [nessa culpa]. O senhor não buscava a 'eles' [sic], buscava sua verdade". E continua, agora explicando para a plateia

---

[2] Cientista italiano (1835-1909), famoso por seus estudos e suas teorias sobre antropologia criminal, campo que alega haver uma predisposição ao crime em indivíduos que possuam certas características físicas. Apesar da grande influência das pesquisas de Lombroso no Brasil e no mundo durante o final do século XIX, hoje em dia suas teorias são cientificamente desacreditadas.

que o promotor de Justiça não perseguiu pessoalmente Alexandre Alves Nardoni ou Anna Carolina Trotta Peixoto Jatobá. "Ele estava no papel dele, acreditou e acredita no que veio buscar. Não tenho a menor dúvida de tudo o que o senhor fez, é duro para todos nós, todo mundo se machuca. De coração", diz Podval, e coloca as mãos no próprio coração, "fez seu papel com a maior correção. Mas faltam elementos! Eu termino como comecei, não digo em pé de igualdade, [mas] eu me espelho no senhor para fazer mais júris."

Apenas 45 minutos após ter iniciado a tréplica, Podval encerra os debates. Escolheu falar por menos tempo e assim causar maior impacto? Percebeu o cansaço dos jurados? Muitos ficaram espantados com o término inesperado de suas palavras.

Maurício Fossen, o juiz, lê os quesitos que os jurados votarão na sala secreta e explica os procedimentos. Os réus estão sentados — ele como quem reza, ela passando as mãos no rosto; ele esfregando a testa com a ponta dos dedos, ela assoando o nariz. Uma das juradas escreve sem parar. O clima é opressivo.

Antônio Nardoni fixa um sorriso no rosto e se mostra confiante com tudo o que ouviu. Podval fica em seu lugar, girando a caneta entre os dedos. Cembranelli baixa o olhar. Alexandre e Ana Lúcia Jatobá passam a rezar em sussurros.

O juiz termina a leitura às 21h11 e pede para que seja esvaziado o plenário. Todos começam a sair em silêncio.

Permaneci por mais algum tempo na minha poltrona, sabendo que ainda aguardaríamos um bom tempo pela sentença. Dois anos tinham se passado desde o crime. Fico me lembrando do quanto, entre colegas da área de direito e criminalística, tentamos argumentar "pela defesa", na tentativa de desmontar a prova. Nunca deu certo. A prova, desta vez, foi a testemunha.

EPÍLOGO

Era uma vez...

Dois jovens, no fim da adolescência, que na aventura do amor fizeram brotar uma menina-flor. Ela chega com todo o tumulto que uma história assim traz e, em meio ao turbilhão da vida nova, o casal se desfaz. Cada um recompõe sua vida, o pai tem novo amor, novo lar. A filha vai, a filha vem. E, como em tantos lares, é projeção do obstáculo à felicidade para essa nova composição. Filho não se devolve, enfrenta-se a situação quinzenalmente. O perfil do novo casal é claro: confusões são constantes, cenas estapafúrdias a granel. A "gratidão", nesse caso a dependência total, emocional e financeira, pode levar a patamares de raiva impensáveis. Ela depende dele, vive sob controle absoluto. Ele depende do pai, vive sob controle absoluto. Até que tudo sai de controle para todos. Tragédias acontecem, às vezes de forma tão rápida que só pensamos nas consequências quando elas já estão diante de nós. Temos que enfrentar os resultados das escolhas que fazemos. Não há caminho de volta. Aguardando o veredito, só o que vejo são vidas destruídas e destinos pendurados no varal.

Nos corredores do fórum, na hora que se seguiu, todos rezam pelo resultado que o beneficia. A encruzilhada se apresenta para os que de alguma forma se envolveram nesse processo; cada um espera ter comprovado a própria verdade. A verdade, multifacetada, depende de que lado nos é apresentada. Cada um escreveu aquilo que viveu com seu olhar, seus anseios, suas limitações, suas apreensões, suas histórias passadas; cada um seguiu com um arsenal próprio de emoções.

A maior parte da minha hora se desenrola com Daniela Sollberger Cembranelli, companheira de jornada. A esta defensora cabem as palavras de Manoel Pimentel: "O advogado deve ter a coragem do leão e a mansidão do cordeiro; a altivez do príncipe e a humildade do escravo; a rapidez do relâmpago e a persistência do pingo d'água; a solidez do carvalho e a flexibilidade do bambu". É assim que ela é. Olhamos uma para a outra e repetimos: "Vai passar, seja qual for o resultado, vai passar. Ainda vamos olhar para trás..."

A hora que esperamos é eterna, o desfecho se avizinha. Foi feito todo o possível. Fizemos as escolhas certas? Só o futuro dirá. E, como disse Arthur Lavigne, no júri que condenou a assassina de Daniella Perez: "A verdade tem muita força, ela sai por todas as frestas".

Uma fila silenciosa se forma na porta do plenário; vamos entrar para ouvir a sentença. O momento é solene, sombrio. Os pés se arrastam delicadamente pelo chão; o som é de funeral; o silêncio, ensurdecedor. Os lugares estão marcados e, a essa altura, as cartas também. Os réus são trazidos; pela primeira vez, os vemos algemados, escancarados, desnudos, desalentados. A esperança também se mantém suspensa.

Estou assombrada. Que história mais triste. Sinto uma aflição imensa. Crimes de família não são como crimes comuns, do cotidiano, da vida mundana, da maldade caricata. Crimes de família são feito sacrilégios — rompem a última barreira, tornando-se insuportáveis, intoleráveis, incompreensíveis, impensáveis.

O juiz começa a se manifestar. Suas palavras finais ressoam na rua pelos alto-falantes. Abaixo os olhos ao ver esse casal indo para o exílio da vida. Condenado pela lei dos homens. Ou pela sociedade. Ou por ambos. Ou por todos. Com um medo quase palpável de um futuro mais triste que o presente.

O povo na rua ora grita por justiça, ora aguarda em silêncio, em uma dança demoníaca e insana dos cegos de paixão, paixão pela justiça idealizada, por uma verdade única e incontestável, indiferente ao abstrato impossível de seu objetivo.

Vem a condenação, em uma longa mensagem, assimilada aos poucos, mas que, antes que termine, se dissipa: já levou cada um ali presente para longe, com seus próprios pensamentos. Cada réu condenado ao tempo de prisão equivalente à sua idade, como se ambos tivessem que viver com a pena pelo mesmo tempo que viveram livres dela. *Maktub*. Está escrito.

História de júri não tem final feliz. Dentro do plenário, um silêncio sepulcral. Lá fora, já era carnaval.

PODER JUDICIÁRIO
SÃO PAULO

2º TRIBUNAL DO JÚRI DA COMARCA DA CAPITAL FÓRUM REGIONAL DE SANTANA
Processo Nº 274/08
Réus: ALEXANDRE ALVES NARDONI E ANNA CAROLINA TROTTA P. JATOBÁ

VISTOS.

    1. **ALEXANDRE ALVES NARDONI E ANNA CAROLINA TROTTA PEIXOTO JATOBÁ**, qualificados nos autos, foram denunciados pelo Ministério Público porque no dia 29 de março de 2.008, por volta de 23:49 horas, na rua Santa Leocádia, Vila Isolina Mazei, nesta Capital, agindo em concurso e com identidade de propósitos, teriam praticado crime de homicídio triplamente qualificado pelo meio cruel (asfixia mecânica e sofrimento intenso), utilização de recurso que impossibilitou a defesa da ofendida (surpresa na esganadura e lançamento inconsciente pela janela) e com o objetivo de ocultar crime anteriormente cometido (esganadura e ferimentos praticados anteriormente contra a mesma vítima) contra a menina **ISABELLA OLIVEIRA NARDONI**.

    Aponta a denúncia também que os acusados, após a prática do crime de homicídio referido acima, teriam incorrido também no delito de fraude processual, ao alterarem o local do crime com o objetivo de inovarem artificiosamente o estado do lugar e dos objetos ali existentes, com a finalidade de induzir a erro o juiz e os peritos e, com isso, produzir efeito em processo penal que viria a ser iniciado.

    2. Após o regular processamento do feito em Juízo, os réus acabaram sendo pronunciados, nos termos da denúncia, remetendo-se a causa assim a julgamento ao Tribunal do Júri, cuja decisão foi mantida em grau de recurso.

    3. Por esta razão, os réus foram então submetidos a julgamento perante este Egrégio 2º Tribunal do Júri da Capital do Fórum Regional de Santana, após cinco dias de trabalhos, acabando este Conselho Popular, de acordo

com o termo de votação anexo, reconhecendo que os acusados praticaram, em concurso, um crime de homicídio contra a vítima Isabella Oliveira Nardoni, pessoa menor de 14 anos, triplamente qualificado pelo meio cruel, pela utilização de recurso que dificultou a defesa da vítima e para garantir a ocultação de delito anterior, ficando assim afastada a tese única sustentada pela Defesa dos réus em Plenário de negativa de autoria.

Além disso, reconheceu ainda o Conselho de Sentença que os réus também praticaram, naquela mesma ocasião, o crime conexo de fraude processual qualificada.

É a síntese do necessário.

FUNDAMENTAÇÃO.

4. Em razão dessa decisão, passo a decidir sobre a pena a ser imposta a cada um dos acusados em relação a este crime de homicídio pelo qual foram considerados culpados pelo Conselho de Sentença.

Uma vez que as condições judiciais do art. 59 do Código Penal não se mostram favoráveis em relação a ambos os acusados, suas penas-base devem ser fixadas um pouco acima do mínimo legal.

Isto porque a culpabilidade, a personalidade dos agentes, as circunstâncias e as consequências que cercaram a prática do crime, no presente caso concreto, excederam a previsibilidade do tipo legal, exigindo assim a exasperação de suas reprimendas nesta primeira fase de fixação da pena, como forma de reprovação social à altura que o crime e os autores do fato merecem.

Com efeito, as circunstâncias específicas que envolveram a prática do crime ora em exame demonstram a presença de uma frieza emocional e uma insensibilidade acentuada por parte dos réus, os quais após terem passado um dia relativamente tranquilo ao lado da vítima, passeando com ela pela cidade e visitando parentes, teriam, ao final do dia, investido de forma covarde contra a mesma, como se não possuíssem qualquer vínculo afetivo ou emocional com ela, o que choca o sentimento e a sensibilidade do homem médio, ainda mais porque o conjunto probatório trazido aos autos deixou bem caracterizado que esse desequilíbrio emocional demonstrado pelos réus constituiu a mola propulsora para a prática do homicídio.

De igual forma relevante as consequências do crime na presente hipótese, notadamente em relação aos familiares da vítima.

Porquanto não se desconheça que em qualquer caso de homicídio consumado há sofrimento em relação aos familiares do ofendido, no caso específico destes autos, a angústia acima do normal suportada pela mãe da criança

Isabella, Srª Ana Carolina Cunha de Oliveira, decorrente da morte da filha, ficou devidamente comprovada nestes autos, seja através do teor de todos os depoimentos prestados por ela nestes autos, seja através do laudo médico-psiquiátrico que foi apresentado por profissional habilitado durante o presente julgamento, após realizar consulta com a mesma, o que impediu inclusive sua permanência nas dependências deste Fórum, por ainda se encontrar, dois anos após os fatos, em situação aguda de estresse (F43.0 — CID 10), face ao monstruoso assédio a que a mesma foi obrigada a ser submetida como decorrência das condutas ilícitas praticadas pelos réus, o que é de conhecimento de todos, exigindo um maior rigor por parte do Estado-Juiz quanto à reprovabilidade destas condutas.

A análise da culpabilidade, das personalidades dos réus e das circunstâncias e consequências do crime, como foi aqui realizado, além de possuir fundamento legal expresso no mencionado art. 59 do Código Penal, visa também atender ao princípio da individualização da pena, o qual constitui vetor de atuação dentro da legislação penal brasileira, na lição sempre lúcida do professor e magistrado Guilherme de Souza Nucci:

"Quanto mais se cercear a atividade individualizadora do juiz na aplicação da pena, afastando a possibilidade de que analise a personalidade, a conduta social, os antecedentes, os motivos, enfim, os critérios que são subjetivos, em cada caso concreto, mais cresce a chance de padronização da pena, o que contraria, por natureza, o princípio constitucional da individualização da pena, aliás, cláusula pétrea" (Individualização da Pena, Ed. RT, 2. ed., 2007, pág. 195).

Assim sendo, frente a todas essas considerações, majoro a pena-base para cada um dos réus em relação ao crime de homicídio praticado por eles, qualificado pelo fato de ter sido cometido para garantir a ocultação de delito anterior (inciso V, do parágrafo segundo do art. 121 do Código Penal) no montante de 1/3 (um terço), o que resulta em 16 (dezesseis) anos de reclusão, para cada um deles.

Como se trata de homicídio triplamente qualificado, as outras duas qualificadoras de utilização de meio cruel e de recurso que dificultou a defesa da vítima (incisos III e IV, do parágrafo segundo do art. 121 do Código Penal), são aqui utilizadas como circunstâncias agravantes de pena, uma vez que possuem previsão específica no art. 61, inciso II, alíneas "c" e "d" do Código Penal.

Assim, levando-se em consideração a presença destas outras duas qualificadoras, aqui admitidas como circunstâncias agravantes de pena, majoro as reprimendas fixadas durante a primeira fase em mais ¼ (um quarto), o que resulta em 20 (vinte) anos de reclusão para cada um dos réus.

Justifica-se a aplicação do aumento no montante aqui estabelecido de ¼ (um quarto), um pouco acima do patamar mínimo, posto que tanto a qualificadora do meio cruel foi caracterizada na hipótese através de duas ações autônomas (asfixia e sofrimento intenso), como também em relação à qualificadora da utilização de recurso que impossibilitou a defesa da vítima (surpresa na esganadura e lançamento inconsciente na defenestração).

Pelo fato do corréu Alexandre ostentar a qualidade jurídica de genitor da vítima Isabella, majoro a pena aplicada anteriormente a ele em mais 1/6 (um sexto), tal como autorizado pelo art. 61, parágrafo segundo, alínea "e" do Código Penal, o que resulta em 23 (vinte e três) anos e 04 (quatro) meses de reclusão.

Como não existem circunstâncias atenuantes de pena a serem consideradas, torno definitivas as reprimendas fixadas acima para cada um dos réus nesta fase.

Por fim, nesta terceira e última fase de aplicação de pena, verifica-se a presença da qualificadora prevista na parte final do parágrafo quarto, do art. 121 do Código Penal, pelo fato do crime de homicídio doloso ter sido praticado contra pessoa menor de 14 anos, daí porque majoro novamente as reprimendas estabelecidas acima em mais 1/3 (um terço), o que resulta em 31 (trinta e um) anos, 01 (um) mês e 10 (dez) dias de reclusão para o corréu Alexandre e 26 (vinte e seis) anos e 08 (oito) meses de reclusão para a corré Anna Jatobá.

Como não existem outras causas de aumento ou diminuição de pena a serem consideradas nesta fase, torno definitivas as reprimendas fixadas acima.

Quanto ao crime de fraude processual para o qual os réus também teriam concorrido, verifica-se que a reprimenda nesta primeira fase da fixação deve ser estabelecida um pouco acima do mínimo legal, já que as condições judiciais do art. 59 do Código Penal não lhe são favoráveis, como já discriminado acima, motivo pelo qual majoro em 1/3 (um terço) a pena-base prevista para este delito, o que resulta em 04 (quatro) meses de detenção e 12 (doze) dias-multa, sendo que o valor unitário de cada dia-multa deverá corresponder a 1/5 (um quinto) do valor do salário mínimo, uma vez que os réus demonstraram, durante o transcurso da presente ação penal, possuírem um padrão de vida compatível com o patamar aqui fixado.

Inexistem circunstâncias agravantes ou atenuantes de pena a serem consideradas.

Presente, contudo, a causa de aumento de pena prevista no parágrafo único do art. 347 do Código Penal, pelo fato da fraude processual ter sido praticada pelos réus com o intuito de produzir efeito em processo penal ainda não iniciado, as penas estabelecidas acima devem ser aplicadas em dobro, o que resulta numa pena final para cada um deles em relação a este delito de 08 (oito) meses de detenção e 24 (vinte e quatro) dias-multa, mantido o valor unitário de cada dia-multa estabelecido acima.

5. Tendo em vista que a quantidade total das penas de reclusão ora aplicadas aos réus pela prática do crime de homicídio triplamente qualificado ser superior a 04 anos, verifica-se que os mesmos não fazem jus ao benefício da substituição destas penas privativas de liberdade por restritivas de direitos, a teor do disposto no art. 44, inciso I do Código Penal.

Tal benefício também não se aplica em relação às penas impostas aos réus pela prática do delito de fraude processual qualificada, uma vez que as além das condições judiciais do art. 59 do Código Penal não são favoráveis aos réus, há previsão específica no art. 69, parágrafo primeiro deste mesmo diploma legal obstando tal benefício de substituição na hipótese.

6. Ausentes também as condições de ordem objetivas e subjetivas previstas no art. 77 do Código Penal, já que além das penas de reclusão aplicadas aos réus em relação ao crime de homicídio terem sido fixadas em quantidades superiores a 02 anos, as condições judiciais do art. 59 não são favoráveis a nenhum deles, como já especificado acima, o que demonstra que não faz jus também ao benefício da suspensão condicional do cumprimento de nenhuma destas penas privativas de liberdade que ora lhe foram aplicadas em relação a qualquer dos crimes.

7. Tendo em vista o disposto no art. 33, parágrafo segundo, alínea "a" do Código Penal e também por ter o crime de homicídio qualificado a natureza de crimes hediondos, a teor do disposto no artigo 2o, da Lei n 8.072/90, com a nova redação que lhe foi dada pela Lei n. 11.464/07, os acusados deverão iniciar o cumprimento de suas penas privativas de liberdade em regime prisional **FECHADO**.

Quanto ao delito de fraude processual qualificada, pelo fato das condições judiciais do art. 59 do Código Penal não serem favoráveis a qualquer dos réus, deverão os mesmos iniciar o cumprimento de suas penas privativas de liberdade em relação a este delito em regime prisional **SEMIABERTO**, em consonância com o disposto no art. 33, parágrafo segundo, alínea "c" e seu parágrafo terceiro, daquele mesmo Diploma Legal.

8. Face à gravidade do crime de homicídio triplamente qualificado praticado pelos réus e à quantidade das penas privativas de liberdade que ora lhes foram aplicadas, ficam mantidas suas prisões preventivas para garantia da ordem pública, posto que subsistem os motivos determinantes de suas custódias cautelares, tal como previsto nos arts. 311 e 312 do Código de Processo Penal, devendo aguardar detidos o trânsito em julgado da presente decisão.

Como este Juízo já havia consignado anteriormente, quando da prolação da sentença de pronúncia — respeitados outros entendimentos em sentido diverso — a manutenção da prisão processual dos acusados, na visão deste julgador, mostra-se realmente necessária para garantia da ordem pública, objetivando acautelar a credibilidade da Justiça em razão da gravidade do crime, da culpabilidade, da intensidade do dolo com que o crime de homicídio foi praticado por eles e a repercussão que o delito causou no meio social, uma vez que a prisão preventiva não tem como único e exclusivo objetivo prevenir a prática de novos crimes por parte dos agentes, como exaustivamente tem sido ressaltado pela doutrina pátria, já que evitar a reiteração criminosa constitui apenas um dos aspectos desta espécie de custódia cautelar.

Tanto é assim que o próprio Colendo Supremo Tribunal Federal já admitiu este fundamento como suficiente para a manutenção de decreto de prisão preventiva:

> **HABEAS CORPUS. QUESTÃO DE ORDEM. PEDIDO DE MEDIDA LIMINAR. ALEGADA NULIDADE DA PRISÃO PREVENTIVA DO PACIENTE. DECRETO DE PRISÃO CAUTELAR QUE SE APÓIA NA GRAVIDADE ABSTRATA DO DELITO SUPOSTAMENTE PRATICADO, NA NECESSIDADE DE PRESERVAÇÃO DA "CREDIBILIDADE DE UM DOS PODERES DA REPÚBLICA", NO CLAMOR POPULAR E NO PODER ECONÔMICO DO ACUSADO. ALEGAÇÃO DE EXCESSO DE PRAZO NA CONCLUSÃO DO PROCESSO.**
>
> *O plenário do Supremo Tribunal Federal, no julgamento do HC 80.717, fixou a tese de que o sério agravo à credibilidade das instituições públicas pode servir de fundamento idôneo para fins de decretação de prisão cautelar, considerando, sobretudo, a repercussão do caso concreto na ordem pública.* (STF, HC 85298-SP, 1ª Turma, rel. min. Carlos Aires Brito, julg. 29.03.2005).

Portanto, diante da hediondez do crime atribuído aos acusados, pelo fato de envolver membros de uma mesma família de boa condição social, tal situação teria gerado revolta à população não apenas desta Capital, mas de todo o país, que envolveu diversas manifestações coletivas, como fartamente divulgado pela mídia, além de ter exigido também um enorme esquema de segurança e contenção por parte da Polícia Militar do Estado de São Paulo na frente das dependências deste Fórum Regional de Santana durante estes cinco dias de realização do presente julgamento, tamanho o número de populares e profissionais de imprensa que para cá acorreram, daí porque a manutenção de suas custódias cautelares se mostra necessária para a preservação da credibilidade e da respeitabilidade do Poder Judiciário, as quais ficariam extremamente abaladas caso, agora, quando já existe decisão formal condenando os acusados pela prática deste crime, conceder-lhes o benefício de liberdade provisória, uma vez que permaneceram encarcerados durante toda a fase de instrução.

Esta posição já foi acolhida inclusive pelo Egrégio Tribunal de Justiça do Estado de São Paulo, como demonstra a ementa de acórdão a seguir transcrita:

> **LIBERDADE PROVISÓRIA — Benefício pretendido — Primariedade do recorrente — Irrelevância — Gravidade do delito — Preservação do interesse da ordem pública — Constrangimento ilegal inocorrente.** (JTJ/Lex 201/275, RSE nº 229.630-3, 2ª Câm. Crim., rel. des. Silva Pinto, julg. em 09.06.97).

O Nobre Desembargador Caio Eduardo Canguçu de Almeida, naquele mesmo voto condutor do v. acórdão proferido no mencionado recurso de "habeas corpus", resume bem a presença dos requisitos autorizadores da prisão preventiva no presente caso concreto:

> *Mas, se um e outro, isto é, se clamor público e necessidade da preservação da respeitabilidade de atuação jurisdicional se aliarem à certeza quanto à existência do fato criminoso e a veementes indícios de autoria, claro que todos esses pressupostos somados haverão de servir de bom, seguro e irrecusável fundamento para a excepcionalização da regra constitucional que presumindo a inocência do agente não condenado, não tolera a prisão antecipada do acusado.*

E, mais à frente, arremata:

> *Há crimes, na verdade, de elevada gravidade, que, por si só, justificam a prisão, mesmo sem que se vislumbre risco ou perspectiva de reiteração criminosa. E, por aqui, todos haverão de concordar que o delito de que se trata, por sua gravidade e característica chocante, teve incomum repercussão, causou intensa indignação e gerou na população incontrolável e ansiosa expectativa de uma justa contraprestação jurisdicional. A prevenção ao crime exige que a comunidade respeite a lei e a Justiça, delitos havendo, tal como o imputado aos pacientes, cuja*

gravidade concreta gera abalo tão profundo naquele sentimento, que para o restabelecimento da confiança no império da lei e da Justiça exige uma imediata reação. A falta dela mina essa confiança e serve de estímulo à prática de novas infrações, não sendo razoável, por isso, que acusados por crimes brutais permaneçam livre, sujeitos a uma consequência remota e incerta, como se nada tivessem feito.

Nessa mesma linha de raciocínio também se apresentou o voto do não menos brilhante Desembargador revisor, Dr. Luís Soares de Mello que, de forma firme e consciente da função social das decisões do Poder Judiciário, assim deixou consignado:

> *Aquele que está sendo acusado, e com indícios veementes, volte-se a dizer, de tirar de uma criança, com todo um futuro pela frente, aquilo que é o maior "bem" que o ser humano possui — "a vida" — não pode e não deve ser tratado igualmente a tantos outros cidadãos de bem e que seguem sua linha de conduta social aceitável e tranquila.*
>
> *E o Judiciário não pode ficar alheio ou ausente a esta preocupação, dês que a ele, em última instância, é que cabe a palavra e a solução.*
>
> *Ora.*
>
> *Aquele que está sendo acusado, "em tese", mas por gigantescos indícios, de ser homicida de sua "própria filha" — como no caso de Alexandre — e "enteada" — aqui no que diz à Anna Carolina — merece tratamento severo, não fora o próprio exemplo ao mais da sociedade.*
>
> *Que é também função social do Judiciário.*
>
> *É a própria credibilidade da Justiça que se põe à mostra, assim.*

Por fim, como este Juízo já havia deixado consignado anteriormente, ainda que se reconheça que os réus possuem endereço fixo no distrito da culpa, posto que, como noticiado, o apartamento onde os fatos ocorreram foi adquirido pelo pai de Alexandre para ali estabelecessem seu domicílio, com ânimo definitivo, além do fato de Alexandre, como provedor da família, possuir profissão definida e emprego fixo, como ainda pelo fato de nenhum deles ostentarem outros antecedentes criminais e terem se apresentado espontaneamente à Autoridade Policial para cumprimento da ordem de prisão temporária que havia sido decretada inicialmente, isto somente não basta para assegurar-lhes o direito à obtenção de sua liberdade durante o restante do transcorrer da presente ação penal, conforme entendimento já pacificado perante a jurisprudência pátria, face aos demais aspectos mencionados acima que exigem a manutenção de suas custódias cautelares, o que, de forma alguma, atenta contra o princípio constitucional da presunção de inocência:

RHC — PROCESSUAL PENAL — PRISÃO PROVISÓRIA — A primariedade, bons antecedentes, residência fixa e ocupação lícita não impedem, por si só, a prisão provisória (STJ, 6ª Turma, v.u., ROHC nº 8566-SP, rel. min. Luiz Vicente Cernicchiaro, julg. em 30.06.1999).

HABEAS CORPUS. HOMICÍDIO QUALIFICADO. PRISÃO PREVENTIVA. ASSEGURAR A INSTRUÇÃO CRIMINAL. AMEAÇA A TESTEMUNHAS. MOTIVAÇÃO IDÔNEA. ORDEM DENEGADA.

1. A existência de indícios de autoria e a prova de materialidade, bem como a demonstração concreta de sua necessidade, lastreada na ameaça de testemunhas, são suficientes para justificar a decretação da prisão cautelar para garantir a regular instrução criminal, principalmente quando se trata de processo de competência do Tribunal do Júri.

2. Nos processos de competência do Tribunal Popular, a instrução criminal exaure-se definitivamente com o julgamento do plenário (arts. 465 a 478 do CPP).

3. Eventuais condições favoráveis ao paciente — tais como a primariedade, bons antecedentes, família constituída, emprego e residência fixa — não impedem a segregação cautelar, se o decreto prisional está devidamente fundamentado nas hipóteses que autorizam a prisão preventiva. Nesse sentido: RHC 16.236/SP, rel. min. Felix Fischer, DJ de 17/12/04; RHC 16.357/PR, rel. min. Gilson Dipp, DJ de 9/2/05; e RHC 16.718/MT, de minha relatoria, DJ de 1º/2/05.

4. Ordem denegada. (STJ, 5ª Turma, v.u., HC nº 99071/SP, rel. min. Arnaldo Esteves Lima, julg. em 28.08.2008).

Ademais, a falta de lisura no comportamento adotado pelos réus durante o transcorrer da presente ação penal, demonstrando que fariam tudo para tentar, de forma deliberada, frustrar a futura aplicação da lei penal, posto que após terem fornecido material sanguíneo para perícia no início da apuração policial e inclusive confessado este fato em razões de recurso em sentido estrito, apegaram-se a um mero formalismo, consistente na falta de assinatura do respectivo termo de coleta, para passarem a negar, de forma veemente, inclusive em Plenário durante este julgamento, terem fornecido aquelas amostras de sangue, o que acabou sendo afastado posteriormente, após nova coleta de material genético dos mesmos para comparação com o restante daquele material que ainda estava preservado no Instituto de Criminalística.

Por todas essas razões, ficam mantidas as prisões preventivas dos réus que haviam sido decretadas anteriormente por este Juízo, negando-lhes assim o direito de recorrerem em liberdade da presente decisão condenatória.

DECISÃO:

9. Isto posto, por força de deliberação proferida pelo Conselho de Sentença que **JULGOU PROCEDENTE** a acusação formulada na pronúncia contra os réus **ALEXANDRE ALVES NARDONI** e **ANNA CAROLINA TROTTA PEIXOTO JATOBÁ**, ambos qualificados nos autos, condeno-os às seguintes penas:

a) corréu **ALEXANDRE ALVES NARDONI:**

— pena de 31 (trinta e um) anos, 01 (um) mês e 10 (dez) dias de reclusão, pela prática do crime de homicídio contra pessoa menor de 14 anos, triplamente qualificado, agravado ainda pelo fato do delito ter sido praticado por ele contra descendente, tal como previsto no art. 121, parágrafo segundo, incisos III, IV e V c.c. o parágrafo quarto, parte final, art. 13, parágrafo segundo, alínea "a" (com relação à asfixia) e arts. 61, inciso II, alínea "e", segunda figura e 29, todos do Código Penal, a ser cumprida inicialmente em regime prisional **FECHADO**, sem direito a "sursis";

— pena de 08 (oito) meses de detenção, pela prática do crime de fraude processual qualificada, tal como previsto no art. 347, parágrafo único do Código Penal, a ser cumprida inicialmente em regime prisional **SEMIABERTO**, sem direito a "sursis" e 24 (vinte e quatro) dias-multa, em seu valor unitário mínimo.

b) corré ANNA CAROLINA TROTTA PEIXOTO JATOBÁ:

— pena de 26 (vinte e seis) anos e 08 (oito) meses de reclusão, pela prática do crime de homicídio contra pessoa menor de 14 anos, triplamente qualificado, tal como previsto no art. 121, parágrafo segundo, incisos III, IV e V c.c. o parágrafo quarto, parte final e art. 29, todos do Código Penal, a ser cumprida inicialmente em regime prisional **FECHADO**, sem direito a "sursis";

— pena de 08 (oito) meses de detenção, pela prática do crime de fraude processual qualificada, tal como previsto no art. 347, parágrafo único do Código Penal, a ser cumprida inicialmente em regime prisional **SEMIABERTO**, sem direito a "sursis" e 24 (vinte e quatro) dias-multa, em seu valor unitário mínimo.

10. Após o trânsito em julgado, feitas as devidas anotações e comunicações, lancem-se os nomes dos réus no livro Rol dos Culpados, devendo ser recomendados, desde logo, nas prisões em que se encontram recolhidos, posto que lhes foi negado o direito de recorrerem em liberdade da presente decisão.

11. Esta sentença é lida em público, às portas abertas, na presença dos réus, dos Srs. Jurados e das partes, saindo os presentes intimados.

Plenário II do 2º Tribunal do Júri da Capital, às 00:20 horas, do dia 27 de março de 2.010.

Registre-se e cumpra-se.

MAURÍCIO FOSSEN
Juiz de Direito

Justiça criminal — Fluxograma para o processamento dos crimes de competência do Tribunal de Júri

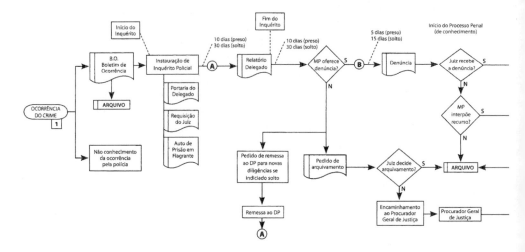

1) Os crimes de competência do Tribunal do Júri, são os dolosos contra a vida, e os conexos a eles. Conexos são os crimes que são julgados na mesma ação penal, por razões circunstanciais.
2) Por ocasião da pronúncia, caso o réu seja reincidente ou tenha maus antecedentes, o juiz poderá decretar sua prisão. É a prisão por pronúncia, modalidade de prisão cautelar.
3) Na decisão de impronúncia não há o que chamamos de julgamento do mérito, podendo ocorrer a propositura de nova ação, se surgirem novas provas. No entanto, quando estiver provada a inexistência do fato ou quando o mesmo não constituir infração penal, não poderá ser proposta nova ação penal.
4) A absolvição sumária própria não alcança os crimes conexos, que serão apreciados após o trânsito em julgado da decisão.
5) Não se tem admitido, numa posição mais garantista e contemporânea, a absolvição imprópria com consequente imposição de medida de segurança, neste momento do processo. Isso porque não há um julgamento propriamente dito na fase de pronúncia, sendo de maior consonância ao princípio da ampla defesa, a aplicação de medida de segurança na fase do julgamento perante o Tribunal do Júri.

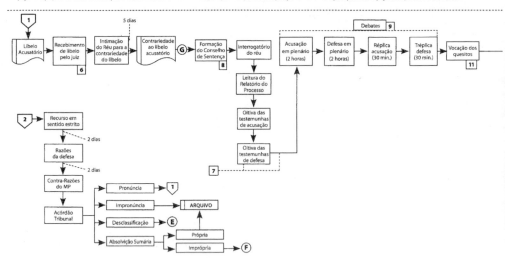

6) Poderá ocorrer o desaforamento, nas hipóteses em que houver dúvida sobre a imparcialidade do juiz, risco para a segurança pessoal do réu, ou quando o julgamento não se realizar no período de 1 ano a contar do recebimento do libelo pelo juiz se tal demora não tiver sido causada pelas partes. Dar-se-á mediante requerimento das partes ou por representação do juiz ao Tribunal.
7) Todos os atos se realizam em uma mesma sessão. Em situações excepcionais, os trabalhos serão interrompidos e o conselho de sentença dissolvido, iniciando-se novo julgamento após a produção de provas ou a realização de diligências necessárias. O conselho também poderá ser dissolvido quando o Réu for considerado indefeso ou quando algum jurado manifestar sua opinião sobre a causa.
8) Na formação do Conselho de Sentença, dar-se-á o sorteio dos jurados que irão compô-lo, em um número de sete. A acusação e a defesa poderão recusar até três jurados cada uma.
9) Havendo mais de um réu em um mesmo julgamento, os prazos serão: 3 horas para acusação e 3 horas para a defesa em plenário; e 1 hora para réplica e 1 hora para tréplica.
10) Após os debates, proceder-se-á a leitura de questionário, que é o conjunto de quesitos que versam sobre o fato criminoso ao Réu imputado e suas circunstâncias.
11) A votação dos quesitos, pelos jurados, ocorre em uma sala secreta, sendo a presença da acusação e defesa permitida, mas sua intervenção vedada. O juiz presidente esclarecerá aos jurados o sentido da votação. Os jurados votarão sigilosamente e suas respostas aos quesitos restringem-se a sim ou não.

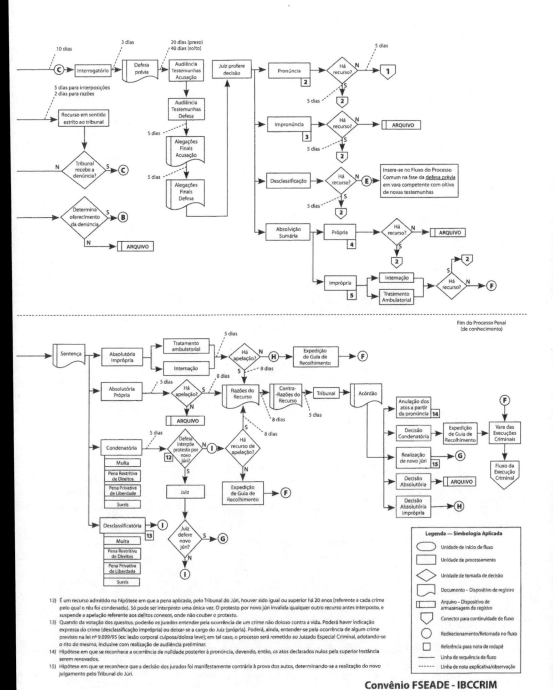

FOTOS DO LAUDO FINAL
DA PERÍCIA

SECRETARIA DA SEGURANÇA PÚBLICA
SUPERINTENDÊNCIA DA POLÍCIA TÉCNICO-CIENTÍFICA
INSTITUTO DE CRIMINALÍSTICA
"PERITO CRIMINAL OCTÁVIO EDUARDO DE BRITO ALVARENGA"
NÚCLEO DE PERÍCIAS EM CRIMES CONTRA A PESSOA

Acima: Maquete do edifício onde moravam Alexandre Nardoni e Ana Carolina Jatobá

Abaixo: Maquete do apartamento do casal utilizada pela acusação no julgamento

SECRETARIA DA SEGURANÇA PÚBLICA
SUPERINTENDÊNCIA DA POLÍCIA TÉCNICO-CIENTÍFICA
INSTITUTO DE CRIMINALÍSTICA
"PERITO CRIMINAL OCTÁVIO EDUARDO DE BRITO ALVARENGA"
NÚCLEO DE PERÍCIAS EM CRIMES CONTRA A PESSOA

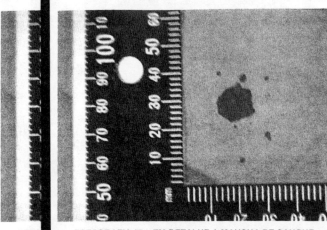

FOTOGRAFIA 35 – EM DETALHE A MANCHA DE SANGUE CONSTATADA NO LENÇOL VERDE, PROJETADA A CERCA DE 1,25 m (UM METRO DE VINTE E CINCO CENTÍMETROS) DE ALTURA, COM RELAÇÃO AO SUPORTE.

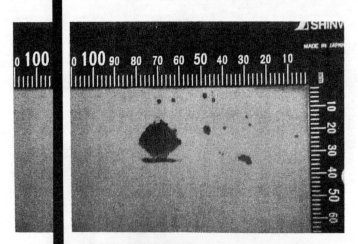

FOTOGRAFIA 36 – EM DETALHE A MANCHA DE SANGUE CONSTATADA NO LENÇOL CINZA, PROJETADA DE MESMA ALTURA DA GOTA VISUALIZADA NA FOTOGRAFIA ANTERIOR. EM VIRTUDE DO COLCHÃO POSSUIR ACABAMENTO EM "MATELASSÊ", UMA DAS COSTURAS DA TRAMA DOBROU, FORMANDO UM VINCO (TANTO NO LENÇOL, COMO NO COLCHÃO) SOBRE O QUAL O SANGUE SE DEPOSITOU, GERANDO UMA LINHA DE INTERRUPÇÃO, QUE NO ENTANTO, NÃO PREJUDICOU A ANÁLISE DA MORFOLOGIA DESTE VESTÍGIO.

SECRETARIA DA SEGURANÇA PÚBLICA
SUPERINTENDÊNCIA DA POLÍCIA TÉCNICO-CIENTÍFICA
INSTITUTO DE CRIMINALÍSTICA
"PERITO CRIMINAL OCTAVIO EDUARDO DE BRITO ALVARENGA"
NÚCLEO DE PERÍCIAS EM CRIMES CONTRA A PESSOA

FOTOGRAFIA 48 – VISUALIZAÇÃO, A PARTIR DO PARAPEITO DA JANELA EM QUESTÃO, DA POSIÇÃO E SITUAÇÃO EM QUE A VÍTIMA VEIO A SE IMOBILIZAR, SEGUNDO INFORMES, APÓS A DEFENESTRAÇÃO. CUMPRE-NOS INFORMAR QUE A BONECA UTILIZADA NESTA SIMULAÇÃO E NAS SUBSEQUENTES NÃO APRESENTA AS MESMAS PROPORÇÕES DA VÍTIMA

SECRETARIA DA SEGURANÇA PÚBLICA
SUPERINTENDÊNCIA DA POLÍCIA TÉCNICO-CIENTÍFICA
INSTITUTO DE CRIMINALÍSTICA
"PERITO CRIMINAL OCTÁVIO EDUARDO DE BRITO ALVARENGA"
NÚCLEO DE PERÍCIAS EM CRIMES CONTRA A PESSOA

FOTOGRAFIA 42 – DESTINADA À VISUALIZAÇÃO, EM DETALH
SECCIONAMENTO EXISTENTE NA TELA DE PROTEÇÃO DA JAN
IMÓVEL. EM ASSINALAMENTO, PARTE DAS MANCHAS DE SA
DECORRENTES DE CONTATO E TRANSFERÊNCIA, CONSTATAI

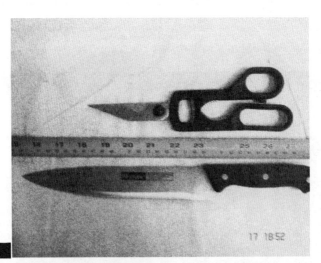

FOTOGRAFIA 43 – IDENTIFICAÇÃO DOS INSTRUMENTOS CORT
ENCONTRADOS NO LOCAL DOS FATOS E QUE PODERIAM TE
UTILIZADOS NO SECCIONAMENTO DAS MALHAS DA TELA
PROTEÇÃO DA JANELA, A SABER:
A – TESOURA MULTIUSO "TRAMONTINA"
B – FACA DOMÉSTICA "WESTERN"

486

 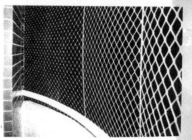

FOTOGRAFIA 56 e 57 – A VARANDA CONTÍGUA À SALA, DOTADA DE CHURRASQUEIRA E MESA (A) E A VARANDA CONTÍGUA A SUITE, EVIDENCIANDO-SE A VEDAÇÃO POR TELA SINTÉTICA.

03ª) uma camiseta de algodão, do tipo "T-shirt", de cor azul, manga curta, usada, da marca de confecção "Long Island", sem tamanho aparente, ostentando na região inferior esquerda da face anterior uma águia estilizada na cor azul e a logomarca na cor branca e, na face posterior, além da mesma figura da águia, as inscrições, em alto relevo, "The Pancasila Crest of Indonesian Republic", em dourado e "Long Island", assim como a respectiva logomarca, em branco.

Por ocasião dos exames, constatamos em tal peça:
- seccionamento da face anterior no sentido longitudinal, orientado da gola em direção a barra com características de ter sido produzido por instrumento cortante (tesoura ou similar). Segundo informes, tal seccionamento fora produzido pela equipe de resgate do corpo de bombeiros por ocasião das manobras de ressuscitação da vítima ainda no local dos fatos.
Presença de mancha de substância hematóide em forma de escorrimento, gotas e esfregaços, localizadas na face anterior da referida peça do vestuário, iniciando-se a 15,0cm (quinze centímetros) da gola (decote);
- Aderência de secreções amareladas esparsas na face anterior.

488

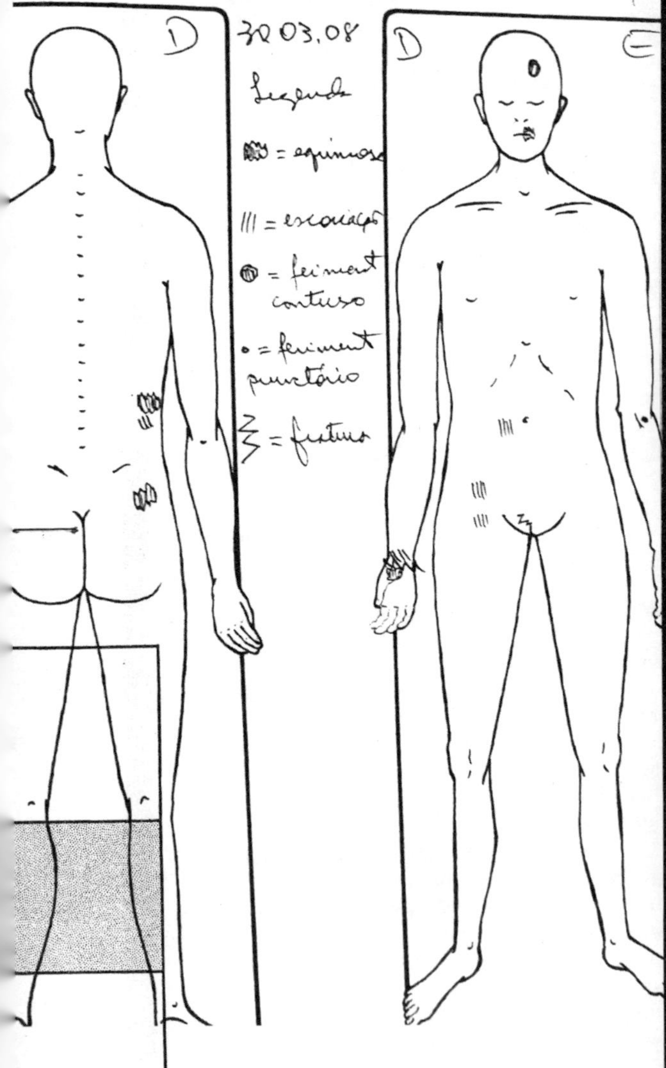

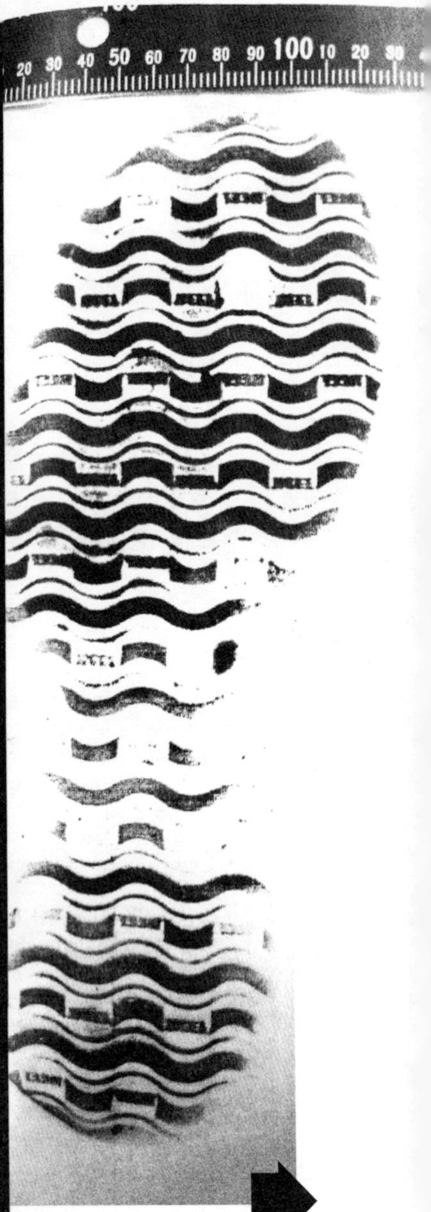

SECRETARIA DA SEGURANÇA PÚBLICA
SUPERINTENDÊNCIA DA POLÍCIA TÉCNICO-CIENTÍFICA
INSTITUTO DE CRIMINALÍSTICA
"PERITO CRIMINAL OCTÁVIO EDUARDO DE BRITO ALVARENGA"
NÚCLEO DE PERÍCIAS EM CRIMES CONTRA A PESSOA

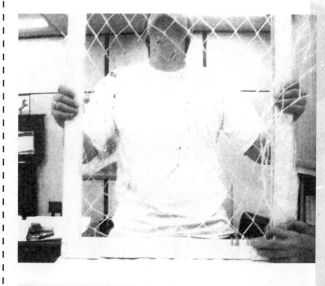

Usuário da camiseta
olhando pela janela,
através da solução de
continuidade existente
na rede de proteção

FOTOGRAFIA 41 – IMPRESSÕES DOS SOLADOS DAS SANDÁLIAS QUESTIONADAS (NESTE REGISTRO FOTOGRÁFICO O PÉ ESQUERDO) PERTENCENTES A ALEXANDRE ALVES NARDONI, FORAM COMPARADAS À MARCA DE SOLADO DE CALÇADO CONSTATADA NO LENÇOL (CONFORME CONSIGNADO NO ITEM "D2" DO TÓPICO "DO EXAME DO LOCAL"), OBTENDO-SE PERFEITA CORRESPONDÊNCIA, COMO PODE SER VISUALIZADO NOS ANEXOS FOTOGRÁFICOS.

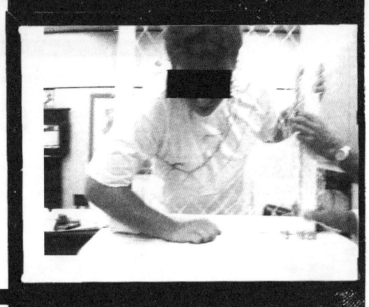

SECRETARIA DA SEGURANÇA PÚBLICA
SUPERINTENDÊNCIA DA POLÍCIA TÉCNICO-CIENTÍFICA
INSTITUTO DE CRIMINALÍSTICA
"PERITO CRIMINAL OCTÁVIO EDUARDO DE BRITO ALVARENGA"
NÚCLEO DE PERÍCIAS EM CRIMES CONTRA A PESSOA

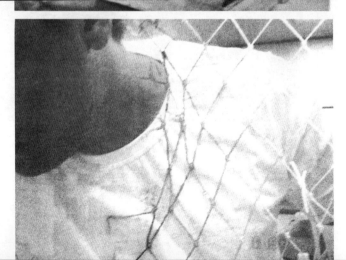

SECRETARIA DA SEGURANÇA PÚBLICA
SUPERINTENDÊNCIA DA POLÍCIA TÉCNICO-CIENTÍFICA
INSTITUTO DE CRIMINALÍSTICA
"PERITO CRIMINAL OCTÁVIO EDUARDO DE BRITO ALVARENGA"
NÚCLEO DE PERÍCIAS EM CRIMES CONTRA A PESSOA

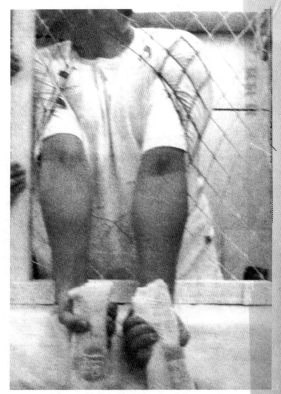

Acima:
Simulação do movimento
de suster a vítima pelo
lado externo do prédio

Página ao lado:
Usuário da camiseta
olhando pela janela,
através da solução
de continuidade existente
na rede de proteção

SECRETARIA DA SEGURANÇA PÚBLICA
SUPERINTENDÊNCIA DA POLÍCIA TÉCNICO-CIENTÍFICA
INSTITUTO DE CRIMINALÍSTICA
"PERITO CRIMINAL OCTÁVIO EDUARDO DE BRITO ALVARENGA"
NÚCLEO DE PERÍCIAS EM CRIMES CONTRA A PESSOA

Acima: Sala do tribunal do júri

Abaixo: O circo da mídia em frente
ao prédio onde moravam Nardoni e Jatobá

AGRADECIMENTOS.

Agradecer é a última coisa que se escreve em um livro, mas os colaboradores são os primeiros responsáveis pela transformação de um projeto em realidade. Sem eles o caminho poderia não ser possível ou a qualidade desejada jamais seria alcançada.

Dentre todas as pessoas a quem sou grata, reconheço a especial generosidade do meu amigo Francisco José Taddei Cembranelli, que me permitiu tornar público seu trabalho e compartilhou sabedoria o quanto eu quis. E, justiça seja feita, meus anjos da guarda sempre de plantão, ao meu lado, Adriana Monteiro, Eduardo Morales e Janice Florido, que, mesmo com seus próprios problemas e perdas, me ajudam a carregar as minhas.

Acredito que almas boas se encontram na estrada da vida, porque D'us[3] ampara os de sentimentos puros e desinteressados, com pessoas iguais, que em maior ou menor grau nos ajudam a superar obstáculos, a não esmorecer ou desistir, a achar uma luz quando não enxergamos mais nada, a nos dar esperança em um momento de angústia.

Grandes ou pequenas contribuições me foram dadas ao longo desta jornada. Eu não abriria mão de nenhuma delas. Em seu poema "No meio do caminho", Carlos Drummond de Andrade descreve perfeitamente muitos caminhos, inclusive o meu:

> No meio do caminho tinha uma pedra
> Tinha uma pedra no meio do caminho
> Tinha uma pedra
> No meio do caminho tinha uma pedra.
> Nunca me esquecerei desse acontecimento
> Na vida de minhas retinas tão fatigadas.
> Nunca me esquecerei que no meio do caminho
> Tinha uma pedra
> Tinha uma pedra no meio do caminho
> No meio do caminho tinha uma pedra.

Cada um aqui lembrado me ajudou a transpor as pedras do caminho.
Obrigada, eternamente.

Adhemir Fogassa, Agentes de Fiscalização Judiciária, Alessandra Luz, Ana Carolina Cunha de Oliveira, Ana Carolina Lass Violante, André Ribeiro Morrone, Andrea Araújo Cavalcante, Andrea Paula Ramos, Andréa Silvia Lopes, Angela Casoy Priolli, Blog Caso Isabella Oliveira Nardoni, Carlos do Valle Fontinhas, Carlos Eduardo Capuano, Carmen Enderle, Celso Periolli, Cláudio Isaac Casoy , Daniela Sollberger Cembranelli, Diana Rosa, Domingo Arjones Neto, Elaine Aparecida Carvalho, Elaine Vaiano, Elizete Ferreira, Eilen Lages, Estella Casoy , Fábio Fogassa, Feiga F. Feller, Fernando Feller, Flávia Homsy , Funcionários do 2º Ofício da Vara do Tribunal do Júri de Santana, Funcionários do Grupo Feller, Gabby Herbert, Gloria Perez, Graziella Perin Gonçalves, Isabel Ferrante, Jacques Feller, Jorge Luiz e Maria da Conceição Bargas, José Antônio de Moraes, José Domingos Moreira das Eiras, Juliana Campos, Lúcia Martins, Luciano Rollo Ribeiro, Luiz Eduardo Carvalho Dorea, Marcelo Feller, Maria Adelaide de Freitas Caires, Maria Angela dos Santos, Maria do Rosário Matias Serafim, Maria José França, Maria Moreira, Maurício Fossen, Mônica Miranda Catarino, Ofício das Letras, Raíssa Casoy Priolli, Renata Helena da Silva Pontes, Ricardo da Silva Salada, Richard Chequini, Rômulo Augusto dos Santos, Rosa Cunha de Oliveira, Rosângela Monteiro, Rosângela Sanches, Sandra Abreu, Thiago Anastácio, Valdânia Soares Santos, Wilma Moretti.

ILANA CASOY é criminóloga e pesquisadora na área de violência e criminalidade. Graduada em Administração de Empresas pela Fundação Getúlio Vargas e especializada em Criminologia pelo Instituto Brasileiro de Ciências Criminais. Tem treinamento em Investigação e Perícia Forense em casos de homicídio pelo U.S. Police Instructor Teams. Atualmente, é membro consultivo da Comissão de Política Criminal e Penitenciária da OAB SP. Colaborou com o site do canal Investigação Discovery e dedica-se também à ficção. A especialista em crimes participou de um conselho para explicar o perfil criminal no personagem principal da série *Dexter*, que se tornou uma das mais cultuadas dos últimos anos. Ilana Casoy atuou como consultora da série escrita por Gloria Perez e dirigida por Mauro Mendonça Filho, *Dupla Identidade*, na Rede Globo. Consultora de séries e documentários para TV e cinema, dedica-se a uma pesquisa rigorosa para investigar assassinos em série, colaborando em casos reais com Polícia, Perícia, Ministério Público e Advogados de Defesa. Autora dos *Arquivos Serial Killers: Louco ou Cruel?* e *Made in Brazil*, pela DarkSide® Books.

CADERNO
ILANA CASOY

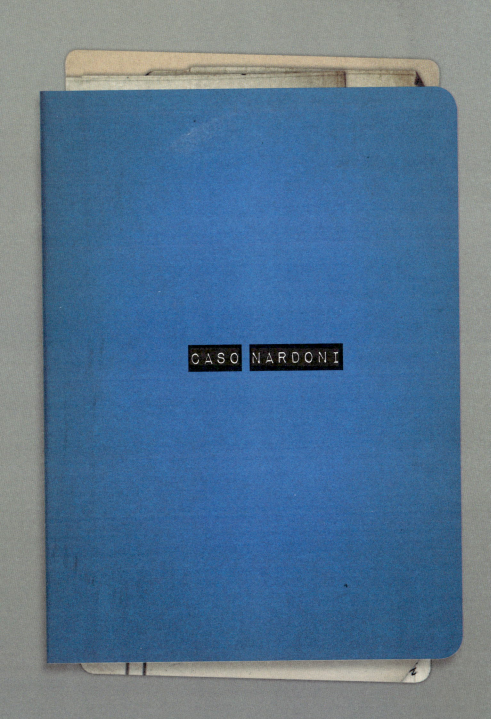

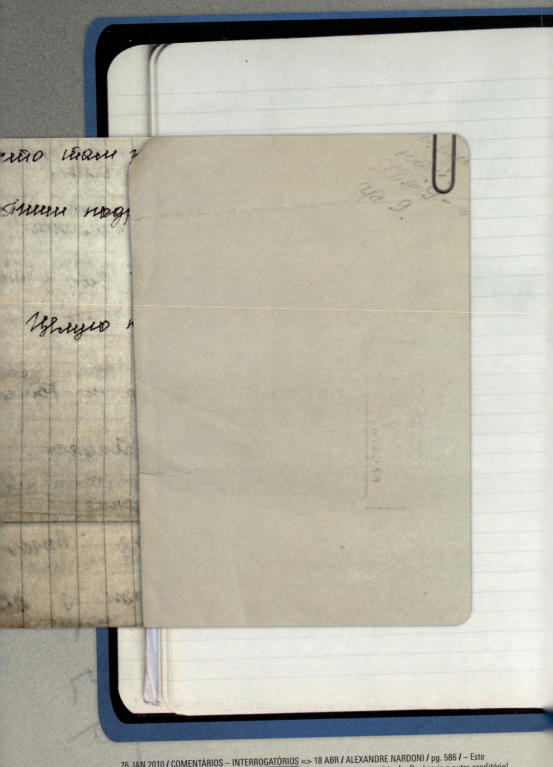

26 JAN 2010 / COMENTÁRIOS – INTERROGATÓRIOS => 18 ABR / ALEXANDRE NARDONI / pg. 586 / – Este interrog[atório] com AN é feito no dia do aniversário de Isa. Nenhum comentário. / – Qual seria o outro escr[itório]

26 JAN 2010 → 18 ABR

COMENTÁRIOS – INTERROGATÓRIOS
ALEXANDRE NARDONI

pg 586
- Este interrog. d/ AN é feito no dia do aniversário de ISA. Nenhum comentário.

- Qual seria o outro escr. que AN trabalhou?

- NÃO LEMBRA SALÁRIO

- NÃO LEMBRA qdo começou a namorar Jatobá

- NÃO LEMBRA qdo terminou com Oliveira

- NÃO LEMBRA ano da decisão da pensão

- NÃO LEMBRA qdo Jatobá foi morar com ele (só ano)

- AN acha normal q/ Jatobá vá e volte p/ casa da mãe

— AN não tinha tempo para falar c[om] Oliveira então gastava o mesmo tempo p[ara] pedir (telefonar) p[ara] Jatobá ligar p[ara] Oliveira em seu nome. / pg. 589 / – NÃO LEMBRA q[uan]to tempo Jatobá e Pietro moraram c[om os] pais dela / – NÃO LEMBRA q[uan]tos meses tinha Pietro q[uan]do passaram a morar no apto. / – Diz que seu casa[men]to com JB é equilibrado, sem brigas / – NÃO LEMBRA dos empregos da mulher / – Fala q[ue] Antonio "é tudo" como pai. Tinha q[ue] ser, tem o absoluto poder econômico / – Como AN diz que JB é pessoa satisfeita e feliz, se ele foi comprar os antidepressivos?

– Na casa dele (AN) não havia nenhuma rotina, regra ou horário; nem mesmo p/a faxineira *pg 591*

– NÃO LEMBRA qual foi o 1º dia de aula do filho.

– NÃO LEMBRA o nome da professora de Pietro

– NÃO LEMBRA qtas professoras o filho tem

– NÃO LEMBRA qtas professoras Isa tinha

– NÃO LEMBRA o nome de nenhuma professora de Isa deste ano ou outro

– NÃO LEMBRA de nenhuma professora fisicamente, apesar de dizer tê-las conhecido

– NÃO LEMBRA da data da formatura da filha

– NÃO LEMBRA o nome do ortopedista q atendeu Isa em acidente.

- NÃO LEMBRA se levou os filhos ou não na escola no dia deste acidente

- NÃO LEMBRA qtas vezes já levou os filhos no pediatra

- NÃO LEMBRA o nome da pediatra de Isa, só dos filhos

- NÃO LEMBRA qtas relações sx fem por semana.

- NÃO LEMBRA se mantere rel. sex. c/ JB na semana da morte de Isa

- NÃO LEMBRA o que JB contou a ele sobre consulta c/ psiquiatra. Não acompanhou.

- NÃO LEMBRA a data da consulta de JB no médico

- NÃO SABE pq Isa não foi a escola naquela sexta (Nem depois perguntou)

- NÃO LEMBRA quem levou Isa qdo em festa de amigo da vmo

— NÃO LEMBRA q[uan]to tempo ficaram no apto. sexta antes de ir a casa do pai, nem por quê. Talvez trocar o filho (mas não tinham acabado de ir buscá-lo?) / — NÃO LEMBRA q[uan]tas horas permaneceu sexta na casa de seu pai / — NÃO LEMBRA se, q[uan]do voltou, as crianças estavam dormindo ou não / — NÃO LEMBRA que horário ele próprio foi dormir / — NÃO LEMBRA se JB já

NÃO LEMBRA qto tempo ficaram no apto sexta antes de ir a casa do pai, nem porque. Talvez trocar o fecho (mas ñ tinham acabado de ir buscá-lo?)

NÃO LEMBRA qtas horas permaneceu sexta na casa de seu pai

NÃO LEMBRA se qdo voltou, as crianças estavam dormindo ou não.

NÃO LEMBRA que horário ele próprio foi dormir.

NÃO LEMBRA se IB já estava acordada qdo saiu, sábado.

NÃO LEMBRA o que almoçou no sábado 29/3

NÃO LEMBRA se Isa sujou a blusa com sorvete

(LEMBRA) PRECISAMENTE O HORÁRIO QUE SAIU DA CASA DO SOGRO — 22h50m + HOR QUE CHEGOU EM CASA (23h10m / 23h20m)

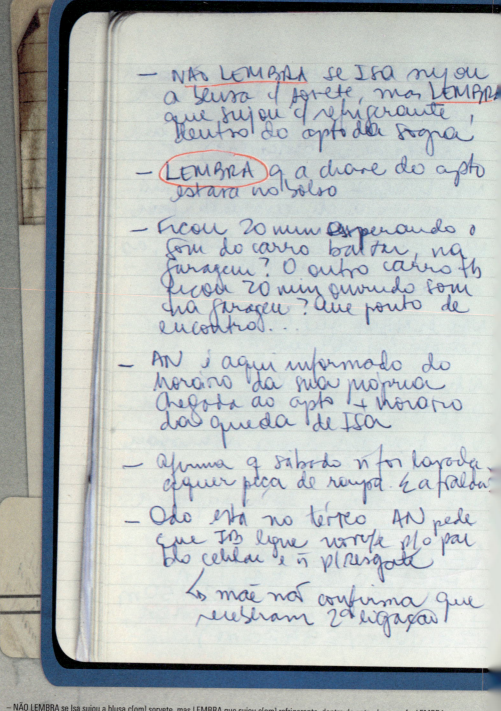

– NÃO LEMBRA se Isa sujou a blusa c[om] sorvete, mas LEMBRA que sujou c[om] refrigerante, dentro do apto. da sogra / – LEMBRA q[ue] a chave do apto. estava no bolso / – Ficou 20 min[utos] esperando o som do carro baixar, na garagem? O outro carro também ficou 20 min[utos] ouvindo som na garagem? Que ponto de encontro... / – AN é aqui informado do horário da sua própria chegada ao apto. + horário da queda de Isa / – Afirma q[ue] sábado não foi lavada q[ual]quer peça de roupa. E a fralda? / – Q[uan]do está no térreo, AN pede que JB ligue nova[men]te p[ara] o pai do celular e não p[ara] resgate => mãe não confirma que receberam 2ª ligação

COMENTÁRIOS – DECLARAÇÕES — 30 MAR
ALEXANDRE NARDONI

- Já estava com advogado (Ricardo Martins)

- <u>LEMBRA</u> que manteve rela/o 2 anos 8m com A.Oliveira

- <u>LEMBRA</u> que depois de 4 meses de namoro c/ JB foi morar marital/e

- Diz que ele foi buscar Isa na sexta na casa dos avós Oliveira

- Diz que saiu do apto ± 12h direto p/ casa dos sogros e passou o dia todo lá

- A porta estava trancada q[uan]do subiu pela 2ª vez, como ele deixara

- Uns pingos de sangue no chão (?)

— Como ele mandou JB ligar p[ara] os pais antes de descer. Desceu com ela e não sabe dizer se ela conseguiu falar c[om] eles? / 23h50'32 (Pai 1) / 23h51'09 (Pai 2) / 23h51'32 (duração) / 23h49'59 (Copom)

01 FEV 2010

COMENTÁRIOS – INTERROGATÓRIO 18ABR
JATOBÁ

- Diz q. conheceu AN na faculdd, que começou em MAR 2002 → ele era colega de turma, mas consta que só o conheceu em nov. 2002 (Como assim?) Teria começado a namorar em 22 MAR 2003

→ JUL 2003 – passa a morar c/ Alexandre depois de briga c/ pai → verificar data dos B.O.s 13 JAN 2004 // 29 NOV 2005

→ nov 2003 – rompe c/ AN e volta p/ casa dos pais (Alexandre disse q nunca houve briga como motivo)

→ novamente isso acontece em nov 2004

→ pq a mãe a aconselha a ficar na casa dos pais durante a gravidez? Corria risco?

2006 – passa a frequentar UNIBAN => o que aconteceu? Não era a mesma facul[a]d[e] de AN? Fez outro vestibular? / => Diz q[ue] a partir do nasci[men]to do 2º filho ficou "mais madura, feliz e satisfeita com a vida". => onde entra a depressão, o filho q[ue] não parava de chorar, os remédios? / [O promotor Francisco] CEMBRA[NELLI] PODE CONSTRUIR, DURANTE O JÚRI, A IMAGEM DE MENTIROSOS CONTUMAZES Q[UE] SÃO OS 2 e JUNTAR TUDO NOS DEBATES. / – Diz que Alexandre levava os filhos ao pediatra (do qual quase n[ão] sabe o nome) / Jatobá demonstra que ficou bastante isolada dos amigos depois q[ue] casou c[om] AN.

– pg. 607 => Grita e fala palavrões p[ara] q[ue] o marido passe vergonha. Faz "encenação" (sic) => Q[uan]do Alexandre a ignora, fica + nervosa ainda e grita mais! / – Sofre agressão física do pai mesmo c[om] o filho no colo. / – Exagerou no B.O. => estava com raiva do pai e "acabou mentindo algumas coisas" => Mentir p[ara] autorid[ad]e policial c[om] tranquilidade nesta ocasião, p[ara] se vingar / – Diz q[ue] é verdade q[ue] o pai a chamou de puta, vagabunda, cuspiu na sua cara e lhe desferiu tapas e empurrões (+ arremessou objeto): o que então era mentira? / motivo da briga: o filho chorava e Jatobá n[ão] saía do...

... computador p[ara] atendê-lo. Pai exasperou-se => é assim que "cuida bem" do filho? Q[uan]to tempo deixa chorar um bebê antes de acudi-lo? / pg. 609 – BRIGA LAVANDERIA / pg. 611 – que sangue é esse na sapatilha de Jatobá, que estava na casa dos pais dela? (Ela foi embora descalça e voltou p[ara] SP c[om] este calçado). Isa, alguma vez, sangrou na casa dos pais dela? / – p[or]q[ue] JB preferiu ligar do fixo p[ara] [os] pais, em vez de usar os celulares q[ue] carregavam e fazer isso do elevador ou [do] térreo? / – JB diz que q[uan]do chegou ao térreo viu morador do 1º andar, + pessoas na rua. Alexandre disse q[ue]...

... não havia ninguém, só porteiro vindo do fundo. / — JB disse q[ue] ela e Alexandre despertaram a atenção das pessoas p[ara] o fato de haver estranho dentro do apto. => ≠ [do] dep[oimento de] Alexandre / — Usou tesoura p[ara] frango no sábado e deixou sobre a pia => almoço n[ão] foi macarrão, comida preferida de ISA? Verificar fotos => louça suja na pia? Lavou a tesoura? / — N[ão] fez ligação p[ara] sogro do térreo => Alexandre ≠ / — Pietro teria perguntado "p[or]q[ue] Isa pulou da minha janela?" ??? / p[or]q[ue] o menino pensaria isso?

COMENTÁRIOS – DECLARAÇÕES (30 MAR) / A.C. JATOBÁ / – Disse q[ue] convivia marital[ment]e c[om] AN há 6 anos (2002 e não 2003) / – Os desentendi[ment]os com Oliveira só pararam q[uan]do Pietro entrou na escola (2008) / Pais separados veem os filhos durante a semana + fins de semana alternados. JB fala q[ue] via a menina [a] c[a]d[a] 15 dias. P[or]q[uê]? AN não a via c[om] + freq[uência]? / – Aqui JB declara q[ue] a caminhonete preta entrou na garagem enquanto ela estava sozinha no carro, aguardando AN q[ue] havia subido c[om] ISA. => AN não fala da caminhonete, mas dep[oi]s disse q[ue] estava c[om] JB "ouvindo som" alto do carro.

COMENTÁRIOS INTERROGATÓRIO ALEXANDRE NARDONI – (JUÍZO)

28 MAI 08

- Declara q. as cr ficaram dormindo enquanto foi colocar GPS – *Antes não lembrava.*

- Diz q. assim q. saiu da casa do sogro, "3 min", os meninos adormeceram

JB tinha falado q. ficou com a mão p/ trás, segurando a mão do filho q. não queria ficar na cadeirinha.

Aqui fala do som alto do outro carro.

- "tinha um monte de gente" → *na garagem?*

– Alexandre diz que a chave estava na mão. JB diz q[ue] estava no bolso. / – Alexandre diz q[ue] JB olhou primeiro. JB diz que Alex[andre] estava na frente / – Diz q[ue] ficou de joelho na cama p[ara] olhar pela janela => verificar altura / – Alexandre diz que JB ligou 1º [para o] sogro [e] depois [para o] pai => ele inverte a ordem p[or]q[ue] não ouviu nada! / –Alexandre diz q[ue] q[uan]do desceu o porteiro n[ão] estava, veio andando dos fundos. Mas não foi ele q[ue] viu a queda? => ≠ [do] dep[oimento do] porteiro / – A justificativa p[ara] chamar o advogado – gritaria pg. 1349

— Ele diz q[ue] relatou p[ara] o advog[ado] Ricardo o "abuso" q[ue] sofreu / — Aqui fala q[ue] foi fazer exame de sangue / — pg. 1356 — Alexandre se refere a Ana Carolina como "a Jatobá"...! / — Sobre a briga na lavanderia — pg. 1360 — o relato dele/dela são completa[ment]e ≠s q[uan]to à percepção e gravid[a]d[e] dos fatos. / — Alexandre alega q[ue] porteiro/pedreiro e zelador n[ão] foram investigados. Importante esclarecer p[ara os] jurados q[ue] foram.

Esta história da cópia da chave é ridícula. Que criminoso trancaria a porta depois de matar?
/ – pg. 1378 – + 1 filho do pai / – Por que a pergunta se os réus são destros ou canhotos?
pg. 1397 / – Sandálias / – q[uan]do sai a notícia da marca no lençol?

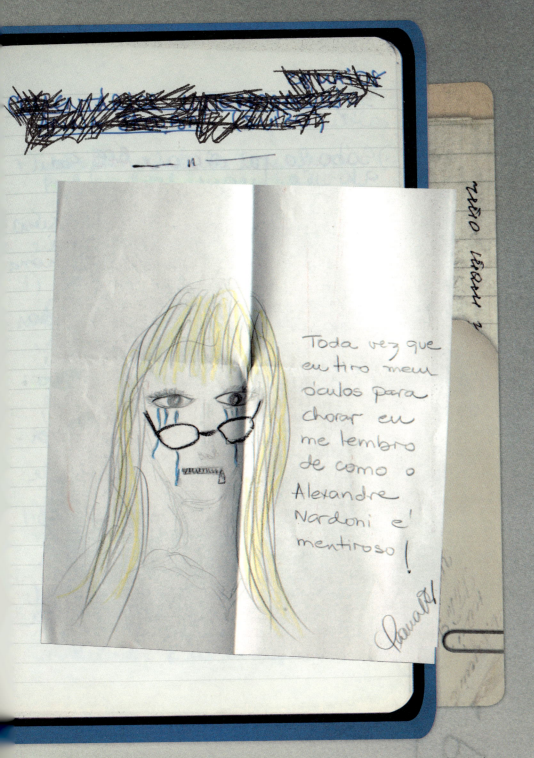

[autorretrato Ilana] / Toda vez que tiro meus óculos para chorar eu me lembro de como o Alexandre Nardoni é mentiroso!

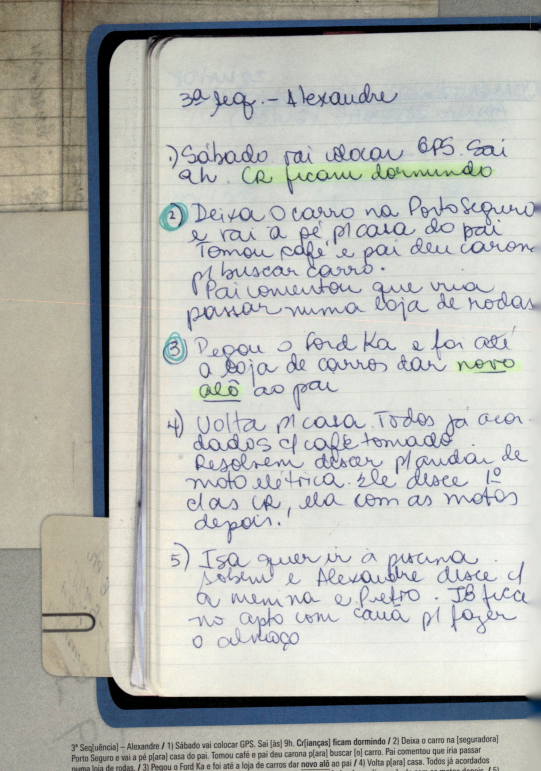

3ª Seq[uência] – Alexandre / 1) Sábado vai colocar GPS. Sai [às] 9h. Cr[ianças] ficam dormindo / 2) Deixa o carro na [seguradora] Porto Seguro e vai a pé p[ara] casa do pai. Tomou café e pai deu carona p[ara] buscar [o] carro. Pai comentou que iria passar numa loja de rodas. / 3) Pegou o Ford Ka e foi até a loja de carros dar **novo al[ô]** ao pai / 4) Volta p[ara] casa. Todos já acordados c[om] café tomado. Resolvem descer p[ara] andar de moto elétrica. Ele desce 1º c[om] as cr[ianças], ela com as motos depois. / 5) Isa quer ir à piscina. Sobem e Alexandre desce c[om] a menina e Pietro. JB fica no apto. com Cauã p[ara] fazer o almoço

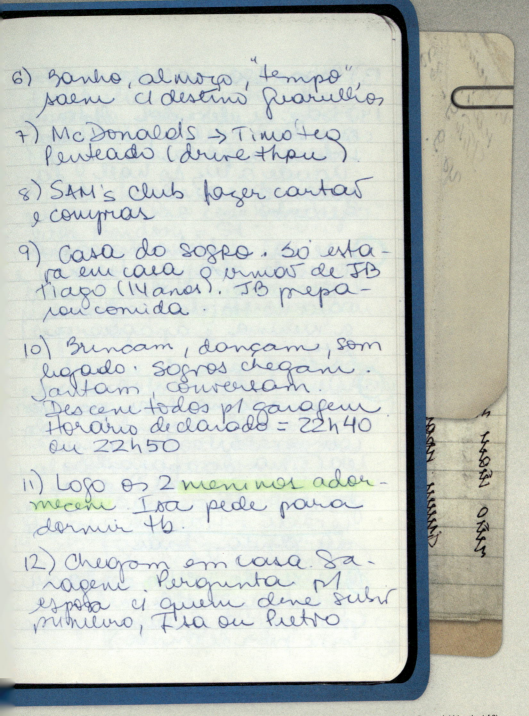

6) Banho, almoço, "tempo", saem c/ destino Garulhos

7) McDonald's => Timóteo Penteado (drive thru).

8) SAM's club fazer cartão e compras

9) Casa do sogro. Só estava em casa o irmão de JB Tiago (14 anos). JB preparou comida.

10) Brincam, dançam, som ligado. Sogros chegam. Jantam, conversam. Descem todos p/ garagem. Horário declarado = 22h40 ou 22h50

11) Logo os 2 meninos adormecem. Isa pede para dormir tb.

12) Chegam em casa. Garagem. Pergunta p/ esposa c/ quem deve subir primeiro, Isa ou Pietro

13) Pega Isa no colo e sobe

14) Sobe de elevador, destranca a porta, "entra prá dentro", tranca a porta. Acende a luz do hall, da sala, do corredor, do quarto.

15) Deita a filha na cama, acende abajur, tirou "tamanquinho" (q. não caiu no trajeto), cobriu a menina e apagou a luz

16) Quarto dos meninos: arrumou a cama deles pq estava cheia de carrinhos, colocou-os dentro de caixa em cima do aparador, puxou a cama (?) e a janela estava meio aberta. Fechou e trancou o trinco da janela. Saiu.

17) Subiu de joelho na cama p/ fechar janela.

→ (na polícia → longa explic[ação] sobre pular de chinelo)

17) Apagou luz da sala, destrancou a porta, saiu do apto, trancou a porta, "apertou" o elevador mas ele já estava lá, desceu.

18) Ao chegar na garagem entrou carro com som alto.
Vaga Nardoni = S1
Vaga outro carro = S2

↳ A esposa contou p/ ele q. havia entrado c/ som alto e pessoas falando. Resolveram esperar

↳ Mas se ele saiu do elevador e andou até o carro, ouviu ou não o barulho no caminho?

↳ Diz q. ouviu. A esposa falou q. entraram 2 carros "fazendo algazarra" e pessoas falando. Mto eco.

19) JB falou q. o carro era preto, caminhonete. Pegaram as cr. no colo e o elevador (q. tiveram que esperar.)

20) Chegou ao apto (=> **chave na mão**), destrancou a porta, entrou. A esposa foi deixar o tamanco no cantinho da cozinha e depois contou que econtrou luz acesa. / 21) Esperou a mulher ficar descalça (?) na porta. Q[uan]do voltou foram pelo corredor. As luzes dos quartos das cr[ianças] estavam acesas. / 22) Achou q[ue] a filha caiu da cama. Não a encontrou. / 23) JB olhou primeiro dentro do quarto e foi p[ara] o quarto [do] casal enquanto Alexandre verificava se caiu da cama. Entraram juntos no quarto dos meninos. / 24) Alexandre repara que agora a janela do quarto dos meninos (que ele trancou com trinco) agora está toda aberta.

Notou que a tela estava cortada e um pingo de sangue no chão, no lençol e um pouco na tela

25) Repara a marca de solado que parecia coturno no lençol, borracha muito larga, só meia bota. Foi pelo canto da cama.

Não achou importante falar isso p/ polícia mas declarações – 30/03? Como conhece solado de coturno? E o "match" d/ seu chinelo?

26) afirma que subiu de joelhos p/ nas camas, com Pietro no colo. Olhou encostando na tela. Passou a cabeça no buraco até o queixo. Pietro ainda dormia

27) fala p/ esposa q jogaram Isa, ~~quando~~ ela olha tb, começam a gritar. Ela olhou sem enfiar a cabeça (?)
=> olhou o horizonte (?)

28) As cr[ianças] acordaram. Mandou ligar p[ara os] pais, p[ara] q[ue] viessem urgente p[ara] lá. Enquanto ela ligava, ele foi "chamar" o elevador. Antes – destrancou a porta / 29) Ele diz que ouviu a esposa falar **ANTES** com o pai dele e depois com o pai dela. O Elevador chegou e desceram juntos. => falar c[om] os 2 pais levou 1 minuto / 30) Ao chegar no térreo, deixou Pietro c[om] a mãe e correu na frente. / 31) Alexandre afirma que o porteiro n[ão] estava na portaria q[uan]do viu Issa, veio do fundo. Como avisou o síndico, q[ue] já estava ao telefone c[om] o Copom? / 32) Foi verificar Isa, ajoelhou-se ao lado. (1º)

Dia de Júri — 22 março 2010 / Estou aqui sentada na sala dos funcionários do júri. É engraçado como luz chama luz. Na porta estava o [Carlos Eduardo] Capuano, velho conhecido da guarda civil (?) ou segurança. Foi meu companheiro no júri FAP [Francisco de Assis Pereira, o Maníaco do Parque], quase 10 anos atrás. Foi facílimo entrar c[om] Xxxxx q[ue] também o conhece. Eu não tenho OAB, precisava da "sorte". Fomos superbem recebidos por todos => Luciano, Elenyr, Jô, Andrea, Ângela, Cida, Francisco (plenário)[Funcionários do 2º Ofício da Vara do Tribunal do Júri de Santana]. / Café, papo, espera. Café, papo, espera. Sem cigarro. / Dani [Daniela Sollberger] trouxe a novidade. Será possível? Onde pode chegar o narcisismo, a prepotência, a arrogância? Meu Deus, fiquei trêmula 5 min[utos]. Que coragem se for mentira, q[ue] coragem ser for verdade. Nada + devia me espantar, mas estou em choque. Notícias escassas. Nardoni na porta de onde estou c[om] Cristiane. Medo... Energia péssima. Xxxxx sumiu! Será q[ue] sabe algo?

Laura [Diniz, então jornalista de *O Estado de S. Paulo*] apareceu. Como ela consegue subir? ...rs... / Estranhou meu cabelão! / 14h20 Começa o júri! / Sorteio dos jurados, jura[mento, recomendações. Vai parar p[ara] almoço ew recomeça. / [a lápis] / Pai Jatobá c[om] Andrea no telef[one] => algum problema c[om] pegar senha pessoal[mente] / Flávio [Homsy] e as insanas [autoras do blog Caso Isabella Oliveira Nardoni] já na fila => comentar o apoio e o [porquê] de Cemb[ranelli] ter dado senha. / Pai JB [Jatobá] disse que tinha um... [...monte de coisa p[ara] fazer].

Sangue na faca (???)
Sangue na tesoura (???)
Sangue na fralda = pca quantidd

HORÁRIO	TESTEMUNHA	O QUE	
23H35	Antonio Lucio Teixeira	papai, papai...	
23h40	Antonio Lucio Teixeira	queda	
23h49m59	Antonio Lucio Teixeira	COPOM	
23h30	Waldir R. de Souza	chegou em casa	
23h30	Rogerio Stanco	chegou em casa	ninguem na garag
23h40	Rogerio Stanco	sobe	depois da qued
23h50	Sergio Cruruchi	gritos de mulher	
23h10	Jose Carlos Pereira	chegou em casa	
23h36m11s	GPS - carro desliga	Nardoni	
23h50m32s	Jatobá liga pai	duração 24s	
23h51m09s	Jatobá liga sogro	duração 32s